JOY FIELDING
Träume süß, mein Mädchen

Liebe Sarah,

Wir wünschen Dir für
das nächste Jahr ganz viel
Freude, Kraft, Liebe und dass
Du es genioßt in Amerika !!!
Viel viel Spass!!

Ganz liebe Grüsse!

Monika +
v.
Simon

Buch

Jamie Kellog lebt in Florida und hat mit ihren beinahe dreißig Jahren noch immer Schwierigkeiten, das Leben in den Griff zu bekommen. Auch mit der Liebe hat es bisher nicht geklappt, denn Jamie hat ein ausgesprochenes Faible für charmante Herzensbrecher. Alles ändert sich aber an dem Abend, an dem sie Brad Fisher begegnet und zum ersten Mal das Gefühl hat, wirklich verstanden zu werden. An seiner Seite fühlt sie sich geborgen und sicher, sie schenkt Brad ihr ganzes Vertrauen. Als er ihr vorschlägt eine Reise nach Ohio zu unternehmen, ist sie selig – denn was wäre schöner, als einige Tage mit ihrem Geliebten unterwegs zu sein?
Schon bald beschleichen Jamie allerdings erste Zweifel an ihrem Glück, denn Brads unberechenbares Verhalten gibt ihr Rätsel auf. Und dann kommt der Tag, an dem sie die Augen nicht länger vor der schockierenden Wahrheit verschließen kann: Brad ist ein skrupelloser Killer – und Jamie wird plötzlich zum wehrlosen Spielzeug eines Psychopathen, der es mit perfiden Methoden versteht, sie sich gefügig zu machen ...

Autorin

Joy Fielding, 1945 in Kanada geboren, gehört zu den unumstrittenen Spitzenautorinnen Amerikas. Alle ihre Bücher waren Bestseller, und mit ihrem Psychothriller »Lauf, Jane, lauf!« gelang ihr der große internationale Durchbruch. Joy Fielding lebt mit ihrem Mann und zwei Töchtern in Toronto, Kanada, und in Palm Beach, Florida.

Von Joy Fielding außerdem bei Goldmann lieferbar:

Am seidenen Faden. Roman (44370)
Lauf, Jane, lauf! Roman (41333)
Schau dich nicht um. Roman (43087)
Sag Mami Goodbye. Roman (42852)
Lebenslang ist nicht genug. Roman (42869)
Ein mörderischer Sommer. Roman (42870)
Zähl nicht die Stunden. Roman (45405)
Nur wenn du mich liebst. Roman (45642)
Bevor der Abend kommt. Roman (46124)
Schlaf nicht, wenn es dunkel wird. Roman (31029)
Tanz, Püppchen, tanz. Roman (46536)
Flieh, wenn du kannst. Roman (43262)

Joy Fielding

Träume süß, mein Mädchen

Roman

Deutsch
von Kristian Lutze

GOLDMANN

Die Originalausgabe erschien 2006
unter dem Titel »Mad River Road«
bei Atria Books, New York

FSC

Mix

Produktgruppe aus vorbildlich
bewirtschafteten Wäldern und
anderen kontrollierten Herkünften

Zert.-Nr. SGS-COC-1940
www.fsc.org
© 1996 Forest Stewardship Council

Verlagsgruppe Random House FSC-DEU-0100
Das FSC-zertifizierte Papier *München Super* für Taschenbücher
aus dem Goldmann Verlag liefert Mochenwangen Papier

1. Auflage
Taschenbuchausgabe Juni 2008
Copyright © der Originalausgabe 2006 by Joy Fielding
Copyright © der deutschsprachigen Ausgabe 2006
by Wilhelm Goldmann Verlag, München,
in der Verlagsgruppe Random House GmbH
Umschlaggestaltung: Design Team München
Umschlagmotiv: AKG
CN · Herstellung: Str.
Druck und Bindung: GGP Media GmbH, Pößneck
Printed in Germany
ISBN: 978-3-442-46659-7

www.goldmann-verlag.de

Für Novella

Prolog

Drei Uhr in der Früh. Seine liebste Tageszeit. Der Himmel war dunkel, die Straßen waren verlassen. Die meisten Menschen schliefen. Wie die Frau im Schlafzimmer am Ende des Flures. Er fragte sich, ob sie träumte, und lächelte bei dem Gedanken, dass ihr Albtraum erst beginnen sollte.

Er lachte, sorgfältig darauf bedacht, keinen Laut von sich zu geben. Es wäre sinnlos, sie zu wecken, bevor er entschieden hatte, wie er vorgehen wollte. Er stellte sich vor, wie sie sich im Bett rührte, aufrichtete, ihn näher kommen sah und wie üblich halb belustigt, halb geringschätzig den Kopf schüttelte. Er hörte die Verachtung in ihrer tiefen, kehligen Stimme. Das ist mal wieder typisch für dich, würde sie sagen, einfach blindlings loszuschlagen, dich in eine Sache zu stürzen, ohne alles vorher zu durchdenken.

Aber er hatte einen Plan, dachte er, streckte die Arme über den Kopf und bewunderte für einen Moment seinen schlanken Körper, den harten Bizeps unter dem kurzärmeligen schwarzen T-Shirt. Er hatte immer große Mühe auf sein Aussehen verwendet, und mit 32 war er in besserer Verfassung denn je. Das macht das Gefängnis mit einem, dachte er und lachte wieder in sich hinein.

Er hörte ein Geräusch, blickte zum offenen Fenster und sah, dass ein großer Palmwedel gegen die obere Hälfte der Scheibe schlug. Der stärker werdende Wind wehte die zarten Stores in mehrere Richtungen gleichzeitig, sodass die Gardinen aussahen wie flatternde Fahnen, deren rasende Bewegung er als Zeichen der Ermutigung und Anfeuerung nahm. Der Wetterbericht hatte bis zum Morgengrauen heftige Schauer im Großraum Miami angekündigt. Die hübsche blonde Ansagerin hatte sogar vor schweren Gewitterstürmen gewarnt, aber was wusste die schon? Sie las einfach ab, was auf den Texttafeln vor ihr stand, und diese dummen Vorhersagen waren in mindestens der Hälfte der Fälle falsch. Nicht, dass das irgendwie von Belang war. Morgen würde sie mit neuen unverlässlichen Prognosen wieder auf Sendung gehen. Nie wurde jemand zur Rechenschaft gezogen. Er formte eine Pistole aus seinen behandschuhten Fingern und drückte ab.

Heute Nacht schon.

Mit drei raschen Schritten schlich er auf Turnschuhen über das helle Parkett im Wohnzimmer und stieß mit der Hüfte gegen die spitze Kante eines hohen Ohrensessels, an den er nicht mehr gedacht hatte. Er fluchte leise – ein Schwall farbenprächtiger Schmähungen, die er von einem ehemaligen Zellengenossen in Raiford gelernt hatte – und zog das Fenster vorsichtig zu. Sofort übertönte das leise Summen der Klimaanlage das gequälte Heulen des Windes. Er hatte es gerade noch rechtzeitig ins Haus geschafft, dank eines Seitenfensters, das genauso leicht aufzubrechen war, wie er es immer vermutet hatte. Sie hätte mittlerweile wirklich eine Alarmanlage installieren lassen sollen. Eine allein lebende Frau. Wie oft hatte er ihr erklärt, wie leicht irgendjemand ihr Fenster aufstemmen könnte? Nun ja, sie konnte jedenfalls nicht behaupten, er hätte sie nicht gewarnt, dachte er, als er sich an die Abende erinnerte, als sie an ihrem Esstisch gesessen und Wein – oder in seinem Fall Bier – getrunken hatten. Aber selbst damals, ganz zu Beginn, als sie noch vorsichtig optimistisch war, hatte sie ihn unwillentlich wissen lassen, dass er in ihrem Haus eher geduldet als willkommen war. Und wenn sie ihn ansah, falls sie ihn überhaupt eines Blickes würdigte, zuckte unwillkürlich ihre hübsche kleine Stupsnase, als habe sie einen unangenehmen Geruch gewittert.

Dabei war sie die Letzte, die auf irgendwen herabblicken konnte, dachte er, während sich seine Augen langsam an die

Dunkelheit gewöhnten, sodass er das kleine Sofa und den Couchtisch aus Glas in der Mitte des Zimmers ausmachen konnte. Das musste man ihr lassen – sie hatte das Haus nett hergerichtet. Was sagten noch immer alle über sie? Sie hatte Geschmack. Ja, das stimmte. Geschmack. Wenn sie dazu auch noch halbwegs ordentlich kochen könnte, höhnte er, als er an die grässlichen vegetarischen Gerichte dachte, die sie einem als Abendessen verkauft hatte. Verdammt, sogar der Gefängnisfraß war besser gewesen als dieser gotterbärmliche Mist. Kein Wunder, dass sie keinen Mann gefunden hatte.

Obwohl er diesbezüglich auch so seine Vermutungen hatte.

Er ging in den winzigen, ans Wohnzimmer angrenzenden Essbereich und strich mit der Hand über die hohen Rückenlehnen mehrerer stoffbezogener Stühle, die um einen ovalen Glastisch gruppiert waren. Jede Menge Glas in diesem Haus, dachte er und streckte die Finger in seinen Latexhandschuhen. Er würde jedenfalls keine verräterischen Spuren hinterlassen.

Wer sagte, dass er immer blindlings losschlug? Wer sagte, dass er keinen Plan hatte?

Er blickte in die Küche zu seiner Rechten und überlegte, ob er im Kühlschrank nachsehen und sich vielleicht ein Bier nehmen sollte, wenn sie noch welches vorrätig hielt. Wahrscheinlich nicht, nachdem er nicht mehr zu ihren regelmäßigen Besuchern zählte. Er war der Einzige, der hier je Bier getrunken hatte. Die anderen Gäste blieben störrisch bei Chardonnay und Merlot oder wie die Plörre hieß, die sie ausschließlich tranken. Für ihn schmeckte das Zeug alles gleich – vage nach Essig und Metall. Er bekam davon nur Kopfschmerzen. Vielleicht kamen die aber auch von den Leuten, die sie eingeladen hatte. Er zuckte die Achseln, als er an die verstohlenen Blicke dachte, die sie sich zugeworfen hatten, wenn sie glaubten, er würde es nicht sehen. Er ist bloß ein Ausrutscher, hatten diese Blicke gesagt, in kleinen Dosen ja ganz amüsant, ansonsten aber nur ein müdes Lächeln wert. Er würde sich ohnehin nicht lange genug halten, als dass es von Belang wäre.

Aber er war geblieben.

Es war von Belang.

Und nun bin ich zurückgekommen, dachte er, und ein brutales Lächeln zerrte an seinen Mundwinkeln und den vollen Lippen.

Eine störrische Strähne seiner langen braunen Haare fiel ihm in die Stirn und ins Auge. Ungeduldig strich er sie hinter sein Ohr und ging den schmalen Flur zu dem Schlafzimmer auf der Rückseite des ordentlichen Bungalows entlang. Als er an der kleinen Kammer vorbeikam, wo sie ihre Yogaübungen machte und meditierte, stieg ihm ein leichter Weihrauchduft in die Nase, der an den Wänden klebte wie der Geruch von frischer Farbe. Sein Grinsen wurde breiter. Für jemanden, der mit aller Macht innere Ruhe finden wollte, war sie erstaunlich reizbar, stets bereit, über irgendetwas völlig Nebensächliches zu streiten. Sie nahm Anstoß, wo keine Kränkung beabsichtigt war, und ging ihm bei der leisesten Provokation an die Kehle. Obwohl es ihm durchaus Spaß gemacht hatte, sie zu provozieren.

Ihre Schlafzimmertür stand offen, sodass er vom Flur die Umrisse ihrer schlanken Hüfte unter der dünnen weißen Baumwolldecke ausmachen konnte. Er fragte sich, ob sie unter der Decke nackt war und was er tun würde, wenn sie es war. Nicht dass er sich in dieser Hinsicht für sie interessiert hätte. Für seinen Geschmack war sie ein wenig zu durchtrainiert und fragil, als könnte sie beim leichtesten Druck unter seinen Händen zerbrechen. Er mochte die Frauen weicher, fülliger und verwundbarer. Er mochte etwas, das man packen und in das man seine Zähne graben konnte. Trotzdem, wenn sie nackt war …

War sie nicht. Sobald er das Zimmer betreten hatte, sah er

die blauen und weißen Streifen ihres Schlafanzugoberteils. Er hätte es sich eigentlich denken können, dass sie einen Männerpyjama trug. Jedenfalls überraschte es ihn nicht. Sie hatte sich schon immer eher wie ein Mann gekleidet und nicht wie ein Mädchen. Wie eine *Frau,* hörte er unweigerlich ihren Einspruch in seinem Kopf, als er sich dem großen französischen Bett näherte. Passend für eine Königin, dachte er, als er auf sie herabstarrte. Auch wenn sie in diesem Moment nicht besonders hoheitsvoll aussah. Sie lag auf der linken Seite halb in der Embryonalstellung zusammengerollt, ihre sonnengebräunte Haut wirkte im Schlaf blass, ihr kinnlanges Haar klebte an ihrer rechten Wange, die Spitzen ragten in ihren offen stehenden Mund.

Wenn sie nur gelernt hätte, diesen großen Mund zu halten.

Dann würde er heute Nacht vielleicht jemand anderen besuchen.

Oder er müsste womöglich niemanden besuchen.

Das letzte Jahr wäre vielleicht gar nicht passiert.

Nur dass es eben passiert war, dachte er, ballte die Fäuste und öffnete sie wieder. Und es war vor allem deshalb so gekommen, weil die dumme Gracie ihre dummen Gedanken und Ansichten nicht für sich behalten konnte. Sie war die Anstifterin gewesen, diejenige, die alle gegen ihn aufgestachelt hatte. Alles, was geschehen war, war ihre Schuld. Deshalb schien es nur passend, dass sie heute Nacht auch diejenige war, die es wieder gutmachen würde.

Er blickte zum Fenster auf der anderen Seite des Raumes und sah die Mondsichel, die zwischen den Lamellen der weißen Jalousie hindurchschimmerte. Draußen malte der Wind mit surrealem Pinselstrich ein Bild der Nacht, ein wahlloses Durcheinander von Farben und Formen; drinnen war alles still und friedlich. Einen Moment lang überlegte er, ob er sie ungestört weiterschlafen lassen sollte. Er würde wahrscheinlich auch so finden, wonach er suchte. Vermutlich fand sich die Information, auf die er aus war, in einer Seitenschublade des antiken Eichenholzschreibtischs, der zwischen Kommode und Fenster geklemmt war. Oder sicher in ihrem Laptop gespeichert. So oder so, er wusste, dass alles, was er wollte, griffbereit lag. Er musste es nur nehmen und wieder in der Nacht verschwinden, ohne dass jemand etwas bemerkte.

Aber wo blieb dabei der Spaß?

Er schob seine rechte Hand in die Tasche und tastete nach der harten Klinge seines Messers, die für den Augenblick noch sicher in dem Holzgriff schlummerte. Er würde sie zücken, wenn die Zeit gekommen war. Aber vorher gab es noch viel zu tun. Er konnte die Vorstellung ebenso gut beginnen lassen, dachte er und ließ sich vorsichtig auf dem Bett nieder. Die Matratze gab nach, und seine Hüfte streifte die ihre. Sie drehte sich instinktiv zum ihm um. »Hallo, Gracie«, gurrte er mit einer Stimme, die so sanft war wie weiches Fell. »Zeit zum Aufwachen, Gracie-Girl.«

Sie stöhnte leise, ohne sich zu rühren.

»Gracie«, wiederholte er lauter.

»Hm«, murmelte sie, hielt die Augen jedoch stur geschlossen.

Sie weiß, dass ich hier bin, dachte er. Sie spielt bloß mit mir. »Gracie«, bellte er.

Sie riss die Augen auf.

Und dann passierte, so schien es, alles auf einmal. Sie war wach, schrie und versuchte, sich aufzurichten, das grässliche katzenartige Gejaule schlug ihm auf die Ohren und hallte von den Wänden wider. Instinktiv schnellte seine Hand vor, um sie zum Schweigen zu bringen, seine Finger schlossen sich um ihren Hals, und ihr Schreien wurde unter dem stärker werdenden Druck auf ihren Kehlkopf zu einem Wimmern. Sie rang keuchend nach Luft, als er sie mit einem Arm mühelos hochhob und an die Wand hinter ihrem Bett drückte.

»Halt's Maul«, befahl er ihr, während sie die Zehen ausstreckte, um Stand auf dem Bett zu finden. Mit den Fingern zerrte sie an seinen Handschuhen in dem vergeblichen Bemühen, sich aus seinem unnachgiebigen Griff zu befreien. »Willst du jetzt wohl die Klappe halten?«

Sie riss ihre Augen noch weiter auf.

»Was?«

Er spürte, wie sie versuchte, eine Antwort zu krächzen, aber sie brachte nur einen abgewürgten Schrei heraus.

»Ich nehme das mal als Ja«, sagte er, lockerte langsam seinen Griff und beobachtete, wie sie an der Wand auf ihr Kissen zurücksank. Er gluckste, als sie würgend nach Luft rang. Ihr Schlafanzugoberteil war hochgerutscht, und er konnte ihre einzelnen Wirbel ausmachen. Es wäre so leicht, ihr einfach das Rückgrat zu brechen, dachte er und genoss die Vorstellung, während er ihr Haar packte und ihren Kopf herumriss, sodass sie ihn direkt ansehen musste. »Hallo, Gracie«, sagte er und wartete auf das verächtliche Nasenzucken. »Was ist los? Hab ich dich aus einem schönen Traum gerissen?«

Sie sagte nichts, sondern starrte ihn nur angstvoll und ungläubig an.

»Überrascht, mich zu sehen, was?«

Ihr Blick zuckte zur Schlafzimmertür.

»Ich denke, den Gedanken solltest du am besten gleich vergessen«, sagte er ruhig. »Es sei denn, du willst mich wirklich wütend machen.« Er machte eine Pause. »Du erinnerst dich doch noch, wie ich bin, wenn ich wirklich wütend bin, oder nicht, Gracie?«

Sie schlug die Augen nieder.

»Sieh mich an.« Wieder packte er sie an den Haaren und riss diesmal ihren Kopf so heftig in den Nacken, dass ihre Kehle wie eine Faust hervortrat.

»Was willst du?«, stieß sie heiser hervor.

Als Antwort zog er noch fester an ihren Haaren. »Hab ich gesagt, dass du sprechen darfst? Hab ich das gesagt?«

Sie versuchte, den Kopf zu schütteln, doch sein Griff war zu fest.

»Ich nehme das mal als Nein.« Er ließ sie los, und ihr Kopf fiel auf ihre Brust, als hätte man sie enthauptet. Sie weinte jetzt, was ihn überraschte. Tränen hatte er nicht erwartet. »Und, wie geht's, wie steht's?«, fragte er, als wäre das eine völlig alltägliche Frage. »Du darfst antworten«, sagte er, als sie nicht reagierte.

»Ich weiß nicht, was du hören willst«, erwiderte sie nach einer langen Pause.

»Ich habe dich gefragt, wie es so geht und steht«, wiederholte er. »Die Antwort darauf wirst du doch wohl wissen.«

»Alles bestens.«

»Ach ja? Wie kommt's?«

»Bitte. Ich kann nicht …«

»Klar kannst du. Man nennt es Unterhaltung. Es geht ungefähr so: Ich sage etwas, und dann sagst du etwas. Wenn ich dir eine Frage stelle, gibst du eine Antwort. Und wenn diese Antwort nicht zu meiner Befriedigung ausfällt, muss ich dir leider wehtun.«

Ein unwillkürlicher Schrei drang aus ihrer Kehle.

»Meine erste Frage war also, wie es dir so geht, und deine Antwort war ein ziemlich fantasieloses ›Alles bestens‹. Daraufhin habe ich gefragt: ›Wie kommt's?‹ Und jetzt bist du wieder dran.« Er setzte sich aufs Bett und beugte sich vor. »Überrasch mich.« Sie starrte ihn an, als ob er komplett den Verstand verloren hätte, ein Blick, den er schon oft gesehen und der ihn jedes Mal wütend gemacht hatte.

»Ich weiß nicht, was ich sagen soll.«

Er bemerkte einen Hauch von Trotz in ihrer Stimme, beschloss jedoch, ihn fürs Erste nicht zu beachten. »Also gut. Fangen wir mit der Arbeit an. Wie läuft es da?«

»Okay.«

»Bloß okay? Ich dachte, du unterrichtest für dein Leben gern.«

»Ich habe mir in diesem Jahr ein Sabbatjahr genommen.«

»Ein Sabbatjahr? Im Ernst? Ich wette, du denkst, ich weiß nicht, was das heißt.«

»Ich habe dich nie für dumm gehalten, Ralph.«

»Nicht? Wie man sich täuschen kann.«

»Was machst du hier?«

Er lächelte und schlug ihr dann mit der offenen Hand so hart ins Gesicht, dass sie auf das Kissen zurückfiel. »Hab ich gesagt, dass du mit Fragen dran bist? Nein, ich glaube, das habe ich nicht getan. Also setz dich hin und halt's Maul«, brüllte er, als sie das Gesicht in den Händen vergrub. »Hast du mich gehört? Ich möchte es dir nicht noch einmal erklären.«

Sie rappelte sich in eine sitzende Position hoch und hielt eine zitternde Hand vor ihre rote Wange, wo seine Hand jeden Hauch von Trotz ausradiert hatte.

»Oh, und nenn mich nicht Ralph. Der Name hat mir nie gefallen. Ich habe ihn geändert, sobald ich aus der Haft entlassen worden bin.«

»Du bist entlassen worden?«, murmelte sie, zuckte zusammen und wich zurück, als wollte sie sich vor weiteren Schlägen schützen.

»Sie mussten mich freilassen. Ich mag gar nicht aufzählen, wie viele Fehler der Staatsanwaltschaft unterlaufen sind.« Er lächelte. »Mein Anwalt hat das Verfahren eine echte Justizposse genannt, und die Richter, die über seinen Revisionsantrag zu befinden hatten, mussten ihm einfach zustimmen. Wo waren wir stehen geblieben? Ach ja, dein Sabbatjahr. Das klingt ziemlich langweilig. Glaube nicht, dass ich noch mehr davon hören will. Was ist mit deinem Liebesleben?«

Sie schüttelte den Kopf.

»Was soll das heißen? Dass du kein Liebesleben hast oder dass du nicht mit mir darüber reden willst?«

»Da gibt es nichts zu erzählen.«

»Du bist mit niemandem zusammen?«

»Nein.«

»Ich frag mich, warum mich das nicht überrascht.«

Sie sagte nichts, sondern blickte zum Fenster.

»Bald kommt ein Gewitter«, sagte er. »Aber sonst kommt's hier wohl keinem, was?« Er lächelte das jungenhafte Lächeln, das er stundenlang vor dem Spiegel geübt hatte und mit dessen Hilfe er noch jedes Mädchen rumgekriegt hatte, das er wollte. Ganz egal wie heftig sie sich sträubten, diesem Lächeln konnten sie am Ende nicht lange widerstehen. Gracie war für seinen Charme natürlich immer unzugänglich geblieben. Wenn er sie angelächelt hatte, hatte sie durch ihn hindurchgeblickt, als wäre er gar nicht da. »Wann bist du denn zum letzten Mal flachgelegt worden, Gracie-Girl?«

Sofort wich sie in ängstlicher Abwehrhaltung zurück.

»Ich meine, du bist doch eine einigermaßen attraktive Frau. Und du bist jung. Obwohl du nicht jünger wirst, was? Wie alt bist du überhaupt, Gracie?«

»Dreiunddreißig.«

»Tatsächlich? Älter als ich? Das habe ich nicht gewusst.« Er schüttelte in gespielter Verwunderung den Kopf. »Ich wette, es gibt jede Menge Dinge, die ich nicht von dir weiß.« Er streckte die Hand aus und öffnete den obersten Knopf ihres Pyjamaoberteils.

»Nicht«, sagte sie, ohne sich zu rühren.

Er machte den zweiten Knopf auf. »Was nicht?« Sie konnte nicht einmal *bitte* sagen, dachte er. Typisch.

»Das willst du doch nicht tun.«

»Was ist los, Gracie? Glaubst du, ich bin nicht gut genug für dich?« Beinahe mühelos riss er die restlichen Knöpfe auf und zog sie an beiden Enden des Kragens an sich. »Weißt du, was ich glaube, Gracie? Ich glaube, du denkst, kein Mann ist gut genug für dich. Vielleicht sollte ich dir beweisen, dass du dich irrst.«

»Nein, hör mal, das ist doch Wahnsinn. Du wirst wieder im Gefängnis landen. Das willst du doch nicht. Du hast eine

16

zweite Chance bekommen. Du bist ein freier Mann. Warum willst du das aufs Spiel setzen?«

»Weiß nicht. Vielleicht weil du in deinem kleinen Lesbenpyjama so verdammt niedlich aussiehst.«

»Bitte. Es ist noch nicht zu spät. Du kannst immer noch gehen …«

»Oder vielleicht auch, weil ich ohne dich nicht die letzten zwölf Monate im Gefängnis gesessen hätte.«

»Du kannst mir doch nicht die Schuld dafür geben, was passiert ist …«

»Warum nicht?«

»Weil ich nichts damit zu tun hatte.«

»Ach wirklich? Du hast nicht alle gegen mich aufgehetzt?«

»Das musste ich gar nicht.«

»Nein, das *musstest* du nicht. Du konntest es nur einfach nicht lassen, was? Und schau dir an, was passiert ist. Ich habe alles verloren. Meinen Job. Meine Familie. Meine Freiheit.«

»Und du hattest mit all dem nichts zu tun«, stellte sie bitter und mit wieder erwachtem Trotz in der Stimme fest.

»Oh, ich will nicht sagen, dass ich völlig ohne jede Schuld bin. Ich bin ein bisschen jähzornig, das gebe ich zu. Manchmal verliere ich die Beherrschung.«

»Du hast sie geschlagen, Ralph. Tagaus, tagein. Jedes Mal, wenn ich sie getroffen hatte, hatte sie frische Blutergüsse und Prellungen.«

»Sie war eben ungeschickt. Was kann ich dafür, wenn sie ständig irgendwo dagegengelaufen ist?«

Gracie schüttelte den Kopf.

»Wo ist sie?«

»Was?«

»Sobald ich draußen war, bin ich schnurstracks nach Hause gefahren. Und wen treffe ich dort an? Einen Haufen Schwule, die sich in meiner Wohnung ausgebreitet haben, das treffe ich an. Und als ich sie frage, was aus der Vormieterin geworden ist, klimpern sie mit ihren mascaraverschmierten Wimpern und sagen, sie hätten *absolut* keine Ahnung. *Absolut* keine Ahnung«, wiederholte er eine glatte Oktave höher. »Genauso hat es mir die kleine dünne Schwuchtel erklärt, als ob er die beschissene Queen von England wäre. Ich hätte ihm beinahe gleich eine verpasst.« Mit der einen Hand packte er ihren Kragen fester, mit der anderen zog er das Messer aus der Tasche und ließ mit einem Daumendruck auf einen kleinen Knopf am Griff die Klinge herausschnappen. »Sag mir, wo sie ist, Gracie.«

Sie wehrte sich jetzt, strampelte panisch mit den Beinen und versuchte, ihn mit rudernden Armen zu treffen. »Ich weiß nicht, wo sie ist.«

Wieder gruben sich seine Finger in die weiche Haut ihres Halses. »Sag mir, wo sie ist, oder ich schwöre, ich breche dir deinen beschissenen Hals.«

»Sie hat Miami verlassen, direkt nachdem du ins Gefängnis gekommen bist.«

»Wohin ist sie gegangen?«

»Ich weiß es nicht. Sie ist weggezogen. Keiner weiß, wohin.«

Er warf sie auf den Rücken, hockte sich rittlings auf sie und schnitt mit dem Messer den Gummizug ihrer Pyjamahose durch, während sich seine andere Hand zu einem tödlichen Griff um ihren Hals schloss. »Ich zähle bis drei, und dann sagst du mir, wo sie ist. Eins … zwei …«

»Bitte tu das nicht.«

»Drei.« Er drückte ihr die Klinge an den Hals und zerrte ihr die Schlafanzughose herunter.

»Nein. Bitte. Ich sag es dir. Ich sag es dir ja.«

Lächelnd lockerte er seinen Griff, sodass sie eben wieder nach Luft schnappen konnte, und hielt ihr das Messer vor die Nase. »Wo ist sie?«

»Sie ist nach Kalifornien gegangen.«

»Nach Kalifornien?«

»Um in der Nähe ihrer Mutter zu sein.«

»Nein. Das würde sie nie tun. Sie weiß genau, dass ich darauf als Erstes kommen würde.«

»Sie ist vor drei Monaten weggezogen. Sie hat gedacht, nach all der Zeit wäre sie sicher, und sie wollte so weit wie möglich von Florida weg.«

»Das ist sicher wahr.« Er griff nach dem Reißverschluss seiner Hose. »Genauso wie ich mir sicher bin, dass du lügst.«

»Nein, ich lüge nicht.«

»Klar lügst du. Und das ziemlich schlecht.« Er setzte die Spitze der Klinge unter ihrem Auge an und zog sie bis zu ihrem Kinn herunter.

»Nein!«, kreischte sie und warf sich hin und her, als er sich zwischen ihre Beine drängte, sodass Blut aus der Schnittwunde in ihrem Gesicht auf ihr weißes Kopfkissen tropfte. »Ich sag dir die Wahrheit. Ich schwöre, ich sag dir die Wahrheit.«

»Warum sollte ich dir jetzt noch irgendwas glauben, was du mir erzählst?«

»Weil ich es dir beweisen kann.«

»Ach ja? Wie denn?«

»Weil ich es aufgeschrieben habe.«

»Wo?«

»In meinem Adressbuch.«

»Und das befindet sich wo genau?«

»In meiner Handtasche.«

»Ich verliere hier langsam die Geduld, Gracie.«

»Meine Handtasche ist im Kleiderschrank. Wenn du mich aufstehen lässt, hole ich sie für dich.«

»Was hältst du davon, wenn wir sie zusammen holen?« Er stieß sich von ihr ab, zog seinen Reißverschluss hoch und zerrte sie vom Bett Richtung Kleiderschrank. Sie versuchte, ihre Schlafanzughose festzuhalten, während er die Kleiderschranktür aufriss und den Inhalt überflog. Eine Reihe

Blusen mit buntem Muster, ein halbes Dutzend Hosen, ein paar teuer aussehende Jacken, mindestens zehn Paar Schuhe und mehrere Lederhandtaschen. »Welche?« Er griff schon ins oberste Regal.

»Die orangefarbene.«

Mit einer Handbewegung schleuderte er die orangefarbene Tasche auf den Boden. »Mach sie auf.« Er stieß sie auf die Knie. Blut tropfte von ihrer Wange auf das helle Leder, als sie an dem Verschluss der Tasche herumfummelte. Ein weiterer Tropfen fiel auf den weichen weißen Florteppich. »Und jetzt gib mir das verdammte Adressbuch.«

Wimmernd befolgte sie seine Anweisung.

Er schlug das Buch auf und blätterte die Seiten durch, bis er den gesuchten Namen gefunden hatte. »Sie ist also doch nicht nach Kalifornien gezogen«, stellte er lächelnd fest.

»Bitte«, schluchzte sie leise. »Jetzt hast du doch, was du wolltest.«

»Was für ein Straßenname ist denn das? Mad River Road«, las er mit übertriebener Betonung vor.

»Bitte«, sagte sie noch einmal. »Geh einfach.«

»Du willst, dass ich gehe? Hast du das gesagt?«

Sie nickte.

»Du willst, dass ich gehe, damit du deine Freundin anrufen und warnen kannst, sobald ich weg bin?«

Sie schüttelte den Kopf. »Das würde ich nicht machen.«

»Natürlich nicht. Genauso wenig, wie du die Polizei alarmieren würdest, was?«

»Ich rufe niemanden an, ich schwöre es.«

»Wirklich nicht? Wieso kann ich das nur nicht recht glauben?«

»Bitte …«

»Ich denke, ich habe keine andere Wahl, Gracie. Ich meine, einmal abgesehen von der Tatsache, dass ich mich fast genauso darauf freue, dich umzubringen, wie ich mich schon darauf freue, sie zu töten, sehe ich wirklich nicht, was mir anderes übrig bleibt. Oder was meinst du?« Er zog sie grob auf die Füße und setzte ihr das Messer an den Hals. »Wohlan, gute Nacht, Gracie.«

»Nein!«, kreischte sie, schlug mit aller Kraft aus und rammte ihren Ellenbogen gegen seine Brust, sodass ihm die Luft wegblieb und sie sich seinem Griff entwinden konnte. Sie rannte in den Flur und hatte die Haustür beinahe erreicht, als sich die Zehen ihres rechten Fußes in dem Pyjamaunterteil verfingen, sie ins Stolpern geriet und der Länge nach auf das harte Parkett schlug. Doch sie gab noch nicht auf, sondern krabbelte weiter und schrie aus Leibeskräften, auf dass irgendjemand sie hörte und ihr zur Hilfe kam.

Amüsiert beobachtete er, wie sie nach dem Türknauf tastete, weil er wusste, dass er reichlich Zeit hatte, bevor sie sich endgültig aufgerappelt hatte. Sie war auf jeden Fall hartnäckig, dachte er nicht ohne Bewunderung. Und ziemlich kräftig für ein so dünnes Mädchen. Nicht zu vergessen, eine treue Freundin. Obwohl sie, als es ernst wurde, lieber ihre Freundin verraten hatte, als seine zugegebenermaßen nicht übermäßig romantischen Annäherungsversuche zu ertragen. Also vielleicht doch keine so gute Freundin. Nein, sie hatte ihr Schicksal verdient. Sie hatte es geradezu herausgefordert.

Er würde ihr allerdings nicht die Kehle durchschneiden, entschied er, schob das Messer wieder in die Tasche und packte sie, als ihre Hand gerade den Türknauf gefasst hatte. Nein, das machte viel zu viel Dreck und war überdies unnötig riskant. Alles wäre voller Blut, und jeder würde sofort wissen, dass ein Verbrechen geschehen war. Und dann würde es nicht allzu lange dauern, bevor er als Verdächtiger gesucht wurde, vor allem wenn bekannt wurde, dass er aus dem Gefängnis entlassen worden war, und die Polizei zwei und zwei zusammen zählte.

Sie wehrte sich kratzend und tretend und flehte ihn, als seine Hände sich um ihren Hals schlossen, mit ihren grünen

Augen an, es nicht zu tun. Außerdem kreischte sie wie wild, was er im Eifer des Gefechts jedoch kaum wahrnahm. Er wollte die Sache mit den Händen zu Ende zu bringen. Es war so persönlich, so konkret. Es gab nichts Befriedigenderes, als unmittelbar zu spüren, wie das Leben aus einem anderen Körper wich.

Dass sie ein Sabbatjahr genommen hatte, war ein unerwartetes Glück für ihn. Es konnte Tage oder sogar Wochen dauern, bis irgendjemand sie als vermisst meldete, obwohl er wusste, dass er sich darauf nicht verlassen durfte. Gracie hatte jede Menge Freundinnen, und vielleicht war sie morgen mit einer von ihnen zum Essen verabredet. Er durfte also nicht allzu übermütig werden. Je eher er der Mad River Road einen Besuch abstattete, desto besser.

»Ich dachte, wir machen eine kleine Spazierfahrt an die Küste«, erklärte er Gracie, deren Augen mittlerweile aus ihrem Kopf zu quellen drohten. »Ich werfe dich unterwegs einfach in einen Sumpf, dann können sich die Krokodile an dir vergnügen.«

Selbst als ihre Arme schließlich schlaff herabsanken und er sicher wusste, dass sie tot war, drückte er ihren Hals noch eine volle weitere Minute zu und zählte stumm die Sekunden herunter, bevor er seine Finger einzeln löste und befriedigt lächelte, als ihr Körper vor seinen Füßen zu Boden sank. Er ging ins Schlafzimmer und zog das blutige Kopfkissen ab, bevor er das Bett machte und das Zimmer genauso verließ, wie er es angetroffen hatte. Er hob die achtlos auf den Boden geworfene Handtasche auf, steckte eine Hand voll Bargeld und ihre Kreditkarte ein und machte sich auf die Suche nach ihren Schlüsseln. »Du hast doch nichts dagegen, dass wir deinen Wagen nehmen?«, fragte er, als er zur Haustür zurückkehrte, wo er Gracies noch warmen Körper mit beiden Armen aufhob. Sie blickte mit kalten toten Augen zu ihm auf. Er lächelte. »Ich nehme das mal als Nein«, sagte er.

1

Jamie Kellogg hatte einen Plan. Der Plan war relativ einfach. Er bestand darin, in die nächste einigermaßen anständig aussehende Bar zu gehen, sich in eine dunkle Ecke zu setzen, wo keiner sehen konnte, dass sie geweint hatte, und ihren Kummer in ein paar Weißweinschorlen zu ertränken. Nicht so viele, dass sie davon betrunken oder auch nur beschwipst wurde, denn sie hatte schließlich noch die lange Rückfahrt nach Stuart vor sich. Sie musste ihre fünf Sinne beisammen halten und durfte auf keinen Fall riskieren, am nächsten Morgen verkatert zu sein. Nicht, wenn Mrs. Starkey ihr im Nacken saß wie ein Albatross.

Sie blickte die beinahe menschenleere Straße hinunter. In dieser Gegend eine einigermaßen vernünftige Kneipe zu finden, war relativ aussichtslos, obwohl die unmittelbare Nähe zu einem Krankenhaus doch die perfekte Lage gewesen wäre. Sie blickte sich noch einmal zu dem flachen Klinikbau um, dem Samariter-Krankenhaus, und verzog bei dem Gedanken an die Szene, die sich gerade auf der dortigen Intensivstation abgespielt hatte, das Gesicht. *Erzähl uns nicht, dass dich das überrascht,* konnte sie ihre Schwester und ihre Mutter in ihr Ohr flüstern hören, in perfekter Harmonie miteinander wie immer oder wie sie es gewesen waren, als ihre Mutter noch lebte.

»Natürlich war ich überrascht«, murmelte Jamie, ohne die Lippen zu bewegen. »Woher sollte ich es wissen?« Eine plötzliche Böe trug ihre Frage in die warme Abendluft davon. Wenigstens hatte es endlich aufgehört zu regnen. In den vergangenen zwei Tagen waren an der Ostküste Floridas heftige Gewitter niedergegangen, sodass einige Straßen, darunter die, in der sie wohnte, überflutet worden waren. Ja, ich weiß, das ist der Preis dafür, dass ich unbedingt eine Wohnung mit Blick aufs Wasser haben wollte, aber es ist doch nur ein kleines Bächlein. Ich wohne schließlich nicht in einem überteuerten Apartment an der Strandpromenade wie meine jüngere Schwester. Entschlossen stapfte sie auf den kleinen Parkplatz neben dem Krankenhaus, während sie im Kopf mit ihrer Schwester und ihrer kürzlich verstorbenen Mutter weiterstritt. Wer hätte auch gedacht, dass der verdammte Fluss über die Ufer tritt?

Das ist genau dein Problem, begann ihre Mutter.

Du denkst nicht nach, beendete ihre Schwester den Gedanken.

»Und ihr traut mir zu wenig zu«, flüsterte Jamie und setzte sich hinter das Steuer ihres alten blauen Thunderbird, das Einzige, was ihr nach ihrer Scheidung im vergangenen Jahr geblieben war. Sie fuhr vom Parkplatz herunter und hoffte, vor der Auffahrt zur Autobahn noch ein passendes Lokal zu finden.

Ihre Wohnung lag zum Glück im ersten Stock des dreigeschossigen Hauses, sodass ihr der Wasserschaden erspart geblieben war, der die weniger glücklichen Bewohner des Erdgeschosses getroffen hatte. Apropos Wasser, dachte sie, als sie im Rückspiegel ihre angeblich wasserfeste Wimperntusche überprüfte und dankbar feststellte, dass ihre Tränen keine bleibenden Spuren hinterlassen hatten. Stattdessen blickten ihre großen braunen Augen beinahe heiter gelassen zurück. Sonnengebleichte schulterlange Haare rahmten ein hübsches ovales Gesicht, in dem erstaunlicherweise nichts von ihrem inneren Aufruhr zu lesen war. Wessen tolle Idee war es überhaupt gewesen, ihn zu überraschen? Hatte er nicht mehrfach erklärt, dass er Überraschungen hasste?

Einem Impuls folgend bog sie links auf den Dixie Highway und fuhr Richtung Süden. Dann würde sie hinterher zwar einen längeren Rückweg haben, aber die City von West Palm Beach war nur ein paar Straßen entfernt, und die Lokale entlang der Clematis Street waren bestimmt einladender als die Bars am Palm Beach Lakes Boulevard. Und sie konnte, wenn es ihr in einem Laden nicht gefiel, einfach zum nächsten weitergehen, ohne dafür wieder ins Auto steigen zu müssen.

In der Datura Street fuhr ein hellroter Mercedes aus einer Parklücke, und Jamie setzte ihren alten blauen Thunderbird in den frei gewordenen Platz, sorgfältig darauf bedacht, eng am Randstein zu parken. Sie stieg aus, suchte in ihren Taschen nach Kleingeld und warf mehr Münzen als nötig in die Parkuhr. Sie hatte nicht vor, lange zu bleiben.

Als Jamie in die Clematis Street bog, kam ihr ein eng umschlungenes, an den Hüften scheinbar zusammengeschweißtes junges Paar entgegen. Die goldenen Stöckelschuhe des schlanken Mädchens klapperten laut über den Bürgersteig. Kurz vor der Straßenecke blieben sie stehen, um sich zu küssen, bevor sie bei Rot über die Ampel gingen. Auf dem Weg nach Hause, wo sie glücklich lebten bis ans Ende ihrer Tage, dachte Jamie und sah ihnen nach, bis sie in der Dunkelheit verschwunden waren. Statt Glück bis an ihr Lebensende würde sie sich schon mit einer Nacht voller Lügen zufrieden geben.

Für einen Mittwochabend war es im Watering Hole ziemlich voll. Jamie sah auf die Uhr. Sieben Uhr, Abendessenzeit, Anfang Mai. Warum sollte der Laden nicht voll sein? Es war ein beliebtes Lokal in einer schicken Straße, und auch wenn die so genannte Saison streng genommen vorbei war, gab es immer noch genug überwinternde Pensionäre, die zögerten, ihre Sachen zu packen und für den Sommer heim in den Norden zu fahren. Genau das sollte sie am besten machen, dachte sie. Einfach ihre paar Habseligkeiten zusammenpacken, auf die Rückbank ihres Wagens werfen und dann zusehen, dass sie die Stadt möglichst schnell hinter sich ließ. Wieder einmal.

Wer würde sie schon vermissen? Ihre Familie bestimmt nicht. Ihre Mutter war vor acht Wochen gestorben; ihr Vater lebte mit seiner vierten Frau irgendwo in New Jersey. Er hatte – unglaublich, aber wahr – zwei Joans geheiratet, eine Joanne und jetzt eine ehemalige Stewardess namens Joanna, die mit 36 nur sieben Jahre älter war als Jamie. Und ihre Schwester wäre wahrscheinlich sogar froh, wenn sie sie nicht mehr sehen müsste. (»Du bist schlimmer als meine Kinder«, hatte Cynthia gesagt, als Jamie sie zwei Tage zuvor angerufen hatte, um über den Dauerregen zu klagen.) Jamies Job als Schadensreguliererin bei einer Versicherungsfirma war langweilig und ohne jede Perspektive, ihre Chefin war eine unfreundliche Frau, die ständig wegen irgendwas auf hundertachtzig war. Jamie hätte schon vor Monaten gekündigt, wenn sie die Stelle nicht überhaupt nur auf Empfehlung von Cynthias Mann Todd bekommen hätte. *Was ist bloß mit dir los? Kannst du nicht mal bei irgendwas bleiben?*, konnte sie ihre Schwester tadeln hören, gefolgt von einem: *Ich hätte es wissen müssen. Du und deine Flatterhaftigkeit.* Des Weiteren gefolgt von: *Wann hörst du endlich auf herumzudaddeln und fängst an, Verantwortung zu übernehmen?* Um schließlich in Grund und Boden gerammt zu werden mit: *Wer schmeißt schon kurz vor dem Examen das Studium, um irgendeinen Idioten zu heiraten, den sie kaum kennt?* Und falls sie dann immer noch atmete: *Du weißt, dass ich es nur gut mit dir meine. Es wird höchste Zeit, dass du dich der Realität stellst und dein Leben selbst in die Hand nimmst. Wirst du jemals so weit sein?*

Jamie zog einen Hocker an der langen Bar vor und machte dem Barkeeper ein Zeichen, dass sie bestellen wollte. Warte nur, bis Cynthia von dem heutigen Fiasko erfährt, dachte sie und entschied sich kühn, anstatt der üblichen Weißweinschorle ein Glas offenen Burgunder zu bestellen. Sie spähte ins Halbdunkel und nahm den großen Raum mit einem Blick in sich auf. Er war lang und rechteckig mit einer Terrasse zur Straße hin. Eine Reihe gepolsterter Bänke säumte die Backsteinwand gegenüber dem Tresen, in der Mitte und im vorderen Teil standen ein Dutzend Tische. Der gefliese Fußboden verstärkte den Lärm der Gäste, überwiegend junge Frauen wie sie selbst.

Wo waren all die Männer, fragte Jamie sich gedankenverloren. An einem der Tische saßen ein paar Mitvierziger, die über ein neues Firmenlogo debattierten und nicht einmal aufgeblickt hatten, als sie sich in ihrer engen, tief sitzenden Jeans und ihrem noch engeren pinkfarbenen Pulli an ihnen vorbeigedrängt hatte. Und dann war da noch ein trübsinnig aussehender Mann mit einem ungepflegten Tom-Selleck-Schnauzer. Mehr Auswahl gab es nicht. Zumindest noch nicht. Jamie sah erneut auf die Uhr, obwohl seit dem letzten Mal kaum ein paar Minuten vergangen waren. Wahrscheinlich war es für Männer noch zu früh zum Ausgehen, vermutete sie. Um sieben Uhr würde sich ein Mann noch verpflichtet fühlen, eine Frau zum Abendessen einzuladen. Später müsste er ihr lediglich ein paar Drinks spendieren.

Der Barkeeper kam mit ihrer Bestellung. »Zum Wohl.«

Jamie nahm das Glas und trank hastig einen Schluck Wein.

»Harten Tag gehabt?«

»Mein Freund liegt im Krankenhaus«, antwortete Jamie und kam sich sofort ziemlich dämlich vor. Sie schüttete dem Barkeeper ihr Herz aus, Himmel noch mal. Aber wenn sie ihre traurige Leidensgeschichte dem Barkeeper erzählte, käme sie vielleicht nicht in Versuchung, sie ihrer Schwester zu erzählen. Und vielleicht würde der Barkeeper, der groß und niedlich war mit einer interessanten Narbe unter dem rechten Auge, sie später bitten zu warten, bis seine Schicht zu Ende war, und sie würden sich zusammen an den Brunnen am Ende der Straße setzen, und er würde sich als sensibel, witzig, intelligent und alles Mögliche erweisen ... »Verzeihung. Haben Sie etwas gesagt?«

»Ich habe Sie gefragt, ob Ihr Freund krank ist.«

»Nein, er hatte auf der Arbeit einen Unfall und musste operiert werden.«

»Wirklich? Was für einen Unfall denn?«

»Er ist auf dem Weg zum Klo über einen Teppich gestolpert und hat sich den Knöchel gebrochen.« Sie lachte. Wie lächerlich war das!

»Echt Kacke«, meinte der Barkeeper.

Jamie lächelte, nahm einen großen Schluck Rotwein und wartete, bis der Barkeeper sich entfernt hatte, bevor sie wieder aufblickte. So viel zum Thema witzig und intelligent, dachte sie. Egal wie einsam und verzweifelt sie auch sein mochte, sie würde nie mit einem Typen ausgehen, der *Echt Kacke* sagte.

Sie warf einen verstohlenen Blick zu dem Mann mit dem Tom-Selleck-Schnurrbart, der schützend über seinem Drink kauerte. Er sah kurz auf, bemerkte ihren Blick und wandte sich mit scheinbar demonstrativem Desinteresse ab. »Der Schnurrbart sieht sowieso falsch aus«, murmelte Jamie in ihr Glas, für einen Moment fasziniert von ihrem Spiegelbild in der dunkelvioletten Flüssigkeit.

Im nächsten Moment sah sie sich die Eingangstreppe des Samariter-Krankenhauses hinaufgehen und eine äußerst gut aussehende Schwarze an der Rezeption nach der Zimmernummer von Tim Rannells fragen. »Er sollte heute Morgen am Knöchel operiert werden«, erklärte sie der Frau und packte das Geschenk, das sie für ihn mitgebracht hatte, fester, sodass die Plastiktüte zerknitterte.

Die Frau gab die Angaben in einen Computer ein, und ein besorgter Ausdruck legte sich auf ihre hübschen Gesichtszüge. »Ich fürchte, Mr. Rannells ist in die Intensivstation verlegt worden.«

»In die Intensivstation? Wegen eines gebrochenen Knöchels?«

»Mehr kann ich Ihnen auch nicht sagen.«

Die Frau beschrieb Jamie den Weg, aber die Tür zur Intensivstation im zweiten Stock war verschlossen, und niemand reagierte auf ihr Klingeln, sodass Jamie etliche Minuten in dem sterilen Wartebereich auf und ab lief und sich fragte, wie ein gesunder 35-jähriger Mann, der wegen einer kleineren Operation ins Krankenhaus eingeliefert worden war, auf der Intensivstation landen konnte.

»Sie können sich auch ruhig setzen«, sagte eine Frau mittleren Alters mit blasser weißer Haut und müden blauen Augen, die auf einem der orangefarbenen Plastikstühle an der nackten Wand saß. »Ich glaube, die sind da drin ziemlich beschäftigt.«

»Warten Sie schon lange?«

»Ich warte eigentlich nur auf eine Freundin.« Sie ließ das *People*-Magazin, in dem sie gelesen hatte, in den Schoß sinken. »Sie ist da drinnen bei ihrer Tochter, die einen Autounfall hatte. Sie sind sich noch nicht sicher, ob sie durchkommt.«

»Wie furchtbar.« Jamie blickte sich um, aber es tat sich nichts. »Mein Freund sollte heute Morgen operiert werden«, sagte sie unaufgefordert. »Irgendwie ist er dann hier gelandet.« Sie ging wieder zu dem Klingelknopf und drückte ihn mehrmals rasch hintereinander.

»Ja?«, ertönte Sekunden später eine Stimme. »Was kann ich für Sie tun?«

»Ich heiße Jamie Kellogg. Ich möchte zu Tim Rannells«, brüllte Jamie in die Gegensprechanlage.

»Sind Sie eine Verwandte von Mr. Rannells?«

»Sie sagen besser ja«, riet ihr die Frau auf dem Plastikstuhl. »Sonst lässt man Sie nicht rein.«

»Ich bin seine Schwester«, sagte Jamie, ohne zu überlegen. Wahrscheinlich weil ihre eigene Schwester ständig in ihren Gedanken herumgeisterte. Sie lag ihr schon seit Wochen in den Ohren, dass sie vorbeikommen und mit ihr gemeinsam den Nachlass ihrer Mutter durchgehen sollte.

»Bitte nehmen Sie noch ein paar Minuten Platz«, sagte die Stimme und schaltete sich ab.

Jamie wandte sich wieder der Frau auf dem Stuhl zu. »Vielen Dank für den Tipp.«

»So sind halt die Regeln«, meinte sie achselzuckend. »Ich heiße übrigens Marilyn.«

»Jamie«, stellte Jamie sich vor. »Ich wünschte, jemand könnte mir sagen, was eigentlich los ist.« Sie starrte auf den Klingelknopf. »Sie glauben doch nicht, dass etwas Schreckliches passiert ist, oder?« Eine dumme Frage, wie ihr sofort klar wurde, was sie jedoch nicht davon abhielt, eine weitere zu stellen. »Oder dass er gestorben sein könnte?«

»Ich bin sicher, es wird jede Minute jemand kommen«, sagte Marilyn.

»Ich meine, er ist bloß wegen eines gebrochenen Knöchels eingeliefert worden.«

»Versuchen Sie, ruhig zu bleiben.«

Jamie lächelte, obwohl ihr schon Tränen in den Augen standen. Ihre Mutter hatte sie auch ständig ermahnt, ruhig zu bleiben. »Das hat meine Mutter auch immer gesagt«, wiederholte sie laut. »Sie meinte, ich wäre zu impulsiv und unbesonnen, ich würde dazu neigen, voreilige Schlüsse zu ziehen.«

»Na, das sind ja viele große Worte.«

»Meine Mutter war Richterin.«

»Klingt so, als würde es ihr Spaß machen, Leute zu verurteilen.«

Irritiert von Marilyns Bemerkung lehnte Jamie sich zurück. Sonst erinnerten sie die Leute ständig daran, was für eine großartige Frau ihre Mutter gewesen war. Sie war überrascht, nicht nur über den ungefragten Kommentar der Frau, sondern auch darüber, wie gut ihr diese Bemerkung tat.

»Tut mir Leid, ich hoffe, ich habe Sie nicht gekränkt.«

»Nein, überhaupt nicht.«

Die Frau wandte sich wieder der Zeitschrift auf ihrem Schoß zu.

»Ich habe auch eine Schwester«, fuhr Jamie unaufgefordert fort. »Sie ist ziemlich genau so, wie ich hätte sein sollen – Anwältin, verheiratet, zwei Kinder … perfekt eben.«

»Eine perfekte Nervensäge, meinen Sie.«

Jamie lächelte. Je mehr Marilyn redete, desto sympathischer wurde sie ihr. »Sie ist schon in Ordnung. Nur manchmal ist es schwer, weil ich die große Schwester bin. Sie sollte eigentlich zu mir aufblicken und nicht umgekehrt.«

Jamie wartete darauf, dass Marilyn sagte, ihre Schwester würde bestimmt auch zu ihr aufblicken, was, auch wenn es nicht wahr war, schön zu hören gewesen wäre, aber die Frau schwieg. Plötzlich ging die Tür zur Intensivstation auf, und eine gut aussehende Frau in schwarzer Hose und gelbem Pullover betrat mit grimmiger Miene den Wartebereich. Sie war mindestens fünf Zentimeter größer und einige Jahre älter als Jamie, und mit ihren kinnlangen, ein wenig zu schwarzen Haaren und dem zu roten Lippenstift wirkte sie auf eine aggressive Art attraktiv.

»Wer von Ihnen ist Jamie Kellogg?«

Jamie sprang auf. »Ich bin Jamie.«

»Sie sind Tim Rannells' Schwester?«

War das Tims Ärztin, fragte Jamie sich und dachte, dass die Frau im Umgang mit Patienten und ihren Angehörigen unbedingt bessere Manieren an den Tag legen sollte. »Genau genommen seine Halbschwester«, hörte Jamie sich sagen und biss sich auf die Unterlippe, um diese Lüge nicht noch weiter auszuschmücken. Hatte ihre Mutter ihr nicht immer erklärt, dass man an der Menge der Details, die unaufgefordert zu berichten sich ein Zeuge gedrängt fühlte, erkennen konnte, ob er oder sie log.

»Tim hat keine Schwester. Auch keine Halbschwester«, sagte die Frau, und Jamie spürte, wie sämtliche Farbe aus ihrem Gesicht wich. »Also wer sind Sie?«

»Wer sind *Sie?*«, fragte Jamie zurück.

»Ich bin Eleanor Rannells. Tims Frau.«

Die Worte trafen Jamie wie eine riesige Faust, die alle Luft aus ihrer Lunge presste, sodass sie sich nur mühsam auf den Beinen halten konnte.

»Und ich frage Sie noch einmal: Wer zum Teufel sind Sie?«

»Ich bin eine Kollegin Ihres Mannes«, sagte Jamie und hätte sich beim letzten Wort fast verschluckt. »Das ist Marilyn«, sagte sie und wies auf die Frau auf dem orangefarbenen Plastikstuhl, die sofort ihre Zeitschrift fallen ließ und aufsprang.

»Angenehm«, sagte Marilyn und streckte die Hand aus.

»Sie arbeiten bei Allstate?«

»Ich bin Schadensregiliererin«, sagte Jamie. »Marilyn arbeitet in der Lohnbuchhaltung.«

»In der Lohnbuchhaltung«, bestätigte Marilyn.

»Das verstehe ich nicht. Was machen Sie hier? Und warum behaupten Sie, Tims Schwester zu sein?«

»Wir haben von Tims Unfall gehört«, erklärte Jamie. »Und da dachten wir, wir schauen mal vorbei und sehen, wie es ihm geht. Wir haben ihm ein Geschenk mitgebracht. Den neuen John Grisham.«

Eleanor nahm das Buch und klemmte es unter ihren Arm.

»Offenbar lässt man nur Verwandte auf die Intensivstation«, füllte Marilyn die entstandene Pause. »Also …«

»Also sind Sie zu der Schwester geworden, die Tim nie hatte«, sagte Eleanor zu Jamie.

Im Gegensatz zu der Frau, die er sehr wohl hatte, dachte Jamie und fragte sich, ob Eleanor ihnen irgendetwas von all dem abkaufte oder nur zu höflich war, um eine Szene zu machen. »Wie geht es ihm?«

»Er hat schlecht auf das Narkosemittel reagiert. Ein paar Minuten hing es am seidenen Faden, aber jetzt sieht es so aus, als wäre er außer Lebensgefahr. Aber er darf keinen Besuch empfangen.«

»Richten Sie ihm bitte unsere Grüße aus«, sagte Marilyn.

»Das werde ich tun.« Eleanor tätschelte das Buch unter ihrem Arm. »Und vielen Dank für das Buch. John Grisham ist sein Lieblingsautor. Woher wussten Sie das?«

»Bloß gut geraten«, sagte Jamie und sah zu, wie die Tür der Intensivstation hinter der Frau ihres Freundes ins Schloss fiel.

»Alles in Ordnung?«, fragte Marilyn irgendwo neben ihr.

»Er ist verheiratet.«

»Offensichtlich.«

»Er ist verheiratet!«

»Soll ich Ihnen ein Glas Wasser holen?«

»Wir sind seit vier Monaten zusammen? Woher hätte ich wissen sollen, dass er verheiratet ist?«

»Glauben Sie mir«, sagte Marilyn. »Das passiert uns allen mal.«

»Ich bin so blöd!«, jammerte Jamie.

»Sie sind nicht blöd, sondern bloß auf den falschen Kerl reingefallen.«

»Das ist nicht das erste Mal.«

»Nein, und es wird wahrscheinlich auch nicht das letzte Mal bleiben. Seien Sie nicht so streng mit sich selbst.«

»Der verlogene Mistkerl!« Jamie brach in eine Flut wütender Tränen aus.

»So ist es richtig. Das hört sich schon viel besser an.«

»Was soll ich denn jetzt machen?«

»Ich sag Ihnen, was Sie *nicht* machen sollen: Weinen Sie Typen wie ihm nicht mehr hinterher.« Sanft wischte Marilyn mit den Fingern die Tränen aus Jamies Gesicht. »Sie sind eine süße und liebenswerte junge Frau, und Sie werden im Handumdrehen einen Neuen finden. Jetzt fahren Sie nach Hause, gießen sich ein Glas Wein ein und lassen ein schönes heißes Schaumbad einlaufen. Danach werden Sie sich schon viel besser fühlen, das verspreche ich Ihnen.«

Jamie lächelte unter Tränen.

»Und hören Sie auf zu weinen. Sonst verläuft noch Ihre Wimperntusche.«

»Danke, dass Sie mich eben gerettet haben.«

»Es hat mir Spaß gemacht. Und jetzt gehen Sie. Raus hier.«

Jamie ging in Richtung der Fahrstühle, blieb dann aber stehen und drehte sich noch einmal um. »Ich hoffe, alles wird gut mit der Tochter Ihrer Freundin.«

»Danke.«

»Verzeihung, was?«, fragte Jamie, nachdem sie der Barkeeper zurück in die Gegenwart gerissen hatte.

»Ich sagte, der Herr am anderen Ende des Tresens fragt, ob er Sie zu einem Drink einladen darf.«

Wieso das denn, wunderte sich Jamie. Er hatte sie kaum eines Blickes gewürdigt, als sie sich gesetzt hatte. Und seine ganze Haltung hatte etwas düster Geheimnisvolles, so als wollte er etwas verbergen. Ein weiterer Mann mit Geheimnissen war das Letzte, was sie gebrauchen konnte. Aber der Mann mit dem Tom-Selleck-Schnurrbart war verschwunden, und auf seinem Platz saß ein glatt rasierter Mann mit extrem kurz geschorenen Haaren und einem schrägen Lächeln.

Jamie stellte sich Tim Rannells in seinem Krankenhausbett vor, daneben seine Frau, die ihm aus dem Geschenk vorlas, das Jamie ihm mitgebracht hatte. Kurz darauf gesellten sich noch Jamies Schwester Cynthia und ihre Mutter an ihre Seite, und die drei schüttelten gemeinsam missbilligend den Kopf in Jamies Richtung. *Wie kannst du etwas so Törichtes auch nur in Erwägung ziehen,* wollten sie unisono wissen.

Jamie schüttelte das Bild der Frau mit einem extravaganten Schwung ihrer blonden Haare ab, leerte ihr Glas mit einem tiefen Schluck und drückte es dem Barkeeper in die Hand. »Sagen Sie ihm, ich trinke den offenen Burgunder«, antwortete sie.

2

»Und darf ich dich *jetzt* zum Essen einladen?«

Jamie lachte, raffte die Decke um ihre nackten Brüste und starrte den gutaussehenden Fremden an, den sie erst in ihre Wohnung und dann in ihr Bett eingeladen hatte. Er hatte weiche volle Lippen, eine feine, beinahe perfekte Nase und die blauesten Augen, die sie je gesehen hatte. Wie konnte ich nur so viel Glück haben, dachte sie. Sie, die stets von einer Katastrophe in die nächste, von einer verhängnisvollen Beziehung in die andere stolperte, war irgendwie auf den perfekten Mann getroffen. Ausgerechnet in einer Kneipe, in einem Anfall von Verzweiflung. Und er hatte sich nicht nur als noch attraktiver herausgestellt, als es ihr im düsteren Licht der Bar erschienen war, er hatte nicht nur den perfekt gemeißelten Körper eines griechischen Gottes – als er sein Hemd ausgezogen hatte, hatte ihr beinahe der Atem gestockt –, sondern er hatte sich auch als überraschend großzügiger und aufmerksamer Liebhaber erwiesen, dem ihr Vergnügen genauso wichtig gewesen war wie sein eigenes. Die letzten paar Stunden hatten sie immer und immer wieder miteinander geschlafen, und ihr Körper schmerzte buchstäblich vor Lust. Sie spürte das kribbelnde Wohlbehagen zwischen ihren Beinen und zog sich die Decke bis ins Gesicht, um ein selbstzufriedenes Grinsen zu verbergen. Sofort stieg ihr sein sauberer, männlicher Duft in die Nase. Er war überall – auf ihren Laken, ihrem Kopfkissen, an ihren Fingerspitzen und den Falten ihrer Haut. Es war ein wunderbarer Geruch, entschied sie, lehnte sich an das Kopfbrett und holte tief Luft. Alles an dem Mann war wunderbar. Sogar sein Name. Brad, wiederholte sie stumm. Brad Fisher. *Jamie Fisher*, ertappte sie sich. *Mensch, Mädchen, fang gar nicht erst mit dem Blödsinn an. Das gibt doch jedes Mal nur Ärger. Immer schön langsam.* »Willst du mich wirklich zum Essen einladen?«

»Das habe ich dir doch schon früher angeboten«, erinnerte er sie.

Es stimmte. Nach der ersten Runde Getränke hatte er tatsächlich vorschlagen, dass sie gemeinsam etwas essen gingen. Sie hatte abgelehnt. Sie müsse am nächsten Morgen früh auf der Arbeit sein, hatte sie erklärt, hin und her gerissen zwischen dem Impuls, wegzulaufen oder sich ihm in die Arme zu werfen.

»Na, dann lass mich dich wenigstens noch auf einen Drink einladen«, hatte er angeboten und sofort fast wie bei einem Zaubertrick ein neues Glas Wein in der Hand gehalten. Jamie blickte auf den Wecker neben dem knapp zwei Meter breiten Bett, das beinahe das gesamte Schlafzimmer einnahm. Das Bett war eine ihrer krasseren Neuerwerbungen der letzten Zeit. Sie hatte es nur gekauft, weil Tim ihr erklärt hatte, dass er mehr Platz zum Schlafen brauchte. Das war jedenfalls seine Ausrede dafür gewesen, dass er nie bei ihr übernachtete. Sie hatte daraufhin ihr schmales Doppelbett verkauft und es durch dieses teure Ungetüm ersetzt. Doch selbst als sie ihn damit überraschte – hatte er ihr nicht erklärt, dass er Überraschungen hasste? – , fand Tim weiterhin Entschuldigungen, warum er vor Mitternacht gehen musste: ein Arzttermin in Fort Lauderdale, eine Erkältung in den Knochen. Warum war sie nicht misstrauisch geworden? Was war bloß mit ihr los? Konnte sie nach allem, was sie in den letzten paar Jahren durchgemacht hatte, immer noch so naiv sein?

Blöd traf es wohl eher.

Ihre Schwester hatte sie noch gewarnt, dass ihr Schlafzimmer für ein Bett dieser Größe zu klein war, und sie hatte natürlich wieder mal Recht gehabt. Das Bett erdrückte seine Umgebung und ließ auf beiden Seiten höchstens 30 Zentimeter freien Platz bis zur Wand, sodass sich zwei Personen kaum gleichzeitig im Zimmer bewegen konnten.

»Was ist los?«, fragte Brad sie.

»Warum denkst du, dass irgendwas ist?«

Brad zuckte mit den Schultern und legte einen Finger auf seine fast perfekte Nase. »Du sahst auf einmal so traurig aus.«

»Wirklich?«

Ein schräges Lächeln, das zu gleichen Teilen Unschuld und Übermut ausstrahlte, schlich sich auf seine attraktiven Gesichtszüge. »Woran hast du gedacht?«

Jamie unterdrückte den Drang, ihm alles zu erzählen, ihr Herz auszuschütten. Stattdessen sagte sie: »Ich habe überlegt, welches Restaurant um diese Zeit noch geöffnet hat.«

»Wie wär's mit einem Lieferservice?«

»Klingt super.«

»Pizza?«

»Klasse!« Erstaunlich, wie einfach das Leben sein konnte, dachte sie, während sie die Nummer des nächsten Pizzaservice auswendig herunterleierte. »Ich gehe nicht so oft aus«, sagte sie und spürte, wie sie rot wurde.

Brad streckte sich über ihren Körper hinweg nach dem Telefon, das neben dem Wecker auf einem winzigen weißen Plastiktisch stand. Dabei streifte sein muskulöser Unterarm ihre Brüste und löste damit in ihrem ganzen Körper eine Gefühlslawine aus, die sie zu begraben drohte. Sie strengte sich an weiterzuatmen, während er die Nummer eintippte und eine große Pizza bestellte. »Mit Salami und Pilzen, wenn das okay für dich ist?«, fragte er und streichelte ihre Brüste unter der Decke. Sie spürte, wie ihr der Atem stockte. »Dauert eine halbe Stunde«, sagte er. Er legte den Hörer auf die Gabel und stützte sich auf einen Ellenbogen. »Wenn es länger geht, kriegen wir die Pizza umsonst«, fügte er mit einem schelmischen Grinsen hinzu.

Irgendjemand sollte dieses Lächeln in Flaschen abfüllen, dachte sie.

»Und wie fühlst du dich?«, fragte er.

»Großartig. Und du?«

»Hab mich nie besser gefühlt. Ich bin auf jeden Fall froh, dass ich vor dem Nachhauseweg noch einen Drink genommen habe.«

»Und wo genau bist du zu Hause?«, fragte Jamie und hoffte, dass es nicht zu weit entfernt war und er nicht die Pizza herunterschlingen und sich eilig aus dem Staub machen würde.

Tut mir Leid, ich habe morgen früh eine Besprechung, einen Arzttermin in Fort Lauderdale, eine Erkältung in den Knochen.

»Im Grunde habe ich zurzeit gar kein richtiges Zuhause«, erklärte er ihr. »Die letzten paar Wochen habe ich im Breakers gewohnt.«

»Du wohnst im Breakers?« Das Breakers war das vornehmste und wahrscheinlich auch teuerste aller Luxushotels in Palm Beach.

»Es ist nur noch für eine Weile. Bis ich entschieden habe, was ich als Nächstes machen soll.«

»Womit?«

Brad lächelte, aber dieses Lächeln hatte nichts Schelmisches mehr, sondern wirkte älter und verhaltener. »Wie abgedroschen würde es sich anhören, wenn ich sagte ›mit meinem Leben‹.«

»Es klingt überhaupt nicht abgedroschen«, widersprach Jamie, obwohl das nicht stimmte. Ein bisschen abgedroschen klang es schon. Ihre Schwester Cynthia würde solche Gedanken auf jeden Fall banal finden. Andererseits würde Cynthia gar nicht erst einen attraktiven Fremden aufgabeln. Sie hätte sich von ihm nie auf einen Drink einladen lassen und ihn schon gar nicht mit in ihre Wohnung genommen, um sich ihm auf dem riesigen Doppelbett hinzugeben, das sie gekauft hatte, um ihrem verheirateten Liebhaber zu gefallen. Nein, Cynthia war viel zu vernünftig, um sich auch nur im Entferntesten auf so etwas einzulassen. Schließlich hatte sie Todd in der neunten Klasse getroffen, im zweiten Jahr an der Uni geheiratet und ihm noch vor Abschluss ihres Jurastudiums zwei Kinder geboren.

»Du musst praktischer denken«, hatte sie Jamie erklärt. »Wenn du dein Studium nicht abgebrochen hättest, hätten wir jetzt schon unsere eigene Kanzlei.«

»Das Problem ist nur, dass ich keine Anwältin sein will.«

»Du bist zu romantisch – *das* ist das Problem.«

»Du bist verheiratet. Oder?«, fragte Jamie Brad, obwohl sie die Antwort schon wusste. Natürlich war Brad Fisher verheiratet. Er machte wahrscheinlich nur eine Krise durch. Warum sollte er sonst im Breakers wohnen? Er und seine Frau hatten sich gestritten, er war vorübergehend ausgezogen, damit sich beide beruhigen und wieder zur Vernunft kommen konnten, was er wahrscheinlich auch tun würde, sobald er seine Pizza gegessen hatte.

»Verheiratet?« Lachend schüttelte Brad den Kopf. »Nein. Natürlich nicht.«

»Nicht?«

»Wäre ich sonst hier?«

»Ich weiß nicht. Wärst du?«

»Ich wohne im Breakers, weil der Mietvertrag für meine Wohnung abgelaufen ist, ich gerade meine Firma verkauft habe und jetzt beruflich an einer Art Scheideweg stehe …«

Was für ein Scheideweg? »Was machst du denn beruflich?«, fragte sie laut.

»Ich bin in der Kommunikationsbranche.«

Jamie fand es ironisch, dass ein Wort wie *Kommunikation* derart schwammig sein konnte, dass es praktisch bedeutungslos war. »Geht es vielleicht ein bisschen genauer?«

»Ich bin Computerprogrammierer«, erklärte er. »Außerdem habe ich eine Software entwickelt, durch die ein paar wichtige Typen im Silicon Valley auf mich aufmerksam geworden sind. Sie haben mir ein großzügiges Übernahmeangebot gemacht.«

»Das du angenommen hast?«

»Hey, ich bin vielleicht ein Computerfreak, aber bestimmt kein Idiot.«

Jamie glaubte nicht, dass irgendjemand Brad Fisher je als *Freak* oder *Idiot* bezeichnet hatte. Konnte der Mann überhaupt noch attraktiver sein, fragte sie sich und dachte, dass er tatsächlich mit jeder Minute besser wurde. Er war nicht nur umwerfend, sexy und ein fabelhafter Liebhaber, sondern auch noch irgendein genialer Erfinder. Außerdem war er ledig, fuhr ein schickes Auto und musste sich um Geld keinerlei Sorgen machen. Jedenfalls war er wohlhabend genug, um im Breakers zu wohnen, bis er entschieden hatte, was er mit seinem Leben anfangen wollte. Viel besser konnte es gar nicht werden, entschied Jamie. »Also ich muss gestehen, dass ich in puncto Computer praktisch Analphabetin bin«, sagte sie, damit man ihre Gedanken nicht von ihrem Gesicht ablesen konnte. »Mein Computer bei der Arbeit stürzt ständig ab. Es ist wirklich nervig.«

»Was machst du denn?«

»Ich bin Schadensreguliererin bei Allstate.«

Er nickte und sah sie aus seinen saphirblauen Augen an.

»Einmal habe ich einen ganzen Arbeitstag verloren«, redete sie weiter, bemüht, nicht ins Plappern zu verfallen, »und meine Vorgesetzte hat mich gezwungen, länger zu bleiben und alles noch einmal einzugeben. Ich habe bis Mitternacht dort gesessen.«

»Muss ja ziemlich wichtig gewesen sein.«

»Nichts, was nicht auch bis zum nächsten Morgen hätte warten können. Aber Mrs. Starkey hat behauptet, ich müsse etwas falsch gemacht haben, weil sonst niemand im Büro je

Probleme mit Computerabstürzen gehabt hätte, und dass es meine Verantwortung wäre und erledigt werden müsse, deshalb …« Sie plapperte. Sie musste aufhören und zwar sofort, bevor sie alles kaputtmachte.

»Du bist geblieben und hast es erledigt.«

Jamie atmete tief ein und langsam wieder aus. »So knapp war ich noch nie davor zu kündigen.«

»Hört sich an, als wärst du schon ein paar Mal kurz davor gewesen.«

»Im Grunde jeden Tag.«

»So sehr hasst du deinen Job?«

»Es ist jedenfalls nicht das, was ich mir für den Rest meines Lebens vorgestellt hatte.«

»Was hast du dir denn vorgestellt?«

»Du lachst mich auch bestimmt nicht aus?«

»Warum sollte ich dich auslachen?«, fragte er.

Seufzend gab Jamie ihr Geheimnis preis. »Ich wollte immer irgendwie Sozialarbeiterin werden.«

Die Saphiraugen funkelten. »Du wolltest immer irgendwie?«

Jamie runzelte die Stirn. »Ich wollte es *wirklich*.«

Er kniff seine Saphiraugen zu schmalen Schlitzen zusammen. »Und warum bist du es dann nicht geworden?«

»Meine Mutter hat gesagt, Sozialarbeiter verdienen nicht genug. Sie wollte, dass ich Anwältin werde.«

»Und du tust immer, was dir deine Mutter sagt?«

»Ich habe es jedenfalls weiß Gott versucht.« Jamie schüttelte den Kopf. »Aber das hat nicht gezählt – es war nie gut genug. Jedenfalls ist das jetzt alles eh egal. Sie ist vor zwei Monaten gestorben.«

»Dann kannst du jetzt ja aufhören, es zu versuchen«, meinte Brad seltsam schmunzelnd.

»Manche Gewohnheiten wird man schwerer los, als man denkt.«

»Bist du noch nicht so weit?«

Jamie lächelte traurig. »Warum fragen mich das immer alle?«

»Tut mir Leid.«

»Das muss dir nicht Leid tun. Es ist ja nicht deine Schuld, dass ich nicht weiß, was ich machen soll.«

»Ach, das findest du bestimmt bald heraus.«

»Klar – als Computergenie hast du gut reden.«

»Kündige deinen Job«, sagte Brad.

»Was? Das kann ich nicht machen. Meine Schwester würde einen Anfall kriegen.«

»Ich könnte eine gute Sozialarbeiterin gebrauchen.« Er beugte sich vor und küsste sie sanft.

Jamie lachte. »Mann, du kannst wirklich gut küssen«, meinte sie, als sie sich zum Luftholen widerwillig von ihm löste.

»Apropos Schwestern«, sagte Brad, und sein Lächeln wurde kryptisch. »Was glaubst du, wer mir beigebracht hat, so zu küssen?«

»Deine Schwester hat dir das Küssen beigebracht?«

»Meine Schwestern«, verbesserte er sie. »Ich hatte drei. Ich war der Jüngste in der Familie, und sie haben mich schamlos ausgenutzt.« Er lachte. »Als sie anfingen, mit Jungen auszugehen, probierten sie die ganzen Sachen an mir aus. ›Wie war das, Bradley? Und wie war das?‹ Und als sie dann ihre Freundinnen mitbrachten, wurde es richtig interessant.«

»Jede Wette.«

»Ja, denn dann konnte ich – wie würde es eine Sozialarbeiterin nennen – mehr Eigeninitiative zeigen. Ja, genau. Und sie fingen an, mir zu erzählen, was *sie* mochten. Sie sagten, es gäbe nichts Schlimmeres als die Typen, die versuchten, ihnen ihre Zunge halb in den Hals zu rammen, und dass es sanft und langsam viel besser wäre. Ungefähr so«, sagte er, zog Jamie erneut in seine Arme und berührte ihre Lippen mit seinen.

Sie spürte, wie seine Zunge an den Seiten ihres Mundes

entlangtastete und sanft ihre Zunge berührte, bevor sie sich tiefer vorwagte. Er schlang seine Arme um sie, zog sie aufs Bett zurück und legte sich auf sie. Aber er drang nicht in sie ein. Stattdessen spürte sie, wie er sich langsam nach unten bewegte, mit seiner Zunge die empfindliche Linie zwischen ihrem Hals und ihren Brüsten nachzeichnete und immer weiter nach unten wanderte, bis sein Kopf zwischen ihren Beinen verschwand, wo seine Zunge wahre Wunder wirkte. Sie schrie laut auf, als ihr Körper unter Zuckungen erschauerte, wie sie sie noch nie erlebt hatte. »Bitte sag mir nicht, dass dir das auch deine Schwestern beigebracht haben«, sagte sie, als sie ihre Stimme wiedergefunden hatte.

Er lachte. »Nein, das habe ich ganz allein herausgekriegt. Erzähl mir nicht, dass das noch nie jemand bei dir gemacht hat.«

»Jedenfalls noch nicht so.« Jamie dachte an ihren Exmann. Sie musste ihn förmlich anbetteln, es mit der Zunge zu machen, und die paar Male, die er sich murrend und widerwillig darauf eingelassen hatte, war er hinterher sofort aus dem Bett gesprungen, um sich die Zähne zu putzen und den Mund auszuspülen. Sie hatte ziemlich bald nicht mehr gefragt. »Und warst du je verheiratet?«, fragte sie.

»Ja«, sagte Brad leichthin, ohne es weiter auszuführen.

»Und?«

»Und es hat nicht funktioniert.«

»Du möchtest nicht darüber reden«, stellte Jamie fest.

»Ich habe nichts dagegen, darüber zu reden«, erwiderte Brad. »Da gibt es nur nicht allzu viel zu sagen. Die Ehe war erst gut und dann nicht mehr. Es war niemandes Schuld, und wir haben es zum Glück geschafft, Freunde zu bleiben. Wir telefonieren fast jede Woche miteinander.«

»Wirklich?«

»Nun ja, wir haben einen gemeinsamen Sohn.«

»Du hast einen Sohn?«

»Corey. Er ist fünf Jahre alt. Ich habe irgendwo ein Foto von ihm.« Brad strahlte sichtlich stolz, als er nach seiner Jeans am Ende des Bettes griff. Er nahm seine Brieftasche heraus und zog hinter einem Bündel glatter 20-Dollar-Scheine ein zerknittertes Foto hervor.

Ein hübscher flachshaariger Junge lächelte Jamie schüchtern entgegen.

»Das Bild wurde vor fast einem Jahr gemacht. An seinem vierten Geburtstag. Er ist inzwischen viel größer.«

»Er sieht aus wie du.«

»Findest du?«

»Er hat helleres Haar, aber er hat dein Lächeln.«

»Ja?« Brad steckte das Foto zurück in die Brieftasche und diese wieder in seine Jeans. »Leider hat seine Mutter kürzlich wieder geheiratet und ist in den Norden gezogen.«

»Sie hat Corey mitgenommen?«

»Wohl oder übel.«

»Und wie lang hast du deinen Sohn jetzt nicht mehr gesehen?«

»Fast drei Monate.«

»Das muss schwer für dich sein.«

»Na ja, Beth hat mich gebeten, ihm ein wenig Zeit zu lassen, bis er sich an sein neues Leben gewöhnt hat, und ich denke, das ist nur fair.«

Jamie schüttelte den Kopf. »Ich finde, du bist unglaublich.«

»Nein, eigentlich nicht«, wehrte er bescheiden ab.

»Ich kenne nicht viele Exmänner, die so verständnisvoll wären.«

»Deiner offensichtlich nicht.«

»Woher weißt du, dass ich verheiratet war?«

»So, wie du ›Exmänner‹ gesagt hast.«

Jamie lächelte.

»Wie lange warst du verheiratet?«, fragte er.

»Nicht lange. Nicht mal zwei Jahre.«

»Keine Kinder.« Es war keine Frage, sondern eine Feststellung.

Jamie wusste nicht, ob sie den Kopf schütteln oder nicken sollte. »Keine Kinder«, bestätigte sie.

»Deine Mutter war nicht mit dem Kerl einverstanden.«

»Das ist noch milde ausgedrückt.«

»Warum mochte sie ihn nicht?«

»Sie hat gedacht, er wäre der Grund, warum ich mein Jurastudium abgebrochen habe.«

»War er das nicht?«

Jamie schüttelte den Kopf. »Er war bloß der Vorwand, nach dem ich gesucht habe.«

»Du hast ihn nicht geliebt?«

»Ich habe ihn nicht *gekannt.*«

Brad lachte erneut, eine wunderbares Geräusch, das ihr versicherte, dass alles gut werden würde, solange er an ihrer Seite war.

»Nach der Scheidung hat meine Schwiegermutter allen Schmuck zurückverlangt, den ihr Sohn mir geschenkt hatte, einschließlich des Ehrings. Sie sagte, es wären Familienerbstücke, und sie würde mich verklagen, wenn ich sie nicht zurückgebe.«

»Reizend.«

»Fand ich auch.«

»Und hast du ihn zurückgegeben?«

»Natürlich. Ich wollte die verdammten Klunker sowieso nicht behalten. Bis auf ein Paar Goldohrringe mit Perlen, die ich ständig getragen habe. Die zurückzugeben, hat mir wirklich wehgetan.« Jamie zog ein verdrießliches Gesicht. Warum redeten sie über ihren Exmann und seine Mutter? Das Bett war zwar extra breit, aber immer noch nicht breit genug für sie alle. »Egal. Das spielt jetzt keine Rolle mehr. Sie sind aus meinem Leben verschwunden. Ich muss sie nie wiedersehen.«

»Du kannst tun und lassen, was du willst«, sagte Brad.

»Bei dir hört sich das so leicht an.«

»Es *ist* leicht.«

Jamie schloss die Augen, legte den Kopf auf seine Brust und ließ sich von seinen gleichmäßigen Atemzügen einlullen.

»Hast du je daran gedacht, einfach ins Auto zu steigen und zu sehen, wohin die Straße dich führt?«, fragte er.

»Daran denke ich dauernd«, sagte Jamie.

3

Sie träumte von der Beerdigung ihrer Mutter.

Aber in ihrem Traum waren die Sargträger nicht Freunde und Kollegen ihrer Mutter, sondern die diversen Ehefrauen ihres Vaters, jede in einem Brautjungfernkleid aus blass malvenfarbenem Chiffon und mit einem Strauß wohlriechender weißer Lilien in der Hand. Ihre Schwester stand neben dem Sarg, aufrecht und würdevoll in dem dunkelvioletten Kleid einer verheirateten Brautführerin, und blickte in regelmäßigen Abständen auf die Uhr. Sie wartet auf mich, begriff Jamie, und versuchte, sich unter den Trauernden auszumachen.

»Ich komme«, versuchte sie vom Rand ihres Bewusstseins zu rufen. »Wartet auf mich.« Jamie sah sich auf die Menge zulaufen, als der Sarg gerade langsam in die Grube hinabgelassen wurde. Oh mein Gott, ich bin nackt, wurde ihr mit einem Mal klar, und sie versuchte, ihre Blöße vor den entsetzten Blicken ihrer Schwester zu verbergen. Als sie über einen Stein stolperte und durch die Luft gewirbelt wurde, klappte der Sargdeckel weit auf, um sie zu empfangen.

In dem weißen, mit Samt ausgekleideten Sarg öffnete ihre Mutter die braunen, gold gefleckten Augen und sah sie vorwurfsvoll an. »Bist du jetzt so weit?«, fragte sie.

Jamie stieß einen lauten Schrei aus und fuhr im Bett hoch, Schweißperlen kullerten zwischen ihren nackten Brüsten hinunter, und ihr Atem ging schwer und unregelmäßig. »Verdammt«, murmelte sie, strich sich das Haar aus der Stirn und versuchte, Kontakt zu ihrer Umgebung und zur Realität herzustellen. Die Umgebung war leicht auszumachen:

Sie befand sich im Schlafzimmer ihrer Wohnung in ihrem überbreiten Doppelbett. Die Realität war schon schwerer zu akzeptieren: Sie war eine 29-jährige Frau in einer beruflichen Sackgasse mit einem Exmann in Atlanta, einem verheirateten Liebhaber im Krankenhaus und einem praktisch Fremden in ihrem Bett.

Aber Brad Fisher lag nicht mehr neben ihr, wie sie jetzt begriff. Sie wusste nicht recht, ob sie lachen oder weinen sollte. Hatte sie den attraktiven Fremden auch nur geträumt?

Das Pochen zwischen ihren Beinen und der Abdruck von Brads Kopf auf dem Kissen neben ihr überzeugten sie schnell davon, dass er real gewesen war. »Verdammt«, sagte sie noch einmal und lauschte auf mögliche Geräusche im Nebenzimmer, bevor sie das Gesicht in den Händen vergrub, weil es keinen Zweifel mehr gab, dass er fort war.

Einerseits war sie erleichtert. So musste sie zumindest das verlegene Schweigen nicht ertragen, die falschen Versprechen, sich bald wiederzusehen, den schmerzlichen Kuss auf die Stirn, bevor er aus der Tür hastete. All das hatte er ihnen erspart. Sie sollte also dankbar sein. Andererseits konnte sie nicht anders, als sich verlassen, benutzt und sogar ein wenig missbraucht zu fühlen. Wieder mal. »Sei nicht albern!«, ermahnte sie sich. Du hast Brad Fisher ganz genauso benutzt wie er dich. Wie ging noch die alte Redensart? Über einen Mann kommt man am besten hinweg, wenn man unter einem neuen liegt. Sie hatte doch bestimmt nicht erwartet, dass aus einem One-Night-Stand eine hingebungsvolle Liebe fürs Leben werden würde.

Außer, dass sie tief in ihrem Innern genau das getan hatte.

Jamie fragte sich, wann genau Brad aus ihrem Bett und ihrem Leben gekrochen war. War er gegangen, sobald sie eingeschlafen war, oder hatte er sich den Luxus von ein paar Stunden Schlaf gegönnt, bevor er die Flucht ergriffen hatte? Er hatte schließlich bekommen, wofür er gekommen war.

Oh ja, die lieben von uns Gegangenen, was richten sie nicht alles an, dachte sie und seufzte vernehmlich. Von ihrem Traum war inzwischen nur noch ein vages Unbehagen zurückgeblieben. Trotzdem wäre es nett gewesen, wenn Brad ihr wenigstens noch einen schönen Tag gewünscht hätte, fand sie und blickte zu dem Wecker neben dem Bett.

»Oh nein!«, rief sie, als die Ziffern der digitalen Anzeige in ihrem Gehirn ankamen. »Es ist Viertel nach acht!«, schrie sie das leere Zimmer an, denn sie wusste, egal wie rasch sie duschte und sich anzog, ganz gleich wie schnell sie fuhr und wie viele Ausreden sie vorbereitete, Mrs. Starkey würde stinkwütend sein.

»Du bist so ein Idiot«, schimpfte sie mit sich, während der tadelnde Finger ihrer Schwester ihr ins Bad folgte. »Wie konntest du nur vergessen, den Wecker zu stellen.«

Ich war ein wenig beschäftigt, dachte Jamie und unterdrückte ein Lächeln, als sie unter die Dusche trat, das Wasser aufdrehte, sich direkt unter die Düse stellte und unter dem plötzlichen Wasserstrom den Mund öffnete. »Du bist so ein Idiot«, sagte sie noch einmal Wasser spuckend, während Brads unsichtbare Hände langsam über ihren Körper glitten. Sie stellte sich vor, seine Finger würden für einen Moment auf ihren Brüsten und an ihrem Bauchnabel verharren, bevor sie zwischen ihren Beinen verschwanden. Herrgott, musste er auch so verdammt gut sein, fragte sie sich, als sie Sekunden später aus der Dusche sprang und sich mit einem großen gelben Handtuch beinahe die Haut wund rubbelte, um die Erinnerung an seine Berührung auszuradieren. Zu gut, um wahr zu sein, sagte sie sich, während sie sich die Zähne putzte und die Haare bürstete, um dann die erstbesten Klamotten anzuziehen, die sie in ihrem Kleiderschrank fand, wobei ihr zu spät bewusst wurde, dass sie den dunkelblauen Rock und die hellblaue Bluse schon gestern zur Arbeit getragen hatte.

Wenn einem etwas zu gut erscheint, um wahr zu sein, ist es das meistens auch, dozierte ihre Schwester, während Jamie sich ein übrig gebliebenes Stück kalte Pizza in den Mund stopfte und zur Wohnungstür hastete.

Kein Make-up?, fragte ihre Mutter.

Jamie rannte die Betontreppe zu dem Parkplatz hinter dem dreigeschossigen Gebäude hinunter und sah sich mehrmals nach Brads Wagen um, obwohl sie wusste, dass er nicht da war. *Wie konntest du nur so bescheuert sein?*, schimpfte sie weiter mit sich, während sie in der Handtasche nach den Autoschlüsseln kramte. *Was hast du dir dabei gedacht?* »Das ist es ja gerade. Du hast überhaupt nicht nachgedacht«, sagte Jamie, bevor ihre Mutter oder ihre Schwester es tun konnten.

Du denkst immer erst nach, wenn es zu spät ist, fügten sie trotzdem hinzu.

Jamie sah auf die Uhr. Zwanzig vor neun. »Und ob es zu spät ist. Mrs. Starkey bringt mich um.«

Aber Mrs. Starkey war nicht in ihrem Büro, als Jamie sich um zehn nach neun auf ihren Schreibtischstuhl fallen ließ. Die vier anderen Schadensregelerinnen, mit denen sie das sonnendurchflutete Büro teilte, blickten kaum auf, als sie hereinkam, obwohl Jamie meinte, bei Mary McTeer ein leichtes Kopfschütteln bemerkt zu haben.

»Alles okay?«, fragte Karen Romanick, ohne von ihrem Computer aufzublicken. Karen war Jamies engste Freundin bei Allstate, obwohl sie kaum Vertraulichkeiten austauschten und sich außerhalb des Büros nie trafen. Sie war gertenschlank, ihre Frisur eine veritable Explosion krauser blonder Locken, die ihrer Erscheinung immer etwas leicht Hektisches verliehen. Das machte Jamie jedes Mal irgendwie nervös, wenn sie mit ihr zusammen war.

Jamie nickte. »Ist Mrs. Starkey noch nicht hier?«

»Und ob sie schon hier ist.« Karens Tonfall machte jeden weiteren Kommentar überflüssig. Mrs. Starkey war da, und sie war alles andere als erfreut.

»Na toll.« Jamie schaltete ihren Computer ein und öffnete eine Datei, an der sie am Vortag gearbeitet hatte.

»Warst du im Krankenhaus?«, fragte Karen aus dem Mundwinkel.

»Allerdings.«

»Und was ist mit Tim?«

»Tim ist verheiratet«, sagte Jamie nur und bemerkte dann den seltsamen Ausdruck in Karens schmalem, spitz zulaufendem Gesicht. »Du wusstest es?«, fragte Jamie sie ungläubig.

»Du nicht?«

Ich bin *so* ein Idiot, dachte Jamie noch einmal. War sie der einzige Mensch auf der Welt, der es nicht gewusst hatte?

Du siehst nur, was du sehen willst, hörte sie ihre Mutter sagen.

Das Telefon auf Jamies Schreibtisch klingelte. Vielleicht war das Brad, dachte sie unwillkürlich. Es tat ihm Leid, dass er so früh aufgebrochen war, und er wollte es wieder gutmachen. Jamie holte tief Luft und nahm dann beim zweiten Klingeln ab. »Jamie Kellogg«, verkündete sie hoffnungsvoll. »Was kann ich für Sie tun?«

Aber statt Brads sanfter Stimme, die ihr Entschuldigungen ins Ohr flüsterte, hörte sie den nasalen New Yorker Akzent von Selma Hersh, die Jamie beschimpfte, weil sie sie am Vortag nicht wie versprochen zurückgerufen hatte.

»Es tut mir schrecklich Leid«, erklärte Jamie der Frau, während sie versuchte, sich zu erinnern, um wen es sich handelte, und den Namen in den Computer eingab, um die entsprechende Datei zu finden. »Ich hatte gestern Probleme mit dem Computer und konnte deshalb nicht auf die benötigte Information zugreifen.«

Selma Hersh schnaubte wütend. »Wann kriege ich denn endlich meinen Scheck?«, bellte sie.

Rasch überflog Jamie die Akte der Frau. »Wie es aussieht, haben wir nach wie vor nicht alle nötigen Dokumente, Mrs. Hersh.«

»Wovon reden Sie?«

»Wir brauchen ein ärztliches Attest, in dem die genaue Todesursache Ihres Mannes bescheinigt wird.«

»Sie haben doch eine Kopie des Totenscheins. Warum brauchen Sie noch mehr?«

»So sind die Bestimmungen, Mrs. Hersh. Wir brauchen etwas Schriftliches von dem Arzt, der den Tod Ihres Mannes festgestellt hat. Darauf muss die offizielle Todesursache genannt sein.«

»Er ist an einer Lungenentzündung gestorben.«

»Ja, aber wir brauchen trotzdem ein Schreiben. Mit dem Briefkopf des Arztes ...«

»Mein Mann ist im JFK Memorial Hospital gestorben. Woher soll ich wissen, welcher Arzt ihn für tot erklärt hat?«

»Ich bin sicher, das Krankenhaus kann Ihnen bei der Beschaffung dieser Information behilflich sein.«

»Das ist doch lächerlich.«

»Es tut mir Leid, Mrs. Hersh. Wenn Sie uns die Bescheinigung zusenden, können wir den Scheck unverzüglich freigeben.«

»Das ist absurd. Ich möchte mit Ihrem Vorgesetzten sprechen.«

»Ich werde ihr sagen, dass sie Sie zurückrufen soll, sobald Sie ins Büro kommt.« Die Verbindung wurde abrupt unterbrochen. »Schönen Tag noch«, sagte sie, als das Telefon erneut klingelte. Jamie atmete tief ein und zwang sich zu einem Lächeln. »Jamie Kellogg.«

»Jamie. Hallo.«

Sie erkannte Tims Stimme sofort, obwohl sie ungewohnt leise klang. Sie fragte sich, ob er noch auf der Intensivstation lag, unter strenger Bewachung seiner Frau. Leg auf, dachte sie.

»Leg nicht auf«, sagte er, als hätte er ihre Gedanken gelesen. »Bitte, Jamie. Hör mich an.«

»Wie ich höre, lebst du noch«, sagte sie kühl.

»Es tut mir so Leid, Jamie«, setzte er mit zittriger Stimme an, als drohte er jeden Moment in Tränen auszubrechen.

Jamie schüttelte den Kopf und spürte, wie sie innerlich schwankte und versucht war, sich wieder einwickeln zu lassen. Schließlich waren sie mehr als vier Monate zusammen gewesen. Er war ihr Liebhaber, ihr Vertrauter und manchmal sogar ihr Freund gewesen. Und jetzt lag er im Krankenhaus, dem Tod knapp entronnen …

Was ist bloß mit mir los, schimpfte sie stumm mit sich und schlug mit der Faust auf die Tastatur des Computers, worauf der Bildschirm sofort leer wurde. Er war ein verheirateter Mann, Herrgott noch mal, und er hatte sie angelogen. Hatte sie denn gar keinen Stolz, keinen Selbsterhaltungstrieb? »Was tut dir Leid, Tim?«, fauchte sie und dachte dabei an Selma Hersh, von deren Schneid sie gerade jetzt ein wenig gebrauchen könnte, dachte sie. »Dass du mich angelogen hast oder dass du erwischt worden bist?«

»Beides«, gab er nach einer Pause zu.

»Was hat deine Frau dir erzählt?«

»Dass ich Besuch aus dem Büro hatte. Es war nicht allzu schwer, sich zusammenzureimen …«

»Lässt du dich scheiden?«, unterbrach Jamie ihn.

Es entstand eine weitere Pause, die etwas länger dauerte als die vorherige, bevor er sagte: »Nein.«

Arschloch, dachte Jamie. Wirklich ein verdammt guter Zeitpunkt, mir endlich die Wahrheit zu sagen.

»Das muss ja gestern Abend eine nette Begegnung gewesen sein«, sagte er leise lachend.

»Du Dreckskerl«, sagte Jamie langsam. »Du genießt das Ganze auch noch.«

Das Lachen schlug schnell in ein Hüsteln um. »Was? Nein, natürlich nicht.«

»Du fühlst dich geschmeichelt, du mieses Schwein.«

»Jamie, nun werde doch nicht hysterisch.«

»Geh zum Teufel.« Jamie knallte den Hörer auf die Gabel.

In der anschließenden Stille drangen nach und nach andere Geräusche an Jamies Ohr: das Summen des Computers, Mary McTeers leicht kratzende Stimme im Gespräch mit einer Kollegin, das Klicken von Karen Romanicks Fingernägeln auf ihrer Tastatur und das rhythmische Atmen einer Person, die direkt hinter ihr stand. Jamie drehte sich auf ihrem Stuhl um und wusste schon, wer es war, bevor sie die langen Finger mit den fein manikürten Nägeln sah, die Mrs. Starkeys Markenzeichen waren. Sie tippten ungeduldig auf den Ärmel ihrer beigefarbenen Seidenbluse.

»Welch überaus interessante Art, ein Kundengespräch zu führen«, bemerkte Mrs. Starkey und starrte Jamie aus haselnussbraunen Augen hinter einer eckigen Schildpattbrille an. »Kein Wunder, dass Sie so beliebt sind.«

»Es tut mir Leid«, begann Jamie, ohne recht zu wissen, wofür sie sich entschuldigte. Dafür, dass sie so ein Idiot war, dafür, dass sie eine Affäre mit einem verheirateten Mann hatte, dafür, dass sie mit einem Fremden geschlafen hatte, oder weil sie während der Arbeitszeit Privatgespräche führte? Eins davon oder alle zusammen? Egal, sollte Mrs. Starkey sich einfach etwas aussuchen. Jamie war ihr ganzes verkorkstes dummes Leben leid.

»In mein Büro«, fauchte Mrs. Starkey, drehte sich auf den flachen Absätzen ihrer braunen Schuhe um und stapfte davon, ohne sich noch einmal umzusehen.

»Verdammt«, sagte Jamie und starrte auf den leeren Computer-Bildschirm. »Verdammt«, sagte sie noch einmal, unfähig, sich zu rühren.

»Geh einfach rein, und höre es dir ohne Widerworte an«, riet Karen ihr aus dem Mundwinkel.

»Ich glaube nicht, dass ich das jetzt ertragen kann.«

»Ich glaube, du hast keine andere Wahl.«

»Verdammt.«

»Du entschuldigst dich, kriechst vor ihr zu Kreuze und behältst deinen Job.«

»Ich will diesen Job nicht«, sagte Jamie laut.

»Was sagst du?«

Jamie stieß sich von ihrem Schreibtisch ab und sprang auf. »Ich sagte, ich will diesen Job nicht.«

»Was soll das?«

Jamie hatte begonnen, alle persönlichen Utensilien aus ihrem Schreibtisch zu räumen – ein Adressbuch, einen pink-farbenen Lippenstift, einen Nagelschneider und eine Ersatz-strumpfhose. »Ich kündige.«

»Ohne mit Mrs. Starkey zu sprechen?«

»Sie ist eine intelligente Frau – sie wird es schon merken.« Jamie beugte sich herab, um ihre verblüffte Kollegin zu um-armen. »Ich ruf dich an, wenn der Staub sich gesetzt hat.« Und dann marschierte sie mit entschlossenen Schritten aus dem Büro.

»Willst du das wirklich machen?«, rief Karen ihr nach. »Ich meine, findest du das nicht ein bisschen überstürzt?«

Jamie sah, dass Mrs. Starkey sie aus ihrem Büro beobach-tete, und genoss den fassungslosen Ausdruck auf ihrem Ge-sicht. »Schönen Tag noch«, rief sie in die Runde und ließ die Tür hinter sich zuknallen.

Sie war vor zehn wieder zu Hause. Sie hatte kurz überlegt, beim Breakers vorbeizuschauen, sich aber eines Besseren besonnen. Wenn Brad sich mit ihr in Verbindung setzen wollte, wusste er genau, wo er sie finden konnte. Außerdem hatte er mit seinem verfrühten Aufbruch bereits alles gesagt. Und wer wollte ihm überhaupt einen Vorwurf machen? Es war ja schon schlimm genug, gleich am Abend der ersten offiziellen Verabredung mit einem Mann ins Bett zu gehen, aber sie hatte nicht mal so lange gewartet. Gleich bei der ersten *Begegnung* war es passiert, Herrgott noch mal. »Was ist nur mit dir los?«, murmelte Jamie, als sie die Treppe zu ihrer Wohnung hinaufging. Sie winkte dem gebückten alten Mann am Ende des Flures zu, doch er starrte zurück, als hätte er keine Ahnung, wer sie war. Vielleicht wusste er es ja wirklich nicht, dachte Jamie, hörte ihren Magen knurren und erinnerte sich daran, dass sie außer ein paar Pizzaresten nichts zu essen im Haus hatte. Sie hätte auf dem Weg Cornflakes und Milch, vielleicht sogar ein paar Eier kaufen sollen. Ein Käseomelett könnte sie sich jetzt wunderbar vorstellen. Dazu einen getoasteten Sesam-Bagel und eine Tasse starken schwarzen Kaffee, dachte sie, als ihr auf dem Flur der verlockende Duft von frisch gekochtem Kaffee entgegenwehte. Schade, dass sie ihre Nachbarn nie kennen gelernt hatte, sonst hätte sie sich jetzt auf ein Tässchen unter Freundinnen einladen können.

Aber sie hatte keine Freundinnen. Sie hatte auch keinen Job mehr. »Und Kaffee habe ich auch keinen«, jammerte sie, schloss ihre Wohnungstür auf und betrat das Wohnzimmer.

Das Kaffeearoma umfing sie so vollständig, dass sie einen Moment lang dachte, sie wäre in der falschen Wohnung gelandet. Nur dass ihr alles so bekannt vorkam – das gebrauchte rote Sofa, das ihre Schwester ihr überlassen hatte, nachdem sie sich selbst neu eingerichtet hatte, der Ledersessel, den sie im Sonderangebot bei Sears erstanden hatte, und der teure Glascouchtisch ihrer Mutter, auf dem immer noch die aktuellen Ausgaben diverser Modezeitschriften herumlagen.

Es *war* also ihre Wohnung. Und der gut aussehende Mann, der aus ihrer Kochnische trat und mit einem dampfenden Becher Kaffee in der Hand auf sie zukam, war der Mann, mit dem sie die ganze Nacht wilden und leidenschaftlichen Sex gehabt hatte. Da stand er und las ihr immer noch jeden Wunsch von den Lippen ab. Sie musste offensichtlich träumen. Eigentlich war der ganze Morgen ein einziger Traum gewesen, ein Traum, der gerade anfing, gut zu werden. Nun war aber der Moment gekommen aufzuwachen, obwohl es das Letzte war, was sie wollte. Bitte, lass mich nicht aufwachen, dachte sie, als er ihr den Kaffee in die Hand drückte und sich herabbeugte, um sie sanft auf den Mund zu küssen.

»Da bist du ja wieder«, sagte er und küsste sie noch einmal.

Er fühlt sich so echt an, dachte Jamie. Er klingt so real.

»Genau wie du«, hörte sie sich sagen, und ihre Stimme drängte aus der Fantasie zurück in die Wirklichkeit.

Brad Fisher war noch da.

»Ich bin früh aufgewacht und dachte, ich überrasche dich mit meinem Spezialfrühstück«, erklärte er ihr und wies mit dem Kopf Richtung Küche. »Die Schränke waren allerdings ziemlich leer, also bin ich zu Publix rüber und habe ein paar Bagels besorgt …«

»Du hast Bagels gekauft?«

»Ich dachte, ich schaffe es, bevor du zur Arbeit musst, aber ich hatte eine Autopanne. Der Wagen musste abgeschleppt werden, und als ich zurückkam, warst du schon weg.«

»Du hast Bagels gekauft?«

Er lächelte. »Klingt so, als hätte da jemand Hunger.«

Jamie stolperte zum Sofa, ließ sich auf das Polster sinken und nippte an ihrem Kaffee. Es war der beste Kaffee, den sie je getrunken hatte. »Wie bist du reingekommen?«, fragte sie.

Brad zuckte die Achseln. »Die Tür war nicht abgeschlossen.«

»Ich hab vergessen, die Tür abzuschließen?«

»Offensichtlich.«

»Erst vergesse ich, den Wecker zu stellen, und dann schließe ich meine Tür nicht ab. Meine Mutter hat immer gesagt, wenn er nicht angewachsen wäre, würde ich noch meinen Kopf vergessen.«

»Hat sie je irgendwas Nettes gesagt?«

»Sie meinte, ich hätte ein fixes Mundwerk.«

Er lachte. »Auch nicht gerade das, was ich im Sinn hatte.«

»Ich habe gekündigt«, jammerte Jamie.

»Wirklich. Das ist ja toll.«

»Toll? Nein, ist es nicht. Es war dumm und unüberlegt ...«

»Du hast den Job doch gehasst.«

»Ich weiß, aber mit dem Geld konnte ich immerhin meine Rechnungen bezahlen.«

»Dann suchst du dir eben einen anderen Job.«

Jamie nippte erneut an ihrem Kaffee, während sich ein listiges Grinsen über Brads Gesicht breitete. »Was?«, fragte sie.

»Ich habe eine großartige Idee.«

Jamie spürte ein Kribbeln zwischen den Beinen. »Ach ja?«

»Ich finde, wir sollten einfach machen, wovon wir gestern Nacht geredet haben.«

Jamie legte den Kopf zur Seite. In ihren Erinnerungen an die vergangene Nacht kamen kaum Dialoge vor.

»Ich finde, wir sollten einfach ins Auto steigen und losfahren«, redete er weiter. »Wir müssten natürlich deinen Wagen nehmen, weil meiner in der Werkstatt ist.«

»Und wohin sollen wir fahren?«

»Egal.«

»Das ist nicht dein Ernst.«

»Doch, ich meine es sogar sehr ernst.«

»Das kann ich nicht machen«, sagte Jamie.

»Warum nicht? Wir sind beide arbeitslos und ungebunden. Nichts hält uns hier. Es ist der perfekte Zeitpunkt.«

»Du meinst es *wirklich* ernst.«

»Todernst.«

Das Telefon klingelte. Jamie nahm den Hörer ab und presste ihn an ihr Ohr. »Hallo?« Sofort legte Brad seine Hände auf ihre Brüste und drückte eine Reihe sanfter Küsse auf ihre Schultern.

»Was zum Teufel geht da vor?«, verlangte ihre Schwester zu wissen.

»Hallo, Cynthia. Wie geht's?«

»Komm mir nicht mit ›Hallo, wie geht's‹. Was glaubst du, was du tust, verdammt noch mal?«

Jamie fragte sich, ob Cynthia eine Überwachungskamera in ihrer Wohnung installiert hatte, mit der sie auch in diesem Moment beobachtete, wie Brad mit den Fingern zärtlich die Konturen ihrer Brustwarzen unter der blauen Bluse nachzeichnete.

»Todd hat mir gerade berichtet, dass er einen wütenden Anruf von Lorraine Starkey bekommen hat, in dem sie ihm von deinem dummen kleinen Auftritt erzählt hat …«

»Es war kein Auftritt.«

»Du hast einfach so deinen Job hingeworfen? Ohne irgendeine Frist zu beachten? Du hast keinerlei Erklärung gegeben …«

Brads Finger verschwanden unter ihrer Bluse, und Jamie stöhnte leise.

»Was war das? Hast du gerade gestöhnt?«

Jamie packte Brads Hand, um ihn zu bremsen, und ließ dabei den Hörer fallen.

»Jamie?«, rief ihr Cynthia aus ihrem Schoß entgegen. »Was ist da los?«

»Tut mir Leid. Ich habe den Hörer fallen lassen.«

»Ist da noch jemand?«, fragte ihre Schwester nach einer kurzen Pause.

»Was? Nein, natürlich nicht.«

Brad beugte sich vor, legte sein Kinn auf Jamies Schulter und belauschte das Gespräch.

»Ist alles in Ordnung?«, fragte Cynthia. »Du hast doch nicht irgendeine Art Zusammenbruch oder so?«

»Ich hab diesen Job wirklich gehasst, Cynthia.«

»Du weißt, dass du das nicht immer wieder tun kannst.«

»Ich kann mir einen anderen Job suchen.«

»Davon spreche ich nicht. Du weißt, was ich meine.«

»Ich bin mir nicht sicher.«

»Du kannst es nicht ständig vermasseln.«

»Das habe ich auch nicht vor.«

»Ruf einfach Mrs. Starkey an und sag ihr, dass es dir Leid tut.«

»Das kann ich nicht machen.«

»Warum nicht.«

»Weil es mir nicht Leid tut.«

»Okay, pass auf«, sagte Cynthia. »Im Moment ist offensichtlich nicht der ideale Zeitpunkt, darüber zu reden. Das können wir besprechen, wenn du hier bist.«

»Was soll das heißen, wenn ich da bin?«

»Was glaubst du, was das heißen soll?«

»Was?«

»Das ist echt super«, sagte Brad und konnte ein Kichern nicht unterdrücken.

»Was war das?«, wollte Cynthia wissen.

»Was war was?«

»Lachst du etwa?«

»Natürlich nicht.«

»Das ist nämlich nicht komisch.«

»Ich lache ja auch gar nicht.«

»Um wie viel Uhr kommst du? Und sag mir nicht, du hättest es vergessen und schon etwas anderes vor.«

Brad begann, eifrig zu nicken. »Du hast schon etwas anderes vor«, flüsterte er ihr ins Ohr.

»Was hast du gesagt?«, fragte Cynthia.

»Tut mir Leid, Cyn. Aber ich habe wirklich schon etwas anderes vor«, sagte Jamie.

»Das kannst du mir nicht antun«, protestierte ihre Schwester. »Du hast gesagt, du würdest vorbeikommen, damit wir zusammen Mutters Sachen durchgehen können. Du hast es mir versprochen.«

»Wir machen es ein anderes Mal. Morgen …«

Brad schüttelte den Kopf. »Morgen hast du keine Zeit«, sagte er.

»Was?«, fragte Cynthia.

»Nein, nicht morgen. Tut mir Leid. Morgen passt nicht so gut.«

»Und Sonntag auch nicht«, sagte Brad.

»Dieses Wochenende ist für mich insgesamt einfach nicht so gut«, sagte Jamie.

»Und wann passt es dir? Wir können es schließlich nicht auf ewig verschieben.«

Warum eigentlich nicht, fragte Jamie sich. Wozu die Eile, die Sachen ihrer Mutter zu entsorgen? Das war schließlich nichts Dringendes. Jamie lehnte ihre Wange an Brads und spürte seine Bartstoppeln. »Hör mal, ich glaube, ich fahre für ein paar Tage weg«, sagte sie und spürte, wie Brads Mund sich zu einem Lächeln verzog. »Vielleicht eine Woche oder so.«

»Was? Wovon redest du? Was soll das heißen, du fährst weg?«, fragte Cynthia wütend.

»Ich brauche einfach eine Pause.«

»Eine Pause?«

»Eine Woche. Vielleicht zwei«, fügte sie hinzu, als Brad Zeige- und Mittelfinger seiner rechten Hand hochhielt.

»Das ist unglaublich. Wann hast du denn das beschlossen?«

»Ich ruf dich in ein paar Tagen an.«

»Ruf mich an, wenn du erwachsen bist«, zischte Cynthia, bevor sie auflegte.

Brad war sofort auf den Beinen. »Gut so, Jamie.«

»Sie ist richtig sauer.«

»Sie soll sich zum Teufel scheren.« Brad fasste ihre Hände und wirbelte sie durchs Wohnzimmer. »Komm, Jamie-Girl. Wir verschwenden nur Zeit. Auf geht's: Die Show kann beginnen.«

»Aber wohin wollen wir denn fahren? Haben wir schon irgendeinen Plan?«

»Natürlich haben wir einen Plan. Wir fahren Richtung

Norden und legen vielleicht einen kurzen Zwischenstopp in Ohio ein.«

»Ohio? Was ist denn in Ohio?«

»Mein Sohn. Warte, bis du ihn kennen lernst, Jamie. Du wirst ihn einfach mögen. Komm. Oder kriegst du plötzlich Schiss?«

Genau den hatte sie. Alles ging so schnell. Zu schnell. Hatte sie ernsthaft vor, mit einem Typen loszuziehen, den sie gerade erst getroffen hatte? Noch dazu in *ihrem* Wagen! Sie musste tief durchatmen und alles in Ruhe überlegen.

»Ich nehme das mal als Nein«, sagte Brad und küsste sie sanft auf den Mund.

Worüber machte sie sich Sorgen, fragte sie sich und verwarf ihre kleinmütigen Zweifel. »Wo denn in Ohio?«, fragte sie ihn.

»Dayton«, erklärte er ihr und strahlte sie mit seinem wunderbaren Lächeln an. »Eine Straße namens Mad River Road.«

4

Das zweistöckige Holzhaus in der Mad River Road 131 sah genauso aus wie alle anderen Häuser in der Straße: alt und ein wenig heruntergekommen. Die graue Farbe blätterte von den Mauern, und die vormals weißen Fensterläden, die die vier Fenster zur Straße rahmten, waren fleckig und hingen bedrohlich schief in den Angeln. Die Läden vor dem Schlafzimmerfenster mit ihrer jahrealten Schmutzschicht waren besonders marode und hielten sich nur noch mit knapper Not. Genau wie ich, dachte Emma und atmete die kühle Morgenluft ein, bevor sie widerwillig die sechs wackeligen Stufen zum Haus hinaufstieg. Auf der winzigen Veranda vor der zerrissenen Fliegengittertür blieb sie stehen. Dahinter befand sich eine weitere Tür, massiv mit schwarzem Anstrich, obwohl die Farbe verblasst und die Oberfläche verkratzt war. Jenseits der Schwelle fanden sich überall weitere Zeichen des Niedergangs und Zerfalls. Das alte Haus hatte definitiv schon bessere Tage gesehen. Emma zuckte die Achseln. Wer nicht? Und was erwartete sie außerdem für die Miete, die sie bezahlte?

Die komplette Straße war vor mehreren Jahren von einer Immobiliengesellschaft aufgekauft worden, die die bestehenden Häuser abreißen und durch eine Reihe teurer Stadthäuser ersetzen wollte. Stadtentwicklung, nannte man das, nur dass jemand im Stadtrat Widerspruch eingelegt hatte, sodass das Projekt auf Eis lag und in einem Sumpf scheinbar endloser juristischer Auseinandersetzungen feststeckte. Die Immobiliengesellschaft hoffte auf eine für alle Seiten zufrieden stellende Einigung und vermietete die Häuser einstweilen auf monatlicher Basis. Mit dem Ergebnis, dass die Mad River Road eine Art Zufluchtstätte für Frauen geworden war, deren Leben sich im Umbruch befand; Frauen mit trüber Vergangenheit, ungewisser Zukunft und festgefahrener Gegenwart, darunter kaum überraschend eine Reihe alleinerziehender Mütter mit ihrem Nachwuchs. Als Emma und ihr kleiner Sohn in die Stadt gekommen waren und eine billige Bleibe in einem sicheren Viertel gesucht hatten, hatte der Makler nur kurz überlegt, bevor er sie in die Mad River Road geschickt hatte. Gut, die Häuser waren nicht in erstklassigem Zustand, und der Mietvertrag konnte jederzeit mit nur zwei Monaten Frist gekündigt werden, aber die Bewohner der Straße hatten viel Mühe darauf verwendet, ihre Umgebung zu verschönern, indem sie die Vorgärten mit Blumen bepflanzt und die Fassaden ihrer Häuser in interessanten Pastellfarben gestrichen hatten. Und wo in der Stadt hätte man sonst ein Haus mit zwei Schlafzimmern zu diesem Preis mieten können? »Es ist ein charmantes kleines Haus«, hatte der Makler erklärt, »mit jeder Menge Möglichkeiten.«

Mit der Möglichkeit eines Neuanfangs, hatte Emma damals für sich gedacht. Das bisschen Bargeld, das sie vor ihrem Exmann hatte verstecken können, hatte sie in einem Wahnsinnstempo ausgegeben. Bald war nichts mehr übrig gewesen.

Sie strich sich ihre schulterlangen dunklen Haare hinter das rechte Ohr und lauschte dem Zwitschern der Vögel in den Bäumen. Was für Vögel und was für Bäume, fragte sie sich abwesend. Sie sollte eigentlich wissen, ob es Drosseln, Blauhäher oder Finken waren, die ihr Morgenlied anstimmten, wenn sie ihren Sohn zur Schule brachte. Sie sollte wissen, ob es Ahornbäume, Eichen oder Ulmen waren, die die lange Straße säumten und dunkle Schatten auf ihren kleinen Vorgarten warfen. So etwas sollte sie wissen, genau wie die Namen der Blumen – Anemone, Arnika, Akelei? –, die die alte Mrs. Discala vor kurzem vor ihrem Haus am Bürgersteig entlang gepflanzt hatte. Emma fischte den Hausschlüssel aus der Seitentasche ihrer Jeans, zog die Fliegengittertür auf und öffnete die Haustür. Beide Türen quietschten protestierend. Wahrscheinlich müssen sie geölt werden, dachte sie und fragte sich gedankenverloren, welches Öl man dafür eigentlich benutzte. Tierisch, pflanzlich, mineralisch?

Die Luft im Haus war stickig, aber Emma verwarf den Gedanken, ein Fenster zu öffnen. Die Temperatur passte ganz gut zu ihrer lethargischen bis depressiven Stimmung. Heute war der Tag, an dem sie sich auf Jobsuche machen wollte, aber ihr Sohn hatte in der Nacht nicht gut geschlafen – wieder ein Alptraum –, was natürlich bedeutete, dass sie auch nicht gut geschlafen hatte. Sie bezweifelte, dass die dunklen Ringe unter ihren normalerweise lebhaften blauen Augen bei einem potenziellen Arbeitgeber einen guten Eindruck machen würden. Ihre Augen hatten immer auf andere gewirkt. Sie waren groß und mandelförmig und betonten ihr außergewöhnlich hübsches Gesicht. Außerdem hatte sie noch gar nicht entschieden, was für einen Job sie eigentlich suchte. »Ich gucke später«, nahm sie sich mit Blick auf die Zeitung vor, die gleich hinter der Haustür auf dem Holzfußboden lag.

Sie ging durch den kleinen Flur, der das Haus in zwei uninteressante Hälften teilte, das Wohnzimmer zur Linken war nur geringfügig geräumiger als das Esszimmer zur Rechten und die Küche dahinter gerade groß genug, um den runden weißen Tisch und die beiden Klappstühle unterzubringen, die sie wie die meisten anderen Möbel in einem Trödelladen gekauft hatte. Ein seltsam geformtes braunes Sofa, das irgendwann einmal ein Designertraum von Modernität gewesen war, beherrschte fast das gesamte Wohnzimmer. Es stand vor dem Fenster zur Straße neben einem überraschend bequemen beige-grünen Sessel, dazwischen waren mehrere stapelbare Beistelltischchen gruppiert. Das Mobiliar des

Esszimmers bestand aus vier grauen Plastikstühlen um einen mittelgroßen quadratischen Tisch, auf dem eine Tischdecke mit Blumenmuster lag, die Emma gekauft hatte, damit man die verkratzte Platte nicht sah. Die Wände im ganzen Haus waren mattweiß, und die nackten Fußböden schrien förmlich nach Teppichen. Aber Teppichböden zu verlegen, hätte bedeutet, sich dauerhaft hier einrichten zu wollen, und wie konnte sie daran denken, Wurzeln zu schlagen und nach vorne zu schauen, wenn sie immer noch in ständiger Angst lebte? Nein, es war noch zu früh. Vielleicht eines Tages …

»Okay«, sagte Emma, »das reicht.« Sie stieg die steile Treppe in den ersten Stock hinauf. Jede Stufe rief ihr ins Gedächtnis, dass in der Mad River Road ein Tag ziemlich genau wie der nächste war. Emma betrat das Schlafzimmer, warf sich auf ihr ungemachtes Doppelbett und fragte sich, warum jemand eine Straße Mad River Road nannte, wenn der betreffende Fluss meilenweit entfernt war. Angeblich hatte es früher irgendwo in der Nähe einen Nebenfluss gegeben, der jedoch längst ausgetrocknet war. Und warum überhaupt Mad River? Hatte er wütend, wild und unkontrollierbar gewirkt, und könnte man mit denselben Adjektiven vielleicht auch die Bewohnerinnen der Straße beschreiben? Ein weiteres ungelöstes Rätsel des Lebens, entschied Emma und schloss die Augen. Sie hatte dringendere Sorgen.

Ihren Sohn, um nur eine zu nennen. Sie musste etwas wegen seiner Alpträume unternehmen. Sie traten immer häufiger auf, und sie brauchte jedes Mal länger, um ihn wieder zu beruhigen. Er bestand ohnehin schon darauf, die ganze Nacht bei brennendem Licht und laufendem Radio zu schlafen. Und nicht nur das, eine Reihe unsinniger Zu-Bett-Geh-Rituale nahm täglich mehr Zeit in Anspruch. Er putzte sich dreißig Sekunden lang die Zähne, fünfzehn Bürstenstriche oben, gefolgt von fünfzehn Bürstenstrichen unten; dann spülte er den Mund mit Wasser aus, das er von links nach rechts in seinem Mund bewegte, bevor er drei Mal ausspuckte; er berührte zwei Mal das Fußbrett seines schmalen Betts, bevor er unter die Decke schlüpfte, um anschließend an die Wand über seinem Kopf zu klopfen. Keine dieser Verrichtungen durfte ausgelassen oder in irgendeiner Weise verändert werden, weil er ansonsten die schlimmsten Konsequenzen fürchtete. Ihr Sohn fürchtete sich vor allem, dachte Emma, stöhnte laut auf und fragte sich, ob er schon immer so ängstlich gewesen war und es nur nicht gezeigt hatte.

Sicher, das letzte Jahr war nicht leicht für ihn gewesen; es war für keinen von ihnen leicht gewesen. Sie waren drei Mal umgezogen, und Dylan hatte noch immer nicht verstanden, warum sie ihr Zuhause überhaupt verlassen und alles, was vertraut und bequem war, zurücklassen mussten: seine Nana, sein Zimmer, seine Freunde, seine Spielsachen. Er fragte ständig nach seinem Vater und ob irgendwer auf ihn aufpassen würde. Außerdem mochte er ihre neuen Namen nicht, obwohl sie ihm erklärt hatte, dass sie ihn nach einer Figur aus ihrer Lieblingsserie *Beverly Hills 90 210* benannt hatte. Und Emma hieß das Baby von Rachel aus *Friends,* hatte sie erläutert und ob er nicht auch fände, dass ihr neuer Name viel besser zu ihr passte als ihr alter. Er müsse gut aufpassen, ermahnte sie ihn regelmäßig, in Gegenwart von Fremden keinen Fehler zu machen und seinen alten Namen zu benutzen. Es sei sehr wichtig, schärfte sie ihm ein, ohne zu erklären, warum. Sie konnte ihm schließlich schlecht die Wahrheit über seinen Vater sagen. Er war noch zu jung, um es zu verstehen. Wenn sie wieder umziehen musste, würde sie ihn seinen Namen vielleicht selber aussuchen lassen.

Emma drehte sich vom Rücken auf die Seite, schlug die Augen auf und sah aus dem Fenster. Kleine Wolkenfetzen trieben an einem blauen, unbesorgten Himmel dahin. Der Ast eines Baumes, an dem vor kurzem Blätter gesprossen waren, wehte in Richtung Fenster. Für Mai war es kühl, die Luft noch feucht, als ob Regen drohte, was sie hasste. Emma nahm das Wetter sehr persönlich, obwohl sie wusste, dass das Unsinn war. Aber musste es deswegen die meiste Zeit so verdammt ungemütlich sein? Sie war an einem Ort mit Sonne und Wärme aufgewachsen, und vielleicht konnte sie eines Tages dorthin zurückgehen.

In der Zwischenzeit saß sie hier in der Mad River Road fest. Noch einen Monat, dann war die Schule vorbei. Was sollte sie dann mit Dylan machen? Selbst wenn sie das Geld gehabt hätte, ihn in ein Sommerferienlager zu schicken, würde er wohl kaum fahren. Und sie konnte ihn schließlich nicht zwei Monate lang mit zur Arbeit nehmen. Wie konnte sie da auch nur darüber nachdenken, sich einen Job zu suchen? Vielleicht konnte sie die alte Mrs. Discala überreden, auf ihn aufzupassen. Dylan mochte sie. Er sagte, sie erinnerte ihn an seine Nana.

Das war alles ihre Schuld, dachte Emma, während der Schlaf an ihren Lidern zupfte. Sie war der Grund, warum ihr Sohn so ängstlich war. Wenn sie nicht bald etwas unternahm, würden sie beide verrückt werden. Wirklich Mad River Road.

Sie sank in einen benommenen Halbschlaf, in dem sich Fantasie und Realität vermischten und seltsame Bilder zusammen mit tatsächlichen Ereignissen in ihr Bewusstsein trieben. In einer Minute packte sie panisch ihre Sachen und floh aus dem Haus, in der nächsten tauchte sie in einen reißenden Fluss. Vertraute Gesichter reihten sich an einem unbekannten Ufer, sie riefen ihr verschiedene Namen zu, warfen mit Stöcken und stampften mit den Füßen auf, um ihre Aufmerksamkeit zu erregen. Einige hieben mit den Fäusten in die Luft, als wollten sie eine schwere Tür einschlagen.

Jemand war an der Tür, wurde Emma bewusst, als das Pochen lauter wurde. Wer ist das, fragte sie sich, beinahe zu erschrocken, um sich zu rühren. Sie erwartete niemanden, und es war auch nicht so, dass ihre Nachbarn die Angewohnheit hatten, uneingeladen vorbeizuschauen. In den paar Monaten, die sie jetzt in der Mad River Road wohnte, hatte sie sich auch nicht um Freundschaften bemüht und die höflichen Gesprächsbemühungen der anderen alleinerziehenden Mütter in der Straße abgewehrt. Es war besser so. Es hatte keinen Sinn, sich auf andere Menschen einzulassen, solange sie sich selbst auf so dünnem Eis befand, solange ein überraschender Anruf oder eine Zufallsbegegnung sie mitten in der Nacht erneut zur Flucht trieb. War es da wirklich überraschend, dass diese Haltung auf ihren Sohn abgefärbt hatte? Dylans Lehrerin Miss Kensit hatte häufig beklagt, dass er keine Freundschaften schloss. War sie es, die unten an die Tür klopfte? Wollte sie Emma mitteilen, dass ihrem Sohn etwas Schreckliches zugestoßen war? Hatte irgendjemand ihn verschleppt?

Emma fuhr im Bett hoch und versuchte, die Panik abzuschütteln, die ihren ganzen Körper erfasst hatte, doch der Schreck blieb ihr in den Gliedern stecken wie eine hartnäckige Erkältung.

Hatte er sie gefunden?

Sie sah auf die Uhr, stieß sich vom Bett ab und ging in den Flur. Sie hatte fast eine halbe Stunde geschlafen. War es möglich, dass sich ihre Welt in einer halben Stunde, in jenen dreißig Minuten Schutzlosigkeit, die sie sich erlaubt hatte, ein weiteres Mal und für immer verändert hatte? Alles ohne ihr Wissen und auf jeden Fall ohne ihre Zustimmung? »Ich will das nicht«, sagte sie, während sie sich an der Wand abstützend und schweißige Fingerabdrücke der Angst hinterlassend Stufe für Stufe die Treppe hinunterschlich. »Ich akzeptiere das nicht.« Emma atmete tief ein und hielt die Luft an, bevor sie die Haustür aufriss und durch das Fliegengitter starrte. Wenn es sein muss, bringe ich dich um, dachte sie, als sie den uniformierten Fremden sah. Ich bringe dich um, bevor ich zulasse, dass man mir meinen Sohn wegnimmt.

»Päckchen«, verkündete ein junger Mann mit einer großen Lücke zwischen den Schneidezähnen nonchalant. »Es hat nicht durch den Briefschlitz gepasst.« Emma stieß die

Fliegengittertür auf, und der Mann, den sie jetzt als den Postboten erkannte, drückte ihr zusammen mit ihrer normalen Post einen großen Umschlag in die Hand, machte auf dem Absatz kehrt und sprang die Treppe zum Bürgersteig hinunter. Sie schloss eilig die Tür, riss den wattierten Umschlag auf und zog einen allem Anschein nach sehr langen, ordentlich in zweizeiligem Abstand getippten Brief heraus. Von wem, fragte sie sich, und der Umhang der Furcht legte sich erneut um ihre Schultern, als sie bis zur letzten Seite vorblätterte. Aber statt einer Unterschrift fand sie nur das Wort ENDE. »Was geht hier vor?«, fragte sie sich und blätterte wieder zur ersten Seite. Der Brief begann:

Sehr geehrte Ms. Rogers,
vielen Dank für die Einsendung der Geschichte »Die letzte Überlebende«. Wir fanden sie unterhaltsam und gut geschrieben, sind jedoch der Ansicht, dass sie nicht die passende Lektüre für die Leserinnen der Zeitschrift »Woman's Own« darstellt. Wir wünschen Ihnen viel Glück für eine Veröffentlichung in einem anderen Magazin und hoffen, dass Sie auch in Zukunft an uns denken werden.
Mit freundlichen Grüßen ...

Was zum Teufel ist das, fragte Emma sich und begriff im selben Moment, dass der Postbote den Umschlag an die falsche Adresse zugestellt hatte. Bei Licht betrachtet war die gesamte Post nicht für sie, sondern für eine Ms. Lily Rogers in der Mad River Road 113. *113*, nicht 131. Emma wusste, wer Lily Rogers war. Sie wohnte neun Häuser weiter am Ende der Straße und winkte Emma jedes Mal zu, wenn sie sie sah. Sie hatte auch schon mehrfach versucht, ein Gespräch anzuknüpfen, aber Emma hatte sie immer abgebürstet und war davongeeilt. »Warten Sie«, rief sie, stieß beide Türen auf und sah sich nach dem Postboten um. Aber er war schon um die nächste Straßenecke verschwunden, und sie hatte nicht vor, ihm hinterherzurennen. Sie würde Lily Rogers die Post heute Nachmittag vorbeibringen, wenn sie ihren Sohn von der Schule abholte. Es drängte schließlich nicht. Niemand hatte es eilig, eine Ablehnung zu bekommen.

Emma hob den Absagebrief an, um einen Blick auf die Geschichte darunter zu werfen. »Die letzte Überlebende«, las sie. Von Lily Rogers.

Pauline Brody dachte an Lakritzstangen. Die langen, gewundenen, roten, die eigentlich gar nicht aus Lakritz waren, wie ihre Schwester ihr immer erklärt hatte, sondern aus irgendeinem Plastik mit einem schrecklichen roten Farbstoff, von dem sie Krebs bekommen würde, wenn sie groß war.

Igitt, dachte Emma, schob den Packen Papier wieder in den Umschlag und warf Lilys Post auf den Boden, als sie die Zeitung aufhob und mit in die Küche auf der Rückseite des Hauses nahm. Sonnenschein fiel durch das große Fenster über dem Waschbecken auf die glatte Kunststoffarbeitsplatte zwischen dem kleinen weißen Kühlschrank und dem Herd. Es gab weder eine Spülmaschine noch eine Mikrowelle und auch keinen schicken Grill, wofür Emma beinahe dankbar war. Sie brauchte all diese Dinge nicht. Während ihrer Ehe mit Dylans Vater hatte sie sie besessen, und sie vermisste sie nicht. Solange sie ihre Kaffeemaschine hatte, war sie glücklich. Sie spülte einen Becher aus und goss sich frischen Kaffee aus der Kanne ein, den sie am Morgen gekocht hatte. Na ja, vielleicht doch nicht so frisch, dachte sie, als sie einen großen Schluck trank, sich an den Küchentisch setzte und die Stellenanzeigen aufschlug. Genug gefaulenzt, sie brauchte einen Job.

Emma lehnte sich stöhnend auf dem Stuhl zurück und streckte die Hand nach der Schublade neben der Spüle aus. Sie konnte das nicht allein. Sie brauchte Verstärkung. Und die lag ganz hinten in der Schublade zwischen Geschirrtüchern und Putzlappen bereit: eine Packung Salems samt einem Streichholzbriefchen. Apropos Dinge, von denen man Krebs bekam, wenn man groß war, dachte Emma und zog eine Zigarette aus der Schachtel. Sie zündete sie an, inhalierte tief und schloss die Augen. Sie konnte sich schließlich nicht über alles Sorgen machen, und um ehrlich zu sein, rauchte Emma einfach gern. Sie liebte alles daran – den Geschmack von Tabak auf der Zunge, das schleichende Brennen bis in den Hals hinein, den köstlichen Druck in der Lunge, wenn sie sich mit Rauch füllte, und das zutiefst befriedigende Gefühl, langsam wieder auszuatmen. Emma war es egal, was die Experten sagten. Etwas, wobei man sich so gut fühlte, konnte unmöglich schlecht sein.

Natürlich hatte sie so irgendwann einmal auch über Männer gedacht.

Außerdem hatte sie Dylan versprochen aufzuhören. Ich schwöre, ich werde mit dem Rauchen aufhören. Nein, ich sterbe nicht. Ja, das war meine allerletzte Zigarette. Nein, ich rauche nie wieder eine. Siehst du? Mami schmeißt alle ihre fiesen Zigaretten weg. Da, alle weg. Hör auf zu weinen. Bitte, mein Schatz, hör auf zu weinen.

Bevor er nach Hause kam, musste sie das Zimmer lüften und sich die Zähne putzen. Fünfzehn Bürstenstriche oben, fünfzehn Bürstenstriche unten, dachte sie mit einem traurigen Lächeln, als sie sich Dylan und sein allabendliches Ritual vorstellte. Mein Gott, was sollte sie bloß mit dem Kind machen?

»Und was soll ich mit *mir* machen?«, fragte sie laut und begann, die Stellenanzeigen unter der Rubrik *Dienstleistung Allg./Aushilfen* durchzugehen.

SUPER TOP CHANCE, lautete die erste Überschrift. *Auf der Suche nach einem coolen Job? Wir bieten ein tolles Arbeitsklima und großartige Verdienstmöglichkeiten.*

»Klingt gut«, sagte Emma und las den Rest der Anzeige.

Expandierende Marketing-Agentur sucht 14 F/T Marketing-Reps. Kein Telefonmarketing!

»Was um Himmels willen ist ein F/T-Marketing-Rep.?«, fragte sich Emma, zog noch einmal an ihrer Zigarette und überflog die weiteren Anzeigen.

Reiseleitung (22 neue Positionen) 10 $ pro Stunde + 40–100 $ täglich in bar …

Bäcker für portugiesische Bäckerei gesucht. Rufen Sie Tony oder Anita an …

18 Reisekaufleute für Reservierungsabteilung …

Programmdirektorin für Halfway House gesucht. Jahresgehalt: 50 000 $ …

»Das klingt schon besser.«

… mind. 5 Jahre Berufserfahrung. E-Mail-Bewerbungen an …

»Sch-ade. Damit hätte sich das wohl erledigt.«

Es klopfte erneut an der Tür, und wieder hielt sie den Atem an.

»Sei nicht albern, das ist bloß der Postbote, der seinen Irrtum bemerkt hat.« Emma zog ein letztes Mal intensiv an ihrer Zigarette, bevor sie sie in die Spüle warf und mit dem Kaffeebecher in der Hand zur Haustür ging. Sie hob Lily Rogers' Post vom Fußboden auf und öffnete die Tür.

Die Frau, die auf der anderen Seite des Fliegengitters stand, war jung, blond und auf eine schwerfällige Art hübsch, dachte Emma, als sie das runde Gesicht, die kleine Stupsnase und ihren mehr als üppigen Busen betrachtete. Es war eine Schande, dachte Emma. Wenn sie fünf Pfund abnehmen würde, wäre sie schön, wenn sie zehn schaffte, wäre sie umwerfend.

»Hi«, sagte Lily Rogers mit lächelnden braunen Augen. Sie hielt einen kleinen Packen Briefe hoch. »Die sind irrtümlich mir zugestellt worden. Ich glaube, der Postbote ist neu oder so«, fuhr sie fort, als Emma die Tür gerade weit genug öffnete, um die Post zu tauschen. »Der Typ, der sonst immer kommt, macht solche Fehler nicht. Oh«, sagte sie, als sie sah, dass der große Umschlag aufgerissen war.

»Es tut mir wirklich sehr Leid«, sagte Emma sofort. »Ich habe ihn geöffnet, bevor ich bemerkt habe …«

»Das macht nichts. Hoffentlich gute Nachrichten.«

Emma schwieg.

»Verdammt«, sagte Lily Rogers, ohne sich die Mühe zu machen, die Absage zu lesen.

»Da steht, die Geschichte wäre unterhaltsam und gut geschrieben«, tröstete Emma sie und fügte eilig hinzu: »Ich wollte nicht neugierig sein …«

»Das ist schon in Ordnung.«

So sah sie aber nicht aus, dachte Emma. Eher so, als würde sie jeden Moment in Tränen ausbrechen. Spende ihr ein bisschen Trost, und schick sie dann wieder ihrer Wege. »Möchten Sie einen Kaffee?«, hörte sie sich fragen und biss sich auf die Unterlippe. Was war mit ihr los? Sie wollte Lily Rogers nicht im Haus haben. Hatte sie sich nicht extra angestrengt, keine ihrer Nachbarinnen kennen zu lernen? Was tat sie? Sie wollte keine Freundin. Eine Freundin konnte sie sich nicht leisten.

»Das wäre super«, sagte Lily und folgte Emma in die Küche.

Emma warf ihre Post, zwei Rechnungen und einen Prospekt für eine Ferienanlage auf Cape Cod, wie sie mit einem Blick registrierte, auf den Küchentresen, goss Lily einen Becher Kaffee ein und bot der jungen Frau einen Stuhl an.

»Vielen Dank.« Lily ließ sich auf den nächsten Klappstuhl sinken und schlug die Beine übereinander. Sie trug einen wenig schmeichelhaften Jogginganzug mit dem Emblem des lokalen Fitnessclubs. »Ich arbeite vier Tage die Woche von zehn bis drei bei Scully's«, sagte sie, als sie Emmas Blick bemerkte. »Während Michael in der Schule ist. Ich glaube, unsere Söhne sind in derselben Klasse. Miss Kensit?«

Emma nickte, griff in die Schublade neben der Spüle und zog eine weitere Zigarette heraus. »Auch eine?«

»Nein danke. Ich rauche nicht.«

Emma zündete nickend ihre zweite Zigarette des Tages an und blies Rauchkringel in die Luft. »Und was ist mit der Geschichte?«, fragte sie und wies mit dem Kopf auf den wattierten Umschlag, der vor Lily auf dem Tisch lag.

Lily zuckte die Achseln. »Wie heißt es so nett, Hoffnung keimet ewiglich …«

»Wollen Sie Schriftstellerin werden?«

»Ja, schon seit ich ein kleines Mädchen war. In der Schule war ich immer die, die ihren Aufsatz vorlesen sollte, weil alle ihn immer so toll fanden. In der 10. Klasse hat meine Englischlehrerin tatsächlich verkündet: ›Dieses Mädchen wird eines Tages Schriftstellerin werden.‹«

Lily zuckte noch einmal mit den Schultern. »Na ja, ich werd es weiter versuchen.«

»Das ist nicht die erste Absage?«

»Wahrscheinlich eher meine hunderterste. Ich könnte Ihre Wände damit tapezieren.«

»Nur zu!« Emma lachte und merkte, dass sie Spaß hatte. Wie lange war es her, dass sie sich mit einem anderen Erwachsenen bei einer Tasse Kaffee entspannt hatte. »Ich hab mal eine Geschichte veröffentlicht«, vertraute sie ihrer Nachbarin an.

Lily riss ihre braunen Augen auf und stellte den Becher auf dem Tisch ab. »Wirklich? Wo denn?«

»In der *Cosmo*.« Sie lächelte verlegen. »Das ist lange her. Und es war eine andere Art von Geschichte als die, die Sie schreiben. Es ging um meine Erfahrungen als Model.«

»Sie sind Model?«

Emma wünschte, Lily hätte nicht ganz so überrascht geklungen. »Eigentlich nicht. Jedenfalls nicht mehr. Vor ein paar Jahren habe ich ein bisschen gemodelt. Vor meiner Hochzeit.«

»Warum haben Sie damit aufgehört?«

Emma zuckte die Achseln. »Aus keinem besonderen Grund.«

Lily nickte, als würde sie verstehen.

Wie konnte sie, fragte Emma sich. »Haben Sie je Maybelline-Mascara benutzt?«

»Klar.«

»Erinnern Sie sich an die Verpackung?«, fragte Emma. »Die mit den riesigen blauen Augen, die einen angesehen haben.«

»Ja, ich glaube, ich erinnere mich.«

»Das waren meine.«

»Das waren Ihre Augen? Das ist nicht Ihr Ernst!«

Wieder wünschte Emma, Lily hätte nicht ganz so erstaunt geklungen. »Genau das hab ich auch gesagt, als mich eines Nachmittags dieser schmierig aussehende Typ bei McDonald's ansprach und meinte, er sei Fotograf und ich hätte absolut unglaubliche Augen. Er gab mir seine Karte, und obwohl ich das Ganze nach wie vor für einen Witz hielt, habe ich sie meiner Mutter gegeben, sie hat den Typen angerufen, und es stellte sich heraus, dass er echt war. Und ehe ich mich versah, waren meine Augen auf jeder Maybelline-Verpackung.«

»Das ist ja toll.«

»Ja, ich hab noch ein paar andere Sachen gemacht, aber dann habe ich geheiratet und ... Sie wissen ja, wie das ist.«

Lily nickte, als ob sie es wirklich wüsste.

Emma zog ein weiteres Mal intensiv an ihrer Zigarette. »Sind Sie verheiratet?«

»Ich bin verwitwet«, sagte Lily kaum hörbar.

»Verwitwet? Oh. Was ist passiert?«

»Ein Motorradunfall.« Lily schüttelte den Kopf, als wollte sie ein unangenehmes Bild loswerden. »Und Sie haben Ihre Model-Geschichte in der *Cosmopolitan* veröffentlicht?«, fragte sie, offensichtlich bemüht, das Thema zu wechseln. »Das ist fantastisch. Ich würde sie gern lesen.«

»Ich auch«, sagte Emma. »Leider musste ich alle Exemplare zurücklassen, als ich umgezogen bin.«

Lily schwieg nachdenklich, trank ihren Becher leer und sah auf die Uhr. »Ich sollte jetzt besser gehen, sonst komme ich zu spät zur Arbeit.« Sie sammelte ihre Post vom Tisch ein und stand auf. »Hören Sie«, sagte sie, als sie schon an der Haustür war, »ich habe vor ein paar Monaten einen Lesezirkel gegründet, nur ein paar Frauen aus der Straße und ein paar Leute von der Arbeit. Wir treffen uns heute Abend bei mir, wenn Sie vorbeikommen wollen.«

»Nein danke«, sagte Emma hastig. »Lesezirkel sind eigentlich nicht so mein Ding.«

»Na ja, falls Sie es sich noch anders überlegen …« Lily rannte die Stufen hinunter. Auf dem Bürgersteig blieb sie noch einmal stehen und hielt ihre Post hoch. »Halb acht«, rief sie. »Nummer 113.«

5

Jamie starrte aus dem Beifahrerfenster ihres Wagens, der auf dem Florida Turnpike nach Norden fuhr, und fragte sich, ob sie wohl völlig den Verstand verloren hatte. Sie hatte nicht nur ihren Job gekündigt und ihre Schwester vor den Kopf gestoßen, sondern auch den Schlüssel für ihren geliebten Thunderbird einem Mann ausgehändigt, den sie kaum kannte, und trotzdem hatte sie seit Beginn ihrer Reise vor beinahe drei Stunden nicht aufgehört zu lächeln. Und das, obwohl es entlang dieses langen und langweiligen Autobahnabschnitts absolut nichts Interessantes zu sehen gab und auch die endlose Folge von Reklametafeln für Yeehaw sie längst nicht mehr amüsierte, eine Stadt, deren Haupterwerbsquelle offenbar aus dem Verkauf von Discounttickets für Disneyworld und die Universal Studios bestand. MICKEY SEHEN ZUM MINNIE-PREIS, verkündete eins der Plakate stolz, ein paar Meter weiter hieß es nur BABY! Es folgten kurz hintereinander: VERLOCKENDE – SUPERANGEBOTE – IN YEEHAW. Jamie hatte den Eindruck, dass alle Reklametafeln nebeneinander gelegt wahrscheinlich eine größere Fläche bedecken würden als die kleine Stadt Yeehaw selbst.

Dazwischengestreut waren zahlreiche Werbetafeln für Orangensaft aus Florida – FÜR IHRE GESUNDHEIT – Bush Gardens, Sea World, diverse Naturschutzparks und eine Bequemlichkeit des modernen Lebens, die sich Sun Pass nannte und es einem erlaubte, durch alle Mautstellen auf der Strecke zu fahren, ohne sich in der Schlange einreihen zu müssen. ALTER WAGEN / NICHT PROMINENT

/ TROTZDEM BEKOMMT ER/ DAS VIP-TREATMENT, lautete die frohe Kunde auf vier aufeinander folgenden Plakaten. Des Weiteren gab es Werbetafeln, die die Botschaften diverser Interessengruppen in die Welt posaunten. Eine Tafel drängte die Fahrer: WÄHLE DAS LEBEN. Bevor ein weiteres Plakat wenige Meter weiter fragte: BIST DU NICHT FROH, DASS DEINE MUTTER ES GETAN HAT? Und wieder ein Stück weiter warnte eine andere Tafel: DIE UNO WILL EUCH EURE WAFFEN WEGNEHMEN.

Typisch Florida, dachte Jamie und beobachtete, wie die Beifahrerin des Cabriolets vor ihnen ihre langen braunen Beine in die Luft streckte und auf das Armaturenbrett legte, sodass man eine Reihe bunt bemalter Zehennägel bewundern konnte. Viele, viele, bunte Smarties, dachte Jamie und widmete ihre Aufmerksamkeit den zahlreichen personalisierten Nummernschildern eitler Fahrzeughalter, die an ihnen vorbeiglitten – LA GUTS, IWAIT4YOU, I-AM-NR-1 –, sowie den allgegenwärtigen Aufklebern stolzer Eltern und ihres akademische Ehren anstrebenden Nachwuchses. Auf dem überdimensionierten Kofferraum eines alten weißen Lincoln Continental prangte die schwarze Aufschrift: SIE IST EIN KIND UND KEINE WAHL, während ein Plakat im Heckfenster eines Dodge Caravan verkündete: SCHWERKRAFT ZIEHT ECHT RUNTER. Jamies persönlicher Favorit war jedoch ein gemaltes Schild im Rückfenster einer knallgelben Corvette, die die anderen Fahrer ermahnte: RETTE EIN PFERD, REITE EINEN COWBOY. Jamie schloss die Augen und merkte, dass sie vom ständigen Blinzeln in die helle Sonne Kopfschmerzen bekam. Eingelullt von den hypnotischen Refrains der Countrysongs im Radio, die unweigerlich von gebrochenem Herzen, heftigem Trinken und dergleichen handelten, wäre sie fast eingeschlafen, als ein Zwicken in der Blase sie daran erinnerte, dass sie seit Verlassen ihrer Wohnung nicht mehr auf der Toilette gewesen war.

Es war erst die dritte Stunde ihrer langen Reise, aber sie hatte schon Kopfschmerzen und fühlte sich müde und unwohl.

Trotzdem konnte sie sich nicht erinnern, wann sie zum letzten Mal so aufgeregt gewesen war.

»Worüber lächelst du?«, fragte Brad und lächelte selbst.

Jamie schlug lachend die Augen auf. »Ich kann einfach nicht glauben, wie gut ich mich fühle.«

Brad nahm seine rechte Hand vom Steuer und streichelte ihren nackten Oberschenkel. »Und wie gut du dich anfühlst.«

Jamie wurde rot und blickte zu dem schwarzen Jaguar in der Spur neben ihr. Seit etlichen Kilometern überholten sich die beiden Wagen immer wieder abwechselnd. Das Nummernschild des Jaguars lautete: HOT DOC. Jamie fragte sich, ob der Mann hinterm Steuer ein viel beschäftigter Arzt oder gefragter Dokumentarfilmer war. Vielleicht auch ein gut aussehender Tierarzt oder ein Zahnarzt, der sich für etwas Besseres hielt. Sie fragte sich, ob er Brads Hand sehen konnte, die sich unter das Bein ihrer Shorts geschoben hatte. Aber der HOT DOC starrte stur geradeaus, scheinbar gebannt vom dichten Verkehr, weshalb er die erotischen Spielereien im Nebenfahrzeug offenbar gar nicht bemerkte.

»Zieh deine Shorts aus«, wies Brad sie an.

»Was?«

»Du hast mich gehört.«

»Das kann ich nicht machen.«

»Warum nicht?«

»Weil ich es nicht kann. Die Leute können ins Auto gucken.«

»Kein Mensch guckt. Außerdem komme ich so nicht an dich ran.«

Eine Reihe von leichten Stromstößen durchfuhr Jamies ganzen Körper, als sie widerwillig Brads Hand aus ihrer Shorts schob und demonstrativ die Beine übereinander schlug. »Du sollst dich auf die Straße konzentrieren.«

»Wie soll ich mich auf die Straße konzentrieren, wenn du neben mir sitzt und so verdammt köstlich aussiehst?«

Köstlich, wiederholte Jamie stumm und genoss den Klang. Wann hatte ihr irgendjemand je gesagt, sie sähe köstlich aus? Der Mann wurde mit jedem Moment besser. Sie atmete tief ein und unterdrückte einen Seufzer puren Wohlbehagens. Wie hatte sie nur so viel Glück haben können, fragte sie sich wie am Abend zuvor. Wie konnte aus einem spontanen One-Night-Stand das Beste werden, was ihr je passiert war? LOSLASSEN – GOTT WALTEN LASSEN, dachte sie, als ihr ein möglicherweise prophetischer Aufkleber wieder einfiel, den sie gelesen hatte, als sie Stuart verlassen hatten.

Seit die Entscheidung, die Stadt zu verlassen, getroffen war, war alles extrem schnell gegangen, als hätte irgendjemand auf einen unsichtbaren Schnellvorlauf gedrückt. Jamie hatte ihre Arbeitskleidung rasch gegen Shorts und ein orangefarbenes T-Shirt getauscht, ein paar Sachen in eine Reisetasche geworfen, die Brad im Kofferraum des Wagens deponiert hatte. Er riet ihr, nicht zu viel einzupacken, sondern mit leichtem Gepäck zu reisen, er könnte ihr kaufen, was immer sie unterwegs brauchte. Was immer sie brauchte. Was immer sie wollte. Wann immer sie wollte, hatte er gesagt. Das hatte noch niemand zu ihr gesagt, genauso wenig wie ihr je irgendjemand erklärt hatte, sie sei köstlich. Ihr Lächeln wurde breiter. »Ich sehe also köstlich aus?«, fragte sie in der Hoffnung, das Kompliment noch einmal zu hören.

»Zum Anknabbern«, sagte Brad verführerisch. »Ich glaube sogar, ich muss bei der nächsten Raststätte halten, um genau das zu tun.« Ohne ein weiteres Wort wechselte er in die linke Spur und setzte den Blinker, um anzuzeigen, dass er bei der nächsten Ausfahrt abfahren wollte.

»Was? Nein. Das kannst du nicht machen, Brad. Das ist nicht dein Ernst.«

»Oh, und ob das mein Ernst ist. Ich habe auf einmal einen gewaltigen Appetit.«

»Nein, Brad, das können wir nicht machen«, rief sie, als er von der Autobahn herunterfuhr.

»Warum nicht?«

»Ich würde mich einfach nicht wohl dabei fühlen.«

Brad ignorierte ihre andauernden Proteste und folgte einem großen LKW über eine gewundene Straße, die vom Turnpike zu einer Raststätte in der Mitte der zweigeteilten Autobahn führte.

Zu der Raststätte, deren Parkplatz bereits ziemlich voll besetzt war, gehörte eine Selbstbedienungstankstelle mit einem kleinen Supermarkt. Jamie fragte sich, ob Brad es wirklich ernst meinte und ob er, falls dem so war, wenigstens vorhatte, so zu parken, dass man sie nicht bemerkte. Wollte er sie wirklich am helllichten Tag mitten auf dem Turnpike mitten in Amerika lecken, ein Akt, dessentwegen sie sicher unmittelbar in einer Arrestzelle landen würden? Und hatte sie vor, ihn zu lassen?

Trotz ihrer lautstarken Proteste fand Jamie die Vorstellung, sich an einem derart öffentlichen Ort zu lieben, eigenartig erregend. Eine Raststätte auch noch. Umringt von Autos und Reisenden, die ihre müden Glieder streckten. Sie lachte still in sich hinein. Mach mal Pause! Noch nie hatte sie etwas annähernd Vergleichbares getan und fragte sich, ob der Rat WÄHLE DAS LEBEN so gemeint gewesen war.

Aber genau das tat sie gerade, entschied sie auf einer neuen Welle der Euphorie gleitend, als Brad in die Spur neben dem Supermarkt einbog. Ich wähle das Leben, lasse los und lasse Gott walten. Oder auch Brad, verbesserte sie sich, hielt den Atem an und wartete angespannt, als er den Motor ausmachte und sich ihr zuwandte. Wollte er es wirklich gleich hier an Ort und Stelle tun?

»Ich wollte dich nur ein bisschen anmachen«, sagte er mit einem trägen Lächeln. »Du weißt doch, dass ich nie etwas tun würde, wobei du dich nicht wohl fühlst.«

»Das weiß ich«, sagte Jamie und hoffte, dass weder ihre

Stimme noch ihre Miene ihre Enttäuschung preisgaben. Was war mit ihr los? Kannte sie überhaupt keine Scham?

Brad küsste sie auf die Wange, stieg aus und benutzte seine Kreditkarte, um die Zapfsäule in Betrieb zu nehmen, bevor er das teuerste Benzin wählte. »Musst du mal?«, fragte er und beugte sich wieder in den Wagen. »Dann wäre jetzt wahrscheinlich eine gute Gelegenheit.«

»Gute Idee.«

»Ich glaube, es ist auf der Rückseite«, wies er sie an, als sie aus dem Wagen stieg. »Wahrscheinlich braucht man einen Schlüssel.« Er zeigte zu dem Supermarkt.

Die Hitze prallte Jamie entgegen wie ein grob unaufmerksamer Fußgänger, und die schiere Wucht hätte sie um ein Haar auf das Pflaster geworfen. Sie stolperte über ihre eigenen Füße und sah sich verlegen zu Brad um, der neben dem Wagen stand, ihr mit einer Hand zuwinkte, mit der anderen die Zapfsäule bediente und ihr sein fabelhaftes Grinsen zuwarf, das sogar die brütend heiße Sonne Floridas überstrahlte. »Alles in Ordnung?«, rief er.

Sie nickte. »Willst du irgendwas? Cola oder Chips?«

»Eine Cola wäre super. Brauchst du Geld?«

Jamie hielt lachend ihre braune Leinenbörse hoch. »Meine Runde.« Sie betrat den kleinen Laden, wo ein angenehm kühler Luftstrom sie umfing. Sie hörte, wie eine Autotür zugeschlagen wurde, ein Motor heulte auf, Reifen quietschten. Da hat es aber jemand eilig, dachte sie und betrachtete die Reihen von Junkfood und Zeitschriften. Hinten in der Ecke, von einem Stapel unausgepackter Kartons verdeckt, stand ein alter kaputter Spielautomat. An der Wand reihten sich vier große Metallkühlschränke mit Molkereiprodukten und nichtalkoholischen Getränken. Sie nahm mehrere Getränkedosen heraus und trug sie an einem Ehepaar mittleren Alters vorbei, die über eine Straßenkarte gebeugt über eine verpasste Abfahrt stritten. »Was macht das?«, fragte Jamie die Kaugummi kauende junge Frau hinter der Ladentheke.

»Zwei Dollar, fünfzig Cent.«

Jamie gab ihr einen Fünfdollarschein und überschlug, während sie auf das Wechselgeld wartete, dass sie noch etwa hundert Dollar in bar bei sich hatte. »Kann ich den Schlüssel für die Toilette haben?«, fragte sie die Kassiererin.

»Man braucht keinen.« Das Mädchen ließ laut eine Blase ihres Kaugummis platzen, während sie die Cola-Dosen in eine Plastiktüte packte, die sie Jamie anreichte. »Das Schloss ist kaputt.«

Na toll, dachte Jamie, nahm die Tüte und zog den Kopf ein, bevor sie wieder hinaus in die heiße Sonne trat. Aus den Augenwinkeln bemerkte sie einen Obdachlosen in Lumpen und zwei nicht zueinander passenden Turnschuhen, der schwankend neben einer Reihe von Zeitungsständern herumlungerte. Unheimlich, dachte Jamie und spürte, wie sich an ihrem Haaransatz kleine Schweißtröpfchen bildeten.

»Hey«, rief irgendjemand, und Jamie drehte sich um in der Hoffnung, Brad zu sehen. Doch es war nur ein Teenager, der einem anderen etwas zurief, während Brad Fisher und ihr blauer Thunderbird nirgendwo in Sichtweite waren. Sie drehte sich einmal um die eigene Achse, aber sowohl ihr treues Gefährt als auch ihr Märchenprinz blieben verschwunden.

Wo war er, fragte sie sich und drehte sich noch einmal in alle Richtungen um.

Wenn einem etwas zu gut erscheint, um wahr zu sein, ist es das meistens auch, deklamierten ihre Schwester und ihre Mutter im Chor.

Es ergab überhaupt keinen Sinn. Brad hatte seine Chance zu gehen heute Morgen gehabt. Ja, verdammt, er war sogar schon gegangen. Warum sollte er zurückkommen – noch dazu mit Bagels –, wenn er vorhatte, sie nur Stunden später sitzen zu lassen?

Die Antwort darauf wusste Jamie schon, bevor sie die Frage ganz formuliert hatte. Weil er ein Auto brauchte, erinnerte sie sich. Weil sein eigener Wagen kaputt war und er einen fahrbaren Untersatz brauchte, um nach Ohio zu kommen.

Weil das mit seinem Geld, dem Zimmer im Breakers und wer weiß was sonst noch gelogen war.

Weil es eine lange, langweilige Fahrt und sie eine nette Ablenkung war.

Weil sie ein Idiot war, dachte Jamie, als ihr Tränen in die Augen schossen und über ihre Wangen kullerten. Sie versuchte, sie zu ignorieren, und ging zur Toilette auf der Rückseite des Gebäudes. »Ein *verdammter* Idiot.« Sie riss die Tür mit der Aufschrift *adies* auf, das *L* wie Brad Fisher schon lange verschwunden.

Die Toilette war überraschend sauber, die mattweißen Wände rochen nach Desinfektionsmittel. Vor einem grünen Toilettentisch mit zwei abgestoßenen Emaillebecken stand ein großer grüner Plastikmülleimer, und irgendjemand hatte offenbar in dem Bemühen, den fensterlosen Raum ein wenig aufzuhellen, vor den Spiegel hinter den beiden Waschbecken eine Coca-Cola-Flasche mit einer Plastikblume gestellt. Wahrscheinlich dieselbe Person, die den Spiegel flüchtig abgewischt hatte, sodass das Glas jetzt von einer Reihe kunstvoller Wischer in ungleiche Flächen unterteilt war.

Jamie öffnete die erste der beiden Kabinen, legte ihr Portemonnaie und die Plastiktüte auf den Boden und ließ ihre Shorts herunter, obwohl die Stimme ihrer Schwester sie ermahnte, sich nicht auf den Toilettensitz zu setzen. *Geh in die Hocke,* wies Cynthia sie an.

Oder wisch wenigstens die Brille mit Toilettenpapier ab, drängte ihre Mutter.

Als Reaktion setzte sie sich einfach auf die Klobrille, ließ den Kopf in die Hände sinken und kämpfte mit den Tränen. »Was mache ich bloß? Was ist mit mir los?«

So blieb sie sitzen, auch lange nachdem sie fertig war, und blickte erst auf, als sie hörte, dass jemand hereinkam. Danach war es still. Keine Schritte, kein laufendes Wasser, die

Tür zur Nachbarkabine wurde nicht geöffnet. Man hörte nur den regelmäßigen Atem eines anderen Menschen.

Es hörte sich an, als ob jemand wartete.

»Brad?«, fragte Jamie hoffnungsvoll. »Bist du das?«

Weiterhin kein Mucks.

Jamie zerrte ihre Shorts hoch und versuchte, durch einen Spalt in der Tür zu spähen, aber sie sah nur einen Streifen des Spiegels gegenüber und etwas Schwarzes, das sich darin spiegelte. Sie hielt die Luft an, als das Atmen vor ihrer Kabine lauter und abgerissener wurde. Unter der Kabinentür schlurften zwei zerfetzte und nicht zueinander passende Turnschuhe ins Bild. Der Penner vom Supermarkt war ihr hierher gefolgt. Er stand direkt vor ihrer Kabine und wartete, dass sie herauskam. Warum? Was hatte er vor?

Jamie blickte sich panisch um und überlegte, was sie tun konnte. Am sichersten war es vermutlich, gar nichts zu tun – einfach hocken bleiben und den Fremden aussitzen. Irgendwann musste schließlich jemand die Toilette benutzen. Oder sie konnte laut schreien und hoffen, dass sie bei dem Verkehrslärm irgendwer hörte. Vielleicht würden die Schreie zumindest den Mann in die Flucht treiben. Oder ihn zur Tat provozieren, wie ihr bewusst wurde. Vielleicht sollte sie die Flucht wagen. Obwohl Jamie den Mann nur mit einem Blick gestreift hatte, hatte sie den Eindruck, dass er nur mittelgroß und wahrscheinlich ein bisschen schwachsinnig war. Genau wie ich, dachte sie und hätte vielleicht sogar laut gelacht, wenn sie nicht solche Angst gehabt hätte. Sie setzte sich wieder auf die Klobrille und beschloss, den Eindringling auszusitzen. Aber eine Sekunde später war sie wieder auf den Beinen. Was, wenn der Penner versuchte, die Tür aufzubrechen? Ein kräftiger Stoß würde wahrscheinlich reichen. Oder er konnte versuchen darüberzuklettern.

Jamies Blick schoss zur Oberkante der Tür. Sie wappnete sich gegen den Anblick irrer Augen und eines unheimlichen zahnlosen Grinsens, aber die zerrissenen, nicht zueinander passenden Turnschuhe blieben fest auf dem Boden vor der Tür stehen. Gütiger Gott, was sollte sie bloß machen?

Jamie streckte instinktiv die Hand nach der Plastiktüte zu ihren Füßen aus. Mit ihrem Portemonnaie würde sie niemandem ernsthaften Schaden zufügen können, aber zwei Dosen Cola könnten vielleicht etwas ausrichten. Vorausgesetzt, sie konnte weit genug ausholen und auf den Kopf des Mannes zielen, bevor er sie überwältigte.

Bitte, hilf mir, irgendjemand, betete sie, hörte ein Wimmern und begriff, dass sie das war. Bitte. Gott. Lass ihn einfach weggehen. Ich verspreche, dass ich nie wieder etwas Dummes tun werde. Ich werde auf meine Schwester hören, nicht mit verheirateten Männern schlafen und keine Fremden in Kneipen aufgabeln. Ich suche mir einen neuen Job und bleibe dabei, egal wie langweilig er ist. Ich werde mich sogar bei Lorraine Starkey entschuldigen, wenn du mich nur aus diesem Schlamassel rausholst.

Und dann zogen die Schuhe sich plötzlich zurück. Die Außentür wurde geöffnet und wieder geschlossen. Jamie begriff, dass der Mann weg war und hielt sich vor Erleichterung den Magen. »Loslassen und Gott walten lassen«, flüsterte sie dankbar, bevor sie, das Portemonnaie in der einen, die Plastiktüte in der anderen Hand, vorsichtig die Kabinentür aufstieß.

Es war niemand da.

In der Mitte des stickigen Raumes blieb sie stehen und wartete, bis ihr Atem sich beruhigt hatte. War es möglich, dass sie sich das alles nur eingebildet hatte?

Jamie ging zu den Waschbecken, spritzte sich eine Hand voll kaltes Wasser ins Gesicht, zog ein braunes Papierhandtuch aus dem Halter und wischte sich die Tränen von der Wange und aus den Augen. Dann strich sie ihr Haar zurück und atmete tief durch. Ihr Martyrium war noch lange nicht vorüber. Sie hatte eine potenziell gefährliche Begegnung überstanden, um sich gleich mit der nächsten konfrontiert zu sehen, diesmal mit jemandem, der noch furchteinflößender war als ein geistesgestörter Fremder – mit ihrer Schwester. Jamie fragte sich, ob sie dafür bereit war, als sie die Außentür aufzog.

Er stand direkt vor der Tür, seine schwarzen Lumpen flatterten wie eine Blende vor der Sonne, und sein Gesicht lag im Schatten. Er hatte eine lange Nase, der Mund verschwand in einem formlosen ungepflegten Bart, und seine dunklen Augen starrten ins Leere. Die Augen eines Irren, dachte Jamie und hörte, wie ein Schrei die Luft zerriss. *Ihr* Schrei, wie ihr in diesem Moment bewusst wurde.

»Lassen Sie mich in Ruhe!«, rief sie mit neuen Tränen in den Augen. »Gehen Sie weg!«

Der Mann trat hastig den Rückzug an.

»Jamie. Alles in Ordnung«, versicherte eine Stimme ihr. »Dir ist nichts passiert. Alles okay.«

Jamie hörte auf zu weinen, wischte sich mit dem Handrücken die Tränen aus den Augen, bevor sie sie ungläubig aufriss. »Brad?«

»Wer denn sonst?«

Jamie fuhr herum und blickte in mehrere Richtungen gleichzeitig. »Da war so ein Mann. Hast du ihn nicht gesehen?«

»Ich habe einen Bettler gesehen, der sich in die Büsche geschlagen hat. Warum? Was ist passiert? Hat er dir was getan?«

»Nein«, gab Jamie zu und brauchte einen Moment, bis sie wieder bei Atem war. »Er hat mir nur Angst gemacht.« Sie schilderte, was passiert war.

»Klingt so, als hättest du ihm einen noch größeren Schrecken eingejagt.« Brad schüttelte scheinbar verwundert den Kopf. »Du hättest nicht allein hierher kommen sollen. Warum hast du mich nicht gleich gerufen, als du ihn gesehen hast?«

»Ich habe dich gesucht. Wo warst du?«

»Ich hab gesehen, dass einer der Reifen ein bisschen wenig Luft hatte. Und dann dachte ich mir, dass ich auch gleich selbst auf die Toilette gehen könnte. Und da war ich, als ich diesen grässlichen Lärm gehört habe …« Er verzog die Lippen zu einem durchtriebenen Lächeln. »Du bist schon ein ganz schön lebhaftes kleines Ding, was?«

War sie das, fragte sie sich. So hatte sie noch nie jemand genannt. Kopflos, ja. Stur, schon oft. Aber noch nie lebhaft.

»Lebhaft«, wiederholte Brad, drängte sie zurück in die Toilette und schloss die Tür hinter ihnen. »Und sehr sexy.« Er schob den großen grünen Mülleimer vor die Tür und blockierte damit Eingang wie Ausgang. »Sehr, sehr sexy.«

»Was machst du?«

»Was glaubst du denn, was ich mache?« Er zog sie an sich, drückte sie mit einer Hand an die Wand, während er mit der anderen den Reißverschluss an der Seite ihrer Shorts herunterzog. Im nächsten Moment hob er sie hoch und drang grob in sie ein.

Jamie schnappte nach Luft und konnte nicht glauben, wie schnell alles passierte. Im einen Moment war sie vollkommen verängstigt, im nächsten erleichtert und im übernächsten so erregt, dass sie kaum atmen konnte. Sie klammerte sich an Brads Schultern wie an ihr Leben, während er sie herumwirbelte und immer wieder hart in sie stieß. Einen Augenblick lang sah sie ihr eigenes Gesicht im Spiegel und konnte die Frau, die ihr entgegenblickte, kaum wiedererkennen, den Mund offen, den Kopf in wilder Selbstvergessenheit in den Nacken geworfen. Wer bist du, fragte Jamie sich. Und was machst du?

»Das ist alles deine Schuld«, sagte Brad später, nahm die Plastikblume aus der Flasche und steckte sie ihr hinters Ohr. »Du bist einfach so verdammt köstlich.«

Jamie folgte ihm mit gesenktem Kopf, wackeligen Beinen und weichen Knien aus der Toilette. Köstlich und lebhaft, wiederholte sie stolz für sich, als sie neben ihm zum Auto ging und bereitwillig alle Schuld auf sich nahm.

6

Ihre abgelehnte Geschichte ragte noch aus ihrer Einkaufstasche, als Lily exakt eine Minute vor zehn die dicke Doppelglastür zu Scully's Fitnessstudio aufstieß. Das Studio lag in einer kleinen unauffälligen Einkaufspassage, die mit dem Bus nur ein kurzes Stück von der Mad River Road entfernt war. Lily begrüßte die tief gebräunte Frau hinter dem Empfangstresen mit einem breiten Lächeln und einem großen Café Latte.

»Du bist ein Schatz«, sagte Jan Scully, nahm den Kaffee entgegen, riss gierig den Deckel ab und schlürfte den heißen Schaum. »Woher wusstest du, dass ich mich den ganzen Morgen genau danach gesehnt habe?«

»Weil du dich immer danach sehnst«, erklärte Lily der 42-jährigen Besitzerin von Scully's.

Alles an der Frau war prachtvoll übertrieben, angefangen mit ihrer Größe – Jan maß gut 1,80 Meter – über die vollen, regelmäßig aufgespritzten, orangefarbenen Lippen und den dick aufgetragenen, türkisfarbenen Lidschatten bis hin zu dem rauen Lachen, das wie Donnerhall durch ihren ganzen Körper dröhnte. An der Wand hinter dem Tresen hingen Fotos von Jan in ihrer Blütezeit – zumeist in knappen Bikinis irgendeinen Bodybuilding-Pokal über ihre Mähne extravaganter roter Locken reckend. Die Trophäen selbst – Messingschalen, Silberpokale, gravierte Steine – waren in einer verschlossenen Vitrine ausgestellt, die an der gegenüberliegenden Wand stand. Jan trug wie üblich ein ärmelloses graues T-Shirt, um ihre nach wie vor wohlgeformten Arme und ihren harten Bizeps zu zeigen, dazu eine tief sitzende Jogginghose, die ihren unglaublich flachen Bauch zur Geltung brachte. Auf Brust und Hintern prangte jeweils das knallpinkfarbene *Scully's*-Logo, was die Botschaft vermitteln sollte, dass eine Mitgliedschaft in dem Studio mit einem ähnlich faltenfreien Körper wie dem ihren belohnt würde.

Lily verstaute ihre Einkaufstasche hinter dem Tresen, zog sich einen von zwei Barhockern heran und warf einen beiläufigen Blick in das eigentliche Fitnessstudio, das hinter einer Glaswand lag. Sie zählte insgesamt sechs Personen, fünf Frauen und einen Mann, die die diversen Geräte benutzten, und lächelte. Sie wusste, was die Leute nicht wussten: Auch wenn Jan für eine über 40-Jährige durch das regelmäßige Training einen wirklich tollen Körper hatte, waren die kürzlich erfolgte Bauchstraffung und die Brustvergrößerung ungleich effektiver gewesen, ganz zu schweigen von der umfänglichen Fettabsaugung an Hüften und Oberschenkeln. »Ab einem bestimmten Alter nützt einem Training allein auch nichts mehr«, hatte Jan ihr mit ihrer tiefen, heiseren Stimme anvertraut, die auf eine wilde, ausschweifende Jugend schließen ließ, und Lily zur Verschwiegenheit verpflichtet. Es hatte natürlich auch geholfen, dass Jan keine Kinder hatte, dachte Lily und tätschelte ihr eigenes Bäuchlein. Nein, Jans Kind war das Studio, das sie sich in einem verbissenen Sorgerechtsstreit mit ihrem zukünftigen Exmann erkämpft hatte, einem muskelstrotzenden, steroidbenebelten Mistkerl, der sie wegen der 23-jährigen Sprechstundenhilfe des Schönheitschirurgen verlassen hatte, der vor kurzem die Tränensäcke unter Jans ungläubigen Augen entfernt hatte.

Andere hätten sich möglicherweise an der Ironie der Geschichte erfreut, aber Lily weigerte sich, derart über andere herzuziehen. Jan hatte ihr einen Job gegeben, als sie neu nach Dayton gekommen war, obwohl sie keinerlei Berufserfahrung hatte vorweisen können. Allein dafür verdiente die Frau Lilys ganze Sympathie, genau wie den Café Latte, den Lily ihr jeden Tag kaufte. »Wie läuft's?«, fragte Lily, als Jan ihren Kaffee ausgetrunken hatte und ihre Sachen zusammensuchte.

»Direkt nachdem ich aufgemacht habe, war ein Riesenbetrieb. Stan Petrofsky war sogar schon vor mir hier und hat an der Tür gerüttelt. Er hat bestimmt eine neue Freundin.« Sie lachte ihr dröhnendes Lachen und blickte zum Trainingsraum. »Seitdem hat der Andrang ein bisschen nachgelassen.«

Das Telefon klingelte, und Lily nahm ab. »Scully's«, sagte sie lächelnd. »Ja, selbstverständlich haben wir geöffnet. Montag bis Samstag von sieben bis zweiundzwanzig Uhr und sonntags von acht bis sechs. Hm-hm. Ja, das kann ich auf jeden Fall machen«, fuhr Lily auf die Anfrage des Anrufers nach weiteren Informationen fort. »Nun, eine Mitgliedschaft kostet normalerweise eine Aufnahmegebühr von fünfhundert Dollar plus dreißig Dollar pro Monat, aber zurzeit gilt ein Sonderangebot mit einer ermäßigten Aufnahmegebühr von nur zweihundertfünfzig Dollar. Plus die dreißig Dollar im Monat, ja.«

»Vergiss nicht, den kostenlosen Kaffeebecher und das T-Shirt zu erwähnen«, sagte Jan.

»Und einen Kaffeebecher sowie ein T-Shirt gibt es gratis dazu«, fügte Lily gehorsam an.

»Lass dir den Namen geben«, ermahnte Jan Lily, was diese gerade tun wollte.

»Darf ich Ihren Namen notieren?« Lily nahm einen Stift und kritzelte *Arlene Troper* auf einen Zettel. »Ja, wir haben mehrere Stepper, einige Crosstrainer und eine große Auswahl an Gewichten und Hanteln.« Sie spähte durch die Scheibe auf die ziemlich dürftige Auswahl alter Geräte. »Außerdem gibt es Benchpress, ein Rudergerät und ein Ergometer. Nein, einen Gravitron haben wir nicht. Wir haben die Erfahrung gemacht, dass einfache Geräte effektiver sind«, improvisierte Lily hastig. Was erwarten Sie für den Preis, wollte sie fragen, verkniff es sich aber. »Außerdem bieten wir eine persönliche Trainingsberatung und -begleitung an, um das Programm auf Ihre Bedürfnisse abzustimmen. Ja, das ist in der Aufnahmegebühr inklusive. Gut. Vielen Dank, Mrs. Troper. Dann freue ich mich, Sie zu sehen. Okay. Danke.« Sie legte auf. »Arlene Troper sagt, dass sie im Laufe des Nachmittags vorbeischauen will.«

»Es ist der kostenlose Kaffeebecher«, sagte Jan lachend. »Damit kriegt man sie jedes Mal.«

Obwohl Jan lächelte, erkannte Lily, dass sie sich Sorgen machte. Die Zahl der Mitglieder hatte spürbar abgenommen, seit Art Scully in einem Einkaufszentrum nur ein paar Straßen entfernt ein Konkurrenzstudio eröffnet hatte. Arts Studio war größer und warb mit neueren und besseren Geräten. Auch er lockte mit einer ermäßigten Aufnahmegebühr und einem kostenlosen T-Shirt – aber einen kostenlosen Kaffeebecher gab es bei ihm nicht, wie Jan eilig betonte.

Jan hängte ihre große geblümte Tasche über die Schulter, warf einen langen kritischen Blick auf ihr Spiegelbild in der Vitrine mit den Pokalen und ging zur Tür. »Wir sehen uns nachher«, sagte sie. »Welches Buch sollten wir für heute Abend gelesen haben?«

Lily seufzte. Die fünf Frauen, aus denen ihr Lesezirkel bestand, sollten eigentlich gut vorbereitet erscheinen, zumindest aber das zu diskutierende Buch gelesen haben. »*Sturmhöhe*«, erklärte Lily ihr.

»Oh super. Das habe ich in der Schule gelesen. Cathy und dieser Typ, Clifford …?«

»Heathcliff.«

»Genau. Gute Story. Egal. Ich bin jetzt weg. Drück mir die Daumen.«

»Wofür soll ich dir die Daumen drücken?«, fragte Lily.

Aber die Eingangstür war schon zugefallen, sodass ein

Winken von Jans langen orangefarbenen Nägeln ihre einzige Antwort blieb.

»Viel Glück«, rief Lily ihr mit Verspätung nach und hoffte, dass Jan nicht im Begriff stand, eine Dummheit zu begehen. Zum Beispiel einen weiteren Arzt wegen einer Straffung der Stirn zu konsultieren, wie sie sie auf Zeitschriftenfotos von Catherine Zeta-Jones erkannt zu haben glaubte. Kein Mensch könne ohne chirurgische Hilfe so gut aussehen, hatte sie bemerkt.

»Das ist unnatürlich«, hatte sie verkündet und noch hinzugefügt: »So was kommt in der Natur nicht vor.«

Lily ging zu der kleinen schwarzen Ledercouch und ordnete die Zeitschriften, die achtlos auf dem quadratischen Beistelltisch aus Eichenholz verstreut waren. Von einem Titelbild lächelte Julia Roberts sie an, von einem anderen Gwyneth Paltrow. Beide wirkten unfassbar schön, obwohl Lily auch schon Fotos von Gwyneth im Jogginganzug und mit Yogamatte gesehen hatte, auf denen sie nicht ganz so umwerfend rüberkam, und selbst Julia wirkte bisweilen müde, blass und ausgezehrt, wenn sie nicht gestylt war.

»Eine wirklich schöne Frau erkennt man daran, dass sie nicht immer schön aussieht«, hatte Lilys Mutter ihr einmal erklärt.

Es war einer der Sinnsprüche ihrer Mutter, die auf den ersten Blick sehr tiefgründig klangen, bei genauerer Betrachtung jedoch nicht viel Sinn ergaben. Trotzdem fand Lily diese Worte immer tröstlich, so wie sie in der hausgemachten Weisheit und dem gesunden Menschenverstand ihrer Mutter immer Trost gefunden hatte. Wenn ich meinem Sohn nur halb so viel Trost geben kann wie meine Mutter mir, kann ich mich glücklich schätzen, dachte sie, wünschte sich, dass ihre Mutter jetzt bei ihr sein könnte, und spürte erneut die Endgültigkeit des Verlustes. So vieles war für immer verloren, dachte sie und kämpfte gegen plötzliche Tränen an. Ihre Mutter hatte alles zusammengehalten, nachdem Kenny in jener schrecklichen, regennassen Nacht die Kontrolle über sein Motorrad verloren hatte und ganz in der Nähe ihres Hauses gegen einen Baum am Straßenrand gerast war. Ihre Mutter war es gewesen, die sie in den Momenten ihrer tiefsten und dunkelsten Verzweiflung in den Armen gewiegt und ihr immer wieder versichert hatte, dass Kennys Tod nicht ihre Schuld war.

Und Lily hätte ihr beinahe geglaubt.

Beinahe.

Das Telefon klingelte, und sie kehrte zum Empfangstresen zurück. »Scully's«, meldete sie sich mit falscher Fröhlichkeit. Es war wichtig, eine optimistische Fassade zu präsentieren und positiv zu klingen. »Ja, wir haben bis zehn geöffnet. Genau. Nein, ich fürchte, Sie müssen Mitglied werden, um unsere Geräte zu benutzen. Aber wir haben gerade ein spezielles Einführungsangebot … Hallo? Hallo?« Lily zuckte die Achseln und platzierte den Hörer wieder auf die Gabel, schon lange nicht mehr gekränkt, wenn jemand mitten im Satz auflegte. Die Leute waren schließlich beschäftigt. Sie hatten keine Zeit, ständig auf andere einzugehen, vor allem wenn ihnen bewusst wurde, dass sie das Angebot nicht interessierte. Sie hatte aufgehört, solch unhöfliches Verhalten persönlich zu nehmen, genau wie sie aufgehört hatte zu glauben, dass die zahlreichen Absagen bedeuteten, dass sie eine schlechte Schriftstellerin war. Lesen war eine subjektive Sache. Das hatte ihr Lesezirkel sie auf jeden Fall gelehrt. Was ein Mensch anregend und tiefgründig fand, war für einen anderen enttäuschend und schal. Man konnte es nicht jedem recht machen. Man sollte es gar nicht versuchen.

Lily beobachtete, wie Sandra Chan, eine attraktive Frau von Mitte bis Ende dreißig, vom Crosstrainer stieg und ein schmales weißes Handtuch um ihren ebenso schlanken Hals schlang und darauf wartete, dass ihre Freundin Pam Farelli auf dem Stepper fertig wurde. Wenige Minuten später kamen die beiden Frauen in ein angeregtes Gespräch vertieft durch die Tür, die den Trainingsraum von dem kleinen Empfangsbereich trennte, und gingen durch eine weitere Tür hinter dem schwarzen Ledersofa in die kleine Umkleidekabine, ohne auch nur einen Blick in ihre Richtung zu werfen. Für sie bin ich unsichtbar, dachte Lily. »Und das ist auch gut so«, erinnerte sie sich mit ihrer besten Martha-Stewart-Stimme.

Die Eingangstür ging auf, und herein kam ein kräftiger, leicht zerfurcht aussehender Mann mit schwarzen Haaren und gewaltigen Pranken, die aus den Ärmeln seiner Windjacke ragten. »Guten Morgen, Lily«, sagte er, während sie unter den Tresen griff, um ihm ein frisches Handtuch zu geben.

»Wie geht es Ihnen heute, Detective Dawson?«, fragte sie ihn wie jeden Montag, Mittwoch und Freitag, wenn der Kriminalbeamte zu seinem regelmäßigen 40-minütigen Training kam.

»Gar nicht schlecht«, kam die übliche Antwort. »Und es würde mir sogar noch besser gehen, wenn Sie sich heute Abend von mir zum Essen einladen ließen.«

Lily machte unwillkürlich einen Schritt zurück und wusste nicht, was sie sagen sollte. Dies war eine Abweichung von dem üblichen Geplänkel, und sie hatte keine Ahnung, wie es weitergehen sollte. Nicht, dass sie Detective Dawson nicht attraktiv gefunden hätte. Das fand sie schon, seit er zum ersten Mal durch diese Tür gestürmt war, kurz nachdem sie bei Scully's angefangen hatte. »Ist das Ihr weißer Impala? Der da draußen auf dem Behindertenparkplatz steht?«, hatte er gebellt. »Wenn ja, wird er nämlich gerade abgeschleppt.«

»Es ist nicht meiner«, hatte sie gestottert. »Ich habe kein Auto.«

»Nicht? Aber Sie haben ein schrecklich nettes Lächeln«, hatte er selber lächelnd rasch erwidert.

»Heute Abend ist mein Lesezirkel«, erklärte sie ihm jetzt.

Detective Dawson kniff seine dunkelblauen Augen zusammen und kräuselte seine zwei Mal gebrochene Nase, als ob er soeben auf finstere Machenschaften gestoßen wäre. »Ein Lesezirkel? Wie Oprahs Buchclub im Fernsehen?«

»Bis auf die Kamera und das siebenstellige Gehalt.« Lily lächelte, dachte, dass er sein Gewicht gut trug, und schüttelte ärgerlich den Kopf darüber, dass ihr das überhaupt auffiel. Eben weil sie ihn so attraktiv fand, konnte sie nie mit ihm ausgehen. Hatte sie nicht entschieden, dass dieser Teil ihres Lebens vorbei war? Sie hatte einen kleinen Sohn, an den sie denken, ein Leben, das sie neu aufbauen musste. Ein unschuldiger Flirt war eine Sache, aber sie hatte nicht die Kraft für alberne Kennenlern-Rituale, nicht die Zeit für die Launen der Singleszene, nicht die Geduld für die unvermeidliche Enttäuschung, nicht noch einmal die Kraft, solch eine Katastrophe durchzustehen, als alles um sie herum zusammenbrach.

»Wie wär's dann morgen?«, fragte er.

»Morgen?«

»Halb acht? Bei Joso's?«

Lily hatte noch nie in dem beliebten und teuren Restaurant in der Innenstadt gegessen, aber schon wunderbare Dinge darüber gehört. McDonald's entsprach dieser Tage eher ihrem Geldbeutel. Und woher sollte sie auf den letzten Drücker einen Babysitter bekommen?

»Ich habe einen Sohn«, erklärte sie Jeff Dawson schlicht und suchte in seinem Gesicht nach einer Andeutung, dass ein solches Kombipaket mehr war, als er im Sinn gehabt hatte.

»Einen Sohn?«

»Michael. Er ist fünf.«

»Meine Töchter sind neun und zehn. Sie leben bei ihrer Mutter. Wir sind geschieden. Offensichtlich.« Er lachte verlegen. »Seit fast drei Jahren. Und Sie?«

»Verwitwet. Seit einem Jahr. Ein Motorradunfall«, stellte sie klar, bevor er fragen konnte.

»Das tut mir Leid.«

»Ich kann morgen Abend nicht mit Ihnen essen gehen«, sagte Lily.

Jeff Dawson nickte, als würde er verstehen. »Vielleicht ein anderes Mal«, sagte er leichthin und ging vom Tresen zum Trainingsraum, wo er beinahe mit Sandra Chan und Pam Farelli zusammenstieß, die fertig umgekleidet im Begriff waren zu gehen.

»Der ist aber süß«, sagte Pam vernehmlich, und Sandras Blicke folgten ihm. »Toller Trizeps«, fügte sie hinzu, als sie sah, wie der Detective seine Windjacke ablegte. Sein weißes T-Shirt spannte sich über einem muskulösen Oberkörper.

»Wir gehen immer zu früh«, schmollte sie. »Wer ist das überhaupt?«, fragte sie Lily, als ob sie ihre Anwesenheit in diesem Augenblick zum ersten Mal bemerken würde. »Ist er Stammkunde?«

Lily verspürte ein unerwartetes Stechen der Eifersucht und unterdrückte den Impuls, hinter ihrem Tresen hervorzukommen und die beiden Wilderer eigenhändig hinauszuwerfen. »Wie bitte?«, fragte sie stattdessen.

»Der Typ, der auf der Bank 200-Pfund-Gewichte stemmt, ohne auch nur ein bisschen zu schwitzen«, sagte Pam und wies mit dem Kinn auf den Trainingsraum. »Was wissen Sie über ihn?«

»Ist er verheiratet?«, fragte Sandra Chan.

»Ich weiß, dass er zwei Töchter hat«, sagte Lily und gab vor, mit irgendetwas unter dem Tresen beschäftigt zu sein. »Neun und zehn Jahre alt, glaube ich.«

Die Frauen zuckten gleichzeitig die Schultern. »Verdammt«, murmelte die eine.

»Die Guten sind immer verheiratet«, sagte die andere.

Nun, das war nicht direkt eine Lüge, dachte Lily, als die beiden Frauen die Eingangstür aufstießen und im strahlenden Sonnenlicht verschwanden. Er hatte zwei Töchter, die neun und zehn Jahre alt waren. Aber warum hatte sie den

Frauen nicht einfach die Wahrheit gesagt? Sie nahm ein schwarzes Zopfgummi aus ihrer Einkaufstasche und band ihr Haar zu einem festen Pferdeschwanz, bevor sie die gestapelten weißen Handtücher glatt strich, obwohl die bereits absolut makellos aussahen, nur um ihren Blick von dem Trainingsraum abzulenken. Sie wollte den attraktiven, nur wenig älteren Mann in dem engen weißen T-Shirt nicht sehen, der zweihundert Pfund auf der Bank stemmte, ohne in Schweiß auszubrechen. Das war das Letzte, was sie sehen wollte, das Letzte, was sie jetzt *gebrauchen* konnte. Männer wie Jeff Dawson könnten sie in schwachen Momenten natürlich schon auf gewisse Gedanken bringen, doch wichtiger war, der Realität ins Gesicht zu schauen. Lily zog den großen wattierten Umschlag aus ihrer Einkaufstasche und legte ihn auf den Tresen. Zur Realität gehört auch das, dachte sie und zog ihre Geschichte und den Absagebrief heraus.

Sehr geehrte Ms. Rogers,

Das wäre wohl ich.

vielen Dank für die Einsendung der Geschichte »Die letzte Überlebende«.

Bescheuerter Titel für eine Geschichte. Ich hätte sie anders nennen sollen.

Wir fanden sie unterhaltsam und gut geschrieben,

Und was ist daran bitte sehr verkehrt?

sind jedoch der Ansicht, dass sie nicht die passende Lektüre für die Leserinnen der Zeitschrift »Woman's Own« darstellt.

Warum nicht, verdammt noch mal? Was ist daran nicht passend?

Wir wünschen Ihnen viel Glück für eine Veröffentlichung in einem anderen Magazin

In welchem anderen Magazin?

und hoffen, dass Sie auch in Zukunft an uns denken werden.

Wohl kaum.

Mit freundlichen Grüßen ...

»Von wegen freundlich«, sagte Lily laut und schob den Brief und die Geschichte wieder in den Umschlag. Das war erst mal genug Realität für einen Tag, entschied sie, und ihr Blick schweifte trotz ihrer besseren Vorsätze wieder zum Trainingsraum. Ada Pearlman, deren feines graues Haar im Nacken zu einer eleganten Rolle aufgesteckt war, lief im Tempo von etwa dreieinhalb Stundenkilometern auf dem Laufband, womit sie immer noch schneller war als Gina Sorbara, eine beinahe fettleibige Frau mittleren Alters, die auf ihrem Laufband zu schlafwandeln schien. Jonathan Cartseris kämpfte mit dem Rudergerät, und Bonnie Jacobs, eine ältere Dame, bei der unlängst Osteoporose diagnostiziert worden war, stand vor dem Regal mit den Hanteln, als hätte sie keinen Schimmer, was sie hier machte. Nur Police Detective Jeff Dawson sah aus, als ob er hierher gehörte: Er lag auf dem Rücken, die Füße links und rechts neben der schmalen Bank auf dem Boden, die Oberschenkel unter seiner schwarzen Jogginghose angespannt, während er eine 200-Kilo-Hantel über seinem Kopf in die Luft stemmte. Lily ertappte sich gerade bei dem Gedanken, dass der Mann wirklich gut aussah, als ihr auffiel, dass Bonnie Jacobs ihr zuwinkte. Lily winkte lächelnd zurück, aber die Frau winkte weiter und bedeutete ihr hereinzukommen. Lily rutschte von ihrem Hocker und eilte in den Trainingsraum, sorgfältig darauf bedacht, den unter dem Gewicht nun doch stöhnenden Detective nicht anzusehen. »Irgendwas nicht in Ordnung, Mrs. Jacobs?«

»Der Arzt sagt, ich soll mit Freihanteln trainieren, aber ich habe keine Ahnung, was ich machen soll.« Sie griff mit jeder Hand nach einem Zehn-Pfund-Gewicht und wäre beinahe in die Knie gesunken.

»Oh nein, Mrs. Jacobs, das ist viel zu schwer für Sie. Am Ende tun Sie sich noch weh. Warum fangen Sie nicht mit denen an?« Sie nahm zwei Zwei-Pfund-Hanteln aus dem Regal und reichte sie Mrs. Jacobs vorsichtig an.

»Ist das genug?«

»Mehr brauchen Sie nicht. Vertrauen Sie mir«, sagte Lily und fragte sich, warum Mrs. Jacobs ihr vertrauen sollte, warum *irgendwer* ihr vertrauen sollte. Sie zeigte ihr mehrere leichte Übungen für Bizeps und Trizeps, eine für die Brustmuskeln sowie mehrere für Rücken und Schultern. »Wenn Sie wollen, kann ich sie Ihnen aufschreiben«, bot sie an und kehrte so schnell wie möglich in den Empfangsbereich zurück.

Die nächste halbe Stunde verstrich ereignislos – sie begrüßte die Kunden, die ins Sportstudio kamen, und verabschiedete diejenigen, die mit dem Training fertig waren, ging ans Telefon, wusch eine Maschine Wäsche und startete eine zweite. Sie fragte sich, wie es Michael in der Schule ging, der in der Erzählstunde seine neue Kermit-Puppe vorstellen wollte. Sie fragte sich auch, wofür Jan Glück brauchte und ob sie versuchen sollte, noch eine Geschichte zu schreiben. Sie hatte jede Menge Ideen, obwohl die meisten ziemlich weit hergeholt waren. Dabei hieß es doch immer, man solle über das schreiben, was man kannte. Sie fragte sich, ob sie das je könnte. Ob sie so mutig sein konnte? Oder so dumm?

Sie schüttelte den Kopf und blickte unwillkürlich zum Trainingsraum, als Jeff Dawson sich aufrichtete und rittlings auf die Bank hockte. Sofort wurde die Bank in ihrem Kopf zu einem Motorrad. Lily stockte der Atem, und sie schlug sich die Hand vor den Mund. Natürlich fuhr er Motorrad. Er war Polizist. Motorradfahren gehörte wahrscheinlich zu seinem Job. Sie wandte sich ab und weigerte sich, weiter darüber nachzudenken. Es war sowieso egal, da sie nicht die Absicht hatte, mit ihm auszugehen.

»Alles in Ordnung?«, fragte er plötzlich neben ihr.

Er bewegt sich elegant für einen so großen Mann, dachte sie. »Alles bestens. Warum fragen Sie?«

»Sie sehen ein bisschen blass aus. Wirklich alles okay?«

»Fahren Sie Motorrad?«, hörte sie sich fragen.

Falls ihn die Frage überraschte, ließ er sich nichts anmerken. »Nein. Nicht mehr, seit ich Kinder habe.«

Lily blickte nickend zum Telefon, als wollte sie es anflehen zu klingeln.

»Heißt das, dass Sie vielleicht noch mal darüber nachdenken, ob Sie morgen Abend mit mir ausgehen wollen?«, fragte er nach einer Pause.

»Ich kann nicht, es tut mir Leid«, sagte sie, als die Eingangstür aufging und ihre Nachbarin Emma Frost hereinkam. »Hi, Emma!«, sagte Lily und lächelte die Frau an, als wäre sie ihre beste Freundin. »Was machen Sie denn hier?«

»Ich dachte, ich schau mir mal an, wo Sie arbeiten, und überlege dann, ob ich Mitglied werde.« Mit ihren großen Augen musterte Emma unruhig das Terrain.

»Das ist super. Wir haben gerade ein spezielles Einführungsangebot. Nur zweihundertfünfzig Dollar Aufnahmegebühr plus dreißig Dollar pro Monat.«

»Zweihundertfünfzig Dollar?«, wiederholte Emma, während ihr Blick an Jeff Dawson hängen blieb.

»Verglichen mit anderen Studios in der Stadt ist das ein gutes Angebot«, stimmte Jeff ein.

»Und wer sind Sie?«

»Jeff Dawson. Gut angesehenes Mitglied.«

»Das kann ich mir vorstellen«, sagte Emma kokett und streckte die Hand aus. »Emma Frost.«

»Sind wir uns schon einmal begegnet?«, fragte Jeff Dawson, als er ihre Hand schüttelte und sie eindringlich ansah.

»Ich glaube nicht. Warum?«

»Sie kommen mir einfach irgendwie bekannt vor.«

»Emmas Augen waren früher auf allen Maybelline-Mascara-Packungen«, schaltete Lily sich ein.

»Ich benutze nur selten Wimperntusche«, sagte Jeff lachend. »Jedenfalls in letzter Zeit. Mein Boss sieht es nicht so gern.«

Emma schlug den Blick nieder. »Und was genau machen Sie, wenn ich fragen darf?«

»Jeff ist Detective bei der Polizei«, sagte Lily. Bildete sie sich das nur ein, oder war Emma bei dem Wort *Polizei* tatsächlich zusammengezuckt?

»Ich muss los«, erklärte Jeff und stieß sich vom Tresen ab. »Sie haben meine Nummer ja in den Unterlagen«, sagte er zu Lily. »Rufen Sie mich an, wenn Sie es sich anders überlegen.« Mit nur drei Schritten war er an der Eingangstür.

»Knackiger Arsch«, sagte Emma, als die Tür hinter ihm zufiel. »Wenn Sie sich *was* anders überlegen?«

Lily tat die Frage kopfschüttelnd ab.

»Haben Sie beide irgendwas laufen?«

»Nein. Natürlich nicht.«

»Und warum werden Sie dann ganz rot?«

»Tue ich gar nicht«, sagte Lily und klang wie ihr Sohn.

»Okay.« Emma zuckte die Achseln. »Vielleicht komme ich doch zu diesem Lesezirkel, von dem Sie heute Morgen gesprochen haben, wenn die Einladung noch gilt.«

»Klar. Super. Haben Sie zufällig *Sturmhöhe* gelesen?«

»Soll das ein Witz sein? Das ist eins meiner Lieblingsbücher.«

»Großartig. Dann sehen wir uns heute Abend.«

An der Tür blieb Emma stehen und drehte sich noch einmal um. »Mit einem Bullen sollte man sich lieber nicht einlassen«, sagte sie.

»Haben Sie was gegen die Polizei?«, fragte Lily bemüht beiläufig.

Emma zuckte die Achseln. »Fand sie bloß nie besonders nützlich.«

7

Der Hauptunterschied zwischen Florida und Georgia – so kam es Jamie zumindest auf diesem Abschnitt der Interstate 75 vor – war die Werbung auf den unzähligen Reklametafeln, die die flache Landschaft entlang der viel befahrenen Autobahn unterbrachen. Georgias reife Pfirsiche hatten Floridas saftige Orangen abgelöst; anstelle von Sun-Pass-Schildern gab es nun Vidalia-Zwiebeln, und es wurden nicht mehr ständig die Meilen bis Yeehaw heruntergezählt, sondern stolz Erdnüsse und Pekannüsse angepriesen. Außerdem tauchten auffallend viele Reklametafeln für Autohöfe auf, in denen Striptease geboten wurde: CAFÉ RISQUÉ – WIR LASSEN ALLE HÜLLEN FALLEN und das Schwesteretablissement CAFÉ EROTICA – WIR ZEIGEN ALLES, PAARE WILLKOMMEN warben auf diversen Plakaten für sich, während andere GUTES ESSEN in Kombination mit nackten Frauen in Aussicht stellten. Diese Frauen – STUDENTINNEN, wie ein Schild versprach, obwohl MINDERJÄHRIG der Sache vermutlich näher kam, zumindest nach den Bildern der schmollmundigen Mädchen mit auftoupierten Haaren zu urteilen, die einen von den Papptafeln anstarrten – standen zur Unterhaltung des müden Reisenden Tag und Nacht zur Verfügung zusammen mit einer großen Auswahl von XXX – TOYS & VIDEOS. Diese Oasen am Wegesrand waren 24 STUNDEN GEÖFFNET und servierten Monsterportionen FOOD & FUN.

Jamie schüttelte den Kopf angesichts der zahlreichen Wagen, die vor diesen Etablissements parkten. Es war schon fast sechs, obwohl der Himmel immer noch so blau und klar war wie zur Mittagszeit. Jamie streckte Beine und Rücken, drehte den Kopf in einem großen Halbkreis von links nach rechts und hörte diverse Knochen knacken und Muskeln ächzen. Sie war erschöpft, weil sie den ganzen Tag in einer Position gesessen hatte, dabei war Brad die ganze Zeit gefahren.

»Müde?«, fragte er, als hätte er ihre Gedanken gelesen.

»Ein bisschen.«

»Wir können beim nächsten ›erotischen Café‹ halten.« Seine blauen Augen funkelten schelmisch.

»Ist das dein Ernst?«

»Du weißt, dass ich alles tun würde, um dich glücklich zu machen.«

Jamie lächelte. »Ich liebe es, wenn du so etwas sagst«, meinte sie, und er lachte. Jamie liebte es auch, wenn er lachte. Genau genommen gab es nichts an Brad Fisher, was sie nicht liebte. War es möglich, sich in so kurzer Zeit so Hals über Kopf zu verlieben? Nicht einmal 24 Stunden waren vergangen, um exakt zu sein. Ihre Schwester würde bestimmt einwenden, dass sie das Opfer einer momentanen leidenschaftlichen Verblendung war, noch unter dem Eindruck des traurigen Endes ihrer letzten unglückseligen Affäre, bei der es sich auch nicht um wahre Liebe gehandelt hatte, wie ihre Mutter hinzugefügt hätte. Wahre Liebe gründete sich auf ein Fundament aus Offenheit und Vertrauen. Sie brauchte Zeit, sich zu entwickeln, und fußte nicht nur auf Chemie, sondern auf gemeinsamen Zielen, Interessen und Respekt. Außerdem konnte jeder Idiot sich verlieben, wären sich beide einig gewesen. Schwierig war es, verliebt zu *bleiben.* »Und was hast du für Hobbys?«, fragte Jamie Brad, um ihr allwissendes Gezeter zum Verstummen zu bringen.

»Was meine Hobbys sind?«

»Hast du welche?«

»Du?«

»Eigentlich nicht«, musste sie nach einer Pause zugeben. »Das sollte ich wohl.«

»Warum?«

»Ich weiß nicht. Meine Mutter hat für ihr Leben gern Scrabble gespielt. Sie hat mich überredet, mit ihr zu spielen. Aber die Wörter, die ich gelegt habe, haben ihr nie gefallen – sie meinte, sie wären zu einfach, und ich müsste meine Buchstaben besser nutzen –, sodass sie am Ende immer Wörter für uns beide gelegt hat, und ich habe einfach danebengesessen, bis es vorbei war. Sie hat immer gewonnen. Und meine Schwester spielt Bridge. Sie drängt mich ständig, es zu lernen, aber ich weiß nicht. Sie und ihr Mann schreien sich immer an, wenn sie zusammen spielen. Als ich klein war, habe ich Barbie-Puppen gesammelt«, fuhr sie fort und lächelte bei der fernen Erinnerung. »Zählt das als Hobby?«

»Sammelst du sie immer noch?«

Jamie schüttelte den Kopf.

»Dann zählt es, glaube ich, nicht.«

Jamie runzelte die Stirn und fragte sich, was aus ihrer Barbie-Puppen-Sammlung geworden war. Seit sie bei ihrer Mutter ausgezogen war, hatte sie die Puppen nicht mehr gesehen und nicht einmal an sie gedacht. Wahrscheinlich waren sie noch da, dachte sie, sicher verstaut zwischen den Habseligkeiten ihrer Mutter. In ihrem Nachlass, den sie eigentlich heute Abend mit Cynthia hätte durchgehen sollen. »Jetzt bist du dran«, sagte Jamie zu Brad, während sie ihre Barbie-Puppen-Sammlung im Geiste aus dem Wagenfenster warf. Sie gehörte zu ihrer Vergangenheit. Der Mann neben ihr war ihre Gegenwart. Vielleicht sogar ihre Zukunft, erlaubte sie sich zu denken. »Ich habe genug geredet. Jetzt bist du an der Reihe.«

»Was möchtest du denn gerne wissen?«

»Ich weiß nicht. Irgendwas. Details.«

»Details?«

»Sagt man nicht, das Leben steckt im Detail?« Sagte man das? Oder war es Gott? Gott steckt im Detail? Oder der Teufel?

»Das Leben steckt im Detail«, wiederholte Brad. »Das gefällt mir.«

Jamie fühlte sich albern stolz. Sie hatte etwas gesagt, das ihm gefiel. Warum sollte sie sich da korrigieren? »Was machst du zum Beispiel sonst noch gerne? Außer … na ja, du weißt schon.«

»Außer Sex mit dir?« Er drehte sich zu ihr um, und seine Zunge spielte provokativ zwischen seinen Schneidezähnen.

»Ja, außer dem«, sagte Jamie hastig und spürte ein vertrautes Kribbeln zwischen den Beinen. »Achte auf die Straße.«

»Warum? Macht sie irgendwas Interessantes?«

Jamie lächelte. »Ich meine, ich weiß ja schon, dass du Computer magst.«

»Computer?«

»Nun, du entwickelst Software. Hast du das nicht gesagt?« Hatte sie ihn missverstanden?

»Tut mir Leid. Ich dachte, du hättest mich nach meinen Hobbys gefragt.«

»Und ich dachte, du hättest gesagt, du hättest keine.«

Er lächelte. »Na ja, ich mag Filme.«

»Echt? Was für Filme denn?«

»Die üblichen Männerfilme. Action, Kriegsfilme, Thriller.«

»Thriller mag ich auch«, erwiderte Jamie. »Vielleicht können wir uns später einen ansehen. Vielleicht finden wir irgendwo ein Autokino.«

»Ein Autokino? Gibt es die noch?«

»Keine Ahnung. Vielleicht irgendwo entlang des Highway.« Sie starrte auf den Streifen ungemähter Wiese, der die beiden Fahrtrichtungen voneinander trennte, und sah kilometerweit nichts als Wagenkolonnen.

»Wie ist deine Mutter gestorben?«, fragte Brad plötzlich.

Jamie atmete tief aus. »Krebs. Er hat vor fünf Jahren in ihrer rechten Brust angefangen. Die Ärzte haben operiert und geglaubt, sie hätten ihn komplett entfernt. Aber er hat sich nur versteckt. In dieser Hinsicht ist Krebs sehr tückisch.«

»Er ist zurückgekommen«, stellte Brad fest.

»Diesmal direkt zwischen beiden Lungenflügeln, sodass man nichts mehr machen konnte.«

»Muss hart für sie gewesen sein.«

»Wahrscheinlich. Sie war ein Mensch, der nicht viel für Gejammer übrig hatte. Tatsachen waren Tatsachen, und man musste sie akzeptieren. Sie war Richterin«, fügte Jamie hinzu.

»Was für eine Richterin?«

»An einem Strafgericht.«

»Klingt wie eine verdammt harte Lady.«

»Sie war kein einfacher Mensch.« Jamie zuckte die Achseln. »Ich glaube, es ist schwer, wenn man eine solche Machtposition bekleidet und so viel Kontrolle über das Leben anderer Menschen hat. Man sagt den Leuten den ganzen Tag lang, was sie zu tun haben, und wenn man dann abends nach Hause kommt, hat man es mit einer neunmalklugen Tochter zu tun, die denkt, sie weiß alles. Ich meine, tagsüber sitzt die Frau im Gericht, wo es buchstäblich niemand wagt, ohne ihre Erlaubnis auf die Toilette zu gehen, und alle um sie herum fügen sich ihren Wünschen in der Hoffnung auf ein mildes Urteil, und zu Hause sitzt eine Halbwüchsige, die ihr nie zuhört, ständig widerspricht und keinen ihrer Ratschläge annimmt. Das muss schon hart gewesen sein.«

»Für euch beide, nehme ich an.«

»Sie hat dauernd die Hände in die Luft geworfen, ungefähr so.« Zur Illustration streckte Jamie die Hände in die Luft, als würde sie Konfetti schmeißen. »Und dann ist sie stampfend aus dem Zimmer gerannt und hat vor sich hin gemurmelt: ›Gut. Wie du meinst. Dann mach doch, was du willst.‹ Man konnte sich förmlich vorstellen, wie ihre schwarze Richterrobe hinter ihr herwehte.« Jamie schüttelte den Kopf. »Sie hat immer gesagt, ich wäre unverbesserlich.«

»Und das heißt?«

»Eigensinnig. Unkontrollierbar.« Sie seufzte. »Nicht resozialisierbar.«

»Nicht resozialisierbar«, wiederholte Brad lächelnd. »Das gefällt mir.«

»Ich weiß nicht. Ich würde gern von mir denken, dass ich ein guter Mensch bin.«

»Das ist genau dein Problem.«

»Was?«

»Du denkst zu viel.«

»Und was ist mit deiner Mutter?«, fragte Jamie, die es ein wenig seltsam fand, dass sie jedes Mal, wenn sie ihn etwas über sein Leben fragte, am Ende bei ihr landeten. War sie wirklich so egozentrisch?

Brads Lippen spannten sich, bevor sie sich zu einem gequälten Lächeln verzogen, und er fasste das Lenkrad fester. »Was ist mit meiner Mutter?«

»Na ja, du hast mir von deinen Schwestern erzählt, aber noch gar nichts über deine Eltern gesagt.«

»Das liegt daran, dass es nicht viel zu sagen gibt. Sie sind einfach ganz gewöhnliche, aufrechte, hart arbeitende Leute. Gottesfürchtige Bürger unseres großartigen Landes.«

»Meinst du das sarkastisch?«

»Wieso sollte ich das sarkastisch meinen?«

»Ich weiß nicht.«

»Du denkst schon wieder zu viel.«

»Wo wohnen sie?«, versuchte Jamie einen neuen Anlauf.

»In Texas.«

»Ich war noch nie in Texas.«

»Das soll wohl ein Witz sein?«

»Es gibt viele Orte, wo ich noch nicht war.«

»Dann muss ich irgendwann mit dir dorthin fahren.«

Jamie lächelte. »Das fände ich schön.«

»Hast du schon immer in Florida gelebt?«

»Die meiste Zeit. Meine Mutter wollte natürlich, dass ich nach Harvard gehe, aber ich habe mich für Florida entschieden. Eine Zeit lang habe ich in Atlanta gelebt«, fügte sie beinahe widerwillig hinzu.

»Was war denn in Atlanta?«

»Mein Exmann.«

»Und seine Mutter«, sagte Brad leise.

Am Ende lief es immer wieder auf die Mütter hinaus, dachte Jamie. »Lass uns nicht dorthin fahren«, sagte sie.

»Ganz im Gegenteil«, erwiderte Brad. »In ein paar Stunden kommen wir durch Atlanta. Vielleicht sollten wir Halt machen und kurz Hallo sagen. Wie würde dir das gefallen?«

»Gar nicht«, sagte Jamie. »Ist das ein Polizeiwagen?« Sie zeigte auf einen schwarz-weißen Kombi am Rand des Highway.

»Scheiße.« Brad trat auf die Bremse, um nicht in die Radarfalle zu rauschen.

Zu spät. Die Autobahnstreife folgte ihnen bereits mit flackerndem Blaulicht.

»Scheiße«, sagte Brad noch einmal und schlug mit der flachen Hand aufs Steuer.

Jamie hielt ängstlich den Atem an, als Brad den Wagen am Fahrbahnrand zum Stehen brachte, obwohl sie nicht wusste, warum. Sie fuhr auf ihrem Sitz herum, als der Polizist mit einer Sonnenbrille im Gesicht auf sie zukam. Brad ließ das Fenster herunter, und der Mann beugte sich in den Wagen.

»Zulassung und Führerschein, bitte.«

Brad griff in seine Tasche, während Jamie das Handschuhfach aufklappen ließ und die Zulassung herausholte.

»Nehmen Sie den Führerschein aus der Brieftasche, bitte«, wies der Polizist Brad an, der prompt gehorchte.

»Haben Sie eine Ahnung, wie schnell Sie gefahren sind?«
Der Polizist nahm Führerschein und Zulassung entgegen.

»Ich weiß nicht genau«, sagte Brad. »Ich dachte nicht, dass ich ...«

»Wir haben Sie mit einhundertfünfunddreißig Stundenkilometern geblitzt«, unterbrach ihn der Polizist. »Hier gilt eine Geschwindigkeitsbegrenzung von einhundertzehn Stundenkilometern.«

»Ich habe nur versucht, mich dem Verkehrsfluss anzupassen«, erklärte Brad.

»Warten Sie hier«, wies der Polizist ihn an und kehrte zu seinem Wagen zurück.

»Drecksack«, murmelte Brad.

»Was macht er jetzt?«, fragte Jamie.

»Er überprüft, ob ein Haftbefehl gegen mich vorliegt.«

»Und?«, fragte Jamie. Sie hatte schon allerlei Geschichten über Polizeikontrollen in den Südstaaten gehört, zweifelhafte Legenden von Autofahrern, die exorbitante Strafzettel wegen überhöhter Geschwindigkeit bezahlen mussten und ins Gefängnis geworfen wurden, wenn sie den Betrag nicht in bar begleichen konnten. Sie fragte sich, ob ihr Wagen beschlagnahmt werden und wie sich eine Nacht in der Arrestzelle einer Kleinstadt anfühlen würde. Sie stellte sich vor, dass ihre Mutter die Ereignisse vom klaren blauen Himmel aus beobachtete, und sah sie missbilligend den Kopf schütteln. »Brad? Alles in Ordnung?«, fragte sie, als sie seine starre Haltung und sein grimmig vorgeschobenes Kinn bemerkte.

Er antwortete nicht.

»Brad?«, fragte sie noch einmal, als der Polizist wieder neben ihrem Wagen auftauchte.

Er gab ihnen den Führerschein und die Zulassung zurück. »Auf diesem Stück wird ziemlich häufig kontrolliert. Deshalb schlage ich vor, dass Sie es ein wenig langsamer angehen lassen, wenn Sie nicht noch einmal angehalten werden wollen.« Er schrieb einen Strafzettel aus und reichte ihn durchs Fenster. »Oh, Mr. Fisher«, fügte er schon im Gehen hinzu, »Ihr Hinterreifen sieht aus, als hätte er ein bisschen zu wenig Luft. Vielleicht sollten Sie in Tifton Halt machen und das nachsehen lassen.«

»Wird gemacht«, sagte Brad.

»Vielen Dank, Officer«, sagte Jamie, als sich der Polizist zurückzog. »Es war doch sehr nett von ihm, uns auf den Reifen aufmerksam zu ...«

»Arschloch«, sagte Brad höhnisch und steckte Führerschein und Zulassung in seine Jeanstasche.

»Wie viel müssen wir bezahlen?«

Als Antwort zerriss Brad den Strafzettel in kleine Schnipsel und ließ sie auf den Boden regnen. »Ist doch egal.«

»Was machst du da?«, protestierte Jamie. »Dadurch wird er nicht einfach verschwinden.«

»Er ist soeben verschwunden.« Er ließ den Wagen wieder an und wartete auf eine Lücke im Verkehr, bevor er sich einfädelte, beschleunigte und schon bald wieder deutlich schneller fuhr als erlaubt.

Jamie schwieg. Er war offensichtlich wütend, und sie wollte ganz bestimmt nichts sagen, was ihn noch wütender machte. »Was glaubst du, was mit dem Reifen los ist?«, wagte sie ein wenig später trotzdem zu fragen.

»Woher soll ich das wissen? Es ist dein beschissenes Auto.«

Jamie schossen Tränen in die Augen, als hätte er sie geohrfeigt.

»Tut mir Leid«, sagte er sofort. »Es tut mir Leid, Jamie.«

»Ist schon okay«, stotterte sie.

»Nein, das ist es nicht. Ich hatte keinen Grund, dich so anzuherrschen.«

»Du warst wütend.«

»Das ist keine Entschuldigung. Es tut mir wirklich Leid.«

»Ich verstehe das nicht«, sagte Jamie. »Es war doch bloß ein Strafzettel wegen zu schellen Fahrens. Und wir *waren* zu schnell.« Sie linste zum Tachometer.

Brad bremste unverzüglich und hielt sich danach an das Tempolimit. »Tut mir Leid«, entschuldigte er sich noch einmal.

»Du magst wohl keine Bullen«, stellte Jamie fest.

Brad lachte, Jamie spürte, wie sich die Spannung sofort löste, und stimmte dankbar in sein Lachen ein. Alles war in Ordnung. Dank der Georgia State Police hatte sich auf dem Weg ein kleines Schlagloch aufgetan, aber jetzt war wieder alles normal.

»Ich hasse die Dreckskerle«, sagte Brad, den Frieden sofort wieder erschütternd.

Wieder stockte Jamie der Atem, und sie erstarrte am ganzen Körper. »Warum?«

Brad rieb sich mit dem Handrücken über die Nasenspitze und blickte mit schmalen Augen in den Rückspiegel. Er überlegte offensichtlich, wie viel er ihr erzählen sollte. »Als ich siebzehn war«, begann er, »hat mein Vater sich einen neuen Wagen gekauft. Einen Pontiac Firebird, knallrot, schwarze Ledersitze, Power Drive und alles Mögliche«, redete er sich langsam warm. »Es war ein echtes Schmuckstück, und er war so stolz darauf, er hat den Wagen ständig gewaschen und poliert. Gott behüte, dass man sich daranlehnte oder Fingerabdrücke hinterließ. Er wäre ausgerastet. Na ja, und was macht man natürlich, wenn man ein siebzehnjähriger Junge ist, der die Mädchen beeindrucken will und dessen Vater einen neuen, roten Firebird hat?«

»Das hast du nicht getan.«

Er sah sie aus den Augenwinkeln an. »Eines Abends habe ich gewartet, bis meine Eltern schliefen, und dann den frisch gewaschenen, funkelnagelneuen Wagen für eine Spritztour ausgeliehen, zusammen mit Carrie-Leigh Jones, meiner damaligen Favoritin, auf dem lederbezogenen Beifahrersitz.

Und ich habe gedacht, wenn ich sie so nicht rumkriege, kriege ich sie nie rum.«

Jamie lächelte, obwohl sie die Katastrophe schon ahnte.

»Wir sind eine Zeit lang herumgefahren – ich war echt vorsichtig, bin nicht zu schnell gefahren oder hab rumgeprotzt –, und dann haben wir uns auf den Weg zum ›Passion Park‹ gemacht. Jedenfalls haben wir ihn immer so genannt, weil man damals immer dorthin gefahren ist, um rumzumachen. In dieser Nacht war es sehr still, vielleicht weil es schon ziemlich spät war und die meisten Kids schon nach Hause gefahren waren. Wir haben also angefangen rumzuknutschen, und ich war gerade dabei, in den Strafraum zu kommen, wie wir damals immer gesagt haben, als ich höre, wie neben uns ein Wagen hält. Ich nehme an, dass es irgendein anderer Typ ist, der auch Glück gehabt hat, aber noch bevor ich richtig aufblicken kann, leuchtet mir jemand mit einer Taschenlampe ins Gesicht. Im nächsten Moment zerren mich zwei Bullen aus dem Wagen und prügeln mich windelweich, direkt vor Carrie-Leighs Augen.« In Erinnerung an das, was dann geschah, verfinsterte sich Brads Miene. »Ich bin kaum noch bei Bewusstsein, als mich einer der beiden Polizisten wie einen kleinen Jungen übers Knie legt und festhält, während sein Kumpel mich mit einem Ledergürtel schlägt. So doll, dass ich weine und flehe, sie sollen aufhören. Und dann höre ich, wie einer der Polizisten zu Carrie-Leigh sagt: ›Warum suchst du dir nicht einen richtigen Mann?‹ Und er verspricht ihr, dass sie nicht erzählen, wo sie sie aufgegriffen haben, wenn sie dafür den Mund hält und niemandem von der Sache hier erzählt.«

Jamie konnte kaum sprechen. »Und was ist dann passiert?«

Brad zuckte die Achseln. »Ziemlich genau das, was man erwarten konnte. Sie haben Carrie-Leigh nach Hause gefahren und mich einfach im Dreck liegen lassen.« Er machte eine lange Pause. »Irgendwie habe ich es bis nach Hause geschafft, immer in Panik, dass Blut auf die Scheißledersitze tropft. Ich war so dumm, immer noch zu hoffen, dass mein Vater schlief. Aber er erwartete mich schon an der Haustür. Es stellte sich heraus, dass er die Bullen angerufen und ihnen gesagt hatte, sie sollten mir eine ordentliche Lektion erteilen.«

»Er hat ihnen gesagt, sie sollen dich verprügeln?«

»Hat ihm die Arbeit erspart, nehme ich an.« Brad lächelte. »Als er mich sah, hat er gelacht und gesagt, wenn ich seinen Wagen je wieder anrühre, würde er mich mit bloßen Händen umbringen.« Brad lachte, ein freudloses Geräusch, das von den Wagenfenstern zurückprallte.

»Das ist ja schrecklich.«

»Nein, so ist einfach das Leben. Wie hat deine Mutter immer gesagt – Tatsachen sind Tatsachen, und man muss sie hinnehmen. Hey, guck mal!« Brad zeigte auf ein Schild an der Straße.

WILLKOMMEN IN TIFTON, verkündete das Plakat, DER LESE-HAUPTSTADT DER WELT.

»Ich frage mich, woher die das wissen«, sinnierte Brad.

»Vielleicht sollten wir eine Pause machen, etwas essen und den Reifen nachsehen lassen«, schlug Jamie vor.

Brad nickte. »Es tut mir wirklich Leid«, sagte er noch einmal.

Jamie griff nach seiner Hand. »Was denn?«, fragte sie.

8

»Okay, Dylan, komm jetzt hoch«, rief Emma die Treppe hinunter. Sie war in ein großes senffarbenes Badelaken gehüllt und hatte ein kleineres Handtuch um ihr nasses Haar gewickelt. »Zeit, dich bettfertig zu machen.«

Keine Antwort.

Emma tappte mit nackten Füßen durch den Flur im ersten Stock und spähte ins Zimmer ihres Sohnes. Kaum größer als eine Briefmarke, dachte sie mit einem Anflug von Depression, als ihr Blick über das pritschengroße Bett in der Mitte des Zimmers, den braunen weichen Badezimmerteppich, der als Läufer daneben lag, und die schlichte Holzkommode schweifte, die wackelig an der gegenüberliegenden Wand lehnte. An der Wand klebte als einziges Kunstwerk ein Bild, das Dylan in der Schule gemalt hatte, ungerahmt und mit Tesafilm befestigt – eine bunte Fantasie über das Thema »Was der Winter mir bedeutet« mit einem großen grünen Hügel, einem Strichmännchen im roten Mantel mit überdimensionierten Schlittschuhen, das freudig in die Luft sprang und lächelnd Arme und Beine spreizte, einer Sonne in der rechten Ecke sowie blauen und pinkfarbenen Smileys, die wahllos über das Bild verteilt waren. »Dylan. Komm, Schatz. Wo bist du?« Emma sah auf die Uhr. Es war erst kurz nach sieben. Damit blieb ihr noch eine halbe Stunde, um ihre Haare zu trocknen, sich anzuziehen und die diversen Zu-Bett-Geh-Rituale ihres Sohnes zu begleiten, bevor sie zu Lily aufbrechen musste. Hoffentlich schlief er schon, wenn Mrs. Discala kam. Vorausgesetzt natürlich, sie konnte ihn finden.

Im selben Moment packte sie eine Panik, die sie am ganzen Körper erstarren ließ. Was, wenn ihr Versteck entdeckt worden war? Was, wenn Dylans Vater sich, als sie singend unter der Dusche stand, Zugang zum Haus verschafft hatte? Was, wenn er mit ihrem Sohn in der Dunkelheit verschwunden war? Sie könnte sich nur selber die Schuld geben, dachte sie. Es war absolut unnötig gewesen, sich die Haare zu waschen. Es hatte auch vorher vollkommen in Ordnung ausgesehen. Warum versuchte sie, ein paar Frauen zu beeindrucken, die ihr so gut wie unbekannt waren und sie noch weniger kümmerten, Frauen, deren Gesellschaft sie ausdrücklich gemieden hatte, bis die vertauschte Post eine nette, bescheidene Frau vor ihre Tür geführt hatte, die ihr neuerlich die Möglichkeit eines Lebens angeboten hatte, das sich nicht in Weglaufen, Schlafen und erdrückenden Zu-Bett-Geh-Ritualen erschöpfte? Ein Leben mit Freundinnen und Gesprächen, dachte sie. Es war zu verlockend gewesen, um es abzulehnen. »Dylan!«, rief Emma noch einmal, gefährlich nahe am Rand der Hysterie.

»Ich verstecke mich«, ertönte eine kleine, gedämpfte Stimme aus seinem winzigen Kleiderschrank.

Emma atmete erleichtert aus. »Na, dann komm mal raus. Es ist Zeit, ins Bett zu gehen.«

»Du musst mich finden.«

Emma zupfte sich das Handtuch vom Kopf, warf es über ihre nackten Schultern und machte ein paar übertriebene Schritte in den kleinen Flur. »Ich muss dich finden? Aber du versteckst dich doch immer so gut. Das ist zu schwer.« Sie trampelte in ihr Schlafzimmer, öffnete die Tür ihres Kleiderschranks und schloss sie klappernd wieder. »Nein, da bist du nicht. Wo bist du dann? Kannst du mir einen kleinen Tipp geben?«

Gedämpftes Gelächter aus dem Nebenzimmer.

Emma kehrte in Dylans Zimmer zurück. »Und hier bist du auch nicht«, fuhr sie fort, nachdem sie ans Bett getreten war und die heraushängende, dünne, braun-weiß gestreifte Decke angehoben hatte. »Hm. Vielleicht hast du dich ja unterm Bett versteckt.« Sie machte eine Pause. »Nein, unterm Bett bist du auch nicht.«

»Probier's mal im Kleiderschrank«, flüsterte ihr Sohn.

»Ich glaube, ich sehe mal im Kleiderschrank nach«, verkündete Emma laut, durchquerte das Zimmer mit zwei raschen Schritten, riss die Kleiderschranktür auf und entdeckte Dylan sofort. Er hockte zusammengerollt auf dem Boden in der Ecke, den Kopf unter einem Berg Wäsche begraben, die sie bei ihrem letzten Gang zum Waschsalon vergessen hatte. »Nein, hier bist du auch nicht«, sagte Emma, während sich die Wäsche vor Lachen schüttelte. »Wo kannst du nur sein?«

»Guck auf den Boden, Dummi.«

»Auf den Boden? Auf dem Boden liegt nur ein Haufen dreckiger Wäsche.« Emma bückte sich. »Die bringe ich wohl am besten gleich in den Waschsalon und stecke sie in eine Waschmaschine, bevor sie das ganze Haus verpestet.«

Dylan kreischte entzückt auf, steckte den Kopf aus der Wäsche und verteilte sie überall in dem beengten Raum. »Ich bin's, Mommy«, rief er und sprang in ihre Arme.

Emma taumelte scheinbar schockiert nach hinten. »Nein! Sag nicht, dass du dich in der Wäsche versteckt hast!«

Dylan nickte eifrig. »Ich hab dich reingelegt.«

»Das kann man wohl sagen.«

»Jetzt bist du dran.« Dylan kletterte aus ihren Armen und sah erwartungsvoll zu ihr hoch.

»Oh, Schätzchen, ich kann jetzt nicht. Ich muss mich anziehen und die Haare trocknen.«

»Nein. Du musst dich verstecken.« Tränen schimmerten in seinen großen blauen Augen.

Emma wusste, dass man sich besser nicht auf einen Streit mit diesen Augen einließ. »Okay. Aber danach machst du dich bettfertig. Abgemacht?«

»Abgemacht«, willigte Dylan ein.

»Mach die Augen zu und zähl bis zehn.«

Er war schon bei fünf, bevor Emma aus der Tür war. Wo sollte sie sich dieses Mal verstecken, überlegte sie, rannte ins Bad, stieg in die noch feuchte Wanne und zog den Duschvorhang um ihren Körper. Was würde sie für eine separate Duschkabine geben, dachte sie, als ihr Sohn bei zehn angekommen war.

»Eckstein, Eckstein, alles muss versteckt sein.«

Und ein Whirlpool, träumte Emma weiter, während sie darauf wartete, Dylans tapsende Schritte auf den Fliesen zu hören. Stattdessen stampfte er die Treppe hinunter. Wohin wollte er? Er musste doch wissen, dass sie sich in der Dusche versteckte. Dort versteckte sie sich jedes Mal. Was machte er? Sie zog den weißen Plastikvorhang beiseite, stieg vorsichtig aus der Wanne und schlich auf Zehenspitzen zur Treppe. Sie hörte ihn in den Küchenschränken herumkramen. *Als ob ich mich in ein so winziges Fach zwängen könnte,* dachte sie lächelnd und kehrte ins Bad zurück, wo sie sich die Haare kämmte und ein wenig Rouge und Wimperntusche auftrug.

»Maybelline natürlich«, erklärte sie ihrem Spiegelbild und hörte, wie Dylan aus der Küche ins Esszimmer lief.

»Ich kann dich nicht finden, Mommy.«

»Du musst weitersuchen«, ermutigte Emma ihn, zeichnete mit einem Konturenstift ihre Lippen nach und trug zwei Schichten Lippenstift in einem dunklen Rosa auf, bevor sie nach dem Föhn unter dem Waschbecken griff. Während ein Strom warmer Luft ihre Haare aufwirbelte, ging sie im Kopf die Kleider in ihrem Schrank durch. Was trug man zu einem Lesezirkel, fragte sie sich. Ein Rock könnte zu förmlich wirken, während Jeans womöglich mangelnden Respekt bekundeten. Wahrscheinlich war eine schlichte schwarze Hose am sichersten, entschied sie, aber ihre einzige schwarze Hose war aus Wolle und für die Jahreszeit vielleicht schon ein wenig zu dick. Sie brauchte ein paar neue Sachen, beschloss sie, nichts Extravagantes oder Unpraktisches, nur ein paar Baumwollhosen und ein paar nette Oberteile. Dylan könnte natürlich auch neue Kleidung gebrauchen, dachte sie, als sie einen anklagenden Blick aus zwei blauen Augen spürte.

»Du hast dich gar nicht versteckt«, sagte Dylan mit zitternder Unterlippe.

»Doch, eben schon«, wollte Emma erklären, »aber …«

»Wir müssen es noch einmal machen.«

»Dylan …«

»Nicht Dylan!«, protestierte er wütend. »Ich heiße nicht Dylan.«

Sofort kniete Emma vor ihrem Sohn nieder und grub ihre Finger in die zarte Haut seiner dünnen Arme. »Doch, so heißt du. Dein Name ist Dylan Frost. Sag es.«

»Nein.«

»Weißt du nicht mehr, worüber wir geredet haben? Dass es sehr wichtig ist, dass du Dylan Frost bist. Zumindest noch eine Zeit lang.«

»Ich will aber nicht Dylan Frost sein.«

»Willst du, dass sie kommen und dich mir wegnehmen? Willst du das?«

Ihr Sohn schüttelte mit verängstigt aufgerissenen Augen heftig den Kopf.

Emma wusste, dass sie aufhören sollte, aber sie konnte nicht. Sie musste ihrem Sohn begreiflich machen, wie wichtig es war, dass sie ihre Scharade weiterspielten, dass ihr Glück und ihr Wohlergehen davon abhingen. »Du willst doch nicht bei irgendwelchen Fremden leben, oder?«

»Nein!«, rief ihr Sohn und kuschelte sich enger in ihre Arme, die kleinen runden Wangen feucht von Tränen.

»Okay, also wie heißt du?«

Die einzige Antwort war ein unterdrücktes Schluchzen.

Emma drückte ihren Sohn auf Armlänge von sich weg. »Wie heißt du, Junge?«, fragte sie wie irgendjemand, der ihn auf der Straße getroffen hatte.

»Dylan«, stotterte der Kleine schluchzend.

»Dylan und weiter?«

»Dylan Frost.«

»Dann ist's ja gut.« Emma schloss die Augen, zog ihren Sohn an sich und wiegte in sanft in ihren Armen. »Das ist wirklich gut, Dylan. Du bist so ein braver Junge. Mommy ist so stolz auf dich.«

»Ich bin Dylan Frost«, bekräftigte er noch einmal.

»Ja, der bist du. Und weißt du, was?«

»Was?«

»Es ist fast Schlafenszeit, Dylan Frost. Wenn du also willst, dass ich mich verstecke, sollten wir uns beeilen. Bist du bereit?«

Er nickte, und eine Strähne seines hellbraunen Haares fiel in seine verstörten blauen Augen.

Wahrscheinlich wurde es auch Zeit, ihm die Haare nachzufärben, dachte Emma, beschloss jedoch, diesen Kampf auf einen anderen Tag zu verschieben. »Okay, fang an zu zählen.«

Dylan zählte noch einmal, Emma versteckte sich wieder hinter dem Duschvorhang, und Dylan rannte erneut nach unten, um in den Küchenschränken nachzusehen. Emma blickte auf die Uhr. In wenigen Minuten würde Mrs. Discala hier sein, und sie war noch nicht einmal annähernd fertig. Sie fragte sich, ob es die Etikette von Lesezirkeln erlaubte, zehn bis fünfzehn Minuten zu spät zu kommen. Sollte sie Kekse oder eine Flasche Wein mitbringen? Sie hatte weder noch, wurde ihr bewusst, als sie Dylans Schritte auf der Treppe hörte. *Endlich,* dachte Emma, als er ins Bad zurückkam, den Duschvorhang aufzog und ehrlich überrascht wirkte, sie dahinter vorzufinden.

»Du hast mich gefunden!«, jammerte Emma mit gespieltem Entsetzen.

»Noch mal!«, rief Dylan.

»Hm-hm. Jetzt ist es Zeit, ins Bett zu gehen«, erklärte sie

entschieden. »Du ziehst dir deinen Schlafanzug an, während ich mich anziehe.«

Nach kurzem Schmollen gehorchte Dylan. Emma stieg aus der Wanne und trat sich die Füße an der abgewetzten pinkfarbenen Matte ab, bevor sie in ihr Zimmer zurückkehrte, den Kleiderschrank durchwühlte und schließlich die zu dicke schwarze Hose und einen nicht zu alten aprikosenfarbenen Pulli auswählte. Ihre Haare waren nur halb trocken, und etliche widerspenstige dunkle Strähnen begannen bereits, sich zu kräuseln. »Verdammt«, fluchte sie, weil sie wusste, dass sie keine Zeit mehr hatte, sie zu irgendeiner passablen Frisur zu bändigen. Es ist immer wieder dasselbe mit mir, dachte sie, als ihr Sohn in einem blauen Flanellschlafanzug hereingestürmt kam.

»Wohin gehst du?«, fragte er besorgt, als er sie sah.

»Ich gehe nirgendwohin«, sagte Emma und wünschte, sie müsste nicht lügen. Aber Dylan wurde panisch, wenn sie ohne ihn irgendwo hinging, und im Augenblick hatte sie einfach nicht die Zeit, ihm alles zu erklären. So war es für sie beide einfacher, weniger traumatisch.

»Und warum hast du dich dann fein gemacht?«

»Ich habe mich gar nicht fein gemacht.«

»Doch, hast du wohl.«

»Nun, ich gehe jedenfalls nicht aus«, log sie erneut. »Mrs. Discala kommt zu Besuch.«

»Warum?«

»Weil ich sie eingeladen habe.«

»Warum?«

»Darum«, sagte Emma entschlossen, weil sie keine Lust auf Warum-Spiele hatte. Sie hatte nur noch ein paar Minuten, um Dylan ins Bett zu bringen und zu warten, dass er einschlief, bevor sie gehen musste. So gewissenhaft Dylan seine Zu-Bett-Geh-Rituale befolgte, so schnell schlief er danach zum Glück auch ein, manchmal schon, bevor sein Kopf ganz auf dem Kissen gelandet war. Und meist schlief er fest bis zum Morgen durch. Wenn nicht ein böser Traum ihn mitten in der Nacht wachrüttelte. Aber das würde kein Problem sein, dachte Emma und führte ihren Sohn zurück ins Bad, wo sie beobachtete, wie er langsam die Zahnpastatube aufschraubte und das grün-weiß gestreifte Gel bedachtsam gleichmäßig auf den weichen Borsten seiner orangefarbenen Zahnbürste verteilte. Sie würde nur ein paar Stunden außer Haus und auf jeden Fall früh genug zurück sein, um ihn zu trösten, wenn ihn Albträume quälten.

Während ihr Sohn sich langwierig die Zähne bürstete, betrachtete Emma ihr Spiegelbild in dem kleinen rechteckigen Spiegel über dem Waschbecken und fand, dass sie müde aussah. Noch nicht ganz dreißig und schon blass und vorzeitig gealtert. Ich brauche Urlaub, entschied sie. Ein paar Tage für mich allein wären wundervoll, dachte sie, während sie stumm die letzten fünfzehn Bürstenstriche für den Oberkiefer mitzählte, die ihr Sohn penibel vollenden musste, bevor er mit dem Unterkiefer beginnen konnte. Sie unterdrückte den Impuls, ihm die Zahnbürste aus der Hand zu reißen, für ihn fertig zu putzen und ihn ins Bett zu scheuchen. Sie erinnerte sich noch, wie sie es einmal versucht hatte und dass die nachfolgende Szene sie beide um Tage zurückgeworfen hatte. Damals hatte sie sogar kurz überlegt, sich bei der Schulkrankenschwester Rat zu holen, die Idee aber rasch wieder verworfen. Eine Schulkrankenschwester kannte sich mit laufenden Nasen und aufgeschlagenen Knien aus, aber nicht mit zwanghaftem Verhalten. Und ein Therapeut kam nicht in Frage. Therapeuten kosteten Geld, das sie nicht hatte. Außerdem würde ein Therapeut jede Menge Fragen stellen, auf die Emma keine Antworten hatte. Zumindest keine, die sie jemandem mitteilen konnte.

Dylan füllte den kleinen Becher auf dem Waschbeckenrand bis zu einer dunklen Markierung in dem hellen Plastik halb mit Wasser und spülte sich erst die linke und dann die rechte Backe aus, bevor er drei Mal ins Waschbecken spuckte. Dann stellte er den Plastikbecher auf seinen exakt festgelegten Platz auf dem Waschbeckenrand zurück und wischte sich mit einem dünnen weißen Waschlappen die Mundwinkel ab. »Fertig«, verkündete er stolz wie jeden Abend.

Emma schob ihn mit einem liebevollen Klaps auf seinen kleinen Hintern aus der Tür und folgte ihm in sein Zimmer, wo sie zusah, wie er zwei Mal das Fußbrett seines schmalen Bettes berührte, bevor er unter die Decke schlüpfte und über seinen Kopf griff, um an die Wand zu klopfen. Vergewisserte er sich, dass sie noch da war? Suchte er nach etwas von Dauer und Beständigkeit, so gering es auch sein mochte? Und war sie verantwortlich für dieses irrationale Verhalten, fragte sie sich in ihrem eigenen abendlichen Ritual.

Nun, sie *hatte* seinen Namen geändert und ihm erklärt, dass Fremde ihn ihr wegnehmen könnten, erinnerte sie sich und schüttelte bedauernd den Kopf, als Dylan das Radio neben dem Bett einschaltete. Trotzdem konnte man nicht ihr die Schuld für ihre momentane Situation geben. Ja, ihr Lebensstandard war krass gesunken, und ja, sie war häufig angespannt und deprimiert, aber sie liebte ihren Sohn mehr als ihr Leben, und sie hoffte, dass er eines Tages verstehen würde, warum sie ihn bei Nacht und Nebel von allem hatte wegbringen müssen, was ihm lieb und vertraut war. Hatte sie die richtige Entscheidung getroffen? Auch ich habe Albträume, wollte sie ihm erklären, doch stattdessen sagte sie: »Gute Nacht, mein Schatz.« Sie strich ihm durchs Haar. »Schlaf schön.«

»Erzähl mir eine Geschichte.«

Das war ein neuer Trick, dachte Emma, vollkommen unerwartet. Er spürte, dass irgendwas anders war, dachte sie, sah auf die Uhr, stellte fest, dass es fast halb acht war, und fragte sich, wo Mrs. Discala blieb. »Ich kenne keine Geschichten«, erklärte sie ihm wahrheitsgemäß.

»Daddy kannte jede Menge Geschichten.«

Emma erstarrte. »Ich weiß, Schätzchen, aber …« Sie brach ab und kam sich mit einem Mal dumm und unzulänglich vor, so wie sie sich während ihrer Ehe mit Dylans Vater meistens gefühlt hatte.

»Aber was?«

Daddy war ein Lügner, wollte sie schreien, sagte jedoch stattdessen: »Wie wär's, wenn ich dir morgen eine Geschichte erzähle? Vielleicht können wir sogar in den Buchladen gehen und ein Buch aussuchen …«

»Du sollst mir *jetzt* eine Geschichte erzählen«, beharrte Dylan.

Emma bemühte ihre Fantasie, aber ihr fiel nichts ein. Was war nur mit ihr los? Was für eine Mutter war sie, dass sie keine Geschichten kannte? »Okay, ich erzähle dir eine Geschichte, wenn du mir versprichst, dass du danach gleich einschläfst.«

Dylan nickte begeistert.

»Okay, nur eine«, sagte sie, um Zeit zu schinden. Sie musste sich doch an mindestens eine Geschichte aus ihrer Kindheit erinnern. Nur dass ihr nie jemand eine Gutenachtgeschichte erzählt hatte, wie ihr bewusst wurde.

»Mommy?« Dylan sah sie fragend an.

»Okay. Es war einmal ein kleiner Junge«, begann Emma.

»Wie heißt er?«

»Sein Name ist Richard.«

»Der Name gefällt mir nicht.«

»Nicht? Welchen Namen findest du denn schön?«

»Buddy.«

»Buddy?«

»Ja, in meiner Vorschulklasse heißt ein Junge Buddy, und der ist cool.«

»Cool?«

»Ja. Also, kann der Junge in der Geschichte Buddy heißen?«

Emma zuckte die Achseln, sah auf die Uhr und stellte fest,

dass es Punkt halb acht war. »Also, meinetwegen Buddy.«
Wo blieb Mrs. Discala? Sie war doch sonst immer so pünktlich.

»Mommy?«, drängte Dylan sie erneut.

»Was?«

»Es war einmal ein kleiner Junge, der hieß Buddy.«

»Genau. Es war einmal ein kleiner Junge, der hieß Buddy, der war fünf Jahre alt.«

»Wie sah er aus?«

»Buddy war gut einen Meter groß und hatte weiche braune Haare, die sehr gut zu seinen schönen blauen Augen passten.«

»Wie ich?«

»Ja, er sah genauso aus wie du.« Und was jetzt, fragte sie sich. Sie war in so etwas nie besonders gut gewesen, anders als Lily nie das Mädchen, das aufgefordert worden war, seinen Aufsatz vorzulesen. So funktionierte ihre Fantasie einfach nicht. Während sie problemlos über ihre eigenen Erlebnisse plaudern konnte – und da gab es weiß Gott reichlich Geschichten, die sie erzählen könnte –, waren Märchen und Kinderreime einfach nicht ihr Fach. »Und Buddy liebte Lakritzstangen«, fuhr sie mit einer Anleihe aus Lilys abgelehnter Geschichte munter fort. »Die langen, gewundenen roten, von denen seine Schwester ihm immer sagte, sie wären gar nicht aus Lakritz, sondern aus einer Art Plastik.«

»Aus Plastik?«

Mit einem schrecklichen roten Farbstoff, von dem er Krebs bekommen würde, wenn er groß war, zitierte Emma stumm weiter, ohne den Satz laut zu wiederholen. Dylan machte sich schon genug Sorgen. Warum hatte Lily nicht etwas Kinderfreundlicheres schreiben können?

»Buddy und seine Mutter lebten in einem kleinen Haus am Rande der Stadt.«

»Wo war Buddys Vater?«

»Buddy hatte keinen Vater«, sagte Emma kurz angebunden. Das Telefon klingelte. »Mach die Augen zu«, befahl Emma ihrem Sohn. »Ich bin sofort zurück.« Sie rannte in ihr Schlafzimmer und nahm den Telefonhörer beim dritten Klingeln ab. »Hallo?«

Es war Mrs. Discala, der es furchtbar Leid tat, dass sie heute Abend doch nicht zum Babysitten kommen konnte. Sie hatte sich am Nachmittag beim Pflanzen einiger neuer Rosensträucher in ihrem Garten den Rücken verrenkt und seitdem gelegen, weil sie dachte, dass es ihr bald besser gehen würde. Aber es ging ihr nicht besser, und sie hatte gerade mit ihrem Sohn, einem Rettungssanitäter, telefoniert, der ihr geraten hatte, ein paar Schmerztabletten zu nehmen, sich ein heißes Bad einlaufen zu lassen und anschließend ins Bett zu gehen. Es täte ihr wirklich Leid, Emma in letzter Minute abzusagen, aber sie könne sich beim besten Willen nicht vorstellen, auf ein kleines Kind aufzupassen, auch nicht auf ein so braves wie Dylan. Sie könnte einfach nicht, es täte ihr Leid, entschuldigte sie sich noch einmal.

»Das ist nicht schlimm«, sagte Emma, legte auf und brach in Tränen aus. »Verdammt!« Ihre Enttäuschung überraschte sie selbst. Sie hatte nicht geahnt, wie sie sich nach dem Austausch mit Erwachsenen gesehnt hatte, nachdem sie sich so lange dagegen abgeschottet hatte. Erst jetzt begriff sie, wie sehr sie sich auf den heutigen Abend gefreut hatte. Selbst wenn sie nur mit einem Haufen Frauen da gesessen und über ein Buch geredet hätte, das sie nie gelesen hatte.

Was hatte sie überhaupt geritten, Lily zu erzählen, *Sturmhöhe* wäre eines ihrer Lieblingsbücher? Einer ihrer Lieblingstitel vielleicht, denn viel weiter war sie in dem verdammten Buch nicht gekommen. Lesen hatte auf ihrer Prioritätenliste nie ganz oben gestanden. Wahrscheinlich lag das an der *gehobenen* Privatschule, auf der sie gewesen war – gehoben, verlogen, verbesserte sie sich –, wo die Schüler im Rahmen einer allgemeinen Bildungsoffensive ein Buch pro Woche lesen mussten. Aber wann hatte man in Wahrheit je etwas anderes gefördert als Egoismus und den Erhalt des Status quo? In der Bishop Lane School für Mädchen, auf der man sie widerwillig aufgenommen hatte, weil ihre Mutter zum Aufsichtspersonal gehörte, ging es weniger darum, wohin man wollte, als darum, woher man kam. Und da sie aus kleinen Verhältnissen kam, hatte man allgemein angenommen, dass aus ihr auch nichts Großes werden würde.

Deshalb war es wahrscheinlich besser, dass der heutige Abend so ausgegangen war, dachte sie. Sie hätte sich nur in Verlegenheit gebracht, etwas Dummes gesagt und sich selbst als Scharlatan und Hochstaplerin entlarvt. Die Frauen hätten sie gemieden wie ihre Klassenkameradinnen in Bishop Lane, wenn sie erst erfahren hätten, dass sie nur ein Sozialfall war. Die Hausmeistertochter, hatten sie sie nur genannt. Und es spielte keine Rolle, dass ihr Großvater mütterlicherseits einst so reich gewesen war wie jede von ihnen. Die Eltern der anderen Mädchen hatten letzten Endes ihr Erbe nicht verspielt, ihre Väter hatten sie nicht im Stich gelassen, als das Geld ausging, und ihre Mütter waren nicht gezwungen, zwei Jobs gleichzeitig zu machen, um die erdrückende Schuldenlast abzutragen, und einen dritten dazu, um die laufenden Kosten zu decken. War es da ein Wunder, dass ihre Mutter keine Zeit gehabt hatte, ihr vorzulesen, als sie klein war? War es ein Wunder, dass ihr Leben eine einzige Abwärtsspirale falscher Entscheidungen und noch üblerer Konsequenzen war?

Sie hatte fast dreißig Jahre lang gegen die Auffassung angekämpft, dass die Gene das Schicksal eines Menschen waren, hatte zahllose Hürden übersprungen, die ihr den Weg immer wieder aufs Neue verstellt hatten, entschlossen, ihrer vermeintlichen Bestimmung zu entrinnen. Aber welcher Straße sie auch folgte, sie gelangte letztendlich jedes Mal nur wieder zurück zum Ausgangspunkt. Vielleicht lagen die Städte Hunderte von Meilen voneinander entfernt, und die Straßen hatten andere Namen. Aber egal wie weit sie auch fuhr und wo sie sich schließlich niederließ, am Ende landete sie immer wieder in der Mad River Road.

Emma wischte sich die Tränen aus den Augen und atmete tief aus. Sie brauchte eine Zigarette. Ein Königreich für eine Zigarette, dachte sie und blickte sich im Zimmer um, sah den kleinen Fernseher in der Ecke und fragte sich, ob heute Abend etwas Vernünftiges lief. Sie sollte den Fernseher wahrscheinlich unten im Esszimmer aufstellen, damit Dylan besseren Zugang hatte, aber der Fernseher war für sie in Wahrheit genauso ein Schlafmittel wie das Radio für ihren Sohn.

Emma ging in Dylans Zimmer und wollte ihm als Ersatz für das Ende ihrer Geschichte eine halbe Stunde Fernsehen anbieten, aber er war zum Glück schon eingeschlafen.

»Danke, lieber Gott«, sagte sie leise, küsste die kühle Stirn ihres Sohnes und deckte ihn noch einmal gründlich zu. »Schlaf schön«, flüsterte sie auf der Türschwelle.

In der Küche zündete sie sich eine Zigarette an, ging nach draußen, beobachtete, wie ein alter Cadillac in eine Parklücke am Ende der Straße setzte und ein Frau mit roter Mähne und Leopardenmuster-Hose ausstieg und über die Straße hastete. Ganz offensichtlich eine *Sturmhöhe*-Liebhaberin, dachte Emma lächelnd. Wahrscheinlich sollte sie Lily anrufen und erklären, warum sie heute Abend nicht kommen konnte. Aber sie hatten keine Telefonnummern ausgetauscht, und Lily würde schon früh genug merken, dass sie nicht kam. Wenn sie sie das nächste Mal traf, würde sie sich entschuldigen.

Oder sie könnte jetzt rasch rüberlaufen und es erklären, dachte sie. Dylan schlief tief und fest, und sie würde das Haus nur für ein paar Minuten verlassen. In der Zeit konnte doch nichts passieren. Emma zog ein letztes Mal an ihrer Zigarette, trat die Kippe aus und hastete die Straße hinunter.

9

»Hier steht, dass Tifton der Geburtsort der Interstate 75 ist«, sagte Jamie begleitet von einer brüllenden Lachsalve am Nebentisch. Sie las aus einem Prospekt vor, den sie direkt am Eingang des Grillrestaurants eingesteckt hatte, in dem sie und Brad zu Abend aßen. Das Gelächter stammte von einer Gruppe junger Männer, die sich in der Nische hinter Brad um einen Tisch drängten.

»Du meinst, zusätzlich zu der Tatsache, dass es DIE LESE-HAUPTSTADT DER WELT ist?«, fragte Brad, jede Silbe des stolzen Titels einzeln betonend. Das Ganze interessierte ihn offensichtlich nicht die Bohne.

Einer der Jungen auf der Bank hinter Brad stand auf, um die Aufmerksamkeit einer offensichtlich gestressten Kellnerin mittleren Alters zu erregen. »Hey, Pattie«, rief er. »Können wir hier noch ein paar Bier kriegen?«

»Setz dich, Troy«, erwiderte die Kellnerin, ohne ihn eines Blickes zu würdigen.

Der junge, kaum zwanzigjährige Mann war sehr groß und ebenso dünn mit breiten knochigen Schultern und langen blauschwarzen Haaren, deren Strähnen in seine kleinen, eng zusammenstehenden dunklen Augen fielen. Boxershorts lugten aus seiner Jeans hervor, die so tief auf der Hüfte hing, dass Jamie fürchtete, er könnte sie ganz verlieren. Als er lässig wieder auf seinen Platz rutschte, fing er Jamies Blick auf und zwinkerte ihr zu.

Jamie wandte sich sofort wieder dem Prospekt zu. Sie war sich nicht sicher, meinte jedoch das Wort *Schlampe* gehört zu haben, das wie ein Penny gefallen und vor ihre Füße gerollt war. »Tifton hat 15 000 Einwohner, steht hier«, sagte sie lauter als beabsichtigt.

Brad demonstrierte sein Desinteresse an der Bevölkerung von Tifton, indem er ein Pommes frites in Ketchup tunkte und auf der Zungenspitze balancierte.

Jamie sah sich in dem kleinen Restaurant um, wobei sie die Jungen in der Nische hinter Brad sorgfältig mied und sich stattdessen auf die farblich nicht zueinander passenden Bodendielen, die dunkelgrünen Plastikbänke und die beigefarben glänzenden Kunststofftische konzentrierte. Unschuldige Gesichter mit großen, klaren Augen starrten von strategisch verteilten, samtschwarzen Leinwänden zurück. Auf einer großen Tafel an der gegenüberliegenden Wand waren die Tagesgerichte aufgelistet, für den heutigen Tag schwarze Bohnensuppe und eineinhalb Pfund Kalbsrippchen. Eine Klimaanlage gab es nicht, nur zwei große, in Höchstgeschwindigkeit rotierende Deckenventilatoren, die gegen die nach wie vor drückende Hitze ankämpften.

Aus den Augenwinkeln nahm Jamie eine Bewegung wahr, wandte den Kopf in die Richtung und sah den schlaksigen Jungen vom Nebentisch, der ihr mit seinen langen Fingern flirtend zuwinkte, einen Kussmund zog und vernehmlich schmatzte. Jamie überlegte, ob sie Brad darauf aufmerksam machen sollte, entschied jedoch, dass er schon gereizt genug war. Sie wollte ihn auf gar keinen Fall noch weiter aufregen.

Jamie wusste, dass Brad frustriert war, weil alle Reparaturwerkstätten bis zum nächsten Morgen geschlossen hatten, was bedeutete, dass sie in Tifton übernachten mussten. Zunächst hatte die Idee scheinbar noch übertriebene Vorfreude bei ihm ausgelöst, aber eine kurze Rundfahrt durch die Innenstadt, die aus insgesamt zwölf kurzen Straßenzügen bestand, hatte ihn davon überzeugt, dass Tifton die LESEHAUPTSTADT DER WELT war, weil hier, wie er ungeduldig erklärte, ABSOLUT NICHTS ANDERES los war. Jamie war da nachsichtiger. Sie liebte die großen, zwischen Ende des 19. Jahrhunderts und 1930 erbauten Häuser, die zwischen den großen schattigen Bäumen lagen, die die Straßen säumten. Sie hoffte, dass sie am nächsten Morgen wenigstens einen Blick in eine der schönen historischen Kirchen oder sorgfältig restaurierten Gebäude werfen konnte. Hatten sie sich das nicht vorgenommen? Wollten sie nicht der Straße folgen, wohin sie sie auch führte? Nun, ein Reifen, der Luft verlor, hatte sie nach Tifton geführt. Warum nicht das Beste daraus machen? »Hier steht«, las Jamie, die andauernde Folge von Gesten am Nebentisch ignorierend, mit einer Stimme, die ihr sogar selbst spitz und schrill vorkam, weiter aus dem Prospekt vor, »dass Tifton der Geburtsort nicht nur der Interstate 75, sondern des gesamten Interstate-Netzes ist, weil es das erste staatenübergreifende Bauprojekt war, das von der Bundesregierung gebilligt und gefördert wurde. Das geschah, weil …« Jamie beobachtete, wie sich die beiden Begleiter des jungen Mannes am Nebentisch umdrehten, um einen besseren Blick auf die Person zu bekommen, der die Aufmerksamkeiten ihres Kumpels galten. Der eine hatte seine strähnigen, blonden Haare zu einem Pferdeschwanz gebunden. Der andere hatte einen kahl rasierten Schädel, und als er sie aus dem Mundwinkel angrinste, bleckte er die Zähne wie ein knurrender Hund.

Ohne etwas von den Aktivitäten hinter sich mitzubekommen, schob Brad seinen Teller in die Mitte des Tisches und beugte sich auf beide Ellenbogen gestützt vor. »Weil?«

»Weil die braven Bewohner von Tifton den ständig anschwellenden Verkehrsstrom von Wintertouristen offenbar eindämmen wollten«, las Jamie weiter und beschloss, ihre drei zweifelhaften Verehrer gar nicht zu beachten. Irgendwann würden sie schon das Interesse verlieren. »Also beschlossen sie, eine Umgehungsstraße zu bauen, die sie offenbar jahrelang planten und diskutierten, bis schließlich der Startschuss fiel, die Aufträge vergeben wurden und so weiter, und Bingo! – hätte man es gedacht? –, einen Monat später unterschrieb Präsident Eisenhower ein Gesetz, das offiziell das gesamte Interstate-Netz auf den Weg brachte.«

Brad schüttelte in gespieltem Erstaunen den Kopf und verdrehte, als die Kellnerin mit einem Tablett voll Bier aus der Küche kam, die Augen zur Decke.

»Und weil Tifton schon die ganze Vorarbeit geleistet hatte, beschloss man, hier anzufangen«, las Jamie. »Aber hör dir das an – damals durfte man gemäß den Planungsvorschriften der Bundesregierung nur alle acht Meilen eine Abfahrt bauen, während allein in Tifton bereits *acht* Abfahrten geplant waren. Deshalb hat Tifton auch mehr Interstate-Abfahrten als jede andere Gemeinde.« Sie lächelte Brad in der Hoffnung an, ihm im Gegenzug jenes strahlende Lächeln zu entlocken, das ihr versicherte, dass er sie, auch wenn es ihm schnurzegal war, was sie sagte, immer noch verdammt süß fand, weil *sie* es sagte. Doch er starrte aus dem langen Seitenfenster und hatte sich offenbar irgendwann in der letzten Minute mental für eine der vielen Abfahrten Tiftons entschieden. Auch die Jungen am Nachbartisch hatten das Interesse an ihr verloren und amüsierten sich jetzt damit, die Kellnerin zu schikanieren. »Tifton ist außerdem der Sitz von Prestolite Wire«, fuhr Jamie unsinnigerweise fort, als hoffte sie, Brads Aufmerksamkeit durch schiere Willenskraft wieder auf sich zu lenken, »Hersteller von Zündungssystemen für unter anderem Ford, Chrysler, Nissan und Honda. Brad?«

»Hm …«

»Tifton ist …«

»Was soll das, Jamie?«, fuhr er sie an.

»Was meinst du?«

»Soll ich mich wirklich einen Scheiß für irgendein Drecksnest interessieren, in dem wir über Nacht gestrandet sind?«

Jamie lehnte sich zurück, spürte, wie ihr T-Shirt an dem grünen Plastikpolster klebte, und wusste nicht, wie oder ob sie überhaupt reagieren sollte. Am Nebentisch hatte man

Brad offenbar auch gehört, denn sie beobachtete, wie die Jungen erstarrten und vorsichtig den Kopf in ihre Richtung wendeten. Der Junge mit dem kahl geschorenen Kopf legte seinen heftig tätowierten Unterarm auf die Rückenlehne der Bank und kratzte sich am Ohr. Im Profil erkannte sie seine flache Stirn und die Hakennase. »So übel ist es auch nicht«, widersprach Jamie und fragte sich, ob sie Tifton oder sich selber verteidigte.

»*So übel ist es auch nicht*«, äffte Brad sie nach. »Was bist du, ein Tanzmariechen für die hiesige Handelskammer?«

Jamie schossen Tränen in die Augen, und sie senkte den Kopf, damit es niemand sah.

»Tut mir Leid«, entschuldigte Brad sich sofort. »Jamie?«

Jamie starrte weiter auf ihren Teller und konzentrierte sich ganz darauf, das Zittern ihrer Unterlippe zu unterbinden.

»Jamie?« Brad streckte die Hand über den Tisch aus und legte seine von den eineinhalb Pfund Rippchen noch klebrigen Finger um ihre. »Hast du mich gehört? Ich habe gesagt, es tut mir Leid.«

Jamie hob langsam den Blick und sah ihn an. »Ich verstehe bloß nicht, warum du so wütend bist«, flüsterte sie in dem Bemühen, das Gespräch privat zu halten. »Wir haben schließlich keinen engen Terminplan.«

»Ich weiß.«

»Ich dachte, es sollte Teil des Vergnügens sein, kleine abgelegene Orte wie diesen zu entdecken.«

»Tifton ist ja wohl kaum abgelegen«, meinte Brad mit einem spitzbübischen Lächeln, das sich von seinen Lippen bis zu den Augen erstreckte. »Bei *acht* Autobahnausfahrten.«

Jamie musste unwillkürlich lächeln.

Brad beugte sich über den Kunststofftisch und wischte eine verlorene Träne von Jamies Wange. Sie roch die scharfe Barbecuesauce an seinen Fingern und unterdrückte den Impuls, sie abzulecken. »Es tut mir wirklich Leid, Jamie.

Wahrscheinlich hab ich es bloß eilig, meinen Sohn wiederzusehen.«

»Ich weiß.«

Brad signalisierte der Kellnerin, dass sie zahlen wollten. »Und was willst du jetzt machen, mein wunderschönes Mädchen? Meinst du, dass es in Tifton ein Kino gibt?«

»Na ja, wir können jedenfalls schlecht den ganzen Abend lesen«, antwortete Jamie, und Brad lachte. Jamie hörte mit Wonne, dass er sie sein wunderschönes Mädchen genannt hatte, und war noch entzückter, ihm nach der angespannten Stimmung der letzten Stunde eine so freudige Reaktion entlockt zu haben. »Irgendwo in der Gegend gibt es bestimmt ein Einkaufszentrum mit Kino. Glaubst du, dass es okay ist, mit dem Reifen zu fahren?«

Brad zuckte die Achseln. »Wir pumpen ihn noch mal auf. Bis morgen früh sollte es reichen. Bist du dabei?«

»Bist du nicht zu müde? Ich meine, schließlich bist du die ganze Zeit gefahren.«

Brad schüttelte den Kopf, als die Kellnerin auf dem Weg in die Küche die Rechnung auf den Tisch legte.

Er griff in die Tasche, klemmte einen Zwanziger unter seinen Teller und stand auf. »Ich geh nur noch mal kurz wohin, dann sind wir praktisch schon auf dem Weg.«

Er küsste sie auf die Stirn und steuerte die Toilette im hinteren Teil des Restaurants an. Jamie sah ihm nach, bis er hinter einer Doppelschwingtür aus Holz verschwunden war, und gab, als sie bemerkte, dass drei Augenpaare erneut auf sie gerichtet waren, vor, etwas in ihrer Handtasche zu suchen.

»Was suchst du denn?«, fragte eine Stimme vom Nebentisch.

Jamie erstarrte, ihre Finger schlossen sich um einen Lippenstift. »Schon gefunden«, sagte sie mit einem gezwungenen Lächeln, als sie den Blick hob, entschlossen, sich nicht einschüchtern zu lassen.

»Brauchst du Hilfe beim Auftragen?« Der Junge mit den aus der Jeans quellenden Boxershorts war unvermittelt aufgestanden, rutschte auf den Platz neben ihr und drängte sie mit spitzen Hüften in die Enge. Seine beiden Kumpel belegten rasch die beiden Plätze gegenüber.

Jamie blickte zu den Toiletten, aber Brad war nirgends zu sehen, und die einzige Kellnerin war damit beschäftigt, Rippchen an einem anderen Tisch zu servieren. Sie überlegte, ob sie schreien sollte, entschied sich jedoch dagegen. Sie saß schließlich in einem hell erleuchteten Restaurant, umgeben von Dutzenden von Leuten. Außerdem würde Brad jeden Moment zurück sein. Wozu sollte sie also ohne Not eine Szene machen? »Ich komm schon zurecht, danke.«

»Sie kommt zurecht«, sagte der Skinhead, als Jamie den Lippenstift wieder in ihrer Tasche verstaute.

»Das glaube ich gern. Ich bin übrigens Curtis.« Der junge Mann mit dem Pferdeschwanz streckte seine Hand aus.

»Wayne«, sagte der Skinhead.

»Troy«, sagte der Junge neben ihr.

»Jamie«, erklärte Jamie auf das Spiel eingehend, behielt die Hände jedoch im Schoß.

»Ist das dein blauer Thunderbird draußen auf dem Parkplatz?«, fragte Curtis.

Jamie nickte.

»Dachte ich mir. Kam mir gleich unbekannt vor.«

»Was ist denn mit dem Reifen?«, fragte Wayne.

»Wissen wir nicht genau. Hoffentlich erfahren wir das morgen früh.«

»Was machst du denn heute Abend?«, fragte Troy.

»Wir haben überlegt, vielleicht ins Kino zu gehen«, sagte Jamie und blickte erneut zum hinteren Teil des Restaurants. Wofür brauchte Brad bloß so lange?

»Wir haben neulich einen tollen Film gesehen, stimmt's Jungs?«, sagte Troy.

»Wirklich? Welchen denn?«

»Den neuen Tom Cruise. In dem Multiplex Center an der North Central.«

»Ist das weit von hier?«

»Fünf Minuten.« Curtis entblößte lächelnd sein Zahnfleisch.

»Wie haben dir die Rippchen geschmeckt?«, fragte Wayne und begann, mit dem Zwanzigdollarschein unter dem Teller zu spielen.

»Sehr lecker.«

»Die besten in Georgia«, erklärte Curtis stolz. »Troys Dad gehört der Laden.«

Sie konnte sich also entspannen, dachte Jamie. Sie würden bestimmt keinen Ärger im Restaurant von Troys Vater anfangen, vorausgesetzt, es war wirklich das Restaurant seines Vaters, wie ihr im nächsten Moment klar wurde, sodass sie erneut alle Muskeln anspannte. »Dann sagt ihm, wie gut uns alles gefallen hat. Wenn ihr mich jetzt entschuldigt …«

»Wie wär's mit einem Nachtisch?«, fragte Troy, ohne einen Zentimeter von der Stelle zu weichen. »Es gibt einen umwerfenden Pfirsichcocktail.«

»Klingt echt gut«, sagte Jamie, »aber ich krieg nichts mehr runter. Wenn du nichts dagegen hast …«

Widerwillig machte Troy ihr Platz. Als sie aufstand, meinte sie eine Hand auf ihrem Hintern zu spüren. Im selben Moment sah sie Brad aus der Toilette kommen.

»Gibt es irgendein Problem?«, fragte er und taxierte die drei Jungen.

»Wir wollten Ihrer Freundin nur helfen«, sagte Curtis mit einem lässigen Achselzucken.

»Offenbar gibt es ganz in der Nähe ein Multiplex-Kino«, ging Jamie dazwischen, weil sie erneut Gefahr witterte und so schnell wie möglich von hier wegwollte.

»Tatsächlich?«, fragte Brad.

»An der North Central«, fügte Wayne hinzu. »Dort läuft der neue Tom Cruise.«

»Klingt gut.«

»Ist gut. Echt gut«, bekräftigte Curtis.

»Nun, vielleicht machen wir das«, sagte Brad. »Vielen Dank für die Hilfsbereitschaft.«

»Beehren Sie uns bald möglichst wieder«, sagte Troy mit einem übertriebenen Südstaatenakzent, als Brad Jamie am Ellenbogen fasste und aus dem Restaurant auf den Parkplatz führte.

»Alles okay?«, fragte Brad, als sie zu dem Wagen kamen. Es hatte angefangen zu nieseln.

Jamie nickte, obwohl ihre Knie weich waren und sie sich dankbar auf Brads Arm stützte.

»Erst der Penner auf der Toilette, jetzt die drei Rowdys in der Kneipe. Man kann dich keine Minute alleine lassen.«

Jamie lachte, als ihr einfiel, wie oft ihre Mutter das zu ihr gesagt hatte. »Ist wahrscheinlich keine gute Idee.«

»Das werde ich mir merken«, sagte Brad und musterte den Problemreifen.

»Was meinst du? Können wir eine Fahrt bis zum Kino riskieren?«

Brad lächelte sein Killerlächeln. »Was wäre das Leben ohne Risiko?«

Sie warteten neben ihrem Wagen, als Brad und Jamie aus dem Kino kamen.

»Und wie fandet ihr Tom Cruise?«, fragte Troy. Curtis stand links neben ihm, eine Zigarette auf der Unterlippe. Wayne lehnte sich an die Beifahrertür. Sie parkten auf dem hinteren Teil des Parkplatzes, weit und breit war kein Mensch zu sehen. Es hatte aufgehört zu nieseln, aber der feuchte Wind kündigte weiteren Regen an.

Jamie spürte, wie Brads Hand über ihrer erstarrte. »Er war fantastisch«, sagte Brad und zog sie schützend hinter sich.

»Tom ist top«, stimmte Curtis lachend zu.

»Was macht ihr Jungs denn hier?«, fragte Brad leichthin, beinahe freundlich.

»Wir haben uns Sorgen um euren Reifen gemacht«, sagte Troy. »Und uns gedacht, wir schauen mal vorbei und gucken, ob alles in Ordnung ist. Oder ob ihr vielleicht eine Mitfahrgelegenheit braucht.«

»Also, das ist wirklich sehr nett von euch, aber wir kommen zurecht.«

»Wirklich?«, fragte Wayne, stieß sich vom Wagen ab und schlenderte bedrohlich auf sie zu. »Ganz sicher? Deine Freundin scheint ja ein ziemlicher Feger zu sein.« Die beiden anderen Jungen traten neben ihn. »Wir dachten, du könntest vielleicht ein bisschen Hilfe brauchen.«

Oh Gott, dachte Jamie, machte instinktiv einen Schritt zurück, ließ ihren Blick über den Parkplatz schweifen und fragte sich, wo die anderen Leute waren und warum sie so weit vom Kino entfernt geparkt hatten. »Brad ...«

»Alles okay, Jamie.«

»Ja, Jamie«, sagte Troy und kam einen Schritt näher. »Alles okay. Du wirst richtig Spaß mit uns haben.«

»Ich denke, das reicht jetzt«, warnte Brad ihn.

Irgendetwas an Brads Tonfall ließ den jungen Mann kurz zögern. »Oh, tatsächlich, findest du? Willst du uns aufhalten?«, fragte er nach einer kurzen Pause.

»Wenn ich muss.«

»Brad, lass uns einfach abhauen«, flüsterte Jamie.

»Mach dir keine Sorgen, Jamie«, sagte Brad so laut, dass alle ihn hören konnten. »Das wird ein richtiger Spaß, was, Jungs?« Als die drei einen weiteren Schritt nach vorn machten, griff er in seine Tasche. Curtis erreichte sie als Erster.

Jamie hörte ein unbekanntes Klicken und sah dann die Klinge eines Messers in der Dunkelheit aufblitzen. Im selben Moment stieß Brad sie blitzschnell zur Seite, sodass sie stürzte und im Aufblicken gerade noch sah, wie er Curtis bei seinem Pferdeschwanz packte, herumwirbelte, in den

Schwitzkasten nahm und die Klinge gegen seine bloße Kehle drückte.

»So stelle *ich* mir richtigen Spaß vor«, sagte Brad und drückte die Klinge so fest gegen die Haut, dass Blut floss.

»Hey, Mister«, sagte Troy, wich einen Schritt zurück und zupfte nervös an seiner tief sitzenden Jeans. »Ganz ruhig. Wir haben doch nur Quatsch gemacht.«

»So hat es sich für mich aber nicht angehört.«

»Bitte«, wimmerte Curtis.

»So wie ich das sehe«, sagte Brad, der das Ganze offensichtlich genoss, »habt ihr ungefähr drei Sekunden Zeit, euch bei meinem Mädchen zu entschuldigen, bevor ich eurem Freund die Kehle aufschlitze.«

»Brad …«, rief Jamie. »Nicht …«

»Alles in Ordnung, Jamie. Also, Jungs? Was ist?«

»Es tut uns Leid«, sagte Wayne rasch.

»Es tut uns wirklich sehr Leid«, kam das Echo von Troy.

»Und was ist mit dir, Großmaul?« Brad ritzte eine kleine Kerbe in die Haut des Jungen mit dem Pferdeschwanz.

»Es tut mir Leid«, stieß Curtis krächzend hervor.

»Gut, Jungs. Und jetzt schlage ich vor, dass ihr euch so schnell wie möglich verpisst.« Er ließ den Hals des Jungen los, wickelte gleichzeitig seinen Pferdeschwanz um die Finger und kappte ihn mit einem kurzen Zucken des Handgelenks, als ob er durch weiche Butter schneiden würde. Die Jungen ergriffen sofort die Flucht. Brad sah ihnen nach, bis sie verschwunden waren, und half Jamie dann auf die Beine. Er warf das abgeschnittene Büschel Haare in die Luft und sah zu, wie sie vom Wind zerpflückt zu Boden rieselten. »Ich bin sicher, dass seiner Mama die neue Frisur viel besser gefällt, was meinst du?«

»Ich kann immer noch nicht glauben, was passiert ist«, sagte Jamie später. Sie lag zusammengerollt in Brads Armen, ihre Körper glänzten vor Schweiß, nachdem sie sich auf dem großen Doppelbett geliebt hatten, während die *Late Show* mit David Letterman stumm über den Fernseher auf der Kommode an der gegenüberliegenden Wand flimmerte.

»Das war ein Spaß, was?«

Sie richtete sich im Bett auf. »Nein, es war kein Spaß. Bist du verrückt?«

»Verrückt nach dir«, sagte er und zog sie wieder an sich.

Obwohl sie seit dem Einchecken nicht aufgehört hatte zu zittern, musste Jamie unwillkürlich lächeln. »Was ist, wenn sie zur Polizei gehen?«

»Das machen sie nicht.«

»Woher weißt du das?«

»Weil ich es weiß.«

Jamie zog die geblümte Tagesdecke über ihre Brüste. In der Ecke des nichtssagend eingerichteten Zimmers rumpelte in unregelmäßigen Abständen eine Klimaanlage vor sich hin, die sich automatisch an- und ausschaltete. Neben ihr lag, fest auf einem kleinen Tisch montiert, die Fernbedienung für den Fernseher. Aus Rache hatte ein erfinderischer Gast die Batterien mitgenommen, sodass die diebstahlsichere Fernbedienung nun nutzlos war und der Fernseher wahrscheinlich die ganze Nacht laufen würde. »Darf ich dich was fragen?«

»Du willst wissen, woher ich das Messer habe«, stellte er fest, als hätte er diese Frage schon den ganzen Abend erwartet.

»Ich dachte, Schnappmesser wären verboten.«

Brad strich ihr sanft eine Strähne aus der Stirn. »Habe ich dir erzählt, dass ich eine Zeit lang mit sozial benachteiligten Jugendlichen gearbeitet habe, bevor ich in die Computerbranche gegangen bin?«

»Was? Nein.«

»Dort gab es einen Jungen, von dem alle sagten, er wäre … was hat deine Mutter immer über dich gesagt?«

»Unverbesserlich?«

»Genau. Obwohl ich lieber sagen würde, ein ›freier Geist‹. Genau wie du.« Er strich ihr über die Nasenspitze.

Jamie spürte, wie sie zerschmolz. Sie war nicht unverbesserlich, sie war ein freier Geist.

»Dieser Junge meinte jedenfalls, ich hätte sein Leben umgedreht und dass er ohne mich …« Brad starrte abwesend auf den Bildschirm. »Als Abschiedsgeschenk hat er mir das Messer gegeben. Er sagte, dass er es nicht mehr brauchen würde und dass ich es immer bei mir tragen sollte – als Glücksbringer.«

Jamie schüttelte den Kopf. Der Mann steckte voller Überraschungen. »Na, es war jedenfalls ein Glück, dass wir es heute dabeihatten.«

»Manchmal muss man sich schützen«, sagte er. »Und die Menschen, die man liebt.«

Jamie hielt die Luft an. Hatte er gerade gesagt, dass er sie liebte? »Noch nie hat ein Mann mich so beschützt wie du«, flüsterte sie, kuschelte sich an ihn und dankte dem lieben Gott, dass er diesen Mann in ihr Leben geführt hatte. Eine verwandte Seele, die in ihr Innerstes schauen konnte und verstand, wer sie wirklich war. Ein Mann, der auf sie aufpasste, sie beschützte und sich um sie kümmerte. Sie hätte heute Abend vergewaltigt werden können, wurde ihr bewusst. Oder Schlimmeres. Sie schloss die Augen und dachte lieber nicht an all die Dinge, die hätten passieren können, wenn Brad sie nicht gerettet hätte. Ich habe so ein Glück, dachte sie seufzend, bevor sie einschlief.

10

»Hi. Komm rein«, sagte Lily, nahm Emmas Hand und schob sie ins Haus.

»Ich kann nicht lange bleiben«, sagte Emma und dachte, dass sie gar nicht hätte herkommen sollen. Sie musste verrückt gewesen sein, Dylan alleine zu lassen, und sei es nur für ein paar Minuten.

»Ich hatte schon Angst, du hättest es dir anders überlegt.«

Ich bin nur gekommen, um zu sagen, dass ich nicht bleiben kann. »Ich musste sichergehen, dass Dylan fest eingeschlafen war«, sagte sie stattdessen und ließ sich von Lily ins Wohnzimmer führen. Ihr Haus war so fröhlich, dachte Emma, bewunderte die blassrosa Tapete mit einem sich endlos wiederholenden Muster aus winzigen Blumen und fragte sich, was sie gekostet hatte. Ich sollte auch irgendwas mit meinem Flur machen, dachte sie.

Das Wohnzimmer war in einem dunkleren Rosa gestrichen als der Flur, und das Mobiliar sah zwar nicht neu, aber freundlich und bequem aus. Zumindest wirkten die Frauen, die jeweils zu zweit auf den mitten in dem kleinen Zimmer stehenden geblümten Sofas saßen, als hätten sie es behaglich, genau wie die Amazone mit der Leopardenmuster-Hose und der wilden Mähne, die im Schneidersitz auf dem beigefarbenen Teppich vor dem Kamin hockte. Emma fragte sich, wie irgendjemand so biegsam sein konnte. Und ob der Kamin wirklich funktionierte. Außerdem fragte sie sich, was sie hier bei diesen Frauen machte, wenn sie eigentlich zu Hause bei ihrem Sohn sein sollte.

»Meine Damen, das ist Emma Frost«, sagte Lily und führte sie in die Mitte des Zimmers. »Wenn sie euch bekannt vorkommt, liegt das daran, dass ihre Augen vor ein paar Jahren auf jeder Schachtel Maybelline-Mascara waren.«

»Du bist Model?«, fragte eine der Frauen.

»Jetzt nicht mehr.«

»Ich benutze Maybelline-Mascara«, meldete sich irgendjemand zu Wort. »Das ist die beste.«

»Na, da hast du doch bestimmt einen Haufen Geld verdient. Was machst du dann in der Mad River Road?«, wollte die Leoparden-Lady auf dem Fußboden wissen.

»Das ist eine lange Geschichte«, erklärte Emma ihr.

»Wir sind ein Lesezirkel«, sagte die Frau. »Wir lieben Geschichten.«

Die anderen Frauen lachten.

»Du hast aber wirklich schöne Augen«, schmeichelte ihr irgendjemand.

»Darf ich dir deine Nachbarinnen vorstellen«, fuhr Lily stolz fort. »Emma, das ist Cecily Wahlberg. Sie wohnt in dem lilafarbenen Haus.«

»Nr. 123«, spezifizierte Cecily, als gäbe es mehrere lilafarbene Häuser in der Straße. Sie schlug ein schlankes Bein über das andere und strich sich mit knochigen Fingern durch ihren blonden Pagenkopf.

»… Anne Steffoff …«

»Nummer 115«, sagte Anne mit einem tiefen Bariton, der gut zu ihrem eckigen Kurzhaarschnitt passte. »Ich wollte es knallrot streichen.«

»Das habe ich verhindert«, sagte die Frau neben ihr. »Carole McGowan«, fügte sie mit einem kräftigen Händedruck und einem breiten Grinsen hinzu. »Annes Lebensabschnittsgefährtin.«

Emma kannte die drei Frauen, die alle legere Jeans und pastellfarbene T-Shirts trugen, vom Sehen und hatte ein schlechtes Gewissen, dass sie ihnen bisher so angestrengt aus dem

Weg gegangen war. Von den dreien war Cecily am ehesten in ihrem Alter, und wenn Emma sich richtig erinnerte, hatte sie eine kleine Tochter, die etwas älter war als Dylan, während Anne und Carole gut zehn Jahre älter waren. Sie sah die Frauen vor sich, wie sie ihre beiden übergewichtigen Schnauzer auf der Mad River Road spazieren führten.

»Und das ist Pat Langer, die früher bei Scully's gearbeitet hat. Sie hat aufgehört, weil sie ein Baby bekommen hat.«

»Verräterin«, lästerte die Amazone auf dem Fußboden.

»Hi.« Pat winkte schüchtern, bevor sie wieder ins Sofa zurücksank.

»Wie alt ist dein Baby?«, fragte Emma.

»Zwei Monate.« Pat lächelte stolz. »Er heißt Joseph.«

Sie war selbst noch beinahe ein Baby, dachte Emma und fragte sich, wer zu Hause auf den kleinen Joseph aufpasste.

»Und was ist mit mir? Bin ich Altobst oder was?«, wollte Jan wissen, streckte ihre Leopardenmuster-Beine und reichte Emma die Hand. »Jan Scully«, verkündete sie. »Eigentümerin von Scully's. Lily hat mir erzählt, dass du vielleicht Mitglied werden willst.«

»Na ja, ich …«

»Jetzt wäre ein guter Zeitpunkt.«

»Ein T-Shirt und einen Kaffeebecher gibt's gratis dazu«, stimmten die anderen Frauen im Chor ein, und wieder erfüllte unbeschwertes Gelächter den Raum.

Welch ein verführerischer Klang, dachte Emma und sehnte sich danach, sich darin einzukuscheln und in Luft aufzulösen. Vielleicht könnte sie es auch in Flaschen abfüllen und mit nach Hause nehmen, damit sie sie öffnen konnte, wenn sie sich traurig und hilflos fühlte wie dieser Tage meistens. Wie lange war es her, dass sie mit Menschen zusammen gewesen war, die laut lachten? Sie sollte ihnen erklären, dass sie nicht bleiben konnte, weil ihr Babysitter abgesagt hatte. Sie würden es verstehen. Und sie würden darauf bestehen, dass sie unverzüglich nach Hause eilte, während sie doch verzweifelt bleiben wollte. Und sei es nur noch für ein paar Minuten.

»Verzeihung, dass ich hier ein bisschen Reklame mache«, sagte Jan mit einem riesigen Schmollmund. »Ich war heute bei der Bank. Die Säcke haben meinen Darlehensantrag abgelehnt.«

»Nein!«, sagte Carole.

»Das haben sie nicht!«, empörte sich Anne mit ihr.

»Haben sie gesagt, warum?«

Jan zuckte die Achseln. »Das brauchten sie nicht. Ich bin eine Frau, und wir leben in einer Männerwelt.«

»Das kann man wohl sagen«, pflichtete Cecily ihr bei.

»Wollt ihr wissen, was mich echt sauer macht?«, fragte Jan.

»Was macht dich echt sauer?«, fragten Anne und Carole gemeinsam.

»Wenn ich nicht bald ein paar neue Mitglieder werbe, muss ich den Laden dichtmachen, und genau darauf zählt mein Exmann. Ich kann ihn schon triumphieren hören: ›Ich hab dir doch gesagt, dass Scully's mein Baby ist. Ich hab dir gesagt, dass du es nicht ohne mich schaffst. Du hättest dich von mir auszahlen lassen sollen, solange du die Chance hattest.‹ Soll er in der Hölle schmoren! Bist du verheiratet?«, fragte sie Emma im selben Atemzug.

»Geschieden.«

»Dann bist du also auch der Meinung: Männer sind Arschlöcher.« Es war keine Frage, sondern eine Feststellung.

»Absolut«, bekräftigte Emma.

»Du sagst es«, pflichtete Cecily ihr bei.

»Wir sind wahrscheinlich nicht unbedingt Experten in Sachen Männer«, sagte Anne und lächelte ihre Partnerin vielsagend an. Carole lächelte ihr Pferdelächeln und tätschelte Annes nicht unbeträchtlichen Oberschenkel.

»Tut mir Leid. Meine Damen, aber dem kann ich so nicht zustimmen«, widersprach Lily.

»Das liegt daran, dass du mit dem perfekten Mann verheiratet warst«, erklärte Cecily ihr.

»Ich kenne viele wunderbare Männer«, protestierte Lily. »Mein Vater war einer, mein Bruder …«

»Dann hast du ein Monopol darauf«, erklärte Jan. »Warum bist du geschieden?«, fragte sie Emma.

»Immer sachte, Jan«, ermahnte Cecily sie. »Emma ist gerade erst zu uns gestoßen. Du verschreckst sie noch.«

»Oh, so leicht lässt sie sich nicht verschrecken, was Schätzchen?«, fragte Jan.

Das war ihr Stichwort, dachte Emma, ihre Chance, die Kurve zu kratzen. Stattdessen hörte sie sich sagen: »Mein Exmann oder der Perverse, wie ich ihn lieber nenne, war ein zwanghafter Lügner, der mit allem geschlafen hat, was einen Puls hatte. Wobei ich mir offen gestanden nicht einmal sicher bin, ob das eine notwendige Voraussetzung war, denn es gab genug Nächte, in denen ich dagelegen hab wie ein Putzlappen, was ihn offenbar nicht gestört hat, wenn er es überhaupt gemerkt hat. Ich habe ihn verlassen, als ich zwischen alten Golfzeitschriften in seinem Kleiderschrank einen Stapel Kinderpornos entdeckt habe.« Sie hielt inne. Sie könnte das auch noch weiter ausschmücken, dachte sie, aber nach den perplexen Gesichtern in der Runde zu urteilen, reichte es wahrscheinlich für den Abend.

»Was ist mit Heathcliff?«, schlug Lily vor.

»Mit wem?«

»Das ist der Held des Buches, über das wir heute Abend reden wollen«, stellte Lily klar.

»Ach der.«

»Ja, der.«

»Ist sie nicht süß?«, fragte Jan, entfaltete mit erstaunlicher Grazie ihren Körper, stand auf und umarmte Lily. »Sie denkt immer noch, wir treffen uns jeden Monat, um über Bücher zu reden.«

»Macht man das bei Lesezirkeln nicht so?«

»Ist sie nicht süß?«, sagte Jan noch einmal.

»Ich glaube, Lily hat Recht«, sagte Pat schwach und unsicher. »Ich glaube auch nicht, dass alle Männer schlecht sind.«

»Wie kannst du das sagen?«, wollte Jan wissen. »So oft, wie du dich an meiner Schulter ausgeheult hast wegen dieses Idioten, den du geheiratet hast! Wie oft hat er dir gesagt, dass er noch nicht bereit sei, sich zu binden«, fuhr sie fort, bevor Pat etwas einwenden konnte, »sogar nachdem du ihm erzählt hast, dass du schwanger bist? Und was war damals, als er mitten in der Nacht abgehauen ist und eine Woche nicht angerufen hat?«

»Er ist zurückgekommen«, sagte Pat stolz. »Wir haben geheiratet.«

»Ruf mich an, wenn ihr glücklich bis ans Ende eurer Tage gelebt habt«, schlug Jan ihr verbittert vor.

»Können wir vielleicht doch zu *Sturmhöhe* zurückkommen?«, versuchte Lily es erneut.

»Ich verstehe nur einfach nicht, wie man so abschätzig über Männer reden kann«, fuhr Pat fort. »Manche von uns ziehen doch selbst welche groß.«

Sie sollte zu Hause bei Dylan sein, meldete sich Emmas schlechtes Gewissen.

»Töchter sind schlimmer«, mischte Cecily sich ein. »Zumindest laut meiner Mutter, die zwei von jeder Sorte hatte. Sie meinte, einen Jungen müsse man nur für Sport interessieren, dann wäre alles okay. Es sei denn, man hätte einen künstlerisch Veranlagten. Das wäre hoffnungslos.«

»Apropos hoffnungslos.« Lily schwenkte ihr Exemplar von *Sturmhöhe*. »Ist Cathys Beziehung zu Heathcliff hoffnungslos, weil ihre Liebe so intensiv ist? Oder ist sie gerade deshalb so intensiv, weil sie hoffnungslos ist?«

Die Frauen starrten sie an, als hätten sie nicht die geringste Ahnung, wer sie war.

»Ich denke, es ist ein bisschen von beidem«, sagte Emma,

die spürte, dass Lily vom Verlauf des Gespräches zunehmend frustriert war, und sich gleichzeitig wunderte, mit welcher Autorität sie über ein Thema sprechen konnte, von dem sie nicht die leiseste Ahnung hatte. »Ich denke, das eine geht ins andere über, und es ist beinahe unmöglich zu sagen, wo eines endet und das andere beginnt.«

»Es ist eine tolle Liebesgeschichte«, sagte Anne.

»Nur weil sie unglücklich endet«, sagte Carole.

»Willst du damit sagen, dass es keine romantische Liebe gibt?«, fragte Pat.

»Es gibt keine romantische Liebe, die *dauert*«, verbesserte Jan sie.

»Man kann sich jedenfalls nicht vorstellen, dass Heathcliff und Cathy zahnlose Küsse in einem Altersheim tauschen, oder?«, meinte Anne.

»Das will man sich gar nicht vorstellen«, sagte Carole.

»Nein. Man möchte, dass sie als ewig junge und schöne Gespenster durch das Moor geistern«, stimmt Cecily zu.

»Was haben alle großen Liebesgeschichten gemeinsam?«, fragte Emma mit gewachsenem Selbstbewusstsein. »Romeo und Julia? Tristan und Isolde? Hamlet und Ophelia?«

Jan lächelte triumphierend. »Alle sterben«, sagte sie.

»Das war ein wirklich interessanter Abend«, sagte Lily, als sie mit Emma bei einer Tasse Kaffee auf der Treppe vor Lilys Haus saßen.

Es war fast zehn Uhr. Die anderen Frauen waren vor fünf Minuten alle auf einmal aufgebrochen, und Emma hatte fest vorgehabt, mit ihnen zu gehen, stattdessen aber unwillkürlich getrödelt und sich zu einer weiteren Tasse Kaffee überreden lassen, obwohl sie schon genug Koffein im Körper hatte, um eine ganze Woche wach zu bleiben. Sie fühlte sich besser, nachdem sie in einer Zigarettenpause nach Hause gelaufen, nach Dylan gesehen und beruhigt festgestellt hatte, dass er fest schlief. Außerdem konnte man ihr Haus von dem Platz, wo sie und Lily jetzt saßen, gut sehen. Sie musste sich keine Sorgen machen. »Ja, ich hatte viel Spaß«, stimmte Emma Lily zu.

»Hat ja eine Weile gedauert, bis wir auf das Buch zu sprechen gekommen sind.« Lily lachte. »Das passiert vermutlich oft, wenn ein Haufen Frauen zusammenkommt.«

»Keine Ahnung.«

»Du hast nicht viele Freundinnen.«

»Ich habe überhaupt nicht viele Freunde.«

»Du bist eher eine Einzelgängerin«, bemerkte Lily.

»Na ja, wir sind im letzten Jahr oft umgezogen, da ist es schwer, weißt du.«

»Ich finde Freunde ungeheuer wichtig. Und ich liebe meine Freundinnen.«

»Keine männlichen Freunde?«

Lily zuckte ihre zarten Schultern. »In letzter Zeit nicht.«

»Und was ist mit Detective Dawson?«, fragte Emma.

Lily zuckte erneut mit den Achseln. »Scheint ein netter Mann zu sein.«

»Und hast du es dir anders überlegt?«

»Was?«

»Das, über das ihr beide gesprochen habt, als ich heute Morgen ins Fitnessstudio gekommen bin. Ich nehme an, er hat dich eingeladen.«

»Für morgen Abend. Zum Abendessen im Joso's.«

»Und du hast abgelehnt? Bist du verrückt?«

»Ich dachte, du magst keine Polizisten.«

»Mag ich auch nicht. Aber ich weiß ein gutes Essen ebenso zu schätzen wie jede andere. Warum hast du abgelehnt? Ich meine, es geht mich ja nichts an, aber zwischen euch schien mir eine gewisse Chemie …«

»Ich weiß nicht, warum ich abgelehnt habe«, sagte Lily. »Das habe ich mich selbst auch den ganzen Tag gefragt.«

»Bist du seit dem Tod deines Mannes mit irgendjemandem ausgegangen?«

»Ein paar Mal. Nichts Ernstes.«

»Aber du spürst, dass es diesmal anders sein könnte, dass es mit diesem Typen ernst werden könnte?«

»Was? Nein. Wer hat irgendwas von ernst gesagt?«

»Du«, erinnerte Emma sie.

»Ich kenne den Mann doch kaum.«

»Aber du denkst, dass du ihn vielleicht besser kennen lernen möchtest.«

Lily seufzte und wandte den Blick zum sternklaren Himmel. »Ich weiß nicht, was ich denke.«

»Also, ich denke, du solltest ihn anrufen. Das bist du uns anderen schuldig.«

Lily lachte. »Wie kommst du darauf?«

»Dann haben wir beim nächsten Treffen etwas zum Reden. Außer dem Steinbeck.«

Lily lachte erneut, ein klarer, glockenheller Klang. »Heißt das, dass du dich unserer kleinen Gruppe anschließt?«

»Kann ich es mir noch mal überlegen?«

»Klar. Aber deine Bemerkungen heute Abend waren wirklich sehr hellsichtig. Was du über Romeo und Julia und Tristan und Isolde gesagt hast, hat die Diskussion wirklich in Schwung gebracht.«

Emma lächelte und dachte an die riesige Sammlung von Opernschallplatten ihrer Mutter. Sie hatte selbst nicht viel für die Oper übrig und keine Ahnung, wer Tristan und Isolde waren und wie ihre Geschichte im Einzelnen ging, sie hatte bloß vermutet, dass sie tragisch endete. Opern endeten meistens tragisch. Schon komisch, wie gelegen einem belanglose Erinnerungen manchmal kommen konnten, dachte sie, nippte noch einmal an ihrem Kaffee und wünschte, sie könnte die ganze Nacht hier auf der Treppe hocken, Kaffee schlürfen und sich wunderbar glorreich frei fühlen. Frei von Sorgen. Von Verantwortung. Von der Vergangenheit.

»Du meinst also, ich sollte Jeff Dawson anrufen und ihm sagen, ich hätte es mir anders überlegt?«

»Hast du es dir anders überlegt?«

»Ich weiß nicht. Ich habe keinen Babysitter«, sagte Lily im nächsten Atemzug. »Und es ist Samstagabend.«

»Dann bringst du Michael einfach zu mir«, hörte Emma sich anbieten.

Lily blickte zu Michaels Zimmer. »Das kann ich nicht machen.«

»Warum nicht? Ich bin sowieso zu Hause. Die Jungen können zusammen übernachten. Ich bin sicher, Dylan wäre begeistert.« Wäre er das?, fragte Emma sich. Wäre ihr Sohn begeistert über eine derartige Störung seiner abendlichen Routine? »Sie können in meinem Bett schlafen. Sie werden einen Riesenspaß haben.« Würden sie einen Riesenspaß haben, oder würde das Ganze ein unvorstellbares Desaster?

»Kann ich es mir noch mal überlegen?«, fragte Lily wie Emma zuvor. »Ich meine, heute Abend war Michael ein Engel, aber manchmal hat man auch alle Hände voll mit ihm zu tun.«

»Von Detective Dawson ganz zu schweigen.«

Das Bellen eines Hundes zerriss die Stille. Sowohl Emma als auch Lily blickten in die Richtung und sahen Anne und Carole, die ihr Haus verließen. Zwei übergewichtige Schnauzer zerrten sie an ihren Leinen hinter sich her.

»Wer geht da mit wem Gassi?«, rief Lily ihnen nach, als die Hunde sie an ihrem Haus vorbeischleiften und am nächsten Laternenpfahl abrupt wieder stehen blieben. Erst hob der eine Hund das Bein, um sein Revier zu markieren, dann der andere.

»Männer«, sagte Anne lachend, als die beiden Frauen die Arme unterhakten und weiter die Straße hinuntergingen.

»Bist du je von einer Frau angemacht worden?«, fragte Emma.

»Was?« Lily riss die Augen auf.

»Ich schon«, fuhr Emma fort. »Ist lange her. Von einer der Lehrerinnen der Privatschule, auf der ich war.«

»Mein Gott. Was ist passiert?«

»Ich war dreizehn, vielleicht vierzehn. Ich fing gerade an, einen Busen zu kriegen, und war deswegen ziemlich verlegen. Wir hatten eine Sportlehrerin, Mrs. Gallagher, die alle liebten. Sie hatte lange, glänzende, blonde Haare, die die Mädchen für sie bürsten durften. Ich meine, kannst du dir das vorstellen? Wir hielten es tatsächlich für eine Ehre, die fettigen Haare dieser Frau zu bürsten. Und eines Tages fiel diese Ehre mir zu. Ich stehe also hinter ihr und bürste emsig. Mein Arm fühlt sich an, als würde er jeden Moment abfallen, aber ich bürste immer weiter. Sie erklärt mir, dass ich es besser machen würde als alle anderen, dass ich genau das richtige Gefühl dafür hätte, worauf ich natürlich noch kräftiger bürste und sie mich auffordert, am Abend noch einmal zu ihr zu kommen. Das tat ich. Nur dass diesmal nicht ich *ihr* das Haar gebürstet habe, sie fing vielmehr an, meins zu bürsten. Und ich muss zugeben, es fühlte sich toll an. Dabei säuselte sie, dass ich wunderbares Haar hätte, so weich und hübsch. Und dann spürte ich plötzlich etwas im Nacken und wusste, dass es nicht die Bürste war.«

»Sie hat dich geküsst?«

Emma nickte, zog eine Augenbraue hoch und schob die Lippen übereinander.

»Was hast du gemacht?«

»Nichts. Ich hatte panische Angst. Ich hab einfach dagesessen. Und sie sagte Sachen wie: ›Fühlt sich das gut an? Gefällt dir das?‹ Und dann bin ich plötzlich vom Stuhl aufgesprungen und aus dem Zimmer gerannt. Und ich bin gerannt, bis ich zu Hause war.«

»Hast du es irgendjemandem erzählt?«

»Meiner Mutter. Sie war die Direktorin der Schule.«

»Und? Hat sie die Frau gefeuert?«

»Sie hat mir nicht geglaubt. Sie hat gesagt, ich würde mir das alles nur ausdenken, um Aufmerksamkeit zu bekommen.«

Lily sah sie entsetzt an. »Wie schrecklich für dich.«

Emma zuckte die Achseln.

»Du hattest ein wirklich interessantes Leben«, bemerkte Lily nach einer längeren Pause.

»Manchmal ein bisschen zu interessant.« Emma trank den letzten Schluck Kaffee, stand auf und drückte Lily den Scully's-Becher in die Hand. »Ich sollte jetzt wohl mal nach Hause gehen.«

»Ich bin wirklich froh, dass du heute Abend gekommen bist.«

»Ich auch. Sag mir Bescheid, wenn du dich wegen morgen entschieden hast.« Emma ging die Treppe hinunter und winkte vom Bürgersteig noch einmal zum Abschied. »Ich fand es wirklich sehr schön«, rief sie und setzte einen widerwilligen Fuß vor den anderen. Als sie bei ihrem Haus ankam, drehte sie sich noch einmal um, aber Lily stand nicht mehr auf der Treppe. Wahrscheinlich hätte sie ihr nicht erzählen sollen, dass ihre Mutter die Direktorin der Schule war, dachte sie, als sie die Tür aufschloss und auf Zehenspitzen ins Haus schlich. Hatte sie Angst, dass Lily sie nicht mögen würde, wenn sie ihr die Wahrheit sagte? Das war albern. Lily war anders als die Mädchen, mit denen sie aufgewachsen war. Sie würde sie nicht geringer schätzen, wenn sie erfuhr, dass ihre Mutter nur zum Hauspersonal gehört hatte.

Aber kam es nach den vielen Lügen, die sie schon erzählt hatte, auf eine mehr oder weniger wirklich noch an?

Emma warf einen Blick in Dylans Zimmer und sah, dass er fest schlief. Wenn ich auch nur so schlafen könnte, dachte sie neidisch, als sie sich auszog und ins Bett ging.

Sie schloss die Augen und wartete auf die Dämonen.

11

In den wenigen Minuten der Dämmerung zwischen Schlaf und Aufwachen durchlebte Jamie noch einmal die zweijährige Hölle ihrer Ehe mit Mark Dennison. Sie begann durchaus passend in ihrer Hochzeitsnacht, als eine Reihe hektischer Anrufe der Mutter des Bräutigams ihre Bemühungen, die Ehe zu vollziehen, wiederholt unterbrach.

»Wie konntest du das tun?«, hörte Jamie ihre frischgebackene Schwiegermutter durch die Telefonleitung klagen. »Wie konntest du ein Mädchen heiraten, das du gerade erst kennen gelernt hast und über das du absolut nichts weißt?«

Jamie erwartete, ihren neuen Ehemann sagen zu hören: »Ich weiß alles, was ich wissen muss. Ich weiß, dass ich sie liebe.« Aber stattdessen hörte sie eine Folge unterwürfiger Entschuldigungen – für seine überstürzte Entscheidung, die unnötige Hast, mit der er durchgebrannt war, und die erschütternde Missachtung der Gefühle seiner Mutter – sowie seine Beteuerungen, dass er und seine neue Frau keineswegs die Absicht hätten, sich in Palm Beach niederzulassen, und auch die geplanten Flitterwochen auf den Bahamas abblasen würden, um vielmehr gleich am nächsten Morgen nach Atlanta zu fliegen, um sie zu beruhigen. Jamie versuchte sogar, ihre neue Schwiegermutter zu trösten, indem sie sie aufforderte, sie auf der gemeinsamen Wohnungssuche zu begleiten, und ihr erklärte, dass ihr Rat jederzeit willkommen sei und sie sich freuen würde, von einer so engen und liebevollen Familie aufgenommen zu werden. Als Antwort hörte sie das eisige Schweigen am anderen Ende der Leitung, bevor diese unterbrochen wurde.

Natürlich war der Sex jener Nacht eine einzige Katastrophe, ihr Mann brachte keine dauerhafte Erektion zustande, egal was sie versuchte. »Wo hast du denn den kleinen Trick gelernt?«, hatte er gefragt und sie wütend von sich gestoßen. »Haben dir das deine Freunde auf dem College beigebracht?«

Da hatte sie zum ersten Mal daran gedacht, ihn zu verlassen. Pack deine Tasche, und geh durch die Tür, erinnerte sie sich, gedacht zu haben, als sie sich auf ihrer Seite des Bettes zusammengekauert hatte. Schluck deinen Stolz herunter und geh nach Hause zu deiner Mama. Es sind noch keine 24 Stunden vergangen. Du kannst eine Annullierung bekommen und im Sommersemester dein Jurastudium wieder aufnehmen. Sieh nur zu, dass du aus dem Schlamassel rauskommst, in den du dich gebracht hast, und zwar sofort.

Aber wie konnte sie ihn verlassen, wenn er so verletzlich war, sie buchstäblich unter Tränen anflehte zu bleiben und sich wieder und wieder für die schrecklichen Dinge entschuldigte, die er gesagt hatte? Er war aufgeregt gewesen, verwirrt. Er hatte das alles nicht so gemeint, das musste sie doch wissen. Sie müsse Verständnis haben, bettelte er, und Geduld. Wenn sie ihm nur eine zweite Chance geben würde. Seine Mutter hätte ein schweres Leben gehabt, erklärte er. Sie war im Alter von nur 36 Jahren Witwe geworden, und er war ihr einziger Trost, derjenige, an den sie sich gewandt und auf den sie sich verlassen hatte, ihr einziger Antrieb, morgens aufzustehen. Im zarten Alter von acht war er ihr kleiner Mann geworden. Und in den letzten zwanzig Jahren hätte es nur sie beide gegeben. Natürlich fiele es ihr da schwer, eine praktisch Fremde in ihr Leben zu lassen. Wenn Jamie bloß ein bisschen Geduld haben könnte …

Jamie willigte ein, es zu versuchen. Er hatte im Grunde Recht. Seine Mutter hatte sich bloß über die Plötzlichkeit ihrer Bindung aufgeregt. Das hatte nichts mit ihr zu tun. Sie sollte es nicht persönlich nehmen. Schließlich hatte ihre eigene Mutter ja auch beinahe einen Herzinfarkt bekommen, als sie ihre Absicht verkündet hatte, einen Mann zu heiraten, den sie kaum zwei Wochen kannte.

»Mom, das ist Jamie. Jamie, das ist meine Mutter, Laura Dennison«, hatte ihr neuer Gatte stolz erklärt, als er die beiden Frauen miteinander bekannt gemacht hatte.

Jamie war überrascht, wie klein ihre Schwiegermutter in Wirklichkeit war. Trotz ihrer schier übermächtigen Stimme am Telefon maß sie in Person nur knappe 1,55 Meter und konnte kaum mehr als 45 Kilo wiegen. Mit ihren fast 1,70 Meter überragte Jamie sie wie ein hohes Gebäude. Sie fragte sich, wovor sie solche Angst gehabt hatte, und breitete großzügig die Arme gegenüber der Frau mit den kurzen braunen Haaren und den kalten blauen Augen aus.

»Sie sehen ganz anders aus, als ich Sie mir vorgestellt habe«, sagte ihre Schwiegermutter und versteifte sich in ihren Armen.

»Schön, dass ich Sie endlich kennen lerne«, erwiderte Jamie und löste die Umarmung. »Darf ich Sie Laura nennen?«

»Mrs. Dennison wäre mir lieber«, kam die kühle Antwort.

»Du bist ein wenig zu schnell gewesen«, ermahnte ihr Mann sie, als sie sich in seinem alten Zimmer einrichteten. »Meine Mutter war nie übermäßig gefühlsbetont.«

»Sie hasst mich.«

»Sie hasst dich nicht.«

»»Mrs. Dennison wäre mir lieber««, wiederholte Jamie im stählernen Tonfall ihrer Schwiegermutter.

»Gib ihr Zeit«, drängte ihr Mann sie. »Sie ist immer noch ein bisschen verdattert. Lass es schön langsam angehen. Hab ein wenig Geduld.«

»Ich mache schon so langsam, wie ich kann«, sagte Jamie mit einem listigen Lächeln, legte die Arme um die Hüfte ihres Mannes, die Hände auf seine Pobacken und zog ihn an sich.

»Das ist wahrscheinlich keine so gute Idee.« Er wies mit dem Kopf auf die geschlossene Zimmertür.

»Das ist schon okay. Ich habe abgeschlossen.«

»Du hast abgeschlossen? Warum?«

»Ich dachte, ein bisschen Privatsphäre wäre nett.« Sie legte ihre Hände auf die Vorderseite seiner Hose.

Er lächelte und begann, an ihrem Hals zu knabbern. »Ach ja wirklich? Dachtest du?«

Und dann küsste er sie, und sie erinnerte sich daran, was sie an ihm so attraktiv fand. Sie war schon immer schwach geworden, wenn jemand gut küssen konnte.

Sie hatten sich ihrer Kleider zur Hälfte entledigt, als ein Klopfen an der Tür sie unterbrach, unmittelbar gefolgt von einem zweiten Klopfen und hektischem Rütteln an der Klinke. »Mark«, schnitt Mrs. Dennisons Stimme durch das massive Holz. »Mark, bist du da drinnen?«

»Einen Moment, Mom«, sagte er und zog sich hektisch wieder an.

Jamie schlang ihre Arme um seine schlanken Hüften und versuchte, ihn zurück ins Bett zu ziehen. »Sag ihr, dass du beschäftigt bist«, flüsterte sie.

»Zieh dich an«, kam seine Antwort.

»Ist irgendwas nicht in Ordnung?«, fragte seine Mutter, immer noch an der Klinke rüttelnd.

Mark löste sich aus der Umarmung und ging, einen letzten Blick auf Jamie werfend, zur Tür. »Deine Knöpfe«, tadelte er und wies auf ihre Bluse.

»Warum war die Tür abgeschlossen?«, fragte Mrs. Dennison und starrte Jamie vorwurfsvoll an.

»Macht der Gewohnheit«, sagte Jamie mit einem gezwungenen Lächeln.

»Wir schließen hier keine Türen ab«, sagte Mrs. Dennison.

»Ist irgendwas nicht in Ordnung?« Jamie fragte sich, was so dringend war.

Mrs. Dennison wirkte leicht verwirrt und schwankend, als würde sie mit einer Entscheidung ringen. »Ich dachte, Sie sollten die hier haben«, sagte sie nach einer langen Pause und streckte die Hand aus. Darin lagen die feinsten goldenen Perlohrringe, die Jamie je gesehen hatte. »Sie haben meiner Urgroßmutter gehört, und ich habe meinem Sohn immer versprochen, dass sie für die Frau bestimmt sind, die er heiraten würde.« Sie straffte die Schultern, räusperte sich und spuckte die letzten Worte förmlich aus. »Deshalb gehören Sie jetzt wohl Ihnen.«

»Mutter, das ist so aufmerksam.«

»Sie sind wunderschön«, stimmte Jamie zu und fühlte sich mit einem Mal leichter ums Herz und voller Dankbarkeit. Ihr Mann hatte Recht. Seine Mutter war eine wunderbare Frau, die bloß ein wenig Zeit brauchte, um sich an die überraschende Hochzeit ihres Sohnes zu gewöhnen. Sie musste einfach geduldig sein. »Ich bin sehr gerührt.«

»Sie verstehen natürlich«, fuhr Mrs. Dennison nüchtern fort, »dass Sie, falls es nicht klappt, verpflichtet sind, sie zurückzugeben.«

Das war das zweite Mal in zwei Tagen, dass Jamie daran dachte zu gehen. Stattdessen ließ sie sich erneut dazu überreden, ihrer neuen Schwiegermutter die nötige Anpassungszeit einzuräumen. Sie sagte sich, dass es ihre eigene Schuld war, weil sie zu schnell zu viel erwartete, dass sie diejenige war, die sich übereilt in diese Ehe gestürzt hatte, weshalb es auch ihre Pflicht war, alles ein wenig langsamer angehen zu lassen. Schließlich konnte man nicht einen Mann heiraten, den man kaum kannte, mit ihm in eine fremde Stadt ziehen und dann erwarten, dass sich alles wunderbar fügte.

Aber genau das hatte sie erwartet.

Dass der große junge Mann mit den schüchternen Grübchen und der langen Adlernase, den sie auf einer Oldtimer-

Ausstellung kennen gelernt hatte, nicht der sexy Ritter in der schimmernden Rüstung war, den sie in ihm gesehen hatte, sondern vielmehr ein ängstliches, unsicheres Muttersöhnchen, das noch zu Hause wohnte, war ein Gedanke, der zu schmerzhaft war, um sich länger damit auseinander zu setzen.

Alles würde gut werden, sobald sie ihre eigene Wohnung hatten, redete sie sich ein. Alles würde anders werden. Er würde sich wieder in den Mann verwandeln, den sie geheiratet hatte – oder den sie zu heiraten *glaubte* –, sobald sie ihn außer Reichweite seiner Mutter brachte.

Aber Mark Dennison erwies sich gegenüber allen Versuchen, die Schürzenzipfel zu durchtrennen, erstaunlich resistent. »Ich verstehe nicht, warum du es so eilig hast auszuziehen«, erklärte er ihr. »Sie kocht für uns, sie erledigt die Hausarbeit und die Wäsche. Sie überschlägt sich förmlich, Herrgott noch mal. Warum kannst du das nicht einfach dankbar annehmen? Was ist los mit dir?«

»Ich denke einfach, es wäre nett, eine eigene Wohnung zu haben. Wo wir ein bisschen mehr Privatsphäre haben, weißt du, und ein bisschen mehr Sex«, flüsterte Jamie und streichelte seinen Oberschenkel. Sehr viel mehr Sex, dachte sie in Anbetracht der Tatsache, dass ihr Liebesleben in den vergangenen Wochen praktisch zum Erliegen gekommen war.

»Denkst du immer nur an das eine?«, fragte er vorwurfsvoll. »Warum besorgst du dir nicht einen Job?«, schlug er im nächsten Atemzug vor, als ob das ein adäquater Ersatz wäre.

Das tat sie. Sie arbeitete als Büroassistentin bei einer Grundstücksverwaltung und langweilte sich zu Tode. Nach nicht einmal einem Monat kündigte sie, nahm eine Anstellung als Empfangssekretärin einer großen Wohnungsbaugesellschaft an, in der sie es knapp sechs Wochen aushielt. Sie redete davon, zur Uni zurückzukehren und Sozialpädagogik zu studieren.

»Warum wollen Sie denn Sozialarbeiterin werden?«, fragte ihre Schwiegermutter.

Ihr Mann zog sich noch mehr zurück, bis sie die Idee mit dem Studium ganz aufgab und einen weiteren Bürojob fand, diesmal bei einer kleinen Versicherung.

Ihr Mann willigte schließlich ein, sich einige Wohnungen in der Nachbarschaft *anzusehen,* aber dann wurde seine Mutter krank, irgendein undefinierbares Syndrom, das die Ärzte nicht exakt diagnostizieren konnten, wahrscheinlich Stresssymptome, meinten sie, und wie konnten sie sie alleine lassen, bevor sie wieder gesund war?

Sie würde hundert Jahre alt werden, dachte Jamie und begriff, dass sie nie die Chance eines normalen Lebens bekommen würden, wenn sie die Sache nicht selbst in die Hand nahm. Sie suchte eine Wohnung, unterschrieb den Mietvertrag und erklärte ihrem Mann, dass sie am Ende des Monats mit oder ohne ihn ausziehen würde. Widerwillig stimmte er einem Umzug zu. Da waren sie ein Jahr verheiratet.

Das zweite Jahr verlief mehr oder weniger genauso.

Sie hatte einen Job, den sie hasste, war verheiratet mit einem Mann, den sie kaum kannte und selten sah – er schaute jetzt gewohnheitsmäßig jeden Abend nach der Arbeit bei seiner Mutter vorbei und blieb auch manchmal zum Essen dort, ohne sich zu Hause auch nur telefonisch abzumelden –, abgeschnitten von ihrer Familie und ihren alten Freundinnen. Sie versuchte, neue Freundschaften zu schließen, und fand einen Kreis von Freundinnen, denen sie sich anvertrauen konnte. Sie waren voll des Mitleids und rieten ihr, ihre Verluste abzuschreiben und das Weite zu suchen. »Im Grunde hast du doch nur eine dominante Mutter gegen eine andere getauscht«, erklärten sie ihr.

Und sie hatten Recht. Nachdem sie sich mit mehreren Gläsern Wein Mut gemacht hatte, rief sie ihn bei seiner Mutter an und erklärte ihm, dass sie zurück nach Palm Beach gehen würde. Ein Stunde später stand er mit Blumen, Entschuldigungen und Tränen vor der Tür. »Bitte, verlass mich nicht«, flehte er. »Das ist alles meine Schuld. Ich war ein kompletter Idiot. Ich verspreche dir, dass es von nun an anders wird. Ich werde mich ändern. Bitte, gib mir noch eine Chance. Alles wird besser. Versprochen.«

Und er hatte Recht. Es wurde besser. Für ein paar Wochen jedenfalls.

Danach wurde es schlimmer.

Das reicht jetzt, dachte Jamie, drehte sich zur Seite und wachte ganz auf. Einmal war mehr als genug, entschied sie und weigerte sich, die letzten quälenden Monate in der Erinnerung noch einmal zu durchleben. Es war vorbei. Sie hatte Mark Dennison nie wieder gesehen. Sie streckte die Hand aus, um Brads Rücken zu streicheln.

Er war nicht da.

»Brad?« Jamie stieg aus dem Bett, sah sich in dem offensichtlich leeren Zimmer um und spitzte die Ohren, um außer der rumpelnden Klimaanlage vielleicht noch laufendes Wasser in der Dusche, einen summenden Rasierer oder eine Toilettenspülung zu hören, aber vergeblich. Sie rannte zum Fenster und riss die Vorhänge auf. Die Sonne knallte ihr ins Gesicht und blendete sie wie der Blitz einer Kamera. Aber selbst durch den Schleier aus weißem Licht und violettfarbenen Pünktchen erkannte sie, dass der Parkplatz vor ihrem Motelzimmerfenster leer und ihr Wagen verschwunden war. Hatte das unappetitliche Trio von gestern Abend irgendwie herausbekommen, wo sie übernachteten, und Brad aus dem Hinterhalt aufgelauert?

Doch dann sah sie den großen Zettel, der, beschwert von der Bibel, vor dem leeren Fernsehbildschirm hing. Darauf stand:

Bin mit dem Wagen zur Reparaturwerkstatt gefahren. Vergiss nicht zu frühstücken. Das Buffet in der Lobby ist im Zimmerpreis inklusive.

Lächelnd drückte Jamie den Zettel an ihre Brust wie ein Schild gegen ihr immer noch wild pochendes Herz. Siehst du, versicherte sie sich. Sag ich doch. Kein Grund, sich Sorgen zu machen. Er ist gesund und munter und möchte, dass es dir gut geht. Wie immer.

Jamie duschte rasch, wusch ihre Haare und zog ein weißes T-Shirt und eine pinkfarbene Capri-Hose an. Dann packte sie ihre Reisetasche, damit sie fertig war, wenn Brad zurückkam, und ging nach einem letzten prüfenden Blick in den Spiegel in die Lobby des Hotels. »Gibt es noch Frühstück?«, fragte sie einen jungen Mann an der Rezeption mit zu schütterem Haar für sein Alter. Die Uhr an der Wand über seinem glänzenden Schädel zeigte bereits 9:36 an.

»Um die Ecke.« Er wies mit dem Zeigefinger der rechten Hand in die Richtung. Jamie fiel auf, dass die Kuppe fehlte, und fragte sich, was damit geschehen war. Sie ging um die Ecke in den Frühstücksbereich. In dem mit grünem Teppich ausgelegten Raum standen mehrere kleine Tische und Stühle sowie ein altes braunes Leinensofa vor einem Großbildfernseher. Auf einem schmalen Tisch an der Wand war ein wenig verlockend aussehendes Buffet mit kalten Bagels und trockenen Weißbrotscheiben zum Toasten aufgebaut. Außerdem gab es noch mit Käse oder Erdbeermarmelade gefülltes Blätterteiggebäck. Jamie entschied sich für die Käsefüllung, goss lauwarmen Kaffee in einen Styroporbecher und trug beides zum nächsten Tisch, wo ihr auffiel, dass sie der einzige Gast war. Nun ja, es war auch schon spät, dachte sie, nippte an ihrem Kaffee und wandte ihre Aufmerksamkeit dem Fernseher zu, wo ein Mann mit einem breitkrempigen Cowboyhut und einem blau-weiß karierten Hemd liebevoll ein Sturmgewehr im Arm hielt und leidenschaftlich sein verfassungsmäßiges Recht verteidigte, eine Waffe zu tragen. Galt das auch für Messer, fragte sie sich.

»Was meinen Sie?«, fragte ein Mann neben ihr.

Jamie blickte auf und sah den jungen Mann von der Rezeption. Er schenkte sich einen Becher Kaffee ein, setzte sich an den Nachbartisch, streckte seine lange Beine aus und zog intensiv an einer unangezündeten Zigarette. Ein Schild an der Wand neben dem Fernseher verkündete, dass das Rauchen hier verboten war. »Was meinte ich wozu?«, fragte Jamie. Zu dem Rauchverbot? Zur Frage des Waffenbesitzes? Sprungmessern?

»Zu dem Kaffee«, antwortete er. »Wir probieren eine neue Marke.«

»Er ist okay.«

»Bloß okay?«

Jamie trank noch einen Schluck. »Bloß okay.«

»Ja, das denke ich auch«, stimmte der junge Mann ihr zu, kratzte sich an seiner kurzen Boxernase und stellte seinen Styroporbecher auf dem Tisch ab, bevor er erneut an seiner nicht brennenden Zigarette zog. »Nichts Dolles. Ich heiße übrigens Dusty.«

»Jamie«, erklärte Jamie ihm. »Aber die Blätterteigsachen sind wirklich gut.« Zur Bekräftigung nahm sie einen großen Bissen.

»Ja? Ich mag am liebsten die Zimtbrötchen. Mit jeder Menge Rosinen.«

»Die hab ich gar nicht gesehen.«

»Das ist um diese Zeit auch eher unwahrscheinlich. Die sind immer als Erstes weg.«

Jamie biss erneut in ihr Blätterteiggebäck und trank noch einen Schluck Kaffee. Der Mann mit dem Cowboyhut im Fernsehen erklärte, dass nicht Waffen Menschen töten würden. Menschen töten Menschen, sagte er, und sie fragte sich, ob Brad dem Jungen wirklich die Kehle durchgeschnitten hätte.

»Und wohin geht die Fahrt?«, fragte Dusty.

»Nach Ohio.«

»Bist du von dort?«

»Nein, ich war noch nie da.«

»Ich auch nicht. Ich bin bisher noch nicht mal aus Georgia rausgekommen.« Dusty kniff seine kleinen braunen Augen zusammen, als wüsste er selbst nicht genau, warum. »Und was ist in Ohio?«

»Der Sohn von meinem Freund«, sagte Jamie und genoss den Klang der Worte *mein Freund* und das Gefühl, das sie auf ihrer Zungenspitze hinterließen. Nie im Leben hätte er das Messer benutzt.

Dusty trommelte mit den Fingern auf den Tisch. Charlton Heston hatte den Platz des Mannes mit dem Cowboyhut eingenommen. Er sprach auf einer Kundgebung. »… aus meinen kalten, toten Händen reißen«, rief er unter donnerndem Applaus.

Was sollte das bedeuten, wunderte Jamie sich. »Was ist mit deinem Finger passiert?«, fragte sie laut.

Dusty hielt seine rechte Hand hoch und betrachtete seinen Zeigefinger, als könne er sich selbst nicht recht erinnern. »Ein Unfall mit dem Rasenmäher«, sagte er nach einer längeren Pause.

Jamie zuckte zusammen. »Igitt.«

Dusty lachte. »Igitt?«

»Das muss doch höllisch wehgetan haben.«

»Nee, eigentlich nicht. Jedenfalls nicht in dem Moment. Ich hab gar nicht kapiert, was los war, bis ich das ganze Blut gesehen habe.« Er schüttelte den Kopf. »Und es war echt viel Blut.«

»Konnten sie die Kuppe nicht wieder annähen?«, fragte Jamie.

»Sie konnten sie nicht finden. Das verdammte Ding war einfach futsch.«

Jamie stellte sich vor, wie Dustys Fingerkuppe in einem Bogen durch die Luft segelte wie Curtis' abgeschnittener Pferdeschwanz. Sie hörte Gelächter und merkte entsetzt, dass es ihr eigenes war. »Oh mein Gott, das tut mir Leid.

Ich wollte nicht lachen. Das ist wirklich furchtbar. Es tut mir sehr Leid.«

»Braucht es nicht. Es war ziemlich lustig.« Dusty stimmte in ihr Lachen ein.

»Und man hat sie nie gefunden?«

»Erst am nächsten Tag. Aber da war es schon zu spät. Ich habe sie aber noch.«

»Du hast sie noch?«

»Nicht dabei.«

»Gott sei Dank«, sagte Jamie.

»Igitt«, meinte Dusty und lachte wieder.

Ein Schatten fiel auf den Fernsehschirm. Jamie drehte sich um und sah Brad an der gegenüberliegenden Wand lehnen. »Was ist denn so komisch?«, fragte er, und sein Blick schoss zwischen den beiden hin und her.

Jamie war sofort aufgesprungen. »Das ist eine lange Geschichte«, sagte sie immer noch glucksend.

»Wir haben jede Menge Zeit«, sagte Brad. »Der Mechaniker kann den Wagen wohl nicht vor heute Nachmittag fertig machen.«

»Sie können das Zimmer wahrscheinlich bis vier Uhr behalten«, bot Dusty an. »Dann geht der Betrieb langsam los.«

»Sehr freundlich«, sagte Brad, als Dusty sich wieder an die Rezeption verzog.

»Na, dann können wir uns einfach entspannen«, begann Jamie. »Vielleicht einen Spaziergang machen. Es gibt einige Kirchen …«

»Glaubst du wirklich, es ist eine gute Idee, so vertraulich mit den Leuten zu werden?«, unterbrach Brad sie. »Hast du denn aus gestern Abend gar nichts gelernt?«

Jamie begriff nicht sofort, was Brad meinte. »Du meinst Dusty?« Sie lachte. »Glaub mir, er ist harmlos.«

»Glaub *mir*, harmlos gibt es nicht.«

Jamie trat langsam auf Brad zu, bis sie direkt vor ihm

stand. Sie stellte sich auf die Zehenspitzen und hauchte einen Kuss auf seine Lippen. Es war süß von ihm, so um sie besorgt zu sein. »Ich glaub dir alles.«

Er lächelte und präsentierte eine weiße Plastiktüte, die er hinter dem Rücken versteckt hatte. »Ich hab dir was gekauft.«

»Wirklich? Was denn?«

»Pack es aus.«

Jamie nahm Brad die Tüte ab, griff hinein und brach beim Anblick der Puppe mit dem platinblonden Haar, der irren Figur und den roten Plastikpumps in Tränen aus. »Ich fasse es nicht. Du hast mir eine Barbie gekauft!«

»Ich dachte, du willst vielleicht eine neue Sammlung anfangen.«

Jamie warf sich in Brads Arme. »Du bist wirklich unglaublich«, sagte sie entzückt.

Brad drückte Jamie fest an seine Brust, während das Geräusch von Gewehrschüssen aus dem Fernseher in dem Raum widerhallte. »Komm«, sagte er. »Lass uns mit Barbie in die Kirche gehen.«

12

»Okay, Dylan. Die Zeit ist um«, rief Emma vor der verschlossenen Badezimmertür. Es war fast halb sieben. Lily würde jeden Moment Michael vorbeibringen.

»Geh weg«, antwortete eine kleine Stimme.

»Was machst du denn da drinnen, Schätzchen? Ist mit deinem Bauch alles in Ordnung?«

Keine Antwort.

»Dylan, du weißt, dass Mommy es nicht mag, wenn du die Tür abschließt.«

»Geh weg«, sagte Dylan noch einmal.

Emma atmete tief ein und lächelte gezwungen. Sie hatte einmal irgendwo gelesen, dass man sich ungeachtet des tatsächlichen Befindens besser fühlen würde, wenn man sich zu einem Lächeln zwang. Wenn man positiv handelte, dachte man auch positiv, oder irgend so ein Quatsch. »Schätzchen, dein Freund Michael wird jeden Moment hier sein.«

»Er ist nicht mein Freund«, kam es unverzüglich zurück.

»Er ist in deiner Klasse. Ich dachte, du magst ihn.«

»Ich mag ihn *nicht*.«

Emma lächelte noch angestrengter. »Aber er mag dich. Und er hat sich schon den ganzen Tag darauf gefreut, bei dir zu übernachten.«

»Er darf nicht in meinem Bett schlafen.«

»Ich hab dir doch schon gesagt, dass ihr in meinem Bett schlaft. Alle beide.«

»Ich will nicht in deinem Bett schlafen.«

»Okay. Das klären wir später. In der Zwischenzeit …«

»Er darf auch nicht mit meinen Spielsachen spielen.«

»Dann kommst du besser schnell raus, damit du ihn im Auge behalten kannst. Denn er wird jede Minute hier sein.«

»Nein. Sag ihm, er soll nach Hause gehen.«

»Das kann ich nicht machen. Ich habe seiner Mutter versprochen ...« Sie hielt inne. Was argumentiere ich mit einem Fünfjährigen, fragte sie sich. »Dylan, komm jetzt sofort raus, sonst wird es dir sehr Leid tun.« *Ich werde strampeln und trampeln, ich werde husten und prusten und dir dein Haus zusammenpusten!* »Dylan, hast du mich gehört?«

Schweigen, gefolgt vom Geräusch eines Schlüssels, der zögerlich im Schloss gedreht wurde. Die Tür wurde einen Spalt geöffnet, und aus dem kleinen Raum starrte Dylan seine Mutter mit zitternder Unterlippe wütend an.

»Gut. Das waren jetzt aber genug Dummheiten für einen Tag. Komm nach unten. Ich mache einen Makkaroni-Auflauf zum Abendessen.«

»Ich hasse Makkaroni-Auflauf«, sagte Dylan und rührte sich nicht von der Stelle.

»Was redest du da? Du liebst Makkaroni-Auflauf.«

»Tue ich nicht. Ich hasse ihn.«

»Komm jetzt mit nach unten.« Emma griff nach der Hand ihres Sohnes, blieb abrupt stehen und wich entsetzt zurück, als sie die nassen Fliesen vor der Toilette sah. »Was ist da drin passiert?«

»Es war ein Unglück.« Dylan wandte den Blick ab und lief rot an.

Emma blickte vom Boden, zur Toilette und der Wand dahinter. Dekorative Urinspritzer wie Spray-Graffiti zierten die diversen Oberflächen. »Das war kein Unfall, junger Mann. Das hast du mit Absicht gemacht.«

»Nein«, beteuerte Dylan. »Ich hab bloß danebengezielt.«

»Nun, dann machst du das jetzt wohl besser wieder sauber.« Emma weichte einen Waschlappen ein und drückte ihn ihrem Sohn in die Hand. »Auf der Stelle.«

»Nein.«

»Dylan, ich habe wirklich genug von deinen Albernheiten.«

Als Antwort öffnete Dylan die Hand und ließ den Lappen zu Boden fallen.

»Okay, Mister, aufheben.«

»Nein.«

»Willst du eine Tracht Prügel? Ist es das, was du willst? Denn die kannst du gerne bekommen.«

»Du bist gemein«, schrie Dylan plötzlich, drängte sich an Emma vorbei und rannte aus dem Bad. »Du bist eine böse Mommy.«

»Und du bist ein kleiner Stinker«, gab Emma zurück, als sie ihren Sohn an der Treppe einholte. Die Frustration hatte das Lächeln in ihrem Gesicht längst ausradiert, und nun verwischten Tränen jeden verbliebenen Schatten. Sie packte Dylan am Arm, riss ihn herum und schlug ihm mehrfach auf den Hintern, während er empört schrie.

Es klingelte.

Emmas Hand erstarrte in der Luft. Was mache ich hier, fragte sie sich. Habe ich mir nicht geschworen, dass ich es nie an meinem Sohn auslassen würde, wie schlimm es auch werden möge? Sie atmete mehrmals tief durch, um sich zu beruhigen. »Okay, wir gehen jetzt runter«, sagte sie sehr leise jedes Wort betonend, »und du sagst Hallo zu Michael, und dann gehst du in die Küche und isst jeden Bissen Makkaroni-Auflauf, den ich dir auf den Teller packe, und nicht nur das, es wird dir gut schmecken. Und danach sagst du, danke, Mommy, dass du diesen leckeren Makkaroni-Auflauf gemacht hast. Und dann gehst du mit Michael in dein Zimmer und lässt ihn mit allen Spielsachen spielen, mit denen er spielen will, sonst sind morgen früh, wenn du aufwachst, keine Spielzeuge zum Spielen mehr da. Und das gilt auch für Spiderman. Ist das klar? Dylan, hast du mich verstanden?«

»Ich hasse dich«, kam Dylans Antwort.

»Gut. Aber ich bin alles, was du hast.«

»Ich will meinen Daddy«, schrie Dylan ihr ins Ohr, löste sich aus ihrem Griff, rannte zurück ins Bad und knallte die Tür zu.

»Dylan!«

Sie hörte das Geräusch des zuschnappenden Schlosses.

»Dylan, tu das nicht. Bitte!«

»Ich will meinen Daddy!«

Es klingelte erneut.

Emma stand im Flur, kämpfte gegen die Tränen an und versuchte, irgendein Gefühl von Gleichgewicht wiederzufinden. Was zum Teufel war gerade geschehen? Was hatte sie getan? »Dylan, es tut mir Leid, Schatz. Ich wollte nicht …«

»Geh weg.«

Emma schüttelte den Kopf und wischte sich mit beiden Händen die Tränen aus den Augen, als es zum dritten Mal klingelte. »Einen Moment«, rief sie, und ihre Schritte folgten ihrer Stimme die Treppe hinunter. Was war los mit ihr, dass sie dieser Tage so leicht die Beherrschung verlor? Ja, Dylan war in der Nacht wieder aufgewacht, mit den üblichen schlechten Träumen. Deshalb war er den ganzen Tag müde und gereizt gewesen, und ja, sie war genauso erschöpft. Es war nicht leicht als alleinerziehende Mutter, aber genau das war der Punkt: *Sie* war die Mutter und *er* das Kind. Sie war die Erwachsene von ihnen beiden, und sie konnte nicht jedes Mal, wenn Dylan sich danebenbenahm, die Fassung verlieren. Schließlich war es nicht seine, sondern ihre Entscheidung gewesen, Michael über Nacht einzuladen. Sie hatte Dylan dazu nicht befragt, seine Wünsche nicht berücksichtigt und sogar im tiefsten Innern gewusst, dass ihr Sohn sich der Idee widersetzen würde. Genauso wie sie wusste, dass sie ihn zu dem Kind machte, das er war, dass sie für seine Ängstlichkeit und seine Kontaktscheu verantwortlich war. Was hatte sie erwartet, wie er auf die Neuigkeit reagieren würde, dass sie aus einer Laune heraus, einem schlecht beratenen Impuls folgend einen so gut wie Fremden in ihr Haus gebeten hatte? Und dabei spielte es keine Rolle, dass es bloß ein harmloser, fünfjähriger Junge war, der in dieselbe Vorschulklasse ging wie Dylan und ein Stück die Straße hinunter wohnte. Er war einer von den *anderen* und daher jemand, den man fürchten und letztendlich zurückweisen musste.

Wie in einer von Lilys Geschichten, dachte Emma, als sie die Haustür öffnete und Lily mit ihrem Sohn lächelnd auf der Schwelle stehen sah. Lily trug ein dunkelblaues Sweatshirt und kein Make-up und hatte ihre Haare achtlos zu einem Pferdeschwanz gebunden, aus dem sich allenthalben blonde Strähnen gelöst hatten. Trotzdem strahlte ihr rundes Gesicht vor Freude, dass es einem beinahe den Atem verschlug. Emma verspürte ein Stechen der Eifersucht, als sie dachte, wie schön es wäre, an Lilys Stelle zu treten, und sei es nur für einen Abend. Sich tatsächlich auf etwas zu freuen – wie lange war es her, dass sie sich auf *irgendwas* gefreut hatte? Mit einem Mann zu Abend zu essen, der sie voller Begehren und nicht mit Verachtung ansah? Wenn nur *mein* Mann bei einem Motorradunfall gestorben wäre, dachte Emma, als sie Lily und ihren Sohn ins Haus bat. »Hi, ihr zwei. Kommt rein.«

»Entschuldige das Sturmgeklingel«, sagte Lily. »Ich dachte, du hättest mich vielleicht nicht gehört. Und dann dachte ich, dass die Klingel nicht funktioniert, also hab ich natürlich immer weiter gedrückt. Sehr logisch, was?«

»Ich war im Bad.«

»Oh, tut mir Leid.«

»Sei nicht albern.« Emma warf einen Blick zu dem kleinen Jungen, der direkt hinter seiner Mutter stand, in einer Hand eine kleine Reisetasche, in der anderen eine Kermit-Puppe. Sie unterdrückte den Impuls, sich hinabzubeugen und ihm einen schmatzenden Kuss auf seine runden roten Apfelbäckchen zu drücken. Waren alle Fünfjährigen so wundervoll? Was zum Teufel geschah bloß mit ihnen, wenn sie erwachsen wurden? »Das muss Michael sein.«

»Das ist Kermit.« Michael präsentierte Emma die große grüne Puppe.

»Also, ich freue mich wirklich sehr, dich kennen zu lernen, Michael. Und Kermit auch.« Emma drehte sich zur Treppe um. »Dylan, Michael ist da!«

Keine Antwort.

»Er kommt bestimmt jeden Moment runter. Hast du Hunger?«, fragte Emma Michael.

Michael nickte und stellte seine kleine Reisetasche auf den Boden.

Emma fragte sich, ob er wirklich so engelsgleich war, wie er aussah, und hoffte gemeinerweise, dass es nicht so war. »Ich hoffe, du magst Makkaroni-Auflauf.«

»Sein Lieblingsessen«, sagte Lily.

»Meins auch«, gestand Emma.

»Meins auch«, verkündete Dylan, der unvermutet auf dem oberen Treppenabsatz aufgetaucht war.

Emma spürte, wie ihr das Herz weit wurde, als wollte es vor Liebe und Dankbarkeit zerspringen. »Dylan, Schätzchen, sieh mal, wer hier ist.«

Dylan trotte ohne jeden Anmut die Treppe hinunter und hinterließ mit seinen Fingern einen klebrigen Streifen an der Wand. »Hi«, sagte er.

»Und das ist Michaels Mutter, Mrs. Rogers.«

»Du kannst mich Lily nennen.«

»Ist das in Ordnung, Mommy?«, fragte Dylan.

Emma wurde von einem derartig mächtigen Gefühl der Liebe übermannt, dass sie sich mit den Zehen fest an den Boden klammern musste, um nicht vornüber zu fallen. Ihr Sohn war das Beste, was ihr je geschehen war. Wie hatte sie so achtlos mit ihm sein können, so *gemein,* wie er es ihr zutreffend vorgeworfen hatte? Er war schließlich nur ein kleiner Junge, und sie hatte viel zu viel von ihm erwartet. Es tut mir Leid, mein Schatz, erklärte sie ihm stumm. Verzeih mir. Ich verspreche, dass ich nie wieder die Hand gegen dich erheben werde. »Natürlich ist das in Ordnung, Schätzchen.«

»Ich hab Hunger«, erklärte Dylan, nahm Michael bei der Hand und führte ihn, gefolgt von den Frauen, in die Küche. »Meine Mom macht den besten Makkaroni-Auflauf der Welt«, sagte er. »Stimmt's, Mommy?«

»Altes Familienrezept.« Emma lächelte Lily an. »Der Familie Kraft, aber trotzdem …«

Lily lachte, während Emma Riesenportionen des Fertiggerichts auf die Teller der Jungen verteilte.

»Hast du Zeit für ein Gläschen?«, fragte Emma und nahm das Glas Weißwein von der Arbeitsplatte, an dem sie schon den ganzen Nachmittag genippt hatte. Wann habe ich angefangen, schon nachmittags zu trinken, fragte sie sich plötzlich und spürte den billigen Wein in ihrer Kehle brennen.

»Ich würde sehr gerne, aber ich sollte jetzt wirklich los«, lehnte Lily ab.

»Meine Mom hat ein Rangdewu«, informierte Michael Dylan.

»Was ist denn ein Rangdewu?«

Michael beugte sich verschwörerisch vor. »Bei einem Rangedewu isst man in einem Restaurant.«

Dylans Augen wurden groß. »Können wir auch mal zu einem Rangdewu gehen, Mommy?«

»Von mir aus gerne«, sagte Emma und trank noch einen Schluck aus ihrem Glas.

Lily umarmte ihren Sohn zum Abschied. »Okay, also, viel Spaß und tu, was Mrs. Frost dir sagt …«

»Emma«, verbesserte Emma sie rasch, obwohl ihr Mrs. Frost offen gestanden lieber gewesen wäre. Ihre Mutter hatte ihr eingetrichtert, wie wichtig es war, Erwachsene mit dem gebotenen Respekt anzusprechen …

»… also dann, bis morgen früh.« Lily küsste ihren Sohn

auf die Wange, während der weiter das Fertigessen in sich hineinschaufelte. »Hier ist meine Handynummer, wenn irgendwas ist.« Sie gab Emma einen Zettel, auf dem sie ordentlich ihre Nummer notiert hatte. »Und wenn du aus irgendeinem Grund möchtest, dass ich Michael auf dem Weg nach Hause wieder abhole, ruf mich ruhig an.«

»Ich bin sicher, das wird nicht nötig sein.«

An der Haustür blieben sie stehen.

»Und du glaubst wirklich, dass ich das machen soll?«, fragte Lily, und ihre großen braunen Augen flehten um Bestätigung.

»Hör auf, dir Sorgen zu machen. Michael wird es gut gehen.«

»Ich meine nicht Michael. Ich meine Jeff Dawson.«

»Du machst das bestimmt großartig.« Emma tätschelte den Arm ihrer neuen Freundin.

»Ich weiß nicht. Hast du eine Ahnung, wie lange es her ist, seit ich zum letzten Mal mit einem Mann ausgegangen bin?«

»Vielleicht eine Ahnung.«

»Ich weiß überhaupt nicht mehr, wie man sich benimmt und was man sagt.«

»Dann hörst du halt zu. Was steht in allen Frauenzeitungen? Bring ihn zum Reden, frag nach seinen Hobbys, und lach über seine Witze.«

»Und wenn er keine erzählt?«

»Dann erzählst du einen.«

»Oh Gott. Ich kenn keinen. Du?«

»Was ist von oben bis unten schwarz und weiß und rot?«, meinte Emma.

»Eine Zeitung?«

»Eine Nonne, die einen Hügel hinunterrollt.«

»Oh Gott. Das ist der blödeste Witz, den ich je gehört habe«, stöhnte Lily.

»Findest du? Im Kindergarten ist er ein Riesenbrüller.«

»Ich glaube, mir wird schlecht.«

»Du machst das bestimmt super.« Emma öffnete die Haustür und schob Lily behutsam hinaus. »Denk immer dran, wenn alle Stricke reißen …«

»Was?«

Emma lächelte und nippte noch einmal an ihrem Wein. »Lügen.«

Nachdem die Jungen eingeschlafen waren, machte Emma es sich mit einem weiteren Glas Wein im Wohnzimmer bequem. Trotz Dylans – und ihrer – Befürchtungen war der Abend absolut problemlos gelaufen. Die Jungen hatten zu Ende gegessen und waren dann nach oben gestürmt, um mit Dylans Spielsachen zu spielen. Und obwohl es keine allzu große Auswahl gab – seine geliebte Spiderman-Puppe, eine kleine Armee von GIs, ein paar Legos, ein Haufen Plastikautos – wirkten sie durchaus zufrieden. Danach kam das obligatorische Versteckspiel vor dem Schlafengehen, gefolgt von Dylans abendlichen Ritualen, die er mit minimalem Wirbel und maximaler Diskretion absolvierte. Wenn Michael irgendetwas Seltsames aufgefallen war, hatte er seine Bedenken jedenfalls nicht geäußert. Stattdessen waren er und Dylan in ihr Bett geklettert, während sie sich eine Wiederholung von *Friends* angesehen hatte, die Folge, in der Ross sagt: »Ich nehme dich zu meiner Frau, Rachel«, obwohl er eigentlich jemand anderen heiratet. Der einzige heikle Punkt des Abends war der Moment gewesen, als Dylan nach Ende der Sendung stolz erklärt hatte: »Meine Mutter wurde nach Rachels Baby benannt.« Zum Glück war die dubiose Logik dieser Bemerkung schlicht an Michael vorbeigegangen.

»Cool«, hatte er bloß gesagt.

»Cool«, hatte Dylan lachend erwidert.

Jetzt nippte Emma an ihrem Wein und fragte sich, was sie an diesem Abend für ihr eigenes Gleichgewicht tun konnte. Sie könnte ein Buch lesen, dachte sie. Wenn sie eins hätte.

Sie leerte ihr Glas und fragte sich, wie Lily sich schlug. »Auf das glückliche Paar«, sagte sie und wünschte, sie hätte den Fernseher nach unten gebracht, damit sie irgendeinen Zeitvertreib hatte. Sie konnte schließlich schlecht den ganzen Abend einfach dasitzen, Selbstgespräche führen und trinken. Oder? »Warum eigentlich nicht?«, fragte sie laut, streifte ihre Schuhe ab und versuchte, es sich auf dem braunen Sofa bequem zu machen. Ich gehöre nicht hierher, dachte sie, als sie die Augen schloss. Ich gehöre nicht in die Mad River Road.

Hatte sie je irgendwo hingehört?

Jedenfalls ganz bestimmt nicht in die Bishop Lane School für Mädchen, diese grässliche Bastion für die verwöhnten Töchter der Oberschicht, wo der Titel der Schönheitskönigin genauso begehrt war wie die Ehre, auf der Abschlussfeier die Abschiedsrede halten zu dürfen, was sie bei dem eitlen Geschnatter der blöden Gänse von Mitschülerinnen eigentlich nicht hätte überraschen sollen. Diese Rede hätte sie gehalten, wenn sie als Rednerin ausgewählt worden wäre. Aber vergiss es.

Obwohl das erste Schuljahr so vielversprechend begonnen hatte. Jene ersten paar Monate, bevor irgendjemand erfahren hatte, wer sie wirklich war, bevor entdeckt wurde, dass sie ein Sozialfall war und ihre Mutter zum Personal gehörte. Die Hausmeistertochter, flüsterten sie in den Fluren, wenn sie vorbeiging, als ob es eine ansteckende Krankheit wäre.

Sie hatte sich nur anpassen und so sein wollen wie die anderen Mädchen, aber wie konnte sie wie die anderen sein, wenn die alles hatten und sie gar nichts, wenn selbst die billigste Designerjeans weit jenseits ihrer Möglichkeiten lag? War es da wirklich so überraschend, dass sie begonnen hatte zu stehlen? Zunächst nur Kleinigkeiten. Einen Lippenstift hier, ein Fläschchen Nagellack dort. »Tolle Farbe«, hatte Sarah ihr am nächsten Tag in der Klasse ein Kompliment gemacht, das erste Zeichen von Anerkennung, das sie seit Monaten von ihren Mitschülerinnen bekommen hatte. Allein dieser blasse Schimmer von Dazugehörigkeit hatte sie durch diesen Tag getragen und geholfen, zahlreiche weitere Zurückweisungen auszuhalten. Warum sollte sie sich also nicht zu einem Paar schicker Lederhandschuhe verhelfen, zumal die Verkäuferin auch noch so hochnäsig war? Und diese Sneaker? Waren das nicht genau die gleichen, mit denen Lucy Dixon so gut angekommen war? Und was war mit diesem Rock und dem Pulli? Sie sah gut darin aus und fühlte sich sogar noch besser. In diesen Kleidern war sie ein anderer Mensch. Sie würde es ihnen schon zeigen – die Hausmeistertochter war kein Sozialfall.

Es barg schon eine gewisse Ironie in sich, dass sie, um dazuzugehören, Dinge hatte nehmen müssen, die ihr nicht gehörten, dachte Emma jetzt und erinnerte sich an den Kick, das Gefühl schierer Euphorie und Macht, das sie jedes Mal gespürt hatte, wenn sie ein Kleidungsstück in ihrer großen Tasche hatte verschwinden lassen.

Sie erinnerte sich auch an die nachfolgende Qual, die Schuldgefühle und das Gelöbnis, damit aufzuhören.

Aber sie hatte nicht aufgehört. Sie konnte es nicht, trotz aller guten Vorsätze. Und eines Tages wurde sie beim Verlassen von Neiman Marcus mit drei Miniröcken unter ihrer Schuluniform von einer Ladendetektivin aufgehalten, die ihren Gang durch den Laden beobachtet hatte. Man fand die drei Röcke, die zwei BHs, das Twinset aus Kaschmir und sogar die blöde Tube Feuchtigkeitscreme, die sie beim Hinausgehen als Muttertagsgeschenk für ihre Mutter eingesteckt hatte. Tolles Geschenk. Der Laden benachrichtigte ihre Schule, ihre Mutter und die Polizei, obwohl man letztendlich von einer Strafanzeige absah.

Es war ihre erste Begegnung mit der Polizei. Aber nicht ihre letzte.

Im darauffolgenden Jahr hatte sie eines Nachmittags die

Schule geschwänzt und sich in einen Saal des Großkinos geschlichen. Natürlich wurde sie erwischt, und das Kino rief, um ein Exempel zu statuieren, wieder ihre Schule an. Sie wurde für zwei Tage vom Unterricht suspendiert und verwarnt, dass jeder weitere Verstoß nicht mehr geduldet würde. Sie könnte sich glücklich schätzen, dass ihre Mutter eine so gut angesehene Angestellte der Schule sei, sagte die Direktorin.

Ein halbes Jahr später wurde ihre Mutter entlassen, fand einen anderen Job und zwang Emma, auf eine andere Schule zu gehen. Emma färbte sich die Haare, veränderte die Schreibweise ihres Namens und erzählte allen, dass ihre Mutter an Krebs sterben würde. Eine Zeit lang gewann sie so eine gewisse Akzeptanz. Aber dann rief irgendein guter Samariter von Beratungslehrer ihre Mutter an und fragte, ob er ihr in dieser schwierigen Zeit irgendwie beistehen könnte, und Emma wurde als Betrügerin und Lügnerin entlarvt. Ein paar Tage später traf sie ein paar alte Klassenkameradinnen aus Bishop Lane. »Stimmt es, dass dein Busen so groß ist, weil du zwölf BHs trägst?«, fragte eines der Mädchen.

Als Antwort schlug Emma ihr ins Gesicht. »Geschieht ihr ganz recht«, schnaubte Emma in Erinnerung an das viele Blut und goss sich den Rest Wein aus der Flasche ein. Natürlich war die Schule informiert und ihre Mutter benachrichtigt worden. Wieder wurde die Polizei gerufen, aber zum Glück wurde erneut keine Anzeige erstattet. »Du hast Glück«, hatte sie der Beamte aufgeklärt, der sie in Gewahrsam genommen hatte und ihr einen Vortrag über ihren Lebenswandel gehalten, bevor er sie aufgefordert hatte, ihm auf dem Rücksitz des Streifenwagens einen zu blasen.

Und nun hütete sie den Sohn der einzigen Freundin, die sie seit Jahren gefunden hatte, damit diese Freundin mit einem – tata! – Bullen ausgehen konnte. Eine weitere kleine Ironie des Schicksals. Genauso wie die Tatsache, dass

180

Emmas Mutter, kurz nachdem Emma eine unglückliche Ehe eingegangen war, tatsächlich an Krebs gestorben war. Emma rappelte sich hoch, als wollte sie vor dem Mann fliehen, den sie geheiratet hatte. Du kannst fliehen, doch du kannst dich nicht verstecken, ging es ihr durch den Kopf, während das Zimmer um sie herum sich drehte. Sie ließ sich rasch wieder auf das Sofa sinken. Wohin wollte sie überhaupt? Egal wie schnell sie rannte und wie weit sie fuhr, ihre Vergangenheit kam immer mit. Sie konnte so viele Neuanfänge versuchen, wie sie wollte. Am Ende würde sie doch immer wieder am selben Ort landen.

13

»Noch einen Schluck Wein?« Jeff Dawson griff an der creme-
farbene Kerze auf dem rosafarbenen Leinentischtuch vorbei
nach der Flasche teurem Merlot.

Lily schüttelte den Kopf, überlegte es sich aber schnell
anders. Wie oft bot sich dieser Tage die Chance, mit einem
netten Mann in einem schicken Restaurant ein Glas guten
Wein zu trinken? Und wer wusste, wann es wieder geschehen würde. »Okay. Nur einen Schluck.«

Jeff goss zwei Finger breit Wein in ihr Glas, bevor er
sich selbst die gleiche Menge nachschenkte. »Wie ist dein
Lachs?«

»Fantastisch. Und dein Lamm?«

»Perfekt.« Jeff schnitt ein Stück ab, balancierte es auf seiner Gabel und bot es ihr über den Tisch hinweg an, wobei
seine burgunderrote Krawatte um seinen muskulösen Hals
spannte. Sogar der maßgeschneiderte dunkelblaue Blazer,
den er über einem hellblauen Hemd trug, konnte den gewaltigen Brustkorb und die muskulösen Arme nicht recht verbergen. »Hier. Probier mal.«

Lily machte den Mund auf und ließ sich füttern. »Oh,
das ist wirklich gut. Möchtest du meinen Lachs auch probieren?«

»Nein, ich bin kein großer Fischesser«, gestand Jeff beinahe schuldbewusst. »Ich gebe meiner Mutter die Schuld
dafür.«

»Ja klar. Mütter sind an allem schuld.«

Jeff lachte. »Sie war eigentlich eine ganz tolle Mutter, bloß
keine große Köchin vor dem Herrn. Und ich fürchte, das

einzige Fischgericht, das sie je zubereitet hat, waren diese schrecklichen Lachspasteten, die ich gehasst habe.«

»Die mochte ich auch nie.«

»Deshalb bin ich nie auf den Geschmack gekommen.«

»Noch ist es nicht zu spät.« Lily zeigte auf den Lachs auf ihrem Teller.

»Nee. Ich bin vermutlich eher der Fleisch-und-Kartoffeln-Typ.« Wie zur Bekräftigung schob er sich ein weiteres Stück Fleisch in den Mund.

Lily sah ihm beim Kauen zu und genoss das begeisterte Mahlen seiner Kiefer. Er hat einen netten Mund, dachte sie, während ihr Blick von seinen weichen, vollen Lippen über die zweifach gebrochene Nase und die kleine y-förmige Narbe auf seiner rechten Wange wanderte, bis er verharrte, um den geradlinigen Ausdruck in seinen eng zusammenstehenden, dunkelblauen Augen zu bewundern. Nicht direkt gut aussehend, nicht einmal *annähernd* gut aussehend und seltsamerweise gerade deshalb umso attraktiver. Lily hatte nie eine besondere Vorliebe für gut aussehende Männer gehabt. Männer mit Makeln waren ihr immer lieber gewesen. »Wie bist du zu der Narbe gekommen?«, fragte sie. »Wenn ich das fragen darf.«

»Gerne«, erklärte er ihr. »Eine Messerstecherei mit einem unter Drogen stehenden Dealer.«

»Oh mein Gott. Wirklich?«

»Nein.« Seine Augen funkelten listig im weichen Kerzenlicht. »Aber das wollte ich immer schon mal sagen. Klingt so dramatisch, findest du nicht auch?«

»Ich war nie ein großer Fan von dramatisch.«

»Nicht. Dann ist's ja gut, weil die Wahrheit nämlich sehr banal ist.«

»Was denn?«

»Ich hatte einen kleinen Tumor, der an einem Nerv auf meinem Wangenknochen gewachsen ist. Vor zehn oder elf Jahren. Er musste herausgeschnitten werden.«

»Klingt beängstigend.«

»Aber nicht so beängstigend wie die Vorstellung, einen Messer schwingenden, unter Drogen stehenden Dealer zu überwältigen, aber ja, ich nehme an, es war eine Zeit voller Angst«, gestand er. »Das verdammte Ding war zum Glück gutartig. Also ...«

»Also«, wiederholte Lily, spießte ein Salatblatt auf und vergewisserte sich mehrmals, dass sie sich ihre melonenfarbene Bluse nicht mit Dressing bekleckert hatte. Was absolut typisch für sie wäre, dachte sie, strich eine Haarsträhne hinter ihr linkes Ohr und fragte sich, ob Jeff sich genauso wohl fühlte wie sie.

Das Restaurant war wunderschön und hielt alles, was die Lobeshymnen in den Zeitungen versprochen hatten. Intim, aber nicht beengend, romantisch, aber geschmackvoll, kultiviert, ohne prätentiös zu wirken. Im Hintergrund lief leise Jazzmusik. Überall standen frische Blumen. Und das Essen war fantastisch, obwohl Lily sich beim Anblick der Preise fast verschluckt hätte.

»Also«, sagte Jeff noch einmal, und sie lachten. »Habe ich dir schon gesagt, wie schön du heute Abend aussiehst?«

Lily spürte, wie ihre Wangen warm wurden. Wieder strich sie unnötigerweise ihr Haar hinter das linke Ohr und starrte dann auf ihren Teller. »Ja, hast du.«

»Ist es okay, wenn ich es noch einmal sage?«

»Nur zu.«

»Du siehst schön aus.«

Lily lächelte, bevor sie das Kompliment mit einer Handbewegung abtat.

»Du glaubst mir nicht?« Jeff beugte sich vor und legte seine kräftigen Unterarme auf den Tisch.

»Na ja, fünf Pfund weniger würden mir gut zu Gesicht stehen.«

»Das ist nicht dein Ernst.«

»Mindestens fünf Pfund.«

»Absolut nicht.«

»Also, das ist wirklich nett von dir, aber …«

»Hey, ich bin Polizist. Ich lüge nie.«

»Wirklich nicht?«

»Na ja, wahrscheinlich lüge ich manchmal, wie alle anderen auch.«

»Zu welchen Gelegenheiten?«

»Was?«

»Zu welchen Gelegenheiten lügst du?«

Jeff legte seine Gabel ab, blickte zur Decke und dachte offenbar ernsthaft über die Frage nach. »Na, im Job lüge ich, um an Informationen oder ein Geständnis zu kommen.«

»Kannst du das denn mit deinem Gewissen vereinbaren?«

»Unbedingt. In der Verfassung steht nirgendwo, dass ich im Umgang mit Dieben und Mördern ehrlich sein muss.«

»Hast du oft mit Mördern zu tun?«

Er zuckte die Achseln. »Nicht allzu häufig. Statistisch gesehen ist Mord nach wie vor eine seltene Begebenheit.«

»Gott sei Dank.«

»Die Mörder, mit denen ich zu tun *hatte,* waren nicht groß anders als du und ich. Zumindest oberflächlich.«

»Und unter der Oberfläche?«

»Nun, das kommt darauf an.«

»Worauf?«

»Auf die Umstände. Wie soll ich das erklären?« Er sah sich in dem vollen Lokal um, als halte er Ausschau nach einem Bekannten. »Okay, siehst du das Paar dort in der Ecke?«

Lily blickte unauffällig nach rechts. »Der Mann mit dem Bart und die Frau in dem gepunkteten Kleid?«

Jeff nickte. »Okay, angenommen, du liest morgen in der Zeitung, dass Mr. Bart wegen der Ermordung von Mrs. gepunktetem Kleid verhaftet worden ist.«

»Okay«, sagte Lily, warf einen weiteren verstohlenen Blick auf das Paar mittleren Alters und fragte sich, ob sie eine Ahnung hatten, dass sie Gegenstand solch unappetitlicher Spekulationen waren.

»Okay, hier ist Szenario Nummer eins: Bart sagt Pünktchenkleid, er müsse nach dem Essen noch ein paar Stunden ins Büro; Pünktchenkleid geht nach Hause; Bart arbeitet eine Weile, beschließt, dass er genug hat, und kommt früher als erwartet heim; er betritt das Haus und trifft Pünktchenkleid mit seinem besten Freund im Bett an; er rastet aus und verteilt die Pünktchen auf allen Wänden.«

»Ein Verbrechen aus Leidenschaft«, sagte Lily, stellte sich Pünktchen auf der dunkelvioletten Tapete vor und unterdrückte ein Lachen. »Und sehr farbenprächtig dazu.«

Jeff lächelte. »Der Anwalt wird argumentieren, dass Bart etwas derart Schreckliches normalerweise nie tun würde, weil er ein aufrechter Bürger ist, der regelmäßig seine Steuern bezahlt, seinen Hund liebt und sich rührend um seine verwitwete Mutter kümmert, jedoch wegen des Schocks, seine Frau mit seinem besten Freund im Bett zu erwischen, vorübergehend unzurechnungsfähig gewesen ist, weshalb er für seine Tat auch nicht zur Verantwortung gezogen werden kann. Die Chancen stehen ziemlich gut, dass die Geschworenen ihm glauben. Mr. Bart hat jemanden getötet, aber er ist eigentlich kein Mörder. Das könnte jedem von uns passieren. Okay?«

Lily nickte.

»Okay, Szenario Nummer zwei: Bart und Pünktchenkleid gehen nach Hause; sie wirft ihm vor, den ganzen Abend mit der Kellnerin geflirtet zu haben; er sagt, sie sei verrückt; sie nennt ihn ein Schwein; er nennt sie eine Schlampe; der Streit eskaliert. Sie schreien sich an, es kommt zu einer Rangelei, sie packt ein Messer und sticht ihn ins Herz. Er ist tot, noch bevor er auf dem Boden aufschlägt, und sie erklärt den Polizisten, die sie verhaften, schluchzend, dass sie das nicht wollte. Ihr Anwalt tritt vor Gericht auf, präsentiert Einzelheiten von Barts diversen Seitensprüngen und berichtet von Pünktchenkleids tiefer Reue. Sie ist eine gottesfürchtige Frau, die in ihrem Leben bisher noch nicht einmal einen Strafzettel wegen Falschparkens kassiert hat; sie wird es nie wieder tun und so weiter und so fort.«

»Sie hat vielleicht jemanden umgebracht, aber sie ist keine Mörderin«, fährt Lily fort. »Es könnte jedem von uns passieren.«

»Szenario Nummer drei: Sie gehen nach Hause, er hat zu viel getrunken; er benutzt sie als Punchingball, wie er es regelmäßig tut, nur dass es diesmal schlimmer ist; er sagt, dass er sie umbringen werde, sie kann sich losreißen, greift zu einer Waffe …«

»Pünktchen erschießt Bart in Notwehr.«

»Genau. Sie tötet ihn, aber ist sie wirklich eine Mörderin?«

»Szenario Nummer vier?«

»Ist das gleiche wie Nummer drei, nur dass Bart seine Drohung diesmal wahr macht und Pünktchen totschlägt.«

»Nun, hier liegt der Fall anders.«

»Inwiefern?«

»Diesmal ist er wirklich ein Mörder.«

»Glaubst du nicht, dass das etwas ist, was jedem von uns passieren könnte, unter den richtigen – oder *falschen* – Umständen?«

»Ich glaube, dass wir alle zum Opfer werden können«, antwortete Lily, ihre Worte mit Bedacht wählend. »Ich glaube, wir können alle hin und wieder falsche Entscheidungen treffen, aber in diesem Fall gibt es eine Vorgeschichte von Misshandlungen, die bewusste und wiederholte Entscheidung, einen anderen Menschen brutal zu quälen und ihm letztendlich das Leben zu nehmen.« Lily schüttelte sich und trank einen Schluck von ihrem Wein. »Ich glaube, dass das der Unterschied zu den anderen Fällen ist, die du beschrieben hast. Es gibt keinerlei berechtigten Zweifel.«

»Ich stimme dir zu«, sagte Jeff. »Bart ist ein kaltblütiger Mörder, der lebenslang eingesperrt gehört. Aber woher soll man das wissen, wenn man ihn jetzt so dasitzen, lachen und seinen Kaffee trinken sieht? Er wirkt nicht anders als du und ich. Und damit kommen wir zum Szenario Nummer fünf und dem gefährlichsten aller Mörder – dem Psychopathen.«

»Und was macht ihn gefährlicher als die anderen?«

»Das vollkommene Fehlen jeden Gewissens oder Schuldgefühls. Außerdem ist er ein Chamäleon. Er wechselt seine Persönlichkeiten wie unsereiner die Kleidung. Er studiert dich und gibt dann für dich den Typ, den du sehen willst. Er hat keine echten Gefühle, aber er ist ein Meister im Vortäuschen. Man kann seit Jahren mit einem Typen wie Bart verheiratet sein und dann eines Morgens aufwachen und feststellen, dass er einen von Anfang an belogen hat, dass er nie Medizin studiert oder eine zweite Familie in Kanada hat und dass seine letzten drei Frauen alle auf rätselhafte Weise verschwunden sind. Das heißt, wenn man Glück hat. Die, die Pech haben, wachen nie auf oder verschwinden eines Tages beim Spazierengehen mit dem Hund, um Monate später in einem nahe gelegenen See oder auf dem stinkenden Hügel einer Mülldeponie gefunden zu werden, weil Bart nur auf den richtigen Augenblick gewartet hat.«

»Aber warum tötet er?«

»Wegen der Lebensversicherung, einer anderen Frau, aus Angst, entlarvt zu werden. Manchmal tötet er einfach nur, weil es ihm Spaß macht. Für ihn ist das nicht anders, als eine Fliege zu erschlagen.«

»Das klingt wirklich beängstigend.« Lily blickte wieder zu dem Mann mit dem Bart, der sich gerade ein Stück Apfelkuchen in den Mund schob und weiter auf seine Begleiterin in dem gepunkteten Kleid einredete. »Vermutlich weiß man bei anderen Menschen nie ganz genau.«

»Überleg doch mal. Was sagen alle, wenn sie von einem besonders grausigen Verbrechen erfahren?«, fragte Jeff. »Die Nachbarn des Irren, der gerade verhaftet worden ist, weil er in seinem Garten zwanzig Menschen lebendig begraben hat? Sie sagen immer das Gleiche: ›Er war so nett und so ruhig. Wir hätten ihn nie im Leben verdächtigt.‹«

»Willst du damit sagen, dass jeder ein geheimes Leben hat?«

»Also, *ich* nicht«, sagte Jeff und lachte. »Bei mir kriegt man auf jeden Fall genau das, was man sieht.«

Was ich sehe, gefällt mir, dachte Lily und nahm einen weiteren Bissen von ihrem Lachs, um es nicht laut zu sagen. »Und privat?«, fragte sie stattdessen.

»Privat?«

»Worüber lügst du privat?«

»Worüber lüge ich privat?«, wiederholte er. »Meistens Kleinigkeiten.«

»Zum Beispiel?«

»Zum Beispiel hat mir meine Mutter zu Weihnachten einen Pullover gestrickt, ein schrilles, rosa-dunkelrot gestreiftes Teil – weiß Gott, was sie sich dabei gedacht hat –, und sie ist natürlich stolz wie Oskar und fragt mich ständig, ob er mir gefällt. Was soll ich sagen? ›Es ist das hässlichste Kleidungsstück, das ich je gesehen habe, und ich wollte nicht mal tot darin gesehen werden?‹ Nein, natürlich nicht. Ich erkläre ihr, dass der Pullover wunderschön ist und ich ihn liebe.«

»Das heißt, du lügst, um die Gefühle eines anderen nicht zu verletzen?«

»Und vermutlich übertreibe ich manchmal ein bisschen«, gab er nach einer Pause zu. »Damit sich eine Geschichte besser anhört, verstehst du?«

»Du meinst wie der Fisch, der noch vom Haken gesprungen ist?«

»Oder in meinem Fall der Kunde.«

»Der Kunde?«

Jeff lachte. »Der Straftäter, Verbrecher, Schurke. Der Typ, den ich jage – ›Er muss Olympiasieger gewesen sein. Superman hätte ihn auch nicht schnappen können.‹ So in der Richtung.«

Nun war es an Lily zu lachen. »Das heißt, du bist gerne Polizist?«

»Ja, sehr gerne.«

»Was gefällt dir daran?«

»Ganz ehrlich?«

»Es sei denn, du denkst, du könntest meine Gefühle verletzen.«

Er lächelte. »Ehrlich gesagt mag ich alles daran. Ich löse gern Rätsel, rette gern irgendjemandes Hund oder finde ein vermisstes Kind. Ich verhafte gerne die Bösen und sperre sie ein. Ich erscheine gern vor Gericht. Verdammt, ich mag sogar Anwälte, und das ist etwas, was ich nicht vielen Menschen verrate.«

»Ich werde es bestimmt nicht weitersagen.«

»Und du?«, fragte Jeff. »Was magst du?«

»Nun, ich mag auf jeden Fall diesen Lachs.« Lily widmete sich ihrem Teller und wusste, dass sie seiner Frage auswich. Sie wusste auch, dass er sie beobachtete und darauf wartete, dass sie fortfuhr. »Und ich mag dieses Restaurant.« Sie machte eine Pause, ließ ihre Gabel sinken und sah ihn direkt an. »Und ich bin froh, dass ich es mir anders überlegt habe und heute Abend mit dir ausgegangen bin.«

»Warum hast du deine Meinung geändert?«

»Ganz ehrlich?«

»Es sei denn, du denkst, du könntest meine Gefühle verletzen«, sagte er, und sie lächelten beide.

»Nun, es war nicht so, dass ich nicht wollte. Eigentlich wollte ich von Anfang an.«

»Und deshalb hast du natürlich Nein gesagt.«

»Es ist einfach nur so lange her, dass ich eine richtige Verabredung mit irgendjemandem hatte, und ich war mir nicht sicher, ob das so eine tolle Idee ist.«

»Warum?«

»Warum ich mir nicht sicher war, ob es eine gute Idee ist?«

»Warum du keine Verabredungen hattest.«

Lily legte Messer und Gabel auf dem Teller ab und massierte sich mit den Fingern der rechten Hand den Nacken. »Das ist eine lange Geschichte.«

»Du hast mir erzählt, dass dein Mann voriges Jahr einen tödlichen Motorradunfall hatte.«

Lily nickte.

»Wie lange wart ihr verheiratet?«

Lily zögerte. Sie wollte eigentlich nicht über ihre Ehe reden, aber nicht darüber zu sprechen, könnte sie mysteriöser erscheinen lassen als nötig. Und hatte Jeff nicht gesagt, dass er gern Rätsel löste? »Vier Jahre. Ich war schwanger, als wir geheiratet haben«, fügte sie hinzu, obwohl er nicht danach gefragt hatte.

»War es eine gute Ehe?«

Lily zuckte die Achseln. »Sagen wir mal, sie hatte ihre Aufs und Abs.«

Er nickte verständnisvoll. »Trotzdem muss der Unfall ein schrecklicher Schock für dich gewesen sein.«

»Ja, das war er«, hörte Lily sich sagen, obwohl ihre Stimme entfernt und substanzlos klang wie ein Echo bei seiner dritten Wiederholung. »Ich weiß noch, wie der Polizist zu uns gekommen ist. Ich kann mich an den Gesichtsausdruck meiner Mutter erinnern, als wir zum Krankenhaus aufgebrochen sind. Ich erinnere mich, dass der Polizist gesagt hat, wir sollten uns darauf vorbereiten, dass Kennys Gesicht schwer deformiert war, weil er keinen Helm getragen hatte. Man sagte uns, dass er praktisch jeden Knochen gebrochen hatte, aber wie durch ein Wunder noch lebte. Wir sind ein paar Minuten vor seinem Tod im Krankenhaus eingetroffen.«

»Das tut mir Leid.«

»Es war meine Schuld«, sagte Lily tonlos.

»Deine Schuld? Wie soll ein Unfall deine Schuld gewesen sein?«

»Weil wir uns gestritten hatten. Den ganzen Nachmittag.«

Jeff streckte seine Hand über den Tisch und legte sie auf ihre. »Menschen streiten, Lily. Deswegen ist das, was mit Kenny passiert ist, nicht deine Schuld.«

»Du verstehst nicht. Er war so aufgewühlt. Ich hätte ihn nie auf das Motorrad steigen lassen dürfen.«

»Hättest du ihn aufhalten können?«

»Nein«, gab Lily zu und zog ihre Hand unter seiner weg, um sich ein paar Tränen von der Wange zu wischen. »Tut mir Leid. Können wir über etwas anderes reden?«

»Selbstverständlich. Und ich sollte mich bei dir entschuldigen.«

»Wofür?«

»Dafür, dass ich mich in fremde Angelegenheiten gemischt habe.«

»Du bist Polizist«, erinnerte sie ihn. »Ich vermute, so was ist Teil der Arbeitsplatzbeschreibung.«

»Das ist sehr nett von dir«, sagte er. »Und worüber möchtest du gern reden?«

Lily sah auf die Uhr. »Also, eigentlich ist es schon ziemlich spät. Wahrscheinlich sollte ich mich langsam auf den Heimweg machen.«

»Jan hat mir erzählt, dass Michael bei einem Freund übernachtet.«

»Die gute alte Jan«, bemerkte Lily und nahm sich vor, am nächsten Morgen ein Wörtchen mit ihr zu reden. »Was hat sie dir sonst noch erzählt?«

»Dass du die beste Angestellte bist, die sie je hatte, obwohl du eigentlich Schriftstellerin werden willst.«

Lily nickte und fragte sich, wie oft man wirklich das bekam, was man sich wünschte. »Können wir diese Diskussion auf ein anderes Mal verschieben? Ich habe Emma gesagt, dass ich versuchen würde, auf dem Heimweg noch mal bei ihr reinzuschauen, um zu sehen, wie die Jungen zurechtkommen.«

»Ist Emma diejenige, die ich gestern getroffen habe? Die mit den Maybelline-Augen?«

Irrte sie sich, oder hörte sie einen leicht zynischen Unterton in Jeffs Stimme? »Du klingst, als würdest du ihr nicht glauben.«

Jeff zuckte die Achseln. »Schon vergessen, ich bin Polizist. Es gehört zu meiner Arbeitsplatzbeschreibung, argwöhnisch zu sein.«

»Glaubst du, sie lügt?«

»Ich weiß nicht.«

»Warum sollte sie lügen?«, beharrte Lily.

»Ich weiß nicht«, sagte er noch einmal. »Vielleicht lügt sie ja gar nicht.«

Na, da hast du doch bestimmt einen Haufen Geld verdient, hörte sie Jan sagen. *Was machst du dann in der Mad River Road?*

»Die Modelbranche ist nicht der sicherste Beruf, den es gibt«, versuchte Lily die Zweifel zu zerstreuen. »Man kann heute heiß begehrt sein und wird morgen schon eiskalt abserviert.«

»Das hat auch niemand bezweifelt.«

»Sie hat sogar eine Geschichte für die *Cosmopolitan* darüber geschrieben.«

»Wirklich? Hast du sie gelesen?«

»Nein. Warum? Glaubst du, dass das auch gelogen ist?«

»Ich habe bloß gefragt, ob du ihre Geschichte gelesen hast.«

»Nein, habe ich nicht. Aber warum sollte sie so etwas erfinden?«

»Um dich zu beeindrucken«, schlug Jeff vor.

»Mich beeindrucken?«

»Ein bisschen so wie der Fisch, der noch vom Haken geschlüpft ist.«

Lily zuckte mit den Schultern. Der Gedanke, dass ihre neue Freundin sie anlügen könnte, war ihr unbehaglich.

»Ich mach dir einen Vorschlag«, sagte Jeff, griff in seine Jackentasche und zog sein Handy heraus. »Warum rufst du deine Freundin nicht an und vergewisserst dich, dass es den Jungen gut geht. Wenn es ein Problem gibt, fahre ich dich sofort nach Hause. Wenn nicht, nehmen wir noch einen Nachtisch. Ich habe gehört, der Schokoladenkuchen hier sei nicht von dieser Welt.«

Lily nahm ihm das Telefon aus der Hand und tippte rasch Emmas Nummer ein. Es klingelte ein Mal, zwei Mal, drei Mal, bevor beim vierten Klingen schließlich abgenommen wurde.

»Hallo?« Emmas Stimme klang erschöpft und schlaftrunken.

Lily sah auf die Uhr. Es war erst ein paar Minuten nach neun. »Emma, ich bin's, Lily. Habe ich dich geweckt?« Sie erinnerte sich an das Glas Wein, das Emma in der Hand gehalten hatte.

»Nein, natürlich nicht«, sagte Emma und räusperte sich. »Sorry, ich hab einen Frosch im Hals.«

»Ich rufe bloß an, um zu hören, ob alles in Ordnung ist.«

»Alles bestens. Die Jungen schlafen tief und fest. Wie läuft dein Date?«

»Gut. Ich dachte bloß, ich melde mich mal.«

»Okay, das hast du jetzt abgehakt. Hör auf, dir Sorgen zu machen, und fang an, dich zu amüsieren. Den Jungen geht es gut.«

Lily legte das Handy zurück in Jeffs ausgestreckte Hand und blickte zu dem Tisch, an dem der Mann mit dem Bart und seine Begleiterin in dem gepunkteten Kleid gesessen hatten, doch sie waren verschwunden.

»Und?«, fragte Jeff. »Ist alles in Ordnung?«

Mit einem Lächeln schob Lily alle unangenehmen Gedanken beiseite. »Alles ganz wunderbar«, sagte sie.

14

»Ich muss dir sagen, das ist der beste Schokoladenkuchen, den ich je gegessen habe.« Jamie schob sich ein weiteres Stück der dreischichtigen Torte mit Karamellglasur in den Mund und ließ sich die satte Schokoladencreme auf der Zunge zergehen, während sie versuchte, den grimmigen Ausdruck zu übersehen, der sich auf die normalerweise heiteren Gesichtszüge ihres Begleiters geschlichen hatte. Seine ganze Haltung war abweisend. Schultern und Kopf wirkten beinahe bedrohlich geneigt, seine kühlen blauen Augen fast eiskalt in ihrer Weigerung, sie anzusehen. Die weichen vollen Lippen waren einer harten schmalen Linie gewichen, die jede Spur seines strahlenden Lächelns getilgt hatte. »Bist du sicher, dass du ihn nicht probieren willst?«

Brad wandte sich ab, nippte gelangweilt an seinem Kaffee und beschäftigte sich mit dem Solitär-Spiel, mit dem das Restaurant aufmerksamerweise jeden Tisch ausgestattet hatte.

Für den Fall, dass der Gesprächsstoff ausgeht, dachte Jamie und beobachtete, wie er die knallbunten Plastikstifte auf dem kleinen dreieckigen Spielbrett bewegte. Ziel des Spieles war es, am Ende nur noch einen Stift übrig zu behalten. »Ich glaube, es stimmt, was man immer hört, dass Schokolade alle möglichen Endorphine im Gehirn freisetzt, durch die man sich wohl fühlt«, fuhr sie störrisch fort. »Wie beim Sport. Offenbar bewirken Endorphine einen natürlichen Rausch. *Endorphine* ist irgendwie ein komisches Wort, findest du nicht auch?«, redete Jamie weiter, als Brad nicht antwortete. »Ich frage mich immer, wie sie auf solche Wörter kommen.«

Brad spielte weiter Solitär, hüpfte mit dem winzigen blauen Plastikstecker über einen winzigen gelben, den er daraufhin neben zwei zuvor ausgeschiedene weiße auf die glänzende Tischplatte warf.

»Was ist, Brad?«

»Nichts ist«, sagte er, obwohl offensichtlich irgendwas war.

Jamie schluckte einen weiteren Bissen Kuchen und sah sich in dem gut besuchten Restaurant um. »Warum es wohl Cracker Barrel heißt?«, fragte sie sich laut.

Brad zuckte die Achseln, während sein Blick einer attraktiven Kellnerin folgte, deren pechschwarzes Haar einen hübschen Kontrast zu ihrer hellorangefarbenen Uniform bildete. »Es ist eine Restaurantkette, Jamie«, sagte er. »Wen kümmert es, wie die ihre Läden nennen?«

Jamie ließ den Blick durch den großen, hell erleuchteten Raum mit dem lackierten Holzboden und den diversen hölzernen Verzierungen schweifen. »Vielleicht weil das Holz das gleiche Holz ist, aus dem man Fässer macht«, behauptete sie, obwohl die Theorie selbst in ihren eigenen Ohren abstrus klang und überdies den zweiten Tel des Namens gar nicht erklärte. »Ist Cracker eine Art Fass?«

Brad blinzelte mehrmals in ihre Richtung. »Wovon redest du, Jamie?«

»Ich habe mich bloß gefragt … Vergiss es.«

Brad beendete seinen jüngsten Solitärversuch mit einem verbleibenden Stecker in jeder Ecke des dreieckigen Spielbretts.

»Nur drei übrig – das ist nicht schlecht.«

»Das ist doch lasch«, sagte er und steckte die Stifte wieder in ihre Löcher.

»Ich glaube, wenn man es schafft, nur einen übrig zu behalten, ist man angeblich eine Art Genie oder so.«

»Dann bin ich wohl kein Genie.«

Jamie aß den letzten Happen Kuchen, schob mit der Gabel die Krümel zusammen und dachte, dass auch Mengen von Endorphinen nicht reichen würden, seine Laune zu bessern. »Bist du wegen irgendwas sauer auf mich?«, fragte sie ihn geradeheraus, als sie die Spannung nicht mehr aushielt.

Zum ersten Mal, seit sie Platz genommen hatten, hob Brad den Blick von der Tischplatte. »Warum sollte ich denn sauer auf dich sein?«

»Ich weiß nicht, aber du wirkst irgendwie so distanziert.«

»Distanziert?«

»Du schmollst hier seit einer Stunde rum«, sagte sie, entschlossen, den Stier bei den Hörnern zu packen.

»Ich schmolle nicht.« Eilig legte er die blauen Stecker auf den Tisch.

»Doch. Du solltest mal deine Oberlippe sehen«, sagte sie mit einem Lächeln, von dem sie hoffte, er würde es erwidern.

Das tat er nicht. »Das bildest du dir ein, Jamie.«

»Das glaube ich nicht. Seit ich gesagt habe, dass ich nicht in Atlanta übernachten will, hast du kaum zwei Worte mit mir geredet. Bist du deswegen sauer auf mich?«

Brad zuckte mit den Schultern und starrte wieder auf den Tisch. »Jetzt mach aus der Mücke keinen Elefanten. Ich dachte bloß, es wäre schön, dort Halt zu machen. Du hast doch selbst gesagt, wir hätten es nicht eilig.«

»Ich mag Atlanta wirklich nicht«, wandte Jamie ein.

»Okay.«

»Okay?«

»Das verstehe ich.«

»Wirklich?«

»Nun ja, eigentlich nicht«, gab er zu und wedelte frustriert mit den Händen, wodurch er die bunten Stecker vom Tisch auf den Fußboden fegte. »Ich meine, wo liegt das Problem? Hast du Angst, deinem Exmann zu begegnen?«

»Das ist es nicht.«

197

»Was ist es dann?«

Jamie beobachtete, wie einer der gelben Stecker über den Boden kullerte und unter dem schweren schwarzen Schuh eines in der Nähe sitzenden Gastes ausrollte. »Ich weiß nicht.«

»Was ist los, Jamie? Bist du noch immer nicht über den Typen weg?«

»Was? Soll das ein Witz sein? Natürlich bin ich über ihn hinweg.«

»Dann verstehe ich es nicht.«

»Ich habe bloß keine besonders angenehmen Erinnerungen an Atlanta.«

»Dann schaffen wir neue Erinnerungen.«

»Hör mal, wenn wir noch vierzig Minuten weiterfahren, kommen wir nach Adairsville. Ein Stück außerhalb von Adairsville gibt es einen kleinen Ort namens Barnsley Gardens, der der romantischste Fleck in Georgia sein soll, alles ganz *Vom Winde verweht*-mäßig mit Ruinen, in denen es angeblich spukt, Wassergärten und Blumenfeldern. Außerdem gibt es dort ein Fünfsternehotel bestehend aus lauter kleinen Häusern aus dem 19. Jahrhundert. Dort könnten wir übernachten. Es sei denn, du denkst, es ist zu teuer, dann könnten wir auch woanders …«

»Jamie«, unterbrach Brad sie. »Ich bin müde. Ich glaube nicht, dass ich noch vierzig Minuten fahren kann.«

»Dann fahre ich«, bot sie fröhlich an.

Er schüttelte den Kopf. »Ich möchte mich einfach ausruhen. Es war ein anstrengender Tag.«

Wirklich? Jamie spulte die Ereignisse des Tages vor ihrem inneren Auge ab. Sie hatten einen wunderbaren Vormittag in Tifton verbracht, wo sie sämtliche Kirchen und Läden in der Innenstadt besucht und ein leichtes, entspanntes Mittagessen in einem Café genossen hatten, bevor sie gegen drei den Wagen abgeholt hatten, dessen kaputter Reifen durch einen brandneuen ersetzt worden war, den Brad unbedingt mit seiner Kreditkarte bezahlen wollte. Dann waren sie weiter auf der Interstate 75 Richtung Norden gefahren, hatten eine Stunde in Macon Pause gemacht, weil ein Hinweisschild für die Georgia Music Hall of Fame sie neugierig gemacht hatte. Dort hatte Brad ihnen passende blaue T-Shirts gekauft, bevor sie ihre Fahrt fortgesetzt hatten. Alles war perfekt gewesen, bis er vorgeschlagen hatte, in Atlanta zu übernachten.

»Wahrscheinlich haben mich die Strapazen von gestern Abend doch noch eingeholt«, sagte Brad jetzt. »Aber eine gute halbe Stunde halte ich bestimmt noch durch, wenn du das willst.«

»Du fühlst dich nicht wohl?«

»Ach, das gibt sich schon wieder.«

»Vielleicht solltest du was essen.«

»Ich muss mich einfach ein bisschen hinlegen.«

»Na, dann fahre ich, und du hältst ein Nickerchen«, schlug Jamie vor.

»*Ich* fahre«, beharrte Brad und machte der Kellnerin ein Zeichen. »Es wird schon dunkel, und um Atlanta herrscht manchmal ziemlich dichter Verkehr. Das ist zu gefährlich. Ich will nicht, dass dir was passiert.«

Jamie legte ihre Hand auf seine. Was war mit ihr los, dachte sie. Sah sie nicht, dass der Mann völlig erschöpft war? Warum benahm sie sich so egoistisch? Und hatte er vielleicht sogar Recht? Hatte sie Angst, ihrem Exmann oder schlimmer noch seiner Mutter zu begegnen? Und wenn schon. Sie konnte einen sexy neuen Mann an ihrer Seite präsentieren, der all das war, was ihr Exmann nicht war. Das würde auch Laura Dennison mit einem Blick erkennen. Es wäre vielleicht sogar ein Spaß, sie zu treffen.

Das wird ein richtiger Spaß, was, Jungs, hörte sie Brad in der Erinnerung sagen.

»Okay, dann übernachten wir in Atlanta.«

»Was? Nein«, entgegnete Brad. »Du hasst Atlanta. Du wirst dich unwohl fühlen.«

»Mach dir meinetwegen keine Sorgen«, versicherte sie ihm.

»Nach Beardsly Gardens fahren wir ...«

»Barnsley«, verbesserte sie ihn lachend. »Und wir können irgendwann dorthin fahren. Vielleicht morgen Abend. Oder auf dem Rückweg. Wahrscheinlich muss man sowieso vorher reservieren. Solche Läden sind meistens monatelang im Voraus ausgebucht.«

Er nickte, als würde er nur widerwillig zustimmen. »Wahrscheinlich hast du Recht. Ich rufe gleich morgen früh an und sehe, was sich machen lässt.«

»Das wäre toll.«

Die Kellnerin kam mit der Rechnung.

»Ich habe plötzlich einen Riesenhunger«, verkündete Brad. »Vielleicht hattest du Recht, und ich muss wirklich etwas essen. Hättest du was dagegen? Ich nehme das Ganztagesfrühstück mit besonders knusprigem Speck und zwei Spiegeleiern«, erklärte er der Kellnerin, bevor Jamie antworten konnte. »Oh, und noch ein paar von Ihren köstlichen Brötchen und eine Tasse Kaffee. Was ist mit dir, Jamie? Noch ein Stück von dem endorphinreichen Schokoladenkuchen?«

»Nein danke.« Jamie konnte über Brads abrupten Stimmungswechsel nur staunen.

»Und wo kann man in Atlanta gut übernachten?« Brad beugte sich vor, stützte seine Ellbogen auf den Tisch und nahm ihre Hände in seine.

»Es gibt haufenweise Motels.«

»Nee. Kein Motel. Wir gönnen uns was Besonderes.«

»Es gibt ein Best Western ...«

»Besser als die Besten.«

»Nun. Am Peachtree Drive gibt es ein Ritz Carlton, aber ...«

»Aber?«

»Es ist in Buckhead.«

»In Butthead?«

Jamie lachte. »Das sollte ich meiner Exschwiegermutter erzählen. Sie hat ständig darüber doziert, dass Buckhead das *einzige* Viertel Atlantas sei, in dem man wohnen könne. Ich weiß nicht, ob sie das auch so sehen würde, wenn es Butthead heißen würde – Arschgesicht ist ja kein nobler Name.«

»Also, ich finde, Butthead klingt ziemlich gut, und nichts geht über das Ritz. Was meinst du?«

Jamie lächelte. »Nichts geht über das Ritz«, stimmte sie ihm zu.

In der prachtvollen, in Weiß und Gold gehaltenen Lobby des Ritz Carlton Hotels wimmelte es von japanischen Touristen, als Jamie Brad zur Rezeption folgte. »Wir hätten gern ein Zimmer für heute Nacht«, erklärte Brad dem jungen Mann an der Rezeption in dem dunklen Anzug und dem weißen Hemd, sobald jener den Check-in des vorherigen Gastes beendet hatte. »Eine Suite, wenn Sie eine haben.« Brad knallte seine Kreditkarte auf den Marmortresen.

»Sehr gerne, Sir. Ich schaue kurz nach, was wir frei haben.«

Eine Suite, dachte Jamie. Eine Suite im Ritz Carlton Hotel. »Meine Exschwiegermutter würde wahrscheinlich an einem Herzinfarkt sterben, wenn sie mich jetzt sehen könnte«, flüsterte sie, ohne ihre Schadenfreude unterdrücken zu können.

»Wir haben eine reizende Nichtrauchersuite im zehnten Stock mit Blick auf die Galleria.«

»Was meinst du, Jamie?«, fragte Brad. »Eine Suite mit Blick auf die Galleria?«

»Warum nicht?«, erwiderte Jamie lachend.

»Die Dame sagt: ›Warum nicht?‹«, wiederholte Brad. Er wandte sich wieder Jamie zu und flüsterte ihr ins Ohr: »Was ist eine Galleria?«

»Wenn Sie bitte hier unterschreiben wollen, Mr. Hastings«, sagte der Mann am Empfang mit einem Blick auf die Kreditkarte und schob Brad ein Formular hin.

Mr. Hastings, fragte Jamie sich und wollte ihn gerade verbessern, aber er zog die Kreditkarte bereits durch den Schlitz. Sie beobachtete, wie er zögerte und es ein zweites Mal probierte.

»Tut mir Leid, Sir. Haben Sie zufällig noch eine andere Kreditkarte?«

»Was ist denn mit dieser?«

»Ich weiß es nicht. Sie geht nicht durch.«

»Das ist unmöglich. Versuchen Sie es noch einmal.«

Der Mann am Empfang versuchte es ein drittes Mal. »Tut mir Leid, Sir. Vielleicht eine andere Karte …«

»Wo liegt das Problem?«, fragte Jamie.

Brads Miene verfinsterte sich. »Es ist die blöde Karte. Der Magnetstreifen ist zerkratzt.«

»Ritz, kratz, aus?«, fragte Jamie auf ein Lächeln hoffend, doch stattdessen presste Brad nur die Lippen aufeinander. »Das passiert mir ständig. Haben Sie ein Stück Zellophan?«, fragte Jamie den Mann hinter dem Empfangstresen. »Manchmal muss man die Karte nur in Zellophan einwickeln … Oder wenn Sie eine Plastiktüte haben …«

»Vergiss es, Jamie. Wir gehen einfach woandershin.«

Jamie spürte, wie sich Enttäuschung in ihr breit machte. Sie hatte sich das Ritz in den Kopf gesetzt. »Ich habe eine Kreditkarte«, bot sie an, griff in ihre Handtasche und gab dem jungen Mann ihre Karte. Sei's drum. Wie viel konnte eine Nacht schon kosten?

»Ich möchte deine Karte nicht benutzen«, sagte Brad.

»Komm schon. Du hast schließlich alles andere bezahlt.«

»Tut mir Leid.« Der junge Mann blickte verlegen von einer Seite zur anderen, als wollte er seine Kollegen um Hilfe rufen. »Ich fürchte, diese Karte wurde ebenfalls abgelehnt.«

»Scheibenkleister«, murmelte Jamie. Sie war noch nicht

dazu gekommen, die letzte Rechnung zu bezahlen, und der Preis für eine Suite hatte wahrscheinlich ihren Kreditrahmen überschritten. »Und was ist mit einem normalen Zimmer?«

»Ich fürchte, zurzeit ist kein Zimmer frei«, sagte der Mann am Empfang so zögerlich, dass sogar Jamie wusste, dass er log. »Vielleicht versuchen Sie es in den Embassy Suites. Sie sind nur ein paar Blocks entfernt.«

»Sie können sich Ihre Embassy Suites sonst wohin stecken«, sagte Brad.

»Brad …«

»Los, komm, Jamie.« Brad warf sich Jamies Tasche über die linke, seine eigene über die rechte Schulter, fasste sie am Ellbogen und zerrte sie zwischen den japanischen Touristen hindurch, die noch immer die Lobby bevölkerten, zu der gläsernen Drehtür. Er warf dem Mann vom Parkservice seinen Parkschein zu und begann, rastlos vor dem Eingang des Hotels auf und ab zu laufen.

»Das ist schon in Ordnung, Brad. Wir finden ein anderes Hotel.«

»In den beschissenen Embassy Suites übernachte ich jedenfalls nicht.«

»In Atlanta gibt es einen Haufen Hotels. Wir finden ganz bestimmt ein schönes.«

»Scheißkreditkarte.«

»So was kommt vor, Brad. Es ist okay.«

»Es ist nicht okay. Es ist sehr peinlich«, sagte Brad kopfschüttelnd und fuhr sich durch sein kurz geschorenes Haar. »Scheiße!«

Jamie biss sich auf die Lippe, um sich weitere tröstende Worte zu verkneifen. Sie musste ihn einfach vor sich hin kochen lassen, dachte sie, bis seine ganze Wut verpufft war. Natürlich war es ihm peinlich. Er war es nicht gewöhnt, dass ihm so was passierte. In ein paar Minuten würde er sich wieder beruhigt haben. Alles würde wieder normal sein. »Er hat dich Mr. Hastings genannt«, sagte sie, als es ihr plötzlich wieder einfiel.

Brad blieb abrupt stehen und fuhr zu ihr herum. »Was?«

»Der Mann am Empfang. Als er dich um deine Unterschrift gebeten hat, hat er dich Mr. Hastings genannt.«

»Wirklich?«

»Ich wollte ihn gerade verbessern, aber dann hat er gesagt, dass die Karte verweigert wurde, und na ja …«

Brad schüttelte den Kopf. »Hastings ist mein zweiter Vorname«, führte er aus. »Der blöde Typ konnte nicht mal lesen. Kein Wunder, dass er es nicht auf die Reihe gekriegt hat.«

Jamie lächelte. Brad Hastings Fisher, wiederholte sie stumm, als der Hoteldiener den blauen Thunderbird auf die lange runde Einfahrt chauffierte. Was für ein vornehm klingender Name. »Hör mal, du siehst müde aus. Warum lässt du mich nicht fahren …«

»Steig ein, Jamie«, wies Brad sie leise an und setzte sich hinters Steuer, während der Hoteldiener die Beifahrertür aufhielt. »Ich fahre. Und du spielst die Fremdenführerin.«

»Jetzt? Aber du bist doch erschöpft.«

»Von dem ganzen Adrenalin geht mir die Pumpe wie wild. Vielleicht schaffe ich es, mich wieder zu beruhigen, wenn wir ein bisschen in der Stadt rumfahren.«

Jamie wollte vorschlagen, bis Adairsville weiterzufahren, ließ es jedoch wohlweislich, weil sie kein Interesse hatte, ihren vorherigen Streit wieder aufzuwärmen. »Du willst ernsthaft, dass ich dir die Sehenswürdigkeiten zeige?«

»Wie wär's, wenn wir einfach eine Zeit lang in Butthead rumfahren? Du könntest mir zeigen, wo du gewohnt hast.«

Jamie seufzte. Durch Buckhead zu fahren, war das Letzte, was sie jetzt wollte. Sie wollte vielmehr ein heißes Bad nehmen und hinterher in ein schönes warmes Bett steigen. Aber wenn er nur ein paar Minuten brauchte, um sich zu beruhigen … »Da vorne links«, sagte sie, als Brad losfuhr. »Und jetzt rechts. Okay. Bis zur nächsten Ecke und dann wieder rechts. Und jetzt der Straße um die Kurve folgen.«

»Wow, das sind aber ziemlich imposante Häuser«, bemerkte Brad. »Apropos *Vom Winde verweht.*«

Jamie betrachtete die Parade palastartiger Villen auf ihren parkähnlichen Grundstücken, beinahe verborgen hinter hohen, schmiedeeisernen Toren. »Im Dunkeln sieht man die gar nicht richtig. Wir sollten lieber bis morgen warten.«

»Nö, so reicht doch. Und du hast wirklich in einem dieser Paläste gewohnt?«

»Nein, ich habe in einem kleinen Haus etwa fünf Blocks weiter gewohnt. Man kommt dorthin, wenn man an der nächsten Ampel rechts abbiegst.«

»Wo ist das Haus deiner Schwiegermutter?«, fragte Brad und fuhr weiter geradeaus, ohne ihre Anweisung zu beachten.

Jamie spürte, wie sich jeder Muskel ihres Körpers anspannte.

»Hast du nicht gesagt, dass du in Butthead gelebt hast?«

Jamie nickte. »Gut eineinhalb Kilometer von hier.«

»Zeig es mir.«

»Brad …«

»Ich versuche bloß, mein Mädchen besser kennen zu lernen. Komm schon. Dann suchen wir uns ein Motel und machen es uns gemütlich.«

Mein Mädchen, wiederholte Jamie stumm und genoss den Klang der Worte. Sie nickte und dirigierte ihn über die hügeligen, gewundenen Straßen, aus denen der Nobelvorort Buckhead bestand. Ihr kam der Gedanke, dass sie auf ein beliebiges Haus zeigen und sagen könnte: Hier ist es, hier habe ich die wahrscheinlich schlimmste Zeit meines Lebens verbracht. Aber sie spürte, dass er eine Lüge durchschauen würde, und wozu sollte sie lügen? Wenige Minuten später waren sie auf der Magnolia Lane, die Häuser wurden kleiner und weniger majestätisch, je weiter sie sich vom Peachtree

Drive entfernten, obwohl sie immer noch mehr als gutbürgerlich waren. Die eigentliche Ironie der Geschichte war, dass Mark nach ihrer Scheidung nicht zurück zu seiner Mutter gezogen war, sondern sich eine eigene Wohnung gesucht hatte. »Da ist es. Nummer zweiundneunzig. Das vorletzte Haus auf der rechten Seite.«

Brad hielt vor dem weißen Holzhaus, und die Scheinwerfer des Wagens erfassten das große ZU-VERKAUFEN-Schild im Vorgarten. Zwei stattliche Betonsäulen rahmten die schwarze Haustür. Sämtliche Vorhänge waren zugezogen. Im Erdgeschoss war alles dunkel, aber in einem Zimmer im ersten Stock brannte noch Licht. In Mrs. Dennisons Zimmer, erkannte Jamie schaudernd. »Dann hat die alte Hexe also endlich eingewilligt zu verkaufen.«

»Was meinst du?«, fragte Brad. »Sollten wir klingeln und ihr ein Angebot machen, das sie nicht ablehnen kann?«

Plötzlich teilten sich die Vorhänge im ersten Stock, und an einem Fenster erschien eine einsame Gestalt, deren vergrößerte Silhouette auf die dunkle Straße starrte. »Lass uns hier verschwinden«, flüsterte Jamie. »Bitte, Brad«, drängte sie, als er sich nicht rührte. »Bevor sie den Wagen erkennt.«

»Das geht nun wirklich nicht«, stimmte Brad ihr zu, wendete den Wagen und raste die verlassene Straße hinunter.

15

»Jamie. Hey, Jamie, wach auf.«

»Hmmm?« Jamie drehte sich auf den Rücken, hielt die Augen jedoch störrisch geschlossen. »Was?«

»Wach auf, Jamie.«

Sie schreckte so unvermittelt im Bett hoch, als hätte ihr jemand ein Glas kaltes Wasser ins Gesicht gekippt. Ihr Herz raste wie wild, und ein Wortschwall ergoss sich aus ihrem Mund. »Was ist passiert? Was ist los? Stimmt irgendwas nicht?« Hatten die Jungen aus Tifton sie gefunden und waren in ihr Zimmer eingedrungen?

Brad lachte leise und strich beruhigend mit der Hand über ihre nackten Schultern. »Hey, hey. Alles okay. Ganz locker. Ich wollte dir keinen Schrecken einjagen.«

Jamie bemühte sich, ihren Blick auf das billige Motelzimmer zu konzentrieren, doch es war dunkel, und der Raum hörte nicht auf, sich zu drehen. Es war immer noch Nacht. So viel war klar, weil sie durch einen Spalt zwischen den schweren Vorhängen den Mond sehen konnte und die neonroten Ziffern der Digitaluhr auf dem Nachttisch bestätigten, dass es 03.02 Uhr war. Tiefste Nacht, Herrgott noch mal. Sie bedeckte ihren Körper mit dem dünnen weißen Laken und wartete, dass ihre Augen sich an die Dunkelheit gewöhnten und Brad erklärte, was los war. Aber er sagte nichts. Er saß bloß mit einem dämlichen Grinsen auf seinem attraktiven Gesicht da und starrte sie an. »Brad, was ist los? Ist irgendwas passiert?«

»Nichts ist passiert.«

»Was ist denn dann?«

»Gar nichts ist.«

»Das verstehe ich nicht. Warum hast du mich dann geweckt?« Es sei denn, sie hatte nur geträumt, dass er laut ihren Namen gerufen hatte, während in Wahrheit sie ein plötzliches Chaos heraufbeschworen hatte. Er hatte womöglich fest geschlafen, und es war ihre Schuld, dass sie beide zu dieser nachtschlafenden Zeit wach waren. »Hatte ich einen Albtraum?«

»Ich hatte den Eindruck, dass du friedlich geschlafen hast«, sagte Brad.

Er *hatte* sie also geweckt. Warum? »Ich verstehe nicht. Warum …«

»Ich liebe dich«, sagte er schlicht.

Alle Reste von Schläfrigkeit waren mit einem Mal wie fortgeblasen. Jamie war jetzt hellwach. »Was?«, fragte sie, obwohl sie ihn schon beim ersten Mal deutlich verstanden hatte. »Was?«, fragte sie in der Hoffnung, es noch einmal zu hören.

»Also, ich weiß, dass das alles unheimlich schnell geht. Wahrscheinlich hältst du mich für verrückt …«

»Ich halte dich nicht für verrückt.« Tränen schossen ihr in die Augen.

»Ich hab einfach so dagesessen«, fuhr er fort und tupfte ihre Tränen mit den Fingerspitzen ab, »und dir beim Schlafen zugesehen, und dann ist es über mich gekommen wie eine Welle – ich liebe diese Frau. Ich liebe sie. Ich liebe dich«, sagte er und küsste sie. Es war ein Kuss von beinahe unerträglicher Zärtlichkeit, als wäre ein Schmetterling über ihre Lippen geflattert und wieder davongeflogen.

»Du hast mich geweckt, um mir zu sagen, dass du mich liebst?«

»Ich hatte Angst, mich verlässt der Mut, wenn ich bis morgen früh warte.«

»Du liebst mich«, wiederholte Jamie, drückte die unsichtbaren Worte an ihre Brust, schmiegte sie an ihre Haut und spürte, wie sie durch ihre Poren in ihr Blut sickerten und zu ihrem Herzen strömten. Es war so lange her, dass irgendjemand etwas Ähnliches zu ihr gesagt, so lange her, seit sie sich geliebt gefühlt hatte. »Warum?«, fragte sie unwillkürlich. »Warum liebst du mich?« *Was gibt es da zu lieben,* fügte sie stumm hinzu.

»Warum ich dich liebe?«, wiederholte er ungläubig. »Ich weiß nicht. Warum liebt man einen anderen Menschen?«

»Was liebst du an mir?«, fragte Jamie in der Hoffnung, ihm durch diese Umformulierung eine Antwort zu entlocken.

»Was ich an dir liebe? Lass mich überlegen.« Er machte eine Pause, als würde er ernsthaft über ihre Frage nachdenken. »Zunächst mal dein Aussehen«, begann er schelmisch. »Ich liebe deine Augen … deine Haare … deine Brüste.« Er strich mit dem Finger über ihre Wange und ihre Schulter, als folgte er einer feinen Spur über ihre neuerlich elektrisierte Haut. »Ich liebe es, wie du den Kopf zurückwirfst, wenn du erregt bist, und ich mag dein Lachen. Es klingt ein bisschen wie ein Windspiel. Und ich liebe es, wie du küsst«, sagte er und küsste sie noch einmal, intensiver. »Und wie du stöhnst, wenn ich eine bestimmte Stelle in deinem Nacken berühre. Genau hier«, sagte er und berührte sie dort. Sie stöhnte wie auf Stichwort und lachte leise.

Ein Windspiel, dachte sie und lauschte dem Klang nach.

»Aber am meisten liebe ich deine Abenteuerlust und dass du keine Angst hast, ein Risiko einzugehen, und dir nimmst, was du haben willst. Ich liebe deine Furchtlosigkeit, deine Bereitschaft, alles auszuprobieren.«

Jamie lächelte. Was ihre Mutter und ihre Schwester für Leichtsinn und Sprunghaftigkeit hielten, war in seinen Augen furchtlose Abenteuerlust. »Du gibst mir die Kraft dazu«, sagte sie.

»*Du* gibst mir Kraft.« Er küsste sie wieder, länger diesmal, und seine Zunge spielte zärtlich mit ihrer. »Dann bist du also nicht sauer auf mich?«

»Ich sauer auf dich?« Sie lachte. »Warum um alles in der Welt sollte ich sauer auf dich sein?«

»Weil ich dich geweckt habe. Du hast so fest geschlafen.«

»Soll das ein Witz sein? Du kannst mich jederzeit wecken, um mir so etwas zu sagen.«

»Du bist sehr schön, wenn du schläfst. So ruhig und friedlich.«

Jamie kuschelte sich an ihn, lehnte den Kopf an seine Brust und lauschte seinem regelmäßigen Herzschlag. »Konntest du nicht schlafen?«

Er zuckte die Achseln. »Meine Gedanken rasen die ganze Nacht wie wild.«

»Worüber denkst du denn nach?«

»Ach, bloß eine kleine Überraschung, die ich mir ausgedacht habe.«

»Eine Überraschung? Was für eine Überraschung denn?«

Er griff nach seiner Jeans. »Zeit, sich anzuziehen, Jamie-Girl.«

»Was?«

Brad sprang aus dem Bett. »Los, komm, Jamie. Wirf dir ein paar Klamotten über und beweg deinen knackigen Arsch.« Er zog sich die Jeans über seine schlanken Hüften.

»Nein, warte. Brad. Halt. Was ist los? Was hast du vor?«

»Das wirst du schon sehen.«

»Kann das nicht bis morgen früh warten?« Das war völlig verrückt. Es war tiefste Nacht.

Er lachte. »Im Dunkeln macht es mehr Spaß.«

»Was?«

»Los, komm, Jamie. Willst du etwa die Überraschung verderben?«

Und da kapierte sie es plötzlich – sie fuhren nach Barnsley Gardens. Er hatte es irgendwie arrangiert, wahrscheinlich gewartet, bis sie eingeschlafen war, die notwendigen Anrufe erledigt und konnte nun, nachdem er ihr seine Liebe gestanden hatte, vor Aufregung kaum stillstehen, trat von einem Fuß auf den anderen und wollte unbedingt los, raus aus diesem schäbigen Motelzimmer und nichts wie weg. »Okay«, willigte sie ein und schwang ihre Beine aus dem Bett.

Brad johlte begeistert. »Das ist mein Mädchen!«

Jamie ging ins Bad, spritzte sich ein bisschen kaltes Wasser ins Gesicht und fuhr mit einem Kamm durch ihr Haar.

»Lass das«, drängte Brad, der ihr aus dem winzigen Flur zusah. »Du siehst super aus.«

»Ich sehe aus, als ob mich jemand mitten in der Nacht geweckt hätte.« Sie wollte die Leute am Empfang von Barnsley Gardens nicht erschrecken. Wie lange war der überhaupt besetzt, und wie hatte Brad das Problem mit seiner Kreditkarte so schnell geklärt? Sie wollte ihn gerade fragen, als sie sich eines Besseren besann. Sie wollte die Überraschung schließlich nicht verderben.

»Los, komm, Jamie. Die Zähne kannst du dir später putzen«, sagte er, als sie nach ihrer Zahnbürste griff.

»Ohne die Zähne geputzt zu haben, gehe ich nirgendwo hin.« Sie putzte sich die Zähne und begann ihre Toilettenartikel in die kleine lederne Kulturtasche zu packen.

»Was machst du denn jetzt?«

»Ich packe meine Sachen.«

»Das kannst du auch noch morgen früh machen.«

»Was soll das heißen? Ich dachte, wir brechen auf.«

»Hoffentlich irgendwann«, sagte er und warf ihr die Kleider zu, die sie den ganzen Tag getragen hatte. Jamie fing sie auf, bevor sie auf dem Boden landeten.

»Wir kommen hierher zurück?«

»Natürlich kommen wir zurück. Ein *paar* Stunden müssen wir auch schlafen.«

»Das verstehe ich nicht.«

»Vertraust du mir nicht?«, fragte Brad mit einer Spur von Ungeduld.

»Natürlich vertraue ich dir.«

»Dann lass uns mit der Vorstellung beginnen.«

Jamie nahm frische Unterwäsche aus ihrer Reisetasche und zog sich an. Brad stand schon in der offenen Zimmertür, bevor sie ihre Schuhe zugebunden hatte, und die feuchte Nachtluft wehte herein, als wollte sie sie hinauslocken. Sie fuhren also doch nicht nach Barnsley Gardens, dachte sie und strengte sich an, ein nicht allzu enttäuschtes Gesicht zu machen, als sie ihm zum Wagen folgte. Hatte er ihr nicht gerade erklärt, dass er sie liebte? Und liebte er sie nicht auch wegen ihrer Abenteuerlust, ihrer Furchtlosigkeit und ihrer Bereitschaft, alles auszuprobieren?

Wollte sie es wirklich riskieren, ihn zu enttäuschen?

»Lass uns mit der Vorstellung beginnen«, wiederholte sie und stieg in den Wagen.

Wenige Minuten später kurvten sie wieder durch die Straßen, auch wenn Jamie keine Ahnung hatte, wohin die Fahrt ging. Sie hatte vielmehr das Gefühl, dass sie im Kreis fuhren. So ging das mindestens zehn Minuten weiter, bis sie Mühe hatte, die Augen offen zu halten. Sie überlegte, ob sie ihre Hilfe anbieten sollte, aber selbst im Profil und im Dunkeln wirkte Brads Gesichtsausdruck so entschlossen, dass sie davon absah. Er hatte offensichtlich einen Plan, eine weitere Überraschung in einer Nacht voller Überraschungen. Sie sagte sich, dass sie sich ebenso gut entspannen konnte, schloss die Augen und lauschte einer nächtlichen Talkshow im Radio.

Ich weiß nicht, was ich wegen ihr machen soll. Sie ist verdammt sexy, aber sie lügt und betrügt mich schon seit Monaten.

So, wie ich das sehe, Buddy, hast du nur zwei Möglichkeiten. Entweder du bleibst und lässt dich weiter anlügen und schlecht behandeln, oder du handelst wie ein Mann und verlässt sie.

Aber ich liebe sie, Mann.

Hey, Buddy. Hast du den Ausdruck unterm Pantoffel stehen schon mal gehört?

Jamie öffnete die Augen, weil der Wagen plötzlich nach rechts schwenkte. Wo waren sie?

»Brad ...«

»Psst.« Er legte einen Finger auf seine Lippen. »Ich will das hören.«

Nein, Mann so ist das nicht.

So ist das nie, Buddy.

Sie meinte, die weißen Säulen eines palastartigen Eckhauses zu erkennen, versuchte sich jedoch einzureden, dass das nicht sein konnte. »Wo sind wir?«

»Psst. Fast da.«

Sie ist wirklich toll.

Das sind die bösen Mädchen immer.

»Brad ...«

»Psst.«

Sie macht mich fertig. Ich kann nicht mehr klar denken.

Das liegt daran, dass du nicht mit dem Kopf, sondern mit einem anderen Körperteil denkst. Und mit dessen Menschenkenntnis ist es nicht unbedingt weit her, wie wir wissen.

Waren sie wieder in Buckhead?

Du kapierst das nicht, Mann.

Klar, kapiere ich. Hey, da waren wir alle mal. Sie ist umwerfend. Super im Bett. Der beste Sex, den du je hattest. Aber der hat seinen Preis, Buddy, und du musst eine Entscheidung treffen. Wie viel ist ihre Möse wirklich wert?

Jamie richtete sich auf ihrem Sitz auf. Sie waren wieder in Buckhead. Warum?

Du kennst sie nicht, Mann. Wenn wir zusammen sind, kann sie ein Engel sein.

Sie ist der Teufel, Buddy. Steig aus, solange du noch kannst.

Jamie schaltete das Radio aus, und die Stimmen verstummten. »Brad, was ist los? Was tun wir hier?«

»Ich habe viel darüber nachgedacht, was du mir erzählt hast.«

»Was meinst du genau?«

»Über deine ehemalige Schwiegermutter.«

Jamie hielt unwillkürlich die Luft an. »Meine Exschwiegermutter? Warum hast du ausgerechnet über sie nachgedacht?«

»Ich weiß nicht. Vermutlich weil wir vorbeigefahren sind und sie am Fenster haben stehen sehen und mir wieder eingefallen ist, wie sie dich gezwungen hat, deinen Ehering zurückzugeben …«

»Ich wollte ihn nicht mehr, glaub mir.«

»Und was ist mit den goldenen Perlohrringen?«, erinnerte er sie.

Jamie sah die kunstvollen, herzförmigen Perlohrringe mit der Goldfassung vor sich. »Nun ja, was will man machen?«

»Nun, genau darüber habe ich nachgedacht.« Er sah sie an und warf ihr sein strahlendstes Lächeln zu.

»Was?« Jamie versuchte zu lachen, aber als sie den Ausdruck in seinen Augen sah, blieb ihr das Lachen im Hals stecken. »Das ist nicht dein Ernst.«

Brad schüttelte den Kopf. »Und ob. Ich meine es todernst.«

Jamie wand sich auf ihrem Sitz, während die Straßen zunehmend vertrauter wurden. Sie waren nur noch zwei Blocks von der Magnolia Lane entfernt. »Brad, halt an. Kehr um. Das ist doch Wahnsinn.«

»Wahnsinn ist, dass diese Frau ungeschoren davongekommen ist, obwohl sie meinem Mädchen das Leben fast zwei Jahre lang zur Hölle gemacht hat. Ich meine, du kannst mir nicht erzählen, dass du nicht zumindest daran gedacht hast, es ihr heimzuzahlen.«

»Es ihr heimzuzahlen? Wovon redest du?«

»Ich rede davon, dir zurückzuholen, was dir gehört.«

»Aber die Ohrringe gehören mir nicht.«

»Aber auf jeden Fall. Sie hat sie dir geschenkt, oder nicht?«

»Ja, aber dann hat sie sie zurückverlangt.«

»Dazu hatte sie kein Recht.«

»Vielleicht, aber …«

»Da gibt es kein Vielleicht.«

Sie bogen in die Magnolia Lane ein.

»Bitte, Brad. Du musst anhalten. Wir können das nicht machen.«

»Natürlich können wir. Ich kann machen, was ich will.«

»Aber ich will das nicht.«

»Was ist los, Jamie? Ist dir die Abenteuerlust schon vergangen?«

Selbst im Dunkeln konnte Jamie die Enttäuschung in seinem Blick erkennen. »Nein. Das ist es nicht. Es ist bloß …«

Ein paar Häuser vor der Nummer zweiundneunzig hielt Brad an. »Vergiss es«, sagte er. »Du hast Recht. Es war eine dumme Idee.«

Jamie tat einen tiefen Seufzer der Erleichterung, der ihr zitternd entwich und beim Kontakt mit der Luft zerbrach. Sie hatte das Gefühl, die Scherben in alle Richtungen splittern zu sehen. Was um Gottes willen hatte Brad sich gedacht? Er war Computerfachmann und kein Dieb, der mitten in der Nacht in fremder Leute Häuser einbrach. »Lass uns fahren«, drängte sie leise.

»Ich wollte es bloß für dich tun«, sagte er.

»Das weiß ich. Aber …«

»Aber was?«

»Du bist müde. Du denkst nicht klar. Am Morgen wird dir das Ganze bestimmt wie ein verrückter Traum erscheinen.«

Und genau darum musste es sich handeln, wurde Jamie plötzlich klar. Es bestand nicht die geringste Chance, dass irgendetwas von alldem wirklich passierte. In der nächsten

Minute würde sie aufwachen, und alles wäre wieder normal. Sie konnte sich also entspannen und aufhören zu hyperventilieren. Es war nur ein blöder Traum.

Mit einem Arm zog Brad Jamie in einer zärtlichen Umarmung an sich, mit der anderen Hand schaltete er den Motor aus.

Jamie riss sich sofort wieder los. »Was machst du?«

»Ich hole dir deine Ohrringe zurück.« Er steckte die Autoschlüssel in die Tasche, öffnete die Wagentür und stieg aus.

Im nächsten Augenblick war er verschwunden.

»Brad, warte! Bleib stehen! Bitte!« Kurz vor Laura Dennisons Haus holte Jamie Brad ein. Er dreht durch, dachte sie. Oder es war ein großer Lausbubenstreich. So oder so, sie musste ihn aufhalten, bevor das Ganze zu weit ging.

»Das ist mein Mädchen. Ich wusste, dass du's dir noch anders überlegst.«

»Brad …«

»Ich wusste, dass ich mich auf dich verlassen kann.«

»Brad, bitte. Komm zurück zum Wagen.«

»Ich gehe nirgendwo hin außer dort hinein.« Er zeigte auf das Haus.

Warum, wollte sie schreien. »Wie?«, fragte sie stattdessen. »Wie willst du ins Haus kommen? Wir haben keinen Schlüssel. Außerdem hat sie eine Alarmanlage.«

Diese neue Information ließ ihn kurz stutzen. »Du erinnerst dich doch bestimmt noch an den Code.«

»Wahrscheinlich hat sie ihn mittlerweile längst geändert.«

»Warum sollte sie? Sie hat schließlich nicht damit gerechnet, dass du je zurückkommen würdest.«

»Und wenn sie ihn trotzdem geändert hat? Was, wenn der Alarm losgeht?«

»Dann sehen wir zu, dass wir hier wegkommen.«

»Und wenn wir nicht schnell genug sind? Wenn wir erwischt werden?«

»So weit wird es schon nicht kommen«, sagte Brad zuversichtlich. »Los, komm, Jamie. Das wird ein Spaß.« Er nahm sie in die Arme, küsste sie mit einer Leidenschaft, die belebend und ansteckend war. »Wir tun ja keinem weh. Wir holen nur zurück, was rechtmäßig dir gehört. Sie wird nicht mal merken, dass wir da waren.«

»Brad, wenn du dich hören könntest. Du redest davon, in ein fremdes Haus einzubrechen. Du sprichst von der Möglichkeit, erwischt zu werden und ins Gefängnis zu wandern.«

»Komm schon, Jamie. Wo ist der freie Geist geblieben, in den ich mich verliebt habe?«

Die Frage nagte an Jamies Herzen. »Bitte, Brad. Das ist nicht richtig.«

»Glaubst du, was *sie* gemacht hat, war richtig?«

»Nein. Aber du kennst doch die Redensart, dass zwei Mal falsch nicht ein Mal richtig ergibt.«

Brad lachte. »Würde das deine Mutter sagen?«

Wütend dachte Jamie, dass er Recht hatte. Genau das würde ihre Mutter sagen.

»Und deine Schwester«, fügte er noch hinzu. »Ich dachte, du wärst anders als sie.«

»Bin ich auch.«

»Sieht so aus, als würde der Apfel doch nicht weit vom Stamm fallen.«

»Brad, das meine ich ernst.«

»Meinst du, ich nicht?«

»Ich glaube, du hast dir das alles nicht richtig überlegt.«

»Was soll ich mir überlegt haben?«

»Das Ganze«, sagte Jamie und beobachtete, wie sich das Lächeln langsam aus seinem Gesicht stahl und nur eine kalte, harte Maske im Mondlicht zurückließ. »Das ist kein Spiel.«

»Natürlich ist es das. Es ist ein Abenteuer.«

»Nein, ist es nicht. In ein fremdes Haus einzubrechen, ist eine *Straftat*.«

»Nur wenn man erwischt wird.« Der Hauch eines Lächelns schlich sich auf seine Miene zurück. »Und wir werden nicht erwischt. Versprochen. Bist du bereit?«

Jamie zögerte. *Bist du bereit?* Die Frage hatte sie ihr ganzes Leben lang gehört. War sie bereit? Und wofür genau? Wer war dieser Mann? Auf was hatte sie sich eingelassen?

»Du musst Vertrauen haben, Jamie. Du musst dich entscheiden – bist du die Tochter deiner Mutter oder die Frau, von der ich dachte, dass ich mich in sie verliebt habe?«

Die Frau, von der er *dachte,* dass er sich in sie verliebt hatte. »Brad, warte. Bitte …«

»Ich verlasse mich auf dich, Jamie.« Er durchquerte den Vorgarten. »Ich tu's für dich, Baby«, rief er ihr zu.

Er ist der Teufel, Buddy, hörte sie den Radiomoderator sagen. *Steig aus, solange du noch kannst.*

Aber wie konnte sie ihn allein in das Haus gehen lassen? Er kannte den Code nicht und würde deshalb die Alarmanlage nicht abschalten können. Er würde erwischt werden und Jahre im Gefängnis sitzen. Und wofür? Weil er entschlossen war, ein Paar goldene Perlohrringe zu holen, die rechtmäßig ihr gehörten? Weil er eine große Show abzog und versuchte, sie zu beeindrucken? Weil sein Stolz es nicht zuließ, dass er nachgab?

Und wohin wollte sie ohne ihn gehen? Die Schlüssel ihres Wagens steckten in seiner Tasche, und sie hatte nicht vor, nachts um drei alleine durch Atlanta zu wandern. Sie konnte auch nicht einfach nur dastehen und auf seine Rückkehr warten. Sie hatte ihr Jurastudium vielleicht nicht abgeschlossen, wusste jedoch genug über das Gesetz, um zu wissen, dass man sie als Helfershelfer betrachten würde.

Bist du die Tochter deiner Mutter oder die Frau, von der ich dachte, dass ich mich in sie verliebt habe?

Ich *bin* sie. Ich bin die Frau, in die du dich verliebt hast.
Er ist der Teufel. Steig aus, solange du noch kannst.

Er ist der Mann, den ich liebe, dachte Jamie. Er ist der Mann, den ich liebe, und er stellt mich vor eine Wahl: Ich bin entweder die Tochter meiner Mutter oder die Frau, in der er sich verliebt hat. Dies ist ein Test. Mehr nicht. Er will dich prüfen. Er hat nicht wirklich die Absicht, in Laura Dennisons Haus einzubrechen. Er möchte bloß sehen, wer du wirklich bist.

Bist du bereit?

Jamie rannte ihm über den rot gepflasterten Weg nach. »Brad«, rief sie, sein Name eher ein Flüstern, das durch die warme Dunkelheit huschte, versteckte Schatten durchschnitt und verspielten Geistern nachjagte. Wo war er? Wartete er hinter dem nächsten Baum, um sie zu erschrecken?

Mitten auf der langen Einfahrt blieb sie stehen und sah sich über beide Schultern um, um sich zu vergewissern, dass sie nicht aus einem Fenster in der Nachbarschaft beobachtet wurde. Aber die Häuser auf beiden Straßenseiten waren bis auf die Lampen über den Haustüren vollkommen dunkel. Sie blickte ängstlich zum ersten Stock, um zu sehen, ob die Gardinen vor Laura Dennisons Schlafzimmerfenster sich bewegten, doch sie hingen vollkommen still. Im Hintergrund zirpten Zikaden, in der Ferne rauschte Verkehr, und die Nachtluft summte leise. Mit angehaltenem Atem starrte Jamie das Haus an und erinnerte sich daran, wie sie es zum ersten Mal gesehen hatte, wie beeindruckt und hoffnungsvoll sie gewesen war. Damals war sie so jung gewesen, dachte sie, obwohl es erst ein paar Jahre zurücklag. Wann hatte sie angefangen, sich so verdammt alt zu fühlen, fragte sie sich und ging vorsichtig weiter. Wohin war ihr Optimismus verschwunden?

»Brad?«, rief sie noch einmal und zuckte beim Klang ihrer eigenen Stimme zusammen, obwohl sie sich angestrengt hatte, leise zu sprechen. Sie blickte zur Haustür, aber er war nicht da. War er bereits ums Haus geschlichen? Oder war er einfach zu Fuß abgezogen und hatte sie alleine zurückgelassen, nachdem sie seine Prüfung nicht bestanden hatte? »Brad?«, rief sie erneut und näherte sich der Seitentür.

Und plötzlich war jemand hinter ihr, eine Hand hielt ihr Mund und Nase zu. Sie konnte nicht atmen, sie konnte sich nicht bewegen. *Hilfe,* wollte sie mit jeder Faser ihres Körpers schreien, brachte jedoch nur einen erstickten Schrei heraus.

»Alles okay, Jamie«, flüsterte Brad ihr ins Ohr. »Ich bin's.« Er ließ sie los, sie fuhr herum und sank in seine Arme. »Ich konnte doch nicht zulassen, dass du die ganze Straße weckst.«

»Du hast mich halb zu Tode erschreckt.«

»Was hast du gedacht, wie viele Einbrecher in dieser Straße unterwegs sind?«, fragte er neckisch.

Jamie hätte vielleicht gelacht, wenn sie nicht so verängstigt gewesen wäre. Dann löste er sich plötzlich aus der Umarmung und griff in die Tasche. Wollte er den Autoschlüssel zücken oder sein Schnappmesser, fragte sie sich und machte unwillkürlich einen Schritt zurück. Stattdessen zog er seine Brieftasche aus der Hosentasche und nahm seine Kreditkarte heraus.

»Für irgendwas muss das verdammte Ding doch gut sein.« Er begann, mit der Karte an der Tür herumzufummeln.

»Komm, Brad. Der Witz ist jetzt weit genug gegangen. Außerdem funktioniert das nur im Fernsehen«, warnte sie ihn noch, als sie ein Klicken vernahm und die Tür aufging. »Oh Gott«, sagte sie, weil ein schrilles Geräusch davon kündete, dass die Alarmanlage aktiviert worden war und sie genau dreißig Sekunden Zeit hatte, den Code einzutippen, bevor die Sirenen losheulten. »Oh Gott«, sagte sie noch einmal.

Brad packte sie und küsste sie fest auf den Mund. Er strahlte vor Aufregung. »Ich liebe dich, mein Mädchen«, sagte er.

16

Lautes Schreien riss Emma aus dem Schlaf.

Sie schreckte im Bett hoch, und ihr Blick schoss zu dem Wecker auf dem kleinen Tisch, bis ihr bewusst wurde, dass dort kein Wecker stand. Sie brauchte ein paar Sekunden, um sich zu orientieren: Sie war nicht in ihrem Zimmer, sie war in Dylans Zimmer, in Dylans Bett: Ihr Sohn schlief in ihrem Bett, mit Lilys Sohn Michael. Das heißt, er hatte geschlafen, denn jetzt schrie er sich die Seele aus seinem kleinen Leib, was bedeutete, dass er wieder einen Albtraum gehabt hatte und es wahrscheinlich etwa drei Uhr nachts war. Man konnte die Uhr nach diesen verdammten Albträumen stellen. Und wenn sie nicht bald eine Nacht ohne Störung durchschlafen konnte, würde *sie* diejenige sein, die schrie, dachte sie, als sie mit nackten Füßen durch den Flur tapste.

Emma vergewisserte sich rasch, dass sie daran gedacht hatte, einen Schlafanzug anzuziehen, bevor sie sich gestern Abend in Dylans Bett gelegt hatte. Sie wollte schließlich nicht splitternackt bei zwei fünfjährigen Jungen hereinplatzen. Von wegen Kinder und Albträume, dachte sie mit pochenden Kopfschmerzen, die für den Morgen einen ausgewachsenen Kater versprachen. Vorausgesetzt, sie würde überhaupt wieder einschlafen können. »Alles in Ordnung, Dylan«, sagte sie, schaltete das Deckenlicht an und nahm ihren schluchzenden Sohn in die Arme. Neben ihm schlief Michael tief und fest, seine blonden Locken kräuselten sich auf dem weißen Kopfkissen wie eine Reihe feiner Anführungszeichen. »Psst. Alles in Ordnung, Dylan. Mommy ist hier. Du willst doch Michael nicht aufwecken, oder?« Emma starrte Lilys Sohn an und fragte sich, wie irgendjemand bei dem Gejaule neben sich so fest schlafen konnte.

»Ich hatte einen Albtraum«, schluchzte Dylan und klammerte sich an sie.

»Ich weiß, Schätzchen. Aber jetzt ist er vorbei. Ich bin hier, und jetzt ist alles gut.«

»Da war ein Mann«, setzte Dylan an.

Das war eine neue Variante, dachte Emma. Bisher hatte sich Dylan nie wirklich an seine Träume erinnern können. »Ein Mann? Hast du ihn erkannt?«

Dylan schüttelte heftig den Kopf. »Ich konnte sein Gesicht nicht sehen. Er hatte einen Hut auf.«

»Einen Hut?«

»Eine Baseballmütze. Wie Daddy sie hatte. Nur dass es nicht Daddy war«, fügte er hastig hinzu, als wollte er sie beruhigen. Schaudernd versuchte Emma, das Bild ihres Exmannes abzuschütteln, doch es war bereits zu spät. Er stand ihr grinsend auf der anderen Seite des Zimmers gegenüber.

»Er hat am Fußende des Bettes gestanden und mich beobachtet.«

»Nun, wie du siehst, ist jetzt niemand mehr da.« Emma löste sich aus der Umklammerung ihres Sohnes, ging zum Fenster und blickte auf die Straße hinunter.

Der Geist ihres Exmannes starrte von einer Laterne zu ihr hoch. *Du kannst weglaufen,* drohte die Erscheinung. *Aber du kannst dich nicht verstecken.*

Dylan rannte zu ihr, versteckte sich zwischen ihren Beinen und grub seine Finger so fest in den weichen Baumwollstoff ihrer Schlafanzughose, dass seine Nägel auf ihren Oberschenkeln kratzten. »Nein, Mommy! Nicht gucken! Nicht gucken!«

»Dort ist niemand, mein Schatz.« Sie hob ihn hoch. »Siehst du? Nur ein paar Insekten, die um die Laternen schwirren.«

»Warum machen sie das?«

»Weil sie vom Licht angezogen werden.«

»Warum?«

Oh Gott, nicht jetzt, dachte Emma, die um drei Uhr nachts zu erschöpft für das »Warum«-Spiel war, obwohl sie diese Sachen eigentlich wissen sollte. »Ich weiß es nicht, mein Schatz.« Damit sie besser sehen können? Weil sie die Wärme mögen? Weil sie von Todessehnsucht erfüllt sind?

»Der Mann hat gesagt, er würde mich in tausend kleine Stücke schneiden und an die Haie verfüttern«, sagte Dylan.

Haie in Ohio, dachte Emma. Kein Wunder, dass der Junge schreiend aufwachte. »Das würde ich nie zulassen«, versicherte sie ihrem Sohn. »Das weißt du doch, oder?«

Dylans Kopf wippte an ihrer Wange auf und ab, und seine Tränen benetzten ihre Haut.

»Jetzt bist du in Sicherheit, mein Kleiner«, erklärte sie ihm und trug ihn zurück zum Bett. »Dir kann nichts passieren, solange du bei mir bist. Ich werde dich immer beschützen.« Sie legte ihn neben Michael zurück ins Bett. »Und jetzt versuch zu schlafen, mein Schatz. Siehst du, wie fest Michael schläft?«

»Er hat keine Albträume.«

»Nein.«

»Er hat es gut.«

»Ja.« Emma küsste ihren Sohn auf die Stirn und strich ihm die Haare aus den Augen. »Für dich jetzt auch keine Albträume mehr, okay?«

»Bleib hier«, drängte er.

»Das geht nicht, Schätzchen. Es ist nicht genug Platz für uns alle.«

»Doch.« Dylan rutschte näher an Michael, der sofort auf seine Seite rollte, als wollte er Platz für sie machen. »Siehst du?«

»Okay.« Emma stieg neben Dylan ins Bett, und er legte sofort eine Hand auf ihren Bauch und ein Bein über ihren Oberschenkel, als wollte er sie einklemmen. Na super, dachte

Emma. Jetzt saß sie wirklich in der Falle. Sie schloss die Augen und betete, dass sie einschlafen würde. Aber jedes Mal wenn sie kurz davor war, strampelte Dylan mit den Beinen oder stöhnte leise und riss sie wieder aus ihrem Dämmerzustand. Das Pochen in ihrem Kopf wurde immer lauter, bis Emma wusste, dass sie in dieser Nacht wieder keinen Schlaf finden würde.

Sie war kaum zwanzig, als sie den Mann traf, der Dylans Vater werden sollte. Er war älter und weltgewandter, ansonsten aber genau wie sie, rastlos und ohne eine Vorstellung davon, was er mit dem Rest seines Lebens anfangen sollte. Emma verliebte sich in den verlorenen kleinen Jungen, der sich hinter der männlichen Fassade von Großspurigkeit verbarg, und brannte mit ihm nach Las Vegas durch. »Bist du schwanger?«, war die erste Frage, die ihre Mutter ihr nach ihrer Rückkehr stellte. Nicht: Bist du glücklich? Nicht: Bist du sicher? Nicht mal: Bist du verrückt? Sondern: Bist du schwanger? Als ob es sonst keinen Grund gäbe, sie zu heiraten.

»Ist das deine Art, uns zu gratulieren, Mutter?«, hatte sie erwiderte und, obwohl ihre Mutter nicht danach gefragt hatte, hinzugefügt: »Wir lieben uns. Wir lieben uns«, wiederholte Emma, als wollte sie sich selbst davon überzeugen. Und genau das versuchte sie zu tun. Denn in Wahrheit war sie sich nicht sicher, ob sie ihren frischgebackenen Ehemann liebte oder nicht. Sie hatten kaum etwas gemeinsam, er war bisweilen launisch und abwesend, und sie wusste nie, was er dachte. Aber sie wusste, dass sie den Klang seiner Stimme mochte, wenn er sagte, dass *er sie* liebte. Sie mochte die Art, wie er sie ansah, und das Bild von sich, das sie in seinen Augen gespiegelt sah.

Und auch wenn sie ihren Mann vielleicht nicht gut kannte, so kannte *er sie* noch viel weniger.

Sie wollte eigentlich gar nicht lügen. Die Geschichten,

die sie ihm über ihre privilegierte Kindheit, ihre schulischen Errungenschaften und ihre Aufnahme in Princeton erzählt hatte – die sollten ihn eigentlich nur beeindrucken. Und als er dann nicht nur beeindruckt, sondern bis über beide Ohren verliebt in sie war und sie Mann und Frau wurden, hatte sie keine andere Wahl gehabt, als die Scharade weiterzuspielen. Bald war ihr das Lügen leichter gefallen, als die Wahrheit zu sagen, und es wurde zusehends schwieriger, zwischen beiden zu unterscheiden.

»Schämst du dich meinetwegen?«, hatte er kurz nach der Hochzeit gefragt.

»Natürlich nicht.«

»Ich meine, ich weiß, dass ich nicht so intelligent bin wie du. Ich bin nicht in Princeton angenommen worden …«

»Na und?«, gab Emma zurück. »Ich bin schließlich auch nicht gegangen.«

»Nur weil deine Mutter so krank war.«

»Bitte sprich in ihrer Gegenwart nicht darüber. Es regt sie sehr auf …«

»Keine Sorge. Ich werde es nicht erwähnen. Aber warum musstest du ihr erzählen, dass ich in Yale war. Ich wäre beinahe vom Stuhl gefallen.«

»Ich habe nicht gehört, dass du es dementiert hast.«

»Ich war zu perplex, um irgendwas zu sagen.«

Emma tat seine Bedenken mit einem Schütteln ihrer langen dunklen Mähne ab. »Ich habe ihr erzählt, dass du in Yale warst, weil ich wusste, dass sie das glücklich machen würde. So etwas beeindruckt sie.«

»Nun, wir müssen ihr die Wahrheit sagen.«

»Warum?«, fragte Emma.

»Weil die Wahrheit irgendwann immer rauskommt«, erklärte er ihr.

»Was?«

»Die Wahrheit kommt immer raus«, wiederholte er.

»Das ist doch Unsinn.«

»Nein, bestimmt.«

»Was soll denn das heißen? Dass sich die Wahrheit in einem Kleiderschrank oder sonst wo versteckt, als wäre sie schwul oder was?«

Er lächelte verlegen. »Du weißt genau, was das heißt.«

»Ich weiß nur, dass ich den attraktivsten und erotischsten Mann der Welt geheiratet habe«, sagte Emma, schlang die Arme um ihren neuen Mann und rieb ihre Hüften an seine. Lächelnd vergrub er den Kopf an ihrem Hals. Offenbar hatte er keine Probleme, diese faustdicke Lüge zu schlucken, dachte sie. So viel zur Wahrheit, die rauskommt.

Und die Wahrheit war, dass er sich jeden Tag weiter zurückzog. Wiederholt beschuldigte er sie, ihn angelogen zu haben. Sie konterte mit dem Vorwurf, dass er sie betrog. Ihr Sexleben verkümmerte, bis es, als sie verkündete, dass sie in der Tat schwanger war, ganz zum Erliegen kam. Nach der Geburt ihres Sohnes begann ihr Mann, auf der Couch zu schlafen, wenn er überhaupt geruhte, nach Hause zu kommen.

Anfangs hatte sie versucht, ihr Liebesleben wieder in Schwung zu bringen, hatte sich exotische Dessous und sogar Handschellen gekauft, um ihn zu verführen, aber sämtliche Bemühungen blieben fruchtlos. Als er eines Tages von einem Abend mit seinen Kumpeln betrunken nach Hause kam, fragte sie ihn direkt ins Gesicht: »Wer ist es diesmal?«

»Wovon redest du?«

»Du weißt ganz genau, wovon ich rede.«

»Sei nicht albern.«

»Ich bin nicht albern«, entgegnete sie. »Und dumm bin ich auch nicht.«

»Dann hör auf, dich so aufzuführen.«

»Erzählst du mir dann, wo du den ganzen Abend gewesen bist?«

»Ich war mit David und Sal aus. Das weißt du doch. Hör mal, ich bin müde …«

»Ich auch.«

»Dann geh ins Bett.«

»Alleine? *Wieder mal?*«

»Das hatten wir doch schon. Ich kann dir nicht geben, was du willst.«

»Ich will nur ein wenig Aufmerksamkeit. Bin ich so furchtbar, dass du mich nicht mal mehr anfassen kannst? Los«, rief sie und schlug mit der Faust auf seinen Arm. »Fass mich an.« Sie begann, auf seine Arme einzutrommeln, und schlug ihn mit der offenen Hand ins Gesicht. »Tu so, als ob ich David oder Sal wäre.«

»Hör auf«, sagte er, packte ihre Arme und drückte sie fest an ihren Körper.

»Du tust mir weh«, schrie sie, und er ließ sie los.

Sie schlug ihm mit der flachen Hand hart ins Gesicht.

Er schlug zurück.

Danach wurde es immer schlimmer.

»Du hast deinen Freundinnen erzählt, dass ich dich schlage?«, fragte er in der darauffolgenden Woche ungläubig.

»Warum nicht? Es ist doch wahr.«

»Du würdest die Wahrheit doch nicht mal erkennen, wenn sie dir direkt auf den Kopf fällt.«

»Geschieht dir recht«, murmelte Emma jetzt und drehte sich auf die Seite. »Alles, was danach geschehen ist, war deine Schuld. Ich habe nur nach ein bisschen Aufmerksamkeit verlangt. Ich habe nur ein wenig Liebe gebraucht.«

»Was?«, fragte Dylan schläfrig, und sein kleiner Köper spannte sich an. »Gehen wir wieder weg?«

»Nein, Liebchen. Alles in Ordnung. Schlaf weiter, mein Schatz.«

»Ich hab dich lieb, Mommy.«

»Ich dich auch.«

Lily träumte von Eiscreme. Sie stand vor einem 50er-Jahre-Diner, aß ein kleine Waffel mit Erdbeereis, und das Eis tropfte auf ihre saubere weiße Bluse, wo es lange pinkfarbene Flecken hinterließ, die sich von ihren Brüsten bis zum Saum ausbreiteten. Neben ihr lutschte Jeff Dawson an einer riesigen Eistüte mit einer dicken Glasur aus dunkelbrauner Schokolade. Plötzlich beugte er sich vor, um an ihrem Eis zu schlecken, fasste jedoch stattdessen ihre Hand und begann, sie abzulecken. Ein Motorrad raste vorbei, während ihre Mutter eine amerikanische Flagge schwenkend aus dem Lokal gerannt kam und von Steuerrückzahlungen redete. Sekunden später fiel eine riesige Kokosnuss vom Himmel, und irgendjemand rief: »Es hat einen Unfall gegeben.« Lily blickte auf ihre weiße Bluse. Der pinkfarbene Fleck war leuchtend rot geworden. Blut sickerte aus ihrem Herzen, als wäre sie angeschossen worden.

Sie fuhr im Bett hoch, ihr pinkfarbenes Nachthemd war auf der Vorderseite schweißnass. »Gütiger Gott«, flüsterte sie und versuchte, im Dämmerlicht ihren Wecker auszumachen. Zehn nach drei. »Na, großartig.« Sie stand auf und ging ins Bad, wo sie sich einen kalten Umschlag in den Nacken legte und sich den Schweiß mit einem Handtuch abtrocknete. »Okay, das war ja nicht allzu schwer zu deuten«, murmelte sie, während die Bilder ihres Traumes verblassten, als würden sie von unsichtbarer Hand ausradiert.

Sie hatte offensichtlich Schuldgefühle, weil sie ihre Verabredung mit Jeff heute Abend so genossen hatte. Ihr Unterbewusstsein warnte sie … Wovor? Was genau wollte ihr Unterbewusstsein ihr sagen? Dass Jeff potenziell gesundheitsgefährlich für sie war? Dass er, wenn sie ihn zu nahe an sich heranließ, von einer vom Himmel fallenden Kokosnuss erschlagen würde, die ihn genauso töten würde wie Kenny?

Nur, dass Kenny nicht von einer herunterfallenden Kokosnuss getötet worden war.

Sie schüttelte den Kopf. Es war ein dummer Traum. Eine Reihe zusammenhangloser Bilder musste nicht gleich etwas bedeuten. Oder wie sollte man erklären, dass ihre Mutter eine amerikanische Fahne geschwenkt und über die jüngsten Steuerrückzahlungen gewettert hatte? Wenn Träume so etwas wie Vorboten des zukünftigen Schicksals waren, wäre es nett, wenn sie zumindest hin und wieder einen Sinn ergeben würden.

»Das Erdbeereis ergibt wiederum durchaus Sinn«, stellte Lily auf dem Weg zur Treppe fest. Es war seltsam, ohne Michael allein im Haus zu sein. Ohne den Klang seiner Stimme, sein lautes Lachen und den regelmäßigen Rhythmus seines Atems fühlte sich der Raum so leer an. Als sie an seinem Zimmer vorbeikam, sah sie die zahlreichen Gemälde, die die Wände bedeckten. Sie schaltete das Licht an, trat ein paar Schritte zurück und staunte wie jedes Mal über Michaels Talent. Und das dachte sie nicht nur, weil sie seine Mutter war. Alle anderen fanden es auch. Miss Kensit, seine Lehrerin, hatte ihr erklärt, dass Michael der künstlerisch begabteste Schüler in ihrer neunjährigen Berufslaufbahn war. Eines seiner Bilder, ein Wasserfarbengemälde einer Gruppe Rehe, die an einem Fluss zwischen Wildblumen grast, hatte sie sogar dem Direktor gezeigt, der einen goldenen Stern in die obere rechte Ecke geklebt und erklärt hatte, dass Michael eines Tages ein berühmter Künstler würde, von dem er dann sagen konnte, dass er ihn als kleinen Jungen gekannt hatte. Nun hing das Bild stolz an der Wand gegenüber von Michaels Bett, zwischen einer Kreidezeichnung von einem Jungen und seiner Mutter, die Hand in Hand über eine hohe Wiese rannten, und einem abstrakten Fingerfarbengemälde mit hellgrünen Kringeln, die beinahe vom Blatt zu wirbeln schienen.

Lily ging von einer Wand zur anderen und betrachtete sorgfältig jedes Bild, als würde sie den Louvre besichtigen. Ein Bild zeigte eine Vase mit violetten und roten Blumen, ein anderes einen Jungen, der aus einem Flugzeug sprang, wobei der Junge zwei Mal so groß war wie das Flugzeug und an einem großen Fallschirm zu Boden schwebte. Daneben hing eine Kohleskizze eines Jungen und seiner Mutter, die stolz vor einem kleinen dreieckigen Haus standen. Über dem Bett klebte ein Bild von einer Mutter, die ihren kleinen Sohn ins Bett brachte, während draußen vor dem Fenster der Vollmond lächelte. In Michaels Kunstwerken gab es keine Strichmännchen wie in den Zeichnungen der meisten anderen Kinder seines Alters. Die Menschen, die Michaels Welt bevölkerten, waren vollständig ausgeformt, wenngleich bisweilen zweifelhaft proportioniert. Einige hatten riesige Köpfe, andere so kleine wie Pillendöschen. Manche hatten gewaltige Pranken, andere Beine, die sich bis zu ihrem Hals streckten. Und noch etwas fiel Lily auf. In Michaels Bildern gab es keine Männer.

Das war ihre Schuld.

Lily nahm das Kopfkissen ihres Sohnes, hielt es sich vors Gesicht und atmete seinen süßen Duft ein. »Ich werde es wieder gutmachen, Michael«, flüsterte sie. »Versprochen.« Sie schüttelte das Kissen auf und legte es wieder aufs Bett, schaltete das Licht aus und ging die Treppe hinunter in die Küche, wo sie Eiscreme in eine große Dessertschüssel gab und sich an den Küchentisch setzte. »Ich kann nicht glauben, dass ich schon wieder esse«, sagte sie. Hatte sie Jeff nicht eben erklärt, sie wäre so satt, dass sie Essen nie wieder auch nur anschauen könnte. Von wegen. So viel zu dem Vorsatz, fünf Pfund abzunehmen, dachte sie und nahm sich vor, am nächsten Tag ins Studio zu gehen, obwohl es eigentlich ihr freier Tag war und sie Michael versprochen hatte, mit ihm ins Kino zu gehen. Vielleicht würde sie Emma fragen, ob sie und Dylan mitkommen wollten. Oder noch besser, sie würde anbieten, Dylan mitzunehmen, damit Emma einen freien Nachmittag hatte. Die arme Frau sah aus, als könnte sie eine Pause brauchen, und es war das Mindeste, was sie tun konnte. Es war schwer, ganz alleine ein Kind aufzuziehen. Vor allem einen Jungen. Noch dazu, wenn man keine Ahnung hatte, was in ihren kleinen Köpfen vor sich ging.

Nicht viel, würde Jan wahrscheinlich sagen und laut lachen. Jan hatte keine Kinder, telefonierte aber regelmäßig mit ihrem Neffen in Kalifornien.

Wie würde Michael sein, wenn er älter wurde, fragte Lily sich. Würde er dann immer noch so zu ihr aufblicken wie jetzt? Würde er sie noch lieben, wenn er erst einmal alle Fakten kannte, wenn er alt genug war, das Unvorstellbare zu begreifen? Oder würde er sie zurückweisen und ihr die Schuld dafür geben, dass er in seinen prägenden Jahren keinen Vater gehabt hatte? Würde er bei der ersten Gelegenheit nach Europa abhauen und sie nur sporadisch von unbekannten Orten der Welt anrufen, sie immer weniger achten und immer mehr für alles verantwortlich machen?

Lily genehmigte sich noch einen Löffel Eiscreme und dachte, dass es auf der ganzen Welt nicht genug Eis gab, um ihre Schuldgefühle zu lindern, und dass alle Doppelkinne der Welt nicht genug Falten hatten, um sich dahinter zu verstecken. Obwohl sie es natürlich versuchen konnte, sagte sie sich, löffelte weiter Eiscreme in sich hinein und genoss die Kälte an den Innenseiten der Wangen.

Sie nahm Stift und Papier und begann, eine Reihe miteinander verbundener Herzen zu kritzeln. Als Kind hatte sie gemalt, erinnerte sie sich, obwohl sie nie besonders gut darin war. Nein, ihr Talent waren die Wörter. Sie liebte es, sich Geschichten auszudenken, eine Figur aus dem Nichts zu erschaffen und dann zuzusehen, wie diese Person Gestalt annahm und wuchs. Ja, sie würde Schriftstellerin werden, wie ihre Lehrerin es prophezeit hatte. »Ich werde Schriftstellerin«, hatte sie Kenny stolz erklärt, und eine Zeit lang schien auch er stolz zu sein. Aber dann wurde sie schwanger, womit sich ihre Schriftstellerkarriere mehr oder weniger erledigt hatte. Die Experten rieten einem immer, über das zu schreiben, was man kannte, aber was kannte sie schon groß, wenn sie nicht mal zu verhindern wusste, sich ein Kind ansetzen zu lassen, wie Kenny es ihr in jener schicksalhaften verregneten Nacht brüllend an den Kopf geworfen hatte. »Es ist leichter, über das zu schreiben, was man nicht kennt«, sagte sie und stand vom Küchentisch auf. Mit dem, was sie nicht wusste, konnte man ganze Bände füllen.

Obwohl Jeff sie offenbar interessant genug fand.

»Er hat bloß sein Glück versucht«, sagte Lily und stieg langsam die Treppe hinauf. Und das hat er auch gehabt, dachte sie kichernd, weil sie ihn *nicht* mit zu sich nach Hause gebeten hatte.

Warum eigentlich nicht?

Es wäre so leicht gewesen. Die Gelegenheit war da. Sie hatte das Haus für sich allein. Wer weiß, wann sich das das nächste Mal ergeben würde? Und sie fand ihn attraktiv. Nein, mehr als attraktiv. Begehrenswert. Und es war ziemlich offensichtlich, dass er für sie das Gleiche empfand. Sie hatten ein wunderbares Essen genossen und waren dann zu dem neuen RiverScape Park gefahren, einer Touristenattraktion an der Stelle, wo die fünf Flüsse Daytons – Twin Creek, Wolf Creek, Great Miami, Stillwater und Mad – zusammentreffen, und waren auf einem der gut beleuchteten Wege spazieren gegangen.

»Wusstest du, dass Dayton die Erfinderhauptstadt der USA ist?«, fragte Jeff und wies auf die zahlreichen goldenen Sterne, die zu Ehren dieser Erfinder in den Betonboden eingelassen waren.

»Wirklich? Was für Erfinder denn?«

»Nun, in Dayton haben die Gebrüder Wright, die in der South Williams Street eine Druckerei und eine Fahrradwerkstatt hatten, ihr berühmtes Flugzeug konstruiert und gebaut.«

»Stimmt. Das habe ich mal irgendwo gelesen. Was sonst noch?«

»Nun, wahrscheinlich wusstest du nicht, dass die Rohrpost, Fallschirme, Trittleitern, Zellophan, Eiswürfeltabletts, Parkuhren, Registrierkassen, Filmprojektoren, Gasmasken sowie eine Vielzahl anderer unverzichtbarer Alltagsgegenstände ebenfalls in Dayton erfunden wurden«, zählte er auf, ohne Atem zu holen. »Nicht zu vergessen, Kartoffelchips mit Schokoglasur.«

»Kartoffelchips mit Schokoglasur?«

»Bei Kroger's kann man sie kaufen.«

»Nein danke, ich bin so satt, dass ich mir nicht mal vorstellen kann, Essen auch nur je wieder anzuschauen.« Sie gingen noch zehn Minuten weiter. Unterwegs blieben sie stehen und betrachteten eine Wetterfahne der Gebrüder Wright, eine puppenartige Gestalt aus Metall, die an einem Mast hing und seitwärts im Wind flatterte. »So fühle ich mich meistens auch«, gestand Lily.

»Dann solltest du dich besser gut festhalten«, sagte Jeff und nahm ihre Hand.

Seine Berührung war elektrisierend. Lily konnte sich gerade noch auf den Beinen halten, während sich ihre Hand in seine schmiegte und sie sich von ihm zum Wagen zurückführen ließ. Wie lange war es her, dass sie mit jemandem Händchen gehalten hatte, der nicht fünf Jahre alt war?

»Warst du schon mal im Art Institute?«, fragte er, als sie an dem freundlichen Steingebäude mit dem roten Ziegeldach direkt nördlich der Ausfahrt 54 B vorbeifuhren, allem Anschein nach ohne eine Ahnung von dem Chaos, das er kurz zuvor in ihrem Körper ausgelöst hatte.

»Nein, noch nicht«, brachte Lily stotternd hervor. »Ich wollte es Michael schon so lange zeigen.«

»Dein Sohn mag Kunst?«

Lily nickte stolz. »Er ist sehr talentiert.«

»Ich würde ihn gern kennen lernen. Vielleicht machst du uns ja irgendwann mal miteinander bekannt.«

Lily lächelte und schwieg. Für den Rest der Fahrt konzentrierte sie sich auf das Gefühl, das seine Finger auf ihrer

Haut hinterlassen hatten, und fragte sich, was sie tun würde, wenn er versuchte, ihr einen Gutenachtkuss zu geben.

»Ich hatte einen wunderbaren Abend«, sagte er, als er sie bis zu ihrer Haustür begleitete.

»Ich auch.« Sie war nervös wie ein junges Mädchen bei seiner ersten richtigen Verabredung.

»Ich hoffe, wir können das irgendwann wiederholen.«

»Sehr gerne.« Sie kramte in ihrer Tasche nach dem Hausschlüssel. Küsst er mich jetzt, fragte sie sich. Oder wartet er, dass ich ihn ins Haus bitte? Das sollte ich machen. Ich sollte ihn ins Haus bitten. »Vielen Dank für den Ausflug zum RiverScape Park. Wenn du irgendwann mal keine Lust mehr hast, Polizist zu sein, würdest du bestimmt einen großartigen Fremdenführer abgeben«, sagte sie stattdessen, schloss die Tür auf und trat über die Schwelle, hinter der das Fliegengitter eine praktische Barriere zwischen seinen und ihren Lippen bildete.

»Es war mir ein Vergnügen.«

Und dann war er weg. Sie wartete, bis sein Wagen um die nächste Straßenecke verschwunden war, bevor sie die Tür hinter sich abschloss und direkt ins Bett ging.

Und jetzt war es drei Uhr nachts, und sie war immer noch wach. Auf der obersten Stufe blieb sie stehen. Draußen wehte eine leichte Brise, die zu einem Wind aufgefrischt war, der weiteren Regen ankündigte. Lily ging in ihr Zimmer, kroch zurück in ihr Bett und zog sich die Decke über die Ohren, um sich vor den Schatten und Geistern zu schützen, die an ihr Fenster drängten und Einlass begehrten.

17

»Schnell, wie geht der Code?«, zischte Brad zu dem schrillen Dauerton der Alarmanlage.

Jamie stürzte zu der Tastatur an der Wand direkt neben der Haustür und gab die vier Ziffern ein. *Bitte, lass es die richtige Zahlenfolge sein,* betete sie, während ihre Hände so heftig zitterten, dass sie die Tasten unter den Fingerspitzen kaum spürte. *Bitte mach, dass sie den Code nicht geändert hat. Bitte lass diesen schrecklichen Lärm aufhören.*

Und dann verstummte das Haus plötzlich.

»Du hast es geschafft, Jamie«, flüsterte Brad, nahm sie in die Arme, wirbelte sie herum und küsste sie auf die Wange, bevor er sie wieder losließ. Sie taumelte rückwärts, verlor das Gleichgewicht und stürzte beinahe in den kleinen gefliesten Flur. »Hoppla, Vorsicht«, sagte Brad und fasste ihren Arm, bevor er gegen den Garderobenschrank krachte.

Jamies Herz raste und pochte so laut, dass es mehrere Sekunden dauerte, bis sie begriff, dass ihr Einbruch unentdeckt geblieben war. Sie waren sicher. Es war nichts passiert. Nun konnten sie einfach gehen, als wäre nichts geschehen. »Brad, lass uns von hier verschwinden«, flehte sie und zerrte an seinem Arm.

»Psst.« Er legte einen Finger auf seine Lippen und lauschte mit zur Seite gelegtem Kopf.

Das Haus war vollkommen still. Im ersten Stock tapsten keine Schritte umher, niemand alarmierte flüsternd die Polizei. Alles wirkte so ruhig und friedlich, wie es um drei Uhr in der Frühe sein sollte. Mitten in der verdammten Nacht, dachte sie, wo die vernünftigen Leute überall auf der Welt in ihren Betten lagen und fest schliefen.

Was machten sie hier? Wie war es nur dazu gekommen?

Und war es vorstellbar, dass Laura Dennison bei diesem Lärm nicht aufgewacht war? Oder schlich sie sich just in diesem Moment mit dem Handy am Ohr zur Haustür und gab der Polizei eine genaue Beschreibung des blauen Thunderbird, der ein Stück die Straße hinunter parkte? *Meine ehemalige Schwiegertochter hatte genau so einen Wagen.* Undenkbar, dass sie noch schlief. Obwohl die Frau schon immer einen beachtlich tiefen Schlaf gehabt hatte. Wie oft hatte Jamie sie prahlen hören, dass sie »nichts mehr von der Welt mitbekam«, sobald ihr Kopf aufs Kissen sank? Nein, sie bräuchte keine Schlafmittel, erklärte sie selbstgefällig, als Jamie nach einer Nacht, in der sie schlecht geschlafen hatte, einmal gefragt hatte, ob sie Schlaftabletten im Haus hätte. Und Mrs. Dennison schlief bei geschlossener Tür, erinnerte Jamie sich, die einzige Gelegenheit, zu der eine geschlossene Tür in der Magnolia Lane geduldet wurde. Deshalb war es vielleicht doch möglich, dass sie den Warnton der Alarmanlage nicht gehört hatte.

Womöglich war sie auch gar nicht zu Hause, hoffte Jamie. Vielleicht war sie mit Mark irgendwo im Urlaub oder mit einer ihrer Bridgefreundinnen, die einmal pro Woche kamen, vielleicht sogar mit dem ganzen Haufen. Sie hatten immer davon gesprochen, eines Tages gemeinsam eine Reise zu unternehmen, zu irgendeinem Bridgeturnier, um dort ein paar heiß ersehnte Masterpunkte zu erringen, was immer das war, und vielleicht hatten sie genau das endlich getan, weshalb das Haus leer war und sie sich nicht halb zu Tode sorgen musste, denn die böse alte Hexe hatte sich auf ihren Besenstiel geschwungen und in fremde Gefilde und zu unbekannten Bridgeblättern aufgemacht.

Aber so war es nicht.

Denn wer sonst sollte die Frau gewesen sein, die Jamie am

früheren Abend an ihrem Schlafzimmerfenster hatte stehen sehen? Nein. Mrs. Dennison war sehr wohl daheim. Jamie konnte ihre Anwesenheit in dem ätherartigen Mief förmlich spüren. Das Gift stieg ihr in die Nase und drang in ihre Lunge, bis jeder Atemzug nicht nur schmerzhaft, sondern richtiggehend gefährlich wurde. Brad zog sanft an ihrer Hand und drängte sie weiter, während ihr ganzer Körper zur offenen Haustür strebte. »Brad«, setzte Jamie an, als er sie unvermittelt stehen ließ und die drei mit Teppich ausgelegten Stufen zum Wohnbereich hinaufsprang. Furchtlos, dachte sie und rannte im nächsten Augenblick hinterher.

Selbst im Dunkeln konnte Jamie die Umrisse jedes Möbelstücks in dem großen Wohnzimmer deutlich erkennen. Vor dem großen Fenster zur Straße stand eingerahmt von passenden Vorhängen das rosa-weiße Chintzsofa, zu beiden Seiten jeweils ein grün-weiß gestreifter Sessel, gruppiert um einen Couchtisch aus hellem Kiefernholz. Der größte Teil der gegenüberliegenden Wand wurde von einem großen Kamin eingenommen, vor dem zwei bestickte, dunkelgrüne Queen-Anne-Stühle standen. In einer Ecke drängte sich ein schwarzer Stutzflügel, auf dem Jamies Wissen nach nie jemand gespielt hatte. Genauso wenig, wie irgendjemand je das prachtvolle, aus Italien importierte Schachspiel aus Elfenbein benutzt hatte, das auf dem Couchtisch stand, oder die beiden Kerzenständer aus Messing, die neben einer leeren, rosa gestreiften Obstschale aus Glas und diversen gerahmten Fotos von Mutter und Sohn auf dem Kaminsims standen. Die Wände waren ebenso weiß wie der dicke Florteppich. Als einzige Kunstwerke hingen zwei blasse Landschaftsbilder links und rechts neben dem Kamin. Überall im Zimmer waren rosafarbene und violette Orchideen aus Seide verteilt. Mrs. Dennison hatte regelmäßig damit geprahlt, dass niemand sie von echten Blumen unterscheiden konnte.

»Brad, lass uns hier abhauen.«

»Ein weißer Teppich«, bemerkte Brad, als hätte er sie gar

nicht gehört. »Ziemlich mutig oder ziemlich dumm.« Langsam und bedächtig streifte er seine Sneakers daran ab.

»Brad, nicht.«

»Warum nicht?«

»Weil sie sehen wird, dass jemand hier war.«

»Es war ja auch jemand hier.«

»Ich weiß, aber …«

»Gib mir eins von den Dingern.« Er zeigte auf den Kaminsims.

»Was?«

»Einen Kerzenständer.«

»Warum?«

»Ich habe eine Idee.«

»Was für eine Idee?«, hörte Jamie ihre eigene Stimme widerhallen wie eine Echo und zuckte zusammen. Ihre Exschwiegermutter hatte vielleicht einen festen Schlaf, aber alles hatte seine Grenzen. Je weniger sie redeten, desto besser. Je eher sie hier wieder raus waren, desto besser.

»Vertrau mir«, sagte er.

Zögernd hob Jamie einen der Kerzenständer von dem Sims. Er war schwerer, als sie erwartet hatte, und wäre ihr fast aus den Händen geglitten.

»Vorsichtig«, warnte Brad.

Jamie packte den Leuchter fester. »Was hast du vor?«

»Stell ihn dorthin. Auf das Klavier.«

»Warum?«

»Mach es einfach.«

»Ich verstehe das nicht.«

»Stell ihn auf das Klavier. Ja, genau da«, sagte er, als Jamie den Kerzenständer auf den geschlossenen Ebenholzdeckel des Klaviers stellte. »Die alte Schachtel wird sich tagelang fragen, wie zum Teufel er dorthin gekommen ist«, beantwortete er ihre stumme Frage.

»Wahrscheinlich schmeißt sie einfach ihre Putzfrau raus«, sagte Jamie und fühlte sich bereits schuldig.

»Was liegt denn hier entlang?«

»Nein, Brad. Lass uns einfach …« Aber Brad hatte bereits die Schwingtür zum Esszimmer aufgestoßen.

Um einen Tisch aus Walnussholz waren sechs Holzstühle mit hoher Lehne und blutrotem Lederpolster gruppiert. An einer Wand stand ein hoher, passender Walnussschrank mit teurem Porzellan und Gläsern. Brad warf einen beiläufigen Blick in die Richtung, bevor er die nächste Doppelschwingtür zur Küche aufstieß.

»Ich habe echt Durst«, sagte er.

Jamie sah sich um und folgte ihm. »Brad, ich finde wirklich, dass wir hier verschwinden sollten.«

»Ich könnte ein Glas Milch vertragen.«

»Milch?«

Er öffnete den Kühlschrank, beugte sich vor und betrachtete den Inhalt. »Mal sehen. Es gibt Orangensaft, Eier, Preiselbeeren und einen Teller übrig gebliebene Spaghetti.« Etwas Weißes blitzte in der Dunkelheit, und in diesem Moment erkannte Jamie, dass Brad Gummihandschuhe trug.

»Du trägst Handschuhe?«, fragte sie ungläubig.

Er zog einen Karton fettarme Milch aus dem obersten Kühlschrankregal. »Wo bewahrt sie ihre Gläser auf?«, wollte er wissen, ohne auf ihre Frage einzugehen.

»Woher hast du die Handschuhe?«, beharrte Jamie.

Brad zuckte die Achseln, als ob die Frage ebenso irrelevant wie unbedeutend wäre. »Die Gläser?«, fragte er und begann, die Schranktüren zu öffnen.

»Da drüben.« Jamie wies auf den Schrank direkt über der Abzugshaube. »Brad, was machst du?«

»Ich trinke ein Glas Milch.« Er nahm sich ein Glas und goss es voll Milch. »Willst du auch eins?«

»Ich will nur hier weg.«

»Sofort. Lass mich nur noch die Milch trinken.« Er stürzte sie hinunter und stellte das Glas ins Spülbecken.

Was zum Teufel ging hier vor? Was machte er? Und

warum trug er Handschuhe? »Brad, mir gefällt das nicht. Ich gehe jetzt.«

Sofort war er neben ihr, nahm sie in den Arm und küsste sie. Sie schmeckte die Milch auf seiner Zunge, als er ihre berührte. »Nein«, flüsterte er. »Du kannst noch nicht gehen.« Er tastete nach ihren Pobacken und drückte sie an sich. »Der Spaß fängt doch gerade erst an.«

In Jamies Kopf drehte sich alles. Noch vor wenigen Tagen war sie eine einigermaßen normale junge Frau gewesen, mit einem langweiligen, unbefriedigenden Job und einer alltäglichen Affäre mit einem absolut gewöhnlichen verheirateten Mann. Dann hatte sie in rascher Folge zunächst einen attraktiven Fremden in einer Bar aufgegabelt, ihren Job gekündigt und sich wie ein Vagabund auf die Straße begeben. Mittlerweile hatte sie Sex in öffentlichen Toiletten und brach in fremder Leute Häuser sein. Irgendwo auf der Interstate war Jamie Kellogg – Tochter von Anne Kellogg, Richterin, Schwester von Cynthia, Anwältin – verloren gegangen. Sie hatte kein Gefühl mehr dafür, wer sie war und was sie tat, als ob eine außerirdische Macht die Kontrolle über ihren Körper und ihr Gehirn übernommen hätte.

Nein, hörte sie ihre Mutter tadeln. *So leicht kommst du nicht davon.*

Wann wirst du anfangen, Verantwortung zu übernehmen?, fragte ihre Schwester.

Jamie hielt sich die Ohren zu. »Brad, ich will gehen. Bitte, ich bin müde.«

»Mein Mädchen ist müde.«

»Völlig erschöpft.«

»Okay.«

»Okay? Wir gehen?«

»Sobald wir haben, weswegen wir gekommen sind.« Er löste sich von ihr und ging zurück ins Esszimmer.

Jamie folgte ihm auf dem Fuß. »Brad, bitte. Mir ist ein bisschen schwindelig …«

»Das ist nur das Lampenfieber.« Er war ins Wohnzimmer weitergegangen und schon auf halbem Weg zur Treppe in den ersten Stock. »Okay. Bleib, wo du bist. Warte hier auf mich.« Am Fuß der Treppe blieb er stehen. »Da ich nicht weiß, wo sie die verdammten Ohrringe aufbewahrt, muss ich natürlich alles durchsuchen, und wer weiß, wie lange das dauert. Vielleicht wacht sie auch auf, ich werde erwischt und muss den Rest meines Lebens hinter Gittern verbringen, alles für die Frau, die ich liebe«, fuhr er neckisch fort. »Komm schon, Jamie. Du willst doch nicht, dass ich den Rest meines Lebens im Gefängnis verbringe, oder?«

»Ich will bloß hier weg, bevor es zu spät ist.«

»Es ist schon zu spät«, sagte er und stieg jeweils zwei Stufen auf einmal nehmend die Treppe hoch.

Hau ab, dachte Jamie. *Sieh zu, dass du hier wegkommst. Steig aus, solange du noch kannst.*

Es ist schon zu spät.

Er stand auf dem oberen Treppenabsatz und wartete auf sie, seine Blicke zogen sie so unerbittlich an wie ein Fischer, der den Fang seines Lebens einholt. Jamie spürte, wie sie einen Fuß vor den anderen setzte, die erste Stufe erklomm und sich fest an das Geländer klammerte, sodass sie schweißige Fingerabdrücke auf dem dunklen Holz hinterließ. *Er trägt Gummihandschuhe*, erinnerte sie sich. *Warum? Woher hatte er sie? Wann hatte er sie besorgt?*

Wer ist dieser Mann, fragte sie sich, während sie weiter wie in Zeitlupe die Treppe hinaufstieg.

Er ist der Teufel.

»Wo entlang?«, fragte der Teufel, als sie oben war.

Jamie blickte nach rechts. Sie wusste vielleicht nicht genau, was sie tat und wie sie sich in diese Lage gebracht hatte, aber eines war sicher, sie steckte bis zum Hals mit drin, deshalb konnten sie es auch genauso gut so schnell wie möglich hinter sich bringen. Je eher sie die verdammten Ohrringe gefunden hatten, desto schneller waren sie wieder hier raus und zurück in ihrem sicheren Hotelzimmer, wo sie ein paar Stunden schlafen und dann am Morgen mit klarem Kopf entscheiden konnte, was sie als Nächstes tun wollte. Brad Fisher war ganz offensichtlich nicht der Mann, für den sie ihn gehalten hatte. Computerexperten, Softwareentwickler und wohlhabende Geschäftsleute brachen nicht mitten in der Nacht in fremde Häuser ein. Sie wussten nicht, wie man eine Tür mit einer Kreditkarte öffnete und hatten auch keine Schnappmesser oder ein Paar Gummihandschuhe in der Tasche. *Wer bist du?*, fragte sie sich, während sie beobachtete, wie Brad den Flur hinunter bis zu Mrs. Dennisons geschlossener Schlafzimmertür schlich. *Wer zum Teufel bist du?*

»Kommst du?«, fragte er, die Hand auf der Klinke.

Jamie rührte sich nicht.

Brad drückte die Klinke herunter, öffnete die Schlafzimmertür und streckte die Hand aus.

Jamie atmete tief ein, zwang sich, einen Fuß vor den anderen zu setzen, und folgte ihm ins Zimmer.

Sofort stieg ihr der Duft von Laura Dennisons Parfüm in die Nase. Der schreckliche, erdrückende Geruch von zu vielen Gardenien drängte in ihren Hals wie ein Finger, und sie schnappte nach Luft, um nicht zu würgen.

»Psst«, ermahnte Brad sie, schlich auf Zehenspitzen zu dem großen Bett mit einem von vier Pfosten getragenen Himmel aus Spitze und betrachtete die darin liegende Frau.

Mrs. Dennison schlief auf dem Rücken, den Kopf nach links gedreht, das Gesicht hinter einer großen schwarzen Maske verborgen, die ihre Augen und den größten Teil ihrer Stirn bedeckte. Ihre rotbraunen Haare waren länger, als Jamie sie in Erinnerung hatte, der weiße Haaransatz selbst im Dunkeln erkennbar. Jamie musterte ihre ehemalige Widersacherin und empfand nur Abscheu und Ekel. Wäre es so schwer gewesen, nett zu mir zu sein, fragte sie die schlafende Frau stumm. Musstest du denn so gemein zu mir sein und mir das Leben zur Hölle zu machen?

»Hässliche alte Schachtel, was?«, fragte Brad höhnisch.

Als sie seine Stimme hörte, riss Jamie entsetzt die Augen auf und legte einen Finger auf die Lippen.

»Es ist okay«, sagte er unbekümmert und zeigte mit einem behandschuhten Finger auf Laura Dennisons Gesicht. »Siehst du? Sie trägt Ohrstöpsel.«

»Was?«

»Guck selber.«

Brad hatte Recht. In jedem Ohr steckte ein kleiner Schwamm. Kein Wunder, dass die Frau tief und fest schlief. Mit der Maske und den Stöpseln bekam sie buchstäblich nichts mit von der Welt. Wie ich sie verachte, dachte Jamie, selbst überwältigt von der überraschenden Heftigkeit ihrer Gefühle.

»Glaubst du, sie schläft nackt?« Brad zupfte bereits an der Bettdecke am Hals der Frau.

»Nicht, Brad.«

»Ich will nur mal kurz linsen.«

»Bitte. Hinterher wacht sie noch auf.«

Das tat sie nicht, obwohl sie sich leicht rührte und die rechte Schulter hochzog, als Brad die schwere Daunendecke bis zur Brust herunterzog. »Typisch«, sagte er und grinste, als er das langärmelige blaue Nachthemd sah, das Laura Dennison trug. »Vermutlich sollten wir dankbar sein.« Er gluckste.

Zu ihrem Entsetzen kicherte Jamie mit. Du abscheuliche alte Hexe, dachte sie, als ihr fast zwei Jahre Demütigungen und Kränkungen wieder hochkamen – den Abend, an dem ihre Schwiegermutter sich geweigert hatte, mehr als zwei Bissen von dem Essen zu kosten, das Jamie mühevoll zubereitet hatte, um am nächsten Morgen zu verkünden, nach dem Happen sei ihr heftig übel geworden; oder der Tag, an dem sie demonstrativ »vergessen« hatte, Jamie einigen alten Freundinnen vorzustellen, die sie getroffen hatten, als Jamie sie zum Essen eingeladen hatte; die Art, wie sie immer knapp an ihr vorbeiguckte, wenn sie mit ihr zu sprechen geruhte; ihr herablassender Ton, die subtilen Tadel und die gnadenlose Unterminierung von Jamies Position in der Familie; der permanente Wettbewerb um die Aufmerksamkeit und Zuneigung ihres Sohnes; die eskalierende Feindseligkeit; alles, was schließlich in jenem schrecklichen letzten Abend kulminiert war.

Jamie schüttelte unwillkürlich den Kopf, um die Erinnerungen abzuwehren, doch die Akteure hatten bereits ihre Position eingenommen, und vor ihrem inneren Auge nahm die Szene ihren Lauf: In einem weiteren unbesonnenen Versuch, ihre Ehe zu retten, hatte Jamie Freunde von Mark – Bob und Sharon Lasky, Pam und Ron Hutchinson – zum Essen eingeladen. Mark kam natürlich zu spät, weil er vorher noch bei seiner Mutter vorbeigeschaut hatte. »Ich komme mit Geschenken«, verkündete er den Gästen, als er eine halbe Stunde nach ihrer Ankunft nonchalant hereinschlenderte. »Ich habe den berühmten Zitronen-Meringe-Kuchen meiner Mutter dabei.«

»Zufällig mein absoluter Lieblingskuchen«, sagte Bob.

Jamie lächelte und verstaute den Schokoladenkuchen, den sie am Nachmittag gemacht hatte, im Gefrierschrank. Im Zweifel für den Angeklagten, dachte sie hinsichtlich ihrer Schwiegermutter, weil sie ihrem Mann beweisen wollte, dass sie zu Kompromissen fähig war.

Nach dem Essen hatten sie sich unterhalten und zusammen die Miss-America-Wahl im Fernsehen angeschaut. Mark hatte eine dumme Bemerkung darüber gemacht, dass er nur zu gerne mit einer der Kandidatinnen ausgehen wollte, einer Friedenskämpferin mit großen Brüsten, vielen Haaren und zwei riesigen Grübchen, die einen Mund voller kleiner weißer Zähnchen rahmten.

»Das ist nicht dein Ernst«, sagte Pam lachend. »Worüber willst du denn mit ihr reden?«

Mark sah sie ernsthaft perplex an. »Ich will nicht mit ihr *reden*«, rief er unter allgemeinem Gelächter.

»Hat dir das Essen geschmeckt?«, fragte Jamie später, als die Gäste gegangen waren und sie sich fürs Bett fertig machten. Sie hatte ein Hühnchen in Cumberland-Sauce gekocht, und alle, auch Mark, hatten einen Nachschlag verlangt.

»Es war okay.«

»Bloß okay?«

»Was soll das werden, ein Angelausflug? Möchtest du Komplimente hören?«

»Du hast bloß gar nichts dazu gesagt.«

»Ich habe gesagt, es war okay. Der Nachtisch war fantastisch«, fügte er hinzu, legte sich ins Bett und zog sich die Decke über die Schultern, ein deutliches Zeichen, dass er kein Interesse hatte, mit ihr zu schlafen. »Vergiss nicht, meine Mutter anzurufen und dich bei ihr zu bedanken.«

»Sie wusste, dass ich einen Schokoladenkuchen mache.«

»Was?«

»Ich habe heute mit ihr gesprochen. Ich habe ihr erzählt, dass wir Gäste zum Essen haben und ich zum Nachtisch einen Schokoladenkuchen mache.«

»Was willst du damit sagen? Dass sie es mit Absicht getan hat?«

»Warum sollte sie sonst einen Nachtisch machen, wenn sie wusste, dass ich schon einen zubereite?«, beharrte Jamie.

»Ich weiß nicht. Vielleicht, weil sie nett sein wollte? Oder weil sie weiß, dass es Bobs Lieblingskuchen ist? Weil sie sich gedacht hat, dass du es wahrscheinlich wieder vermasselst?«

»Ich habe es nicht vermasselt.«

»Du vermasselst doch alles.«

»Das ist ungerecht.«

»*Das ist ungerecht*«, äffte er sie nach. »Wie alt bist du eigentlich? Fünf? Mein Gott, Jamie, hörst du dir eigentlich selber zu bei dem dummen Zeug, das du immer redest?« Er war unvermittelt wieder aus dem Bett gesprungen und lief auf und ab, bekleidet nur mit den Boxershorts, die er seit einiger Zeit nachts immer trug, ein weiteres Zeichen, dass er nicht daran interessiert war, mit ihr zu schlafen. »Meine Mutter macht ein fantastisches Dessert, was die meisten Menschen für die freundliche Geste halten würden, als die es gemeint war, und du machst daraus einen Sabotageakt. Sie gibt sich verdammt noch mal alle Mühe, nett zu dir zu sein …«

»Sie gibt sich alle Mühe, mich als unfähig darzustellen.«

»Du *bist* unfähig«, brüllte Mark. »Außerdem bist du eine undankbare Schlampe.«

Das Wort traf Jamie wie eine Ohrfeige, und Tränen schossen ihr in die Augen.

Weitere Worte und Vorwürfe flogen hin und her, weitere Tränen flossen, bis irgendwann endlich wohlige Stille herrschte. Mark hatte sich schließlich wieder angekleidet, ein paar Sachen in eine Reisetasche geworfen und war aus der Wohnung gestürmt. Sie musste ihn nicht fragen, wohin er ging, dachte Jamie, als sie ins Bett sank und irgendwann in einen unruhigen Schlaf fiel.

Etwa eine Stunde später wurde sie vom Geräusch eines sich im Schloss drehenden Schlüssels geweckt. »Mark?«, fragte sie und richtete sich mit verheulten Augen im Bett auf.

Ohne ein Wort marschierte Laura Dennison in ihr Schlafzimmer und knipste das Deckenlicht an. »Ich komme wegen meines Schmucks«, erklärte sie, als wäre das ein vollkommen natürliches Ansinnen.

Jamie traute ihren Ohren nicht. Sie glaubte zu träumen und kniff sich unter der Decke. »Was?«

»Der Ehering, das Armband und die Ohrringe«, zählte Mrs. Dennison auf.

»Das kann doch sicher bis morgen warten.«

»Ich würde es lieber gleich jetzt hinter mich bringen, wenn du nichts dagegen hast.«

»Ich *habe* aber etwas dagegen.«

»Es handelt sich, wie du weißt, um Familienerbstücke. Wenn du sie behältst, verklage ich dich.«

Benommen vor Wut, Erschöpfung und Fassungslosigkeit stand Jamie auf und zerrte sich auf dem Weg zur Kommode den Ehering vom Finger. Wortlos ließ sie ihn in die ausgestreckte Hand ihrer Schwiegermutter fallen, zusammen mit dem Goldkettchen und den goldenen Perlohrringen, die sie noch an diesem Abend getragen hatte. Ich *habe* etwas dagegen, wiederholte sie stumm, während ihre Schwiegermutter den Schmuck in ihrer Handtasche verstaute und aus dem Zimmer marschierte.

»Ich habe sogar sehr viel dagegen«, sagte Jamie laut, als sie die verhasste Frau jetzt schlafend vor sich sah. »Die Ohrringe sind in der Kommode. Oberste Schublade, ganz hinten.«

18

Brad überquerte den weißen Läufer vor der Kommode mit ein paar anmutigen Schritten, fast wie ein Tänzer, dachte Jamie. Als ob er sein Leben lang in die Häuser schlafender Menschen eingebrochen wäre. Als ob ihm das Durchwühlen ihres Besitzes und der Diebstahl ihrer kostbarsten Schätze etwas vollkommen Vertrautes wäre. Als ob es nur eine weitere Nachtschicht für ihn wäre. Er schien sich in der Situation ein wenig zu wohl zu fühlen, dachte Jamie, als er den kunstvollen Messinggriff packte und die oberste Schublade der Kommode aufzog. So wie er sich gestern Abend in Tifton mit dem Messer in der Hand ein wenig zu wohl gefühlt hatte.

Jamies Augen hatten sich mittlerweile an die Dunkelheit gewöhnt, und sie konnte mühelos selbst die kleinsten Details des Zimmers erkennen: die zahllosen Parfümfläschchen, die sich auf der Kommode reihten; den silbern geprägten Titel des Taschenbuchs auf dem Nachttisch neben dem Bett; den kleinen Riss in der blau-weißen Tapete zwischen dem Türrahmen und der Decke. Obwohl es auch sein konnte, dass sie sich an den nur erinnerte. Dabei hatte sie sich so angestrengt, alles über ihre Zeit in diesem Haus aus ihrem Gedächtnis zu tilgen.

Und nun stand sie mittendrin.

Und was noch? Wohinein war sie sonst noch geraten?

Neben ihr rührte sich Mrs. Dennison und schmatzte leise. Einen Moment lang fürchtete Jamie, sie könnte aufwachen, um dem mitternächtlichen Ruf ihrer Blase zu folgen. Aber sie drehte sich nur auf die Seite und zog sich dabei instinktiv die Decke wieder über die Schulter. Was würde sie tun, wenn Mrs. Dennison in diesem Moment aufwachte? Vielleicht war sie ja auch schon wach und tat nur so, als würde sie schlafen.

»Du würdest sie gern umbringen, was?«, fragte Brad von der Kommode, wo er mit beiden Händen in Mrs. Dennisons Unterwäsche wühlte.

»Was? Nein! Natürlich nicht.« Auf Jamies Stirn standen plötzlich Schweißperlen, als ob sie Fieber hätte. Sie dachte an das Schnappmesser in seiner Tasche.

»Unsinn«, entgegnete Brad. »Es steht dir dick ins Gesicht geschrieben.« Er lachte. »Dein Hass auf diese Frau glüht im Dunkeln.« Er lachte noch einmal, lautlos diesmal.

Jamie wollte widersprechen, hielt jedoch inne, als ihr klar wurde, dass er Recht hatte.

»Du könntest es jetzt tun, weißt du«, fuhr Brad verführerisch flüsternd fort. »Du müsstest nur das Kopfkissen neben ihrem Kopf nehmen und es ein paar Minuten auf ihr Gesicht drücken. Es wäre ganz leicht.«

Jamie starrte auf ihre Exschwiegermutter. Wollte Brad sie ermutigen, einen Mord zu begehen? Hätte er dem Jungen wirklich die Kehle durchgeschnitten? Sei nicht albern, sagte sie sich und verdrängte den beunruhigenden Gedanken. »Lass uns die Ohrringe schnappen und hier verschwinden.«

Brad ließ die BHs und Schlüpfer fallen und strich mit der Hand geräuschlos durch die oberste Schublade. »Da ist nichts.«

»Keine Schmuckschatulle?«

»Guck doch selbst.«

Auf Zehenspitzen schlich Jamie zu ihm und wusste, schon bevor sie die Hand in die Schublade steckte, dass sie nichts finden würde. »Sie muss sie woanders versteckt haben«, murmelte sie und hasste die schlafende Frau noch mehr als zuvor. Du konntest mir aber auch gar nichts leicht machen, dachte sie, als sie die Unterwäsche wieder einräumte. Lautlos durchsuchte sie die mittlere und die untere Schublade, ohne Erfolg. »Okay, der Schmuck ist nicht hier. Lass uns einfach abhauen.«

»Nein. Irgendwo muss er doch sein. Wo würde sie ihn aufbewahren?«

»Ich weiß es nicht. Mein Herz rast und pocht wie wild. Ich glaube, mir wird schlecht«, sprudelte Jamie los, als ihr diese Unpässlichkeiten plötzlich selber bewusst wurden. Du hast die Gastfreundlichkeit ausgereizt, sagte ihr Körper ihr. Du zwingst dein Glück und flirtest mit der Katastrophe. *Steig aus, solange du noch kannst.*

Sofort hatte Brad seine Arme um sie geschlungen und riet ihr mit leiser Stimme, ruhig zu atmen und sich zusammenzureißen.

»Mir wird schlecht«, wiederholte Jamie heftig und spürte, wie ihr die Galle hochkam. Sie riss sich aus seiner Umarmung, stürzte in das angrenzende Bad, zog die Tür hinter sich zu und knipste das Licht an. Im blendenden Licht von acht Spots, die den großen rechteckigen Spiegel über dem Waschbecken rahmten, sah sie einen Moment lang gar nichts. »Oh Gott«, sagte sie dann zu der verängstigten jungen Frau im Spiegel, die keuchend nach Luft rang. »Was zum Teufel machst du?«

Und dann sah sie die Schmuckschatulle mit Elfenbeinintarsien, in der ihre Exschwiegermutter die so genannten Familienerbstücke aufbewahrte. Sie stand auf der Fläche links neben dem Waschbecken zwischen einem Sammelsurium von Anti-Falten-Cremes und teuren Feuchtigkeitslotionen, flankiert von einer großen Dose Haarspray als Wachposten und einer runden Glasschale mit Wattepads. Auf der Fläche rechts neben dem Becken bot sich eine imposante Sammlung von Bürsten, Grundierungen, Lippenstiften und Rouges dar. Und das bei einer Frau, die Jamie einmal dafür getadelt hatte, zu viel Wimperntusche aufzutragen.

»Eifersüchtige alte Hexe«, flüsterte Jamie, deren Übelkeits-
gefühl plötzlich verflogen war. Sie öffnete die Tür einen
Spaltbreit und zuckte zusammen, als der Lichtstrahl Mrs.
Dennisons Gesicht zerschnitt wie die Klinge von Brads
Messer. »Brad«, flüsterte sie. »Der Schmuck ist hier. Ich hab
ihn gefunden.«

Sie bekam keine Antwort.

Jamie kam zurück ins Schlafzimmer und zog die Badezimmertür hinter sich zu. Ihre Augen gewöhnten sich rasch
wieder an die Dunkelheit. »Brad?« Versteckte er sich? Sie
wappnete sich für sein plötzliches Auftauchen und zog die
Schultern bis zu den Ohren hoch, weil sie fürchtete, dass er
sich jeden Moment wie ein Springteufelchen auf sie stürzen
würde. Aber niemand stürzte sich auf sie, und das einzige
Geräusch, das sie hörte, war Mrs. Dennisons gleichmäßiger
Atem.

Wo war er?

Sie hörte einen Laut und erstarrte, weil sie zu spüren
glaubte, dass Mrs. Dennison ihr Bett verlassen und sich
von hinten angeschlichen hatte. Gütiger Gott, was sollte sie
zu der Frau sagen? Wie könnte sie je erklären, was sie hier
machte? Aber als sie sich verstohlen umblickte, sah sie, dass
ihre frühere Schwiegermutter nach wie vor fest schlief. Als
sie wieder herumfuhr, stand Brad plötzlich im Türrahmen.

»Wo zum Teufel bist du gewesen?«, fragte sie wütend.

»Psst«, ermahnte Brad sie, wies mit dem Kopf auf die
schlafende Gestalt und trat wieder in den Raum.

»Wo warst du?«

Er zuckte die Achseln und zog hinter dem Rücken einen
der großen Messingkerzenleuchter hervor. »Ich dachte, wir
machen uns einen Spaß.«

»Spaß? Wovon redest du?«

Er stellte den Kerzenständer auf die Kommode. »Das
wird ihr garantiert einen Riesenschrecken einjagen, wenn
sie aufwacht.«

»Dann weiß sie auf jeden Fall, dass jemand hier war. Und sie wird merken, dass ihre Ohrringe gestohlen wurden.«

»Hast du sie gefunden?«, fragte Brad und lächelte aufgeregt.

Jamie blickte zum Bad.

»Da drinnen?« Er war schon auf halbem Weg zur Badezimmertür.

Licht flutete ins Schlafzimmer.

»Brad, mach um Himmels willen die Tür zu.«

»Hör auf, dir Sorgen zu machen«, sagte er und ließ die Tür offen stehen. »Zorro schläft tief und fest. Wo sind die Ohrringe?«

Jamie hastete ins Bad, schloss behutsam die Tür hinter sich, nahm das Schmuckkästchen und klappte es auf.

»Wow«, sagte Brad und stieß einen leisen Pfiff aus. »Wenn das kein hübscher Anblick ist.«

Wenn das kein hübscher Anblick ist, wiederholte Jamie stumm und ungläubig staunend und fragte sich, wann sich der kultivierte Computer-Programmierer und Software-Entwickler, mit dem sie durchgebrannt war, in einen gewöhnlichen Südstaaten-Casanova verwandelt hatte. Sie zwang den Blick zurück auf die kleine, aber imposante Schmucksammlung in der Schatulle. Mehrere Goldarmbänder, eine feine Kette aus winzigen Blumen aus Diamanten, ein Ring mit einem Sternsaphir, ein Paar Diamantmanschettenknöpfe, die goldenen Perlohrringe, ein breiter, antiker Ehering aus Gold. *Ihr* Ehering, dachte sie unwillkürlich. *Ihre* goldenen Perlohrringe.

»Nimm sie dir«, sagte Brad, als stünden ihre Gedanken in fluoreszierend leuchtenden Lettern auf ihrer Stirn geschrieben. »Sie gehören dir.«

Mit zitternden Fingern nahm Jamie die Ohrringe aus der Schatulle, bevor sie sie wieder neben das Waschbecken stellte. Was in Gottes Namen machte sie?

»Leg sie an«, befahl Brad.

Jamie strich ihre Haare hinter die Ohren, steckte die Ohrringe in die kleinen Löcher in ihren Ohrläppchen und bewunderte das Ergebnis im Spiegel.

»Nun sind sie wieder da, wo sie hingehören«, sagte Brad, und Jamie musste unwillkürlich lächeln.

Er hatte Recht. Die Ohrringe waren wieder dort, wo sie hingehörten. Sie hatte mit zwei Jahren ihres Lebens dafür bezahlt. Sie hatte sich das Recht verdient, sie zu tragen.

»Sie stehen dir gut.« Er trat hinter sie und küsste ihren Hals, während er die Arme fest um ihren Brustkorb schlang. »Du siehst wunderschön aus.«

Und sie sah wirklich schön aus, dachte Jamie. Das traurige kleine Mädchen, das ihre Furcht wie einen Schleier trug, war verschwunden. An ihre Stelle war eine selbstbewusste junge Frau getreten, die Gold und Perlen trug. »Wir sollten hier verschwinden.«

»Du willst doch nicht etwa die ganzen Klunker liegen lassen?«

»Sie haben mir nie gehört«, erklärte Jamie.

»Dann gehören sie dir jetzt.« Brad ließ die Diamantmanschetten in ihre Hand fallen.

»Nein. Ich kann nicht. Ich will sie nicht.«

»Aber klar doch.«

Die kalten Steine fühlten eigenartig warm an auf ihrer Haut. Ihr war, als würden sie Löcher in ihr Fleisch brennen wie winzige Säuretropfen. Eilig legte sie sie in die Schatulle zurück. »Nein, die will ich nicht. Bitte lass uns einfach hier verschwinden.«

Brad zuckte die Achseln. »Okay. Wenn du meinst …«

»Ja, das meine ich.« Jamie verließ das Bad, aber als sie sich noch einmal umdrehte, bemerkte sie, wie Brad etwas in seine Jeanstasche stopfte. Eilig schaltete sie das Licht aus, um nichts mehr sehen zu müssen.

»Gute Nacht, Mrs. Dennison«, flüsterte Brad, als sie an ihrem Bett vorbeikamen. »Schlaf schön, alte Hexe.«

Er hat meine Wut übernommen, als wäre sie seine, dachte Jamie, fragte sich, warum, und musste sich eingestehen, dass sie sich unter anderen Umständen vielleicht sogar geschmeichelt gefühlt hätte. Erleichtert, endlich wieder frei und ohne den Druck der Angst auf der Lunge durchatmen zu können, trat sie in den Flur. Noch eine Minute, und sie würden hier raus sein. Sie konnten die Bonnie-und-Clyde-Nummer vergessen und wieder die Menschen werden, die sie in Wirklichkeit waren.

Aber wer waren sie?

Und wer war *sie*?

»Zeig mir dein altes Zimmer«, sagte Brad plötzlich, und seine Stimme traf Jamie wie ein Glas kaltes Wasser, das ihr jemand in den Nacken gekippt hatte.

»Was?«

»Zeig mir dein altes Zimmer«, wiederholte er und zerrte an ihrem Arm.

»Nein. Lass uns hier verschwinden.«

»Erst, wenn du mir dein Zimmer gezeigt hast.« Er setzte sich mitten im Flur im Schneidersitz auf den beigefarbenen Teppich.

»Was machst du denn, um Gottes willen? Steh auf.«

»Erst wenn du mir versprichst, dass du mir dein Zimmer zeigst.«

»Es ist bloß ein Zimmer«, erwiderte Jamie störrisch, gab jedoch nach, als deutlich wurde, dass er sich nicht rühren würde, bis er seinen Willen bekam. »Okay. Also gut. Ich zeige es dir.«

Er war sofort wieder auf den Beinen und folgte ihr von einem zum anderen Ohr grinsend den Flur hinunter.

Jamie begriff, dass das Ganze für ihn ein großes Spiel war. Er amüsierte sich. »Du denkst, das ist ein Spaß?«, fragte sie fassungslos, als sie vor ihrem alten Zimmer stehen blieb.

»Du nicht?« Brad betrat das Zimmer.

»Nein. Ich will bloß hier weg.«

»Komm schon, Jamie. Es ist ein Kick. Gib es zu.« Er fasste ihre Hand, zog sie ins Zimmer und blieb vor dem Doppelbett stehen. »Habt ihr es hier gemacht?« Er ließ sich auf die schwarz-braune Flickendecke fallen.

Hätte sie die Luft dafür gehabt, hätte Jamie gelacht. »Ja, sicher«, höhnte sie und ließ ihren Blick durch den Raum schweifen. Mit seinen schweren dunklen Möbeln, den matten beigefarbenen Wänden, dem Teppich in einem dunkleren Braun und dem großen Flachbildfernseher an der Wand gegenüber dem Bett war es eigentlich eher ein Jungenzimmer ohne Schnörkel und ohne jede Freundlichkeit. Einmal hatte sie versucht, mit einer Klimt-Reproduktion aus einem Edelposterladen ein wenig Wärme in den Raum zu bringen. Obwohl sie sich nie groß mit Kunst beschäftigt hatte, fand sie das Bild des jungen Paares zärtlich und leidenschaftlich und hoffte, ihre Ehe damit ein wenig zu inspirieren. Sie hatte es über dem Bett aufgehängt. »Schön, nicht?«, hatte sie ihren Mann gefragt, und er hatte genickt, aber am nächsten Tag war das Poster verschwunden.

»Komm, setz dich neben mich«, sagte Brad jetzt leise.

Jamie schüttelte den Kopf. Sie wollte bloß hier weg. Das Wiedersehen mit dem Zimmer weckte ungebetene Erinnerungen: all die Nächte, in denen sie im Dunkeln die Hand ausgestreckt hatte, nur um von ihrem Mann zurückgewiesen zu werden; all die Nächte, in denen sie sich in den Schlaf geweint hatte; all die Morgen, an denen sie aufgewacht war, um festzustellen, dass er bereits mit seiner Mutter gefrühstückt hatte. War sie tatsächlich so wenig liebenswert, dass man ihr nicht einmal ein klein wenig Zuneigung schenken wollte?

Brad klopfte neben sich auf das Bett. »Komm, Jamie. Setz dich zu mir.«

Tränen schossen ihr in die Augen, als Jamie sich von der Zärtlichkeit in seiner Stimme verführen und neben ihm auf das Bett sinken ließ. Sie spürte, wie er einen Arm um ihre

Schulter legte, sie an sich zog, ihre Stirn küsste und ihre Hände in seine nahm.

»Meine arme Jamie«, sagte er und vergrub sein Gesicht an ihrer Brust, während sie in sein dunkles Baumwoll-T-Shirt schluchzte. »Mein armes Jamie-Girl.« Und dann küsste er ihre Haare, ihre Wange und schließlich ihren Mund. Seine Küsse wurden drängender, und er ließ ihre Hände los, um ihre Brüste zu streicheln. Was machte er? Was machte *sie?*

»Nicht, Brad. Lass das.«

»Alles okay, Jamie. Entspann dich.«

»Nein. Was machst du?«

»Du weißt, was ich mache.« Er griff zwischen ihre Beine.

»Nein. Hör auf.«

»Warum?«

»Warum nicht?« *Warum nicht?* »Weil es nicht richtig ist.«

»Mir gefällt es.«

Jamie versuchte, ihn wegzustoßen, aber seine Arme waren wie wild wuchernde Schlingpflanzen, die sie fesselten, sein Mund ein lästiges Insekt, das nicht verschwinden wollte. »Wir können das hier nicht machen.«

»Klar können wir.«

»Nein. Was, wenn sie uns hört? Was, wenn sie aufwacht?«

»Sie hört uns schon nicht. Nicht, wenn du aufhörst, so ein Theater zu machen.« Er zupfte an ihrem T-Shirt und zerrte an ihrer Hose.

»Brad, hör auf.«

»Erzähl mir, was du mit ihm in diesem Bett gemacht hast, Jamie«, sagte er, ohne ihre Proteste zu beachten.

»Brad, ich will das nicht. Hör auf.«

»Das willst du doch gar nicht. Es macht dir genauso viel Spaß wie mir.« Er stieß sie zurück aufs Bett, stieg auf sie und hielt beide Arme über ihrem Kopf fest. »Sag mir, ob du seinen Schwanz gelutscht hast.«

Jamie schüttelte den Kopf und wusste nicht, ob sie schreien oder in Ohnmacht fallen sollte. Mein Gott, wie war sie bloß in diesen Schlamassel geraten? Lass mich nur heil hier rauskommen, betete sie. Ich verspreche, dass ich nie wieder etwas Dummes tun werde.

»Sag mir, ob du seinen Schwanz gelutscht hast«, wiederholte Brad, zerrte ihr T-Shirt über die Brüste und küsste ihre Brustwarzen.

»Ich habe seinen Schwanz gelutscht«, sagte Jamie matt und hoffte, dass ihn das zufrieden stellen würde und er von ihr abließ. Die Berührung von Brads Zunge auf ihrer nackten Haut fing an, ihr eklig zu werden. Schon zum zweiten Mal in dieser Nacht, hatte sie das Gefühl, sich übergeben zu müssen.

»Und hat es ihm gefallen?«

»Ich glaube nicht, nein.«

»Aber dir hat es Spaß gemacht, oder?« Brad zog den Reißverschluss seiner Jeans herunter, zerrte die Hose über seine Hüfte, während er mit mehreren Fingern tief in sie stieß. Es tat weh, und sie schrie laut. »Psst«, warnte er sie und stieß seine Finger noch tiefer in sie. »Das gefällt dir, oder?«

»Nein, das gefällt mir nicht«, erwiderte sie aufrichtig und unter Tränen.

»Klar gefällt es dir. Ich weiß es. Du magst es rau und schmutzig.«

»Nein, mag ich nicht. Hör bitte auf.« Sie spürte, wie er an ihrer Kleidung zerrte.

»Du magst die Gefahr. Gib es zu. Gestern Abend auf dem Parkplatz, das hat dir gefallen, nicht wahr? Wie die Typen dich angeguckt haben.« Er zog seine Finger zurück und drängte sich ihr gewaltsam auf, stieß unerbittlich zu und flüsterte ihr dabei die ganze Zeit ins Ohr. »Du liebst die Gefahr, entdeckt zu werden. Du magst es, es auf diesem Bett zu treiben und deinen Geruch und deine Flecken überall auf der Decke zu hinterlassen. Dir gefällt die Vorstellung, dass die alte Schachtel morgen hier reinkommt, schnuppert und sagt: »Wie riecht es denn hier?« Brad lachte. »Hey, Jamie-Girl«, sagte er und ritt auf ihr – RETTE EIN PFERD, REITE EINEN COWBOY, dachte sie, und eine neue Tränenflut strömte über ihre Wangen –, »glaubst du, sie erinnert sich noch daran, wie Sex riecht?«

Jamie wandte den Kopf zur Seite, schloss die Augen und versuchte sich vorzustellen, dass sie an irgendeinem Strand lag, bis zum Hals im Sand vergraben, vom Hals an taub, aber jedes Mal, wenn sie es beinahe geschafft hatte, sich einzureden, dass das alles nicht passierte, wurden Brads Stöße schneller und heftiger, sodass sie gezwungen war, sich einzugestehen, dass sie tatsächlich im Haus ihrer Exschwiegermutter von einem Mann vergewaltigt wurde, mit dem sie vor wenigen Tagen freiwillig durchgebrannt war, einem Mann, mit dem sie in jeder möglichen Stellung und an jedem möglichen Ort gevögelt hatte, einem Mann, von dem sie ernsthaft geglaubt hatte, dass sie sich in ihn verliebt hatte. Es wäre komisch, wenn es nicht so erbärmlich wäre. So verdammt erbärmlich, dachte sie, während sein Mund wieder ihre Brüste suchte. Er biss in ihre Brustwarze, und sie schrie auf.

»Bist du so weit?«, fragte er, weil er ihren Schmerz für Leidenschaft hielt.

War das möglich? Konnte er wirklich glauben, dass es ihr Spaß machte?

Jamie hielt den Atem an, als Brad sich plötzlich zurückzog, sie auf den Bauch drehte, mit den Fingern ihre Pobacken spreizte, gewaltsam in sie eindrang und ein Loch bis zu ihrem Herzen bohrte. Sie hatte das Gefühl, in zwei Teile gerissen zu werden, als ob jemand ihre Innereien in Flammen gesetzt hätte, und das Feuer raste durch ihren Körper und verbrannte alles auf seinem Weg. Der Schmerz war schier unglaublich, und sie biss in die Überdecke, um ihre Schreie zu dämpfen.

Und dann sackte er mit einem Mal über ihr zusammen

und lachte befriedigt. »Das ist deine Schuld, weil du einen so scharfen Arsch hast«, erklärte er, als er sich aus ihr zurückzog und ihr verspielt auf den Hintern klatschte. Seine Fingerspitzen brannten wie ein Peitschenhieb, und sie wimmerte. »Hey, Jamie. Alles in Ordnung? Ich wusste ja nicht, dass ich in unerforschtes Gebiet vorstoße.«

Jamie sagte nichts. Sie lag auf der braun-schwarzen Überdecke und konnte sich nicht rühren.

»Es ist deine Schuld, weißt du, weil du so verdammt sexy bist«, fuhr Brad fort, zog seinen Reißverschluss zu und strich seine Kleidung glatt. »Du machst mich verrückt. Weißt du das?«

Es ist meine Schuld, wiederholte Jamie stumm.

»Komm schon, mein Mädchen. Du solltest besser aufstehen und dich wieder anziehen. Wir waren jetzt lange genug hier.«

Jamie kämpfte sich mühsam hoch, stieß sich vom Bett ab und rappelte sich auf die Füße. Aber ihre Knie gaben nach, kaum dass sie sich erhoben hatte. »Oh Gott.«

»Vorsicht, Jamie-Girl. Du willst doch keine Blutflecken auf dem Teppich hinterlassen.«

Blut, dachte Jamie. Blutete sie?

»Waschen können wir uns im Hotel«, sagte Brad, zog sie auf die Füße, zerrte ihre Jeans wieder über die Hüften und zog, als ihre Finger jede Mitarbeit verweigerten, den Reißverschluss zu. »Los, komm, lass uns hier abhauen.«

Sie waren schon halb die Treppe hinunter, als sie oben schwere Schritte hörten. Sie drehten sich um und sahen, dass das Licht in Mrs. Dennisons Zimmer anging.

»Oh Gott.«

»Mark? Bist du das?«, rief Mrs. Dennison ängstlich und schaltete das Flurlicht an, als Brad und Jamie die unterste Stufe erreicht hatten. Und dann: »Jamie?«

Jamie erstarrte, als hätte sich ein riesiges Netz über ihren Kopf gesenkt.

»Jamie, bist du das?«

»Raus hier«, brüllte Brad, was Jamie wieder in Bewegung versetzte.

Sie riss die Haustür auf und flüchtete, ohne sich noch einmal umzusehen, in die Nacht hinaus.

Erst als sie sich auf dem Bürgersteig übergab, fiel Jamie auf, dass Brad nicht neben ihr war. Sie blickte die Straße hinunter und sah gerade noch, wie das Licht in Laura Dennisons Zimmer ausging.

19

Anfangs konnte Emma sich gar nicht entscheiden, was sie mit ihrer neuen Freiheit anfangen sollte. Es war lange her, dass sie einen ganzen Sonntag für sich allein gehabt hatte. Als Lily vorgeschlagen hatte, die Jungen für einen Tag zu übernehmen – Frühstück im International House of Pancakes, gefolgt von einem Ausflug ins Art Institute und zum Schluss ein Film – war Emma zunächst dagegen gewesen. Sie konnte Fast Food ebenso wenig leiden wie Kunstmuseen, und der vage, aber hartnäckige Kopfschmerz, der sich in ihrem Nacken festgesetzt hatte, ließ die Vorstellung, mit einem Haufen Fünfjähriger in einem Kino zu sitzen, nicht eben attraktiv erscheinen. Aber wie hätte sie sich weigern sollen, wenn Dylans große braune Augen sie mit so offensichtlicher Sehnsucht anstrahlten und Lily so nett lächelte? »Ich habe einfach noch so viel zu erledigen«, wandte sie ein, während Dylans Gesicht vor Enttäuschung ganz spitz wurde und Tränen in seine Augen schossen. Von meinem akuten Geldmangel ganz zu schweigen, verkniff sich Emma hinzuzufügen. Der Gedanke, das bisschen Geld, das sie hatte, für etwas zu verschwenden, das ihr nicht einmal Spaß machen würde …

»Oh, du musst nicht mitkommen«, hatte Lily ihr fröhlich erklärt, als ob sie Emmas Reaktion erwartet hätte. »Ich kann auch allein mit den Jungen gehen. Ich lade sie ein.«

»Oh nein. Das kann ich nicht annehmen.« Emmas Protest klang selbst in ihren eigenen Ohren matt.

»Natürlich. Du hast gestern Abend auf Michael aufgepasst. Heute bin ich dran.«

»Na, wenn es keine zu großen Umstände macht.«

»Ich will, dass du mitkommst, Mommy«, meldete sich Dylan zu Wort.

»Ich kann nicht, Schätzchen. Ich habe viel zu viel zu tun.«

»Was hast du denn zu tun?«

»Alles Mögliche.« Emma kniete sich vor ihren Sohn. »Aber du hast die Wahl. Möchtest du den Tag mit Michael und seiner Mutter verbringen, ins Kino gehen und all die anderen schönen Sachen machen, oder möchtest du den Tag mit mir verbringen, während ich Erledigungen und lauter langweilige Sachen machen muss? Es ist deine Entscheidung.« Tolle Wahl, dachte sie und hoffte, dass Dylan ähnlich empfand.

»Ich möchte, dass du mitkommst«, erwiderte er, als hätte sie gar nichts gesagt.

»Das ist keine Option.«

»Was ist eine Option?«

»Das heißt, du gehst entweder mit Lily und Michael oder bleibst zu Hause bei mir.«

Ihre Definition von *Option* gefiel Dylan gar nicht, und die nächsten fünf Minuten diskutierten sie in einem immer enger werdenden Kreis, bis er schließlich die einzig vernünftige Wahl traf und mit Lily und ihrem Sohn zum Frühstück im International House of Pancakes aufbrach.

»Um fünf bringe ich ihn zurück«, versprach Lily, während Emma ihren Sohn mit seinem neuen Freund die Straße hinunterverschwinden sah.

Sie war überrascht, wie leicht, beinahe bereitwillig sie ihn hatte gehen lassen, wenn man überlegte, an wie kurzer Leine sie ihn im vergangenen Jahr gehalten hatte. Aber Lily war so nett und verlässlich, dass Emma sich nicht vorstellen konnte, dass ihrem Sohn in ihrer Obhut etwas zustoßen könnte. Emma wusste, dass Lily Dylan behüten würde wie ihr eigenes Kind, und die Vorstellung, acht Stunden ganz für sich alleine zu haben, machte sie heiter und ausgelassen.

Erst als sie später unter der Dusche stand und heißes Wasser über Kopf und Schultern strömen ließ, fiel ihr auf, dass sie Lily gar nicht gefragt hatte, wie der Abend gelaufen war. Das musste sie auch gar nicht. Lily hatte übers ganze Gesicht gestrahlt, als sie um kurz nach acht vor ihrer Tür gestanden hatte, also war das Rendezvous offenbar gut gelaufen. Hoffentlich hatte Lily später ein paar saftige Details zu berichten, obwohl die Tatsache, dass sie schon so früh am Morgen erschienen war, darauf schließen ließ, dass der Detective nicht bei ihr übernachtet hatte. Emma schluckte zwei Kopfschmerztabletten und wischte den beschlagenen Badezimmerspiegel ab. »Ich sehe schrecklich aus«, stellte sie fest.

Ihr Spiegelbild nickte zustimmend. Wann bist du zum letzten Mal beim Frisör gewesen, fragte das Gesicht im Spiegel.

Emma dachte an den neuen Frisörsalon, der unlängst im selben Einkaufszentrum eröffnet hatte, in dem auch Scully's untergebracht war. Wie hieß er noch gleich? Nan's Salon? Nancy's? Nadine's? »Natalie's«, fiel es Emma wieder ein, als sie das große weiße Plakat in dem kleinen Ladenfenster des Salons vor sich sah, das stolz neue Öffnungszeiten verkündete, unter anderem für kurze Zeit auch sonntags von zehn bis siebzehn Uhr. Emma fragte sich, was Natalie für einen Schnitt verlangte. »Ist auch egal. Ich kann es mir nicht leisten, egal was es kostet.«

Klar kannst du dir das leisten, widersprach ihr Spiegelbild. Wie lange ist es her, dass du dir selbst etwas gegönnt hast?

»Zu lang«, sagte Emma laut, zupfte an ihren Haaren und beschloss, weil ihre Kopfschmerzen langsam abklangen, zu dem Einkaufszentrum zu laufen.

Für einen Sonntagmorgen herrschte erstaunlich reger Betrieb in dem Salon, und Natalie war bis mittags ausgebucht, sodass Emma mit einer Stylistin namens Christy vorlieb nahm, die allerdings unter einem noch schlimmeren Kater zu leiden schien als Emma selbst. Vielleicht lag das an der lauten Reggae-Musik im Hintergrund, dachte Emma, als Christy sie zu den Waschbecken im hinteren Teil des Salons führte. Christy war eine schlanke junge Frau in einem gelb-schwarz gestreiften Pulli und einem schwarzen Minirock, zu dem sie eine gelbe Strumpfhose und schwere schwarze Springerstiefel trug. Sie sah aus wie eine riesige Hummel, dachte Emma, als sie sich auf den Stuhl setzte, während die junge Frau ihr einen Umhang umlegte und mit einem Kamm durch ihr frisch gewaschenes Haar fuhr. Das gelb-schwarze Farbmotiv wurde von Christys Kinn wieder aufgenommen, das bis auf ein paar schwarze Mitesser so senfgelb gefärbt war wie der ominöse Ring um ihr linkes Auge.

»Ich bin gestolpert«, sagte Christy, bevor Emma Gelegenheit hatte zu fragen. »Aber das glaubt mir natürlich keiner«, fuhr sie unaufgefordert fort. »Jeder denkt, mein Freund hätte mir eine verpasst, dabei ist der Randy der liebste Junge, den man sich vorstellen kann. Er würde keiner Fliege was zuleide tun. Aber wenn wir zusammen ausgehen, gucken ihn die Leute so komisch an. Das kann man sich echt nicht vorstellen. Es ist lustig, aber auch peinlich. Manchmal würde ich am liebsten ein Schild mit mir rumtragen, auf dem steht: ›Er war's nicht.‹ Mit einem Pfeil in seine Richtung. Wie eins von diesen T-Shirts, auf denen steht: ›Ich bin mit einem Idioten zusammen.‹ Und es macht die Sache natürlich auch nicht besser, dass er aussieht wie ein echter Schläger.«

»Das ist mir auch mal passiert«, berichtete Emma nun. »Ich bin über ein Spielzeug meines Sohnes gestolpert und gegen die Küchentür gefallen. Alle haben gedacht, dass mein Ex dafür verantwortlich war.«

»Sie sind also geschieden«, stellte Christy fest, kämmte Emmas schulterlanges Haar durch und sah sie im Spiegel an. Dann fasste sie Emmas Kinn und drehte es nach rechts und nach links.

»Seit einem Jahr.«

»Echt? Ich war nie verheiratet. Ich meine, wozu, wissen Sie? Es ist nur ein Stück Papier. Und das ganze Theater darüber, dass Schwule heiraten wollen? Ich sage, lass sie doch, wenn sie wollen. Ich meine, sie werden schon ziemlich bald die Einzigen sein, die überhaupt noch heiraten wollen. Woran haben Sie gedacht?«

Erst nach kurzem Stutzen begriff Emma, dass Christy ihre Frisur meinte. »Ich weiß nicht, vielleicht ein paar Zentimeter kürzer im Nacken?«

»Ich denke, wir sollten auch die Seiten ein wenig ausdünnen, um Fasson reinzubringen. Im Augenblick sehen sie für meinen Geschmack ein bisschen zu sehr nach Cockerspaniel-Ohren aus.«

Emma spürte, wie sie sich versteifte. Ihre Frisur erinnerte an die Ohren eines Cockerspaniels? Und das von einer Frau, die aussah wie eine Hummel? »Wie Sie meinen.«

»Oh, ich liebe es, wenn die Leute das sagen.« Sie begann, Emmas Haar mit größerer Entschlossenheit zu kämmen. »Und was machen Sie?«

Emma ging stumm eine Liste von Möglichkeiten durch. Sie konnte sein, was immer ihr beliebte. Ärztin, Anwältin, Polizeikommissarin. Alles, bis auf die Versagerin, die sie war. »Ich bin Schriftstellerin.« Lily hatte bestimmt nichts dagegen, wenn sie sich für eine halbe Stunde ihre Identität borgte. Vielleicht würde sie sich sogar geschmeichelt fühlen.

»Echt? Cool. Was schreiben Sie denn so?«

»Kurzgeschichten und Artikel für Zeitschriften. Im Moment arbeite ich an einem Roman.«

»Das ist wirklich toll. Ich kann Leute mit so einem Talent nur bewundern.« Sie begann, an Emmas dunklen Haaren herumzuschnippeln. »Woher kriegen Sie Ihre Ideen?«

Emma seufzte. Wieso waren die Menschen nie zufrieden, sondern hatten stets das Bedürfnis, noch mehr zu erfahren? Oder genauer gesagt, wieso brachte sie sich immer wieder in diese Lage? Sie wusste, wie dumm und letztendlich destruktiv ihr Verhalten war. Trotzdem konnte sie nicht anders. Denn die Wahrheit – die ganze Wahrheit und nichts als die Wahrheit – war, dass es zu sehr wehtat, wenn sie aufhörte zu lügen. »Schwer zu sagen.«

»Die Sachen fallen Ihnen einfach so aus heiterem Himmel ein?«

Emma hätte beinahe gelacht. »Offenbar schon.«

»Wow. Das ist so interessant.« Christy begann, die Haare an den Seiten von Emmas Kopf zu schneiden. »Und haben Sie jetzt einen Freund?«

Emma nickte. Was soll's, sie hatte sich ohnehin schon knietief reingeritten, dann konnte sie es auch gründlich tun. »Er hat mich gestern Abend zum Essen eingeladen, im Joso's.«

Christy wirkte unbeeindruckt, als hätte sie noch nie vom Joso's gehört, und vielleicht hatte sie das auch nicht. »Ja, und wo haben Sie ihn kennen gelernt?«

»Nebenan bei Scully's.«

»Echt? Diese Jan ist wirklich eine Type, was? Ich würde gern mal ihre Haare in die Hände kriegen und sie ins 21. Jahrhundert ziehen. Und die ganzen Pokale!«

»Ziemlich beeindruckend.«

»Ich habe gehört, ihr Mann hat sie wegen einer Schönheitschirurgin verlassen.«

»Ich glaube, es war die Arzthelferin«, korrigierte Emma sie.

»Das ist bestimmt interessant, glauben Sie nicht auch? Für einen Schönheitschirurgen zu arbeiten.«

»Ach, eigentlich nicht. Ich habe das mal ein paar Jahre lang gemacht«, sagte sie und dachte: Geht das schon wieder los. »So interessant war es auch nicht. Bis auf die Filmstars unter den Patienten natürlich.«

»Echt? Wer denn zum Beispiel?«

Emma schüttelte den Kopf. Würde sie es nie lernen? »Das darf ich wirklich nicht sagen.«

Christy zog ein enttäuschtes Gesicht, das aussah wie eine Kopie von Dylans Miene, wenn er seinen Willen nicht bekam. »Und was haben die ganzen Filmstars hier in Ohio gemacht?«

»Ich habe damals noch in Kalifornien gelebt.«

Christys Gesicht sagte: Klar, das hätte ich mir denken können. »Sie ziehen vermutlich oft um.«

»Glaub schon.«

»Dann haben Sie immer neuen Stoff, über den Sie schreiben können.«

»Mag sein«, sagte Emma, der die Unterhaltung langsam langweilig wurde. Das war das andere Problem mit dem Lügen. Es war anstrengend. Sie schloss die Augen und grunzte in angemessenen Abständen, um zu zeigen, dass sie weiter zuhörte, während sie sich in Wahrheit längst aus dem nunmehr einseitigen Gespräch ausgeschaltet hatte. Christy bemerkte es offenbar nicht, und wenn, machte es ihr nichts aus. Sie plapperte die ganze Zeit unverdrossen weiter, ihre Stimme war wie ein Beruhigungsmittel, das Emma in einen Zustand seligen Halbschlafs versetzte.

Emma malte sich aus, auf einer rosafarbenen Luftmatratze liegend auf einem klaren blauen Meer zu treiben. Die Reggaemusik aus dem Lautsprecher wurde zu einer Band, die live auf dem Oberdeck einer Yacht in der Nähe spielte, wo eine Party in vollem Gange war. Jemand warf ein Glas Sekt über Bord, Emma fing es auf und prostete dem gut aussehenden Kapitän des Schiffes zu, während ein heißer Wind in ihr Ohr blies und Meerjungfrauen mit ihren Haaren spielten.

»Und, was meinen Sie?«, fragte eine Stimme, die wie ein Skalpell in ihre Träume schnitt.

Emma schlug die Augen auf, während Christy den Föhn auf den Tisch legte. Sie beugte sich auf ihrem Stuhl vor und staunte über ihren neuen, etliche Zentimeter kürzeren, klar konturierten und an den Seiten sanft abgestuften Schnitt. »Sehr schön. Ich bin begeistert.«

Christy lächelte stolz, als sie Emma den schwarzen Umhang abnahm. »Wollen Sie Ihren nächsten Termin schon machen? In etwa sechs Wochen, würde ich sagen.«

Sechs Wochen? Emma versuchte sich zu erinnern, wann sie zum letzten Mal etwas so lange im Voraus geplant hatte. Denn wer wusste schließlich, wo sie in sechs Wochen sein würde? Trotzdem fühlte sie sich zum ersten Mal seit mehr als einem Jahr wenn nicht sicher, so doch ein wenig gefestigter. Sie war nicht glücklich, aber doch zumindest ein wenig zuversichtlich. Ihre Welt kam ihr nicht mehr so isoliert und verschlossen vor, sondern schien sich vielmehr auszuweiten. Sie hatte eine neue Freundin und würde vielleicht weitere kennen lernen. Und was noch wichtiger war, ihr Sohn hatte einen neuen Freund. Vielleicht würden seine Albträume bald aufhören, genau wie der Albtraum, der das letzte Jahr für sie beide gewesen war. Sie lächelte ihr Spiegelbild an. Um sich das Gefühl zu vermitteln, dass die Welt eigentlich ganz in Ordnung war, gab es doch nichts Besseres als eine neue Frisur. »In sechs Wochen. Klar. Warum nicht?«

Emma schwebte aus dem Salon und blieb vor dem Fenster von Marshalls-Discount-Warenhaus stehen – jetzt noch eine neue Frühlingsgarderobe zu dem neuen Haarschnitt, dachte sie sehnsüchtig –, bevor sie widerwillig weiterging. Sie kam bei Scully's vorbei und winkte Jan zu, die mit einem orangefarben leuchtenden Stirnband, passend zu knallorangefarbenen Lippen, hinter dem Empfangstresen stand.

Jan winkte sie lächelnd herein. »Hi. Schon mal über eine Mitgliedschaft nachgedacht? Wir haben ein Einführungssonderangebot. Nur zweihundertfünfzig Dollar Aufnahmegebühr und dreißig Dollar Monatsbeitrag, dazu gratis einen Kaffeebecher und ein T-Shirt.« Sie griff unter den Tresen und stellte einen großen schwarzen Becher mit der goldenen Aufschrift *Scully's* auf den Tresen.

Emma lachte. Gab die Frau nie auf? »Ich war gerade bei

Natalie's. Hab mir die Haare schneiden lassen«, fügte sie hinzu, als Jan stumm blieb. »Und?«

»Sehr nett. Jetzt fehlt nur noch ein flacher Bauch.« Jan klopfte sich zur Betonung auf den eigenen flachen Unterleib. »Bei Interesse könnte ich Ihnen ein persönliches Programm zusammenstellen, mit dem Sie im Handumdrehen so fit sind wie nie zuvor in Ihrem Leben.«

Emma wurde mit einem Mal klar, dass Jan keine Ahnung hatte, wer sie war. Obwohl sie vor zwei Tagen einen ganzen Abend miteinander verbracht hatten, erkannte Jan sie nicht wieder. Es musste die neue Frisur sein, beruhigte Emma sich und grübelte, warum sie nie einen bleibenden Eindruck hinterließ. »Jan, ich bin's, Emma«, sagte sie, ohne die Ungeduld in ihrer Stimme verbergen zu können. »Wir haben uns neulich abends kennen gelernt. Bei Lily.«

»Natürlich«, sagte Jan, ohne mit der Wimper zu zucken, obwohl ihre Augen sie verrieten. »Ich wollte dich bloß ärgern. Suchst du Lily?«, fuhr sie fort und blickte zum Trainingsraum, als wünschte sie, durch die Scheibe schlüpfen zu können. »Sie kommt sonntags nicht.«

»Sonst offenbar auch nicht so viele«, stellte Emma mit einem Blick auf die einsame Frau mittleren Alters auf dem Laufband fest und bemühte sich, nicht allzu schadenfroh zu klingen. Eine Retourkutsche dafür, dass Jan sie nicht erkannt hatte, dachte sie. »Ist es sonntags immer so ruhig?«

»Es ist noch früh. Es wird bestimmt bald voller.«

Emma schlenderte zu der Vitrine mit Jans zahlreichen Pokalen. »Hast du die alle tatsächlich gewonnen?«

Sofort hellte Jans Miene sich auf. »Und ob.« Sie kam um den Tresen herum und stolzierte auf hochhackigen pinkfarbenen Sandaletten, die sie zu engen grauen Leggins trug, zu dem Schrank mit ihren Trophäen.

»Wie viele sind es?«

»Oh, ich habe irgendwann aufgehört mitzuzählen. Mindestens dreißig.« Jan schloss die Vitrine mit einem kleinen

Schlüssel auf, der an einem spiralförmigen hellgrünen Gummiband um ihr Handgelenk baumelte. »Und zu Hause habe ich mindestens noch mal so viele.«

»Wofür hast du sie bekommen?«

»Oh, für alles Mögliche.« Jan nahm eine kleine Bronzestatue einer posierenden Bodybuilderin aus der Vitrine. »Diese hier ist für Mrs. Ohio Bodybuilder. Und die« – sie stellte die Statue zurück und nahm eine große Silberschale aus dem Schrank – »habe ich vor vier Jahren bei einem Wettbewerb in Boulder, Colorado, gewonnen.« Das Telefon klingelte. »Entschuldigst du mich einen Moment?« Sie stellte die Schale wieder in die Vitrine und rannte zum Tresen, um das Telefon abzunehmen. »Hallo? Noah?« Sie legte die Hand auf die Sprechmuschel und wandte sich wieder an Emma. »Mein Neffe«, erklärte sie stolz. »Er hat gerade seinen Abschluss am M. I. T. gemacht.«

Emma nickte vorgeblich beeindruckt.

»Du hast zwei Jobangebote?«, wiederholte Jan lächelnd und hielt zwei erhobene Finger in Emmas Richtung. »Das ist wunderbar. Und du willst meinen Rat?« Sie straffte die Schultern und zwinkerte Emma zu. »Okay, Job Nummer eins ist nicht besonders aufregend, aber bei einem großen Unternehmen, das ein fettes Gehalt bezahlt. Und Job Nummer zwei bringt so gut wie gar nichts ein, klingt aber wirklich interessant und würde dir deiner Ansicht nach sehr viel Spaß machen. Und du weißt schon, was ich dir raten werde, weißt aber immer noch nicht genau, was du machen sollst.« Jan wirkte ein bisschen verdutzt. »Und was glaubst du, zu welchem Job ich dir raten würde?« Nach einer kurzen Pause schüttelte sie ungeduldig ihre roten Locken. »Du glaubst, ich würde dir raten, den Job zu nehmen, der praktisch nichts einbringt, dir aber viel Spaß machen würde? Bist du denn verrückt?«, rief Jan fassungslos und warf eine Hand in die Luft. »Wer sagt, dass du ein Recht auf Spaß hast? Ich will, dass du Geld zum Leben hast, Herrgott noch mal. Ich möchte, dass du für dich selber sorgen kannst. Ich möchte, dass du auf eigenen Füßen stehst.«

Emma schlich vorsichtig Richtung Eingangstür. ›Ich lass dich besser allein‹, flüsterte sie, öffnete die Tür und trat hinaus.

»Warte«, meinte sie Jan rufen gehört zu haben, als die Tür zufiel, aber Emma hatte kein Interesse, noch irgendetwas über Jans Neffen zu hören oder eine weitere Trophäe zu bewundern.

»›Wer sagt, dass du ein Recht auf Spaß hast?‹«, wiederholte sie ungläubig und wollte sich schon auf den Rückweg zur Mad River Road machen, als sie unvermittelt stehen blieb, kehrtmachte und entschlossen zurück zu Marshalls marschierte. »Verdammt, warum sollten wir es uns *nicht* gut gehen lassen?« Sie zog die Tür des Discount-Warenhauses auf und steuerte einen Ständer mit Sommerkleidern an. Schließlich machte sie so was nicht jeden Tag, nicht einmal jeden Monat. Wann hatte sie sich zum letzten Mal etwas gekauft? Wann hatte sie sich zum letzten Mal ein schickes Sommerkleid gegönnt? Sie warf einen Blick auf das Preisschild eines weiß und pflaumenfarben geblümten Kleids, das selbst für 120 Dollar noch 100 Dollar mehr kostete, als sie es sich leisten konnte. Aber es konnte ja nicht schaden, es einmal anzuprobieren, einfach so zum Spaß. Sie suchte ein Kleid ihrer Größe heraus, warf es über den Arm und schlenderte zum nächsten Ständer, wo sie ein blass aprikosenfarbenes Twinset auswählte. So ging sie weiter durch die Reihen und stapelte die ausgesuchten Kleidungsstücke bis auf einen feinen, grünen Chiffonschal schließlich in einen Einkaufswagen. Sie konnte immer behaupten, dass sie ihn anprobiert und vergessen hätte, obwohl die fuchsienfarbene Seidenbluse, die sie unauffällig in ihre Handtasche gestopft hatte, schon schwieriger zu erklären wäre.

Sie schob den Wagen zu den Umkleidekabinen und wartete in einer kurzen Schlange von Frauen auf eine leere Kabine.

»Nur jeweils fünf Kleidungsstücke«, erklärte eine Verkäuferin ihr.

Emma ging die Sachen in ihrem Einkaufswagen durch. »Ich weiß gar nicht, was ich zuerst anprobieren soll.«

»Das kenne ich. Um diese Jahreszeit gibt es so viele schöne Sachen.«

Emma wählte fünf Kleidungsstücke aus, darunter auch das Sommerkleid, und hielt sie der Verkäuferin zur Kontrolle hin.

»Ich bin ganz verliebt in dieses Kleid«, sagte die Frau, als sie ihr die Sachen zurückgab.

»Hinreißend, nicht wahr? Könnten Sie die Größe noch einmal überprüfen? Sechs? Ohne meine Brille bin ich blind wie eine Fledermaus.«

Als die Verkäuferin das Etikett suchte, schob Emma das aprikosenfarbene Twinset unter die Sachen, die sie zur Mitnahme in die Umkleidekabine ausgewählt hatte. »Ja, hier ist es. Größe sechs. Ich wünschte, das würde mir noch passen«, sagte sie wehmütig.

»Ich finde, Sie sehen toll aus«, sagte Emma und schaffte es sogar, aufrichtig zu klingen. Sie hätte einen Rock anziehen sollen, einen dieser weiten bauschigen Teile, unter denen man leicht Sachen verstecken konnte. Sie könnte mit dem halben Laden wieder abziehen, anstatt nur mit ein paar wenigen Sachen. Darunter hoffentlich das aprikosenfarbene Twinset, dachte sie, als sie ihr weißes T-Shirt aus- und stattdessen den ärmellosen Pulli anzog, in die Ärmel der passenden Strickjacke schlüpfte, sich im Spiegel bewunderte und beschloss, dass ihr gefiel, was sie sah. »Gekauft«, sagte sie zu ihrem Spiegelbild, entschlossen, die ungebetene kleine Stimme in ihrem Kopf zu überhören, die sie daran erinnerte, dass sie geschworen hatte, so etwas nie wieder zu tun. Anschließend probierte sie die anderen Sachen an und wiederholte die ganze Prozedur dann noch einmal, wobei es ihr gelang, zwei weitere Kleidungsstücke auf die Seite zu schaffen.

»Nehmen Sie das Kleid nicht?«, fragte die Verkäuferin, als Emma zum letzten Mal aus der Umkleidekabine trat.

»Es sitzt leider nicht richtig«, sagte Emma und dachte: Gott sei Dank. Es hätte ihr das Herz gebrochen, das Kleid hier zu lassen, wenn es gut ausgesehen hätte, aber sie hätte es nie unentdeckt aus dem Laden schmuggeln können. Jedenfalls nicht heute.

»Und sonst war gar nichts dabei?«

»Es gibt so Tage.«

»Na, dann wünsche ich beim nächsten Mal mehr Glück«, sagte die Verkäuferin.

Lächelnd verließ Emma den Bereich der Umkleidekabinen. Der Tag gestaltete sich immer besser. Sie hatte immer noch einen ganzen freien Nachmittag vor sich, dazu eine schicke neue Frisur und ein paar neue Klamotten. Sobald sie einen Job fand und Geld verdiente, würde sie Marshalls einen anonymen Scheck zur Deckung der gestohlenen Waren schicken.

Und da sie am Ende ohnehin dafür bezahlen würde, konnte sie gleich noch ein wenig Schmuck zu ihren neuen Kleidern aussuchen, dachte sie und blieb vor einem Paar baumelnder goldener Ohrringe stehen. »Kann ich mir die mal anschauen?«, fragte sie die Verkäuferin hinter dem Tresen.

Das Mädchen, das noch keine zwanzig war und in dessen Ohrläppchen sich ein bunter Reigen von Kristallsteckern drängte, nahm die Ohrringe erstaunlich behutsam aus der Vitrine. Emma bemerkte, dass weitere Glaskristalle die erschreckend langen, dunkelroten Fingernägel des Mädchens zierten und ein einzelner roter Glasstein aus einer Seite ihrer breiten Nase ragte wie eine große Sommersprosse.

»Wie viel kosten die?« Emma hielt die Ohrringe neben ihr Gesicht und betrachtete ihr Bild in dem kleinen Spiegel auf dem Tresen.

»Fünfzig Dollar.«

»Das ist aber eine Menge.«

»Es sind echte Perlen«, sagte das Mädchen.

Emma hätte beinahe gelacht. Als ob dieses Mädchen eine Perle von einer Erdnuss unterscheiden könnte, dachte sie. »Und was ist mit denen?« Sie zeigte auf ein Paar rosafarbener Herzen aus Bergkristall. »Und die?« Diesmal handelte es sich um ein Paar winziger blauer Blumen. »Kann ich die auch noch sehen?« Emma hielt sich die verschiedenen Ohrringe ans Ohr, drehte ihren Kopf hin und her und freute sich daran, wie jedes Paar den eleganten Schwung ihres langen Halses betonte. Vielleicht waren sie nicht so teuer wie die »Perlen«. Vielleicht konnte sie sich die tatsächlich leisten? »Wie viel kosten die?«

»Die Herzen kosten fünfundsechzig, die Blumen fünfzig.«

»Autsch.« So viel zum Thema bezahlbar. Sie legte sie wieder auf den Tresen und beschloss unvermittelt, auch die anderen Sachen zurückzugeben. Ich bin nicht mehr das Mädchen von damals, ermahnte sie sich. Ich nehme keine Sachen mehr, die mir nicht gehören.

»Verzeihung«, rief am anderen Ende des Tresens ein Kunde. »Kann mir vielleicht irgendjemand helfen?«

Das Mädchen drehte den Kopf in die Richtung, und Emma wischte, ohne nachzudenken, die rosafarbenen Ohrringe vom Tresen in ihre Jackentasche. »Gehen Sie nur«, erklärte sie der Verkäuferin großzügig. »Ich komme ein anderes Mal wieder.« So viel zu dem Vorsatz, eine neue Seite aufzuschlagen.

Sie war schon fast am Ausgang, als sie eine Hand auf der Schulter spürte. »Verzeihung«, sagte eine männliche Stimme unheilvoll. »Ich glaube, Sie kommen besser mit mir.«

20

Als Jamie die Augen aufschlug, stand Brad neben dem Bett und starrte auf sie herab.

»Na, sieh an, wer da endlich aufgewacht ist.«

Jamie sagte nichts.

Brad ließ sich neben sie aufs Bett fallen. Die Bewegung durchfuhr Jamie wie der Stoß eines Bajonetts, und sie musste sich auf die Lippe beißen, um nicht vor Schmerz aufzuheulen. »Ah, komm, Jamie. Du bist doch nicht immer noch sauer auf mich wegen gestern Nacht, oder?« Er strich ihr sanft einige Haarsträhnen aus der Stirn.

Jeder Muskel in Jamies Körper zog sich zusammen und jagte schmerzhafte Krämpfe von den Zehen zu den Fingerspitzen, obwohl sie sich kaum bewegte. »Wie spät ist es?«, fragte sie mit schwer belegter Stimme.

»Schon fast zwölf«, sagte Brad und lachte. »Kriege ich keine Bonuspunkte dafür, dass ich dich so lange hab schlafen lassen?«

»Zwölf Uhr«, wiederholte sie, aber die Worte schienen sinnlos und sagten ihr nichts. Was bedeutete es, dass es zwölf Uhr war? Was bedeutete irgendetwas?

»Zeit, dass die Karawane weiterzieht.«

Zeit, dass die Karawane weiterzieht, wiederholte Jamie stumm und fragte sich, welche Karawane und wohin weiter.

»Los, Jamie. Wir müssen das Zimmer bis eins geräumt haben.«

Brad stand auf, ging zu der Kommode und warf ein paar Kleidungsstücke, die Jamie am Vortag getragen hatte, aufs Bett. »Zieh dich an. Wir wollen los.«

An der Entschiedenheit in seiner Stimme erkannte Jamie, dass ihm langsam die Geduld ausging, und sie versuchte, sich zu bewegen, einen Fuß aus dem Bett zu strecken, sich auf die Ellbogen zu stützen und aufzurichten, aber es war, als wären alle ihre Gliedmaßen eingegipst worden, während sie geschlafen hatte. Ihre Arme waren wie Anker, die sie nach unten zogen, jede noch so kleine Anstrengung ließ sie nur tiefer und tiefer in einen endlosen Abgrund sinken. Wenn dem nur so wäre, dachte sie, als Brad ihr die dünne Decke vom nackten Leib zog. Die Klimaanlage pustete geräuschvoll kalte Luft auf ihre entblößte Haut, sodass sie überall eine Gänsehaut bekam.

»Steh auf, Jamie. Sofort.«

»Ich muss noch duschen«, murmelte sie, ohne sich zu rühren.

»Was – soll das ein Witz sein? Schon wieder duschen? Du hast die halbe verdammte Nacht unter der Dusche gestanden.«

»Ich muss duschen«, beharrte Jamie und war selbst überrascht, sich unvermittelt auf den Beinen zu sehen. Sie schlurfte am Bett lang, stützte sich an der Wand ab und versuchte, die unsichtbaren Rasierklingen zu ignorieren, die ihre Schenkel aufschlitzten, genau wie die Messer, die ihr in den Rücken stachen.

»Ich gebe dir fünf Minuten«, sagte Brad.

Im Vorbeigehen sah Jamie sich kurz im Spiegel und erkannte das geschwollene Gesicht und die gehetzten Augen, die zurückstarrten, kaum wieder. Wären da nicht die goldenen Perlohrringe gewesen, die unter ihrem zerwühlten Haar hervorlugten, hätte sie die Erscheinung vielleicht als bloßes Phantom ihrer völlig erschöpften Fantasie abtun können.

»Hey, Jamie«, sagte Brad, als sie an ihm vorbeiging. »Ich liebe dich. Das weißt du doch, oder?«

Jamie beugte sich jählings vornüber, weil sie von einem

trockenen Würgen gepackt wurde, das sie auf die Knie zwang und keuchend nach Luft schnappen ließ.

Brad war sofort bei ihr, legte fürsorglich einen Arm um sie und zog sie hoch. »Also wirklich, Jamie-Girl. So reagiert man aber nicht, wenn einem ein Mann seine Liebe erklärt.«

Jamie wand sich aus seiner Umarmung.

»Ach, komm, Jamie. Sei doch nicht so.«

Jamie fuhr herum, und ihre Blicke schrien heraus, was sie nicht über die Lippen brachte. *Sei doch nicht so? Sei doch nicht so?!*

»Komm schon, Jamie. So schlimm war es auch wieder nicht. Irgendwie hat es doch auch Spaß gemacht.«

Jamie traute ihren Ohren kaum. Meinte er das ernst? Hatte er wirklich das Wort *Spaß* verwendet, um zu beschreiben, was er ihr gestern Nacht angetan hatte? »*Spaß?*«, hörte sie sich schreien. »Du hast mich vergewaltigt, verdammt noch mal.«

»Ach, nenn es nicht so. Komm schon, Jamie. Es hat dir gefallen. Zumindest ein wenig. Gib es zu.«

»Wie kannst du das sagen? Wie kannst du das auch nur denken?«

»Weil ich die Frauen kenne«, sagte er geheimnisvoll und fügte noch ominöser hinzu: »Weil ich dich kenne.«

Stimmte das, fragte Jamie sich. War es möglich, dass ein praktisch Fremder sie besser kannte als sie sich selbst? Dass er in dem Moment, in dem er sie zum ersten Mal gesehen hatte, etwas in ihr erkannt hatte – ihre Schwäche nämlich – und lediglich seinen Instinkten folgte? *Das ist alles deine Schuld,* hörte sie ihn sagen, als sie die kalten Fliesen des Badezimmerfußbodens betrat und die Tür zumachte.

»Nicht abschließen«, rief Brad ihr nach.

Jamie hatte die Hand am Schloss. Mit einer Drehung konnte sie ihn aussperren, zumindest vorübergehend. Und vielleicht würde er des Wartens, Lockens und Klopfens überdrüssig werden. Vielleicht würde ein Zimmermädchen kommen, um das Zimmer sauber zu machen. Wenn sie anfing, aus Leibeskräften zu schreien, würde er vielleicht in Panik geraten und abhauen. Aber wahrscheinlich würde er einfach die Tür eintreten, sie an den Haaren packen und aufs Bett schleudern. Und was dann? Eine Wiederholung des *Spaßes* von gestern Nacht? »Oh Gott«, stöhnte sie und ließ die Hände sinken, während Tränen auf mittlerweile vertrauten Bahnen über ihre Wangen strömten.

»Hey, Jamie«, rief Brad vor der Tür. »Soll ich reinkommen und dir den Rücken schrubben?«

Jamie sagte nichts, sondern zog den durchsichtigen Plastikvorhang beiseite, stieg in die Wanne, drehte den Wasserhahn auf und spürte, wie das Wasser abwechselnd heiß und kalt auf sie herabströmte. Sie öffnete ihren Mund, ließ ihn voll Wasser laufen und fragte sich, ob man so tatsächlich ertrinken konnte. Sie drehte sich um und spürte, wie das Wasser an ihrem Rücken herunter zwischen ihre Pobacken floss. »Oh Gott«, rief sie noch einmal, und eine neue Tränenflut strömte über ihre Wangen. Sie strich sich die nassen Haare aus dem Gesicht und streifte dabei die goldenen Perlohrringe. »Was habe ich getan?«, rief sie.

Dieselbe Frage hatte sie sich schon die ganze Nacht gestellt.

Was war passiert? Was hatte sie getan?

Sie hatten in ihrem Motelbett geschlafen. Es war nicht gerade das Ritz, aber es war sauber und das Bett bequem. Und dann hatte Brad ihr plötzlich ins Ohr geflüstert, ihr seine Liebe erklärt und sie damit unter der Decke hervor in die kühle Nacht gelockt. Er war durch die Stadt gefahren, in die Magnolia Lane eingebogen, hatte ihr seinen Plan dargelegt und ihre Proteste ignoriert. Er war ausgestiegen, sie war ihm gefolgt und hatte sich dabei eingeredet, dass er irgendwann plötzlich innehalten, sich umdrehen und ihr erklären würde, dass das Ganze nur ein Witz war.

Aber er war nicht stehen geblieben, und wenig später waren sie im Haus, die Alarmanlage ging los, und sie gab den Code ein. Den Code, den Mrs. Dennison leicht hätte ändern können, den sie hätte ändern *sollen*. Warum hatte sie den verdammten Code nicht geändert? Der ganze Schlamassel wäre nie passiert, wenn Laura Dennison einfach ihre Geheimzahl geändert hätte. Der Warnton wäre zu einem lauten Sirenenheulen angeschwollen, und sie und Brad wären in der Dunkelheit geflohen und hätten auf dem Rückweg zum Hotel laut gelacht. *Wie dumm war das?*, konnte sie sie kichern hören, während sie zurück ins Bett fielen. *Wie dumm war das?*

Aber Mrs. Dennison hatte den Code nicht geändert und war auch nicht aufgewacht. Jedenfalls nicht, als Jamie und Brad durchs Erdgeschoss gegeistert waren, und auch nicht, als sie neben ihrem Bett gestanden und die Schubladen ihrer Kommode durchwühlt hatten.

Unter dem stetigen Strom der Dusche sah Jamie vor ihrem inneren Auge, wie sie die Hand nach den goldenen Perlohrringen in der roten Schatulle ausstreckte und sie an ihre Ohren steckte. Sie sah, wie Brad die Diamantmanschettenknöpfe in seiner Hosentasche verschwinden ließ, wie er sich mitten im Flur auf den Boden setzte und sich störrisch weigerte, sich zu rühren, bis sie ihm ihr altes Zimmer zeigte. Und dann das Zimmer selbst mit seinen beigefarbenen Wänden und dem grässlichen braun-schwarzen Überwurf.

Komm, setz dich zu mir.

Nicht, Brad. Lass das.

Alles okay, Jamie. Entspann dich.

Nein. Hör auf.

Erzähl mir, was du mit ihm in diesem Bett gemacht hast, Jamie.

Brad, ich mag das nicht. Hör bitte auf.

Klar gefällt es dir. Es macht dir genauso viel Spaß wie mir. Du magst es rau und schmutzig.

Nein, mag ich nicht. Hör bitte auf.

Bist du so weit?

Der abgestandene Geruch des Stoffs, der in ihre Nase drängte, als er sie von hinten bestieg. Der brennende Schmerz und das Feuer, die unkontrolliert in ihrem Körper wüteten, ihre Eingeweide ausradierten und sie zerfetzt und blutend zurückließen. Wie tot.

Das ist deine Schuld, weißt du.

Es ist meine Schuld.

Ein lautes Pochen an der Tür. »Hey, Jamie, wie lange willst du da drinnen noch machen?«

Jamies Kopf schnellte in Richtung des Geräuschs herum. Sie begann, ihre Brüste einzuseifen, um das Brennen abzuwaschen, das seine Zähne auf ihren Brustwarzen hinterlassen hatten.

Sie hörte Mrs. Dennisons Stimme vom oberen Treppenabsatz – »Jamie? Bist du das?« – und sah sich aus dem Haus stürzen, sich neben ihrem Wagen krümmen und übergeben, bevor sie, unfähig, sich zu rühren, auf dem Bürgersteig zusammenbrach.

Wohin konnte sie gehen?

Zur Polizei? Und was sollte sie sagen? Dass sie vergewaltigt worden war? Anal vergewaltigt im Haus ihrer Exschwiegermutter, in das sie eingebrochen waren, um die goldenen Perlohrringe zu stehlen, die jetzt schmerzhaft an ihren Ohren rieben? Dass sie den Tatort fluchtartig verlassen hatte, während sich ihr Liebhaber um die Frau kümmerte? Dass alles, was in dieser Nacht geschehen war, nicht ihre Schuld war?

»Noch zwei Minuten, Jamie. Dann komme ich rein«, warnte Brad sie.

Und dann war er plötzlich neben ihr gewesen und hatte ihr behutsam in den Wagen geholfen. Das Gesicht ans Beifahrerfenster gepresst hatte sie in der Scheibe sein Lächeln gesehen und gespürt, wie der Motor angelassen wurde und sie mit seinem Brummen einhüllte, als sie losfuhren. Sie hörte sein Lachen und aufgeregtes Fingerschnippen, als er triumphierend auf das Lenkrad trommelte. »Wow. Das war echt mal was«, sagte er und lachte erneut.

Irgendwann fand sie ihre Stimme wieder. »Was ist passiert?«

»Was glaubst du denn, was passiert ist?«

»Oh Gott.« Ein leises Stöhnen entwich ihrer Kehle und hallte im Wagen wider.

Brad drückte ihren Oberschenkel. »Entspann dich, Jamie. Nichts ist passiert.« Und wieder lachte er.

»Was soll das heißen?«

»Das soll heißen, dass nichts passiert ist.«

»Aber sie hat uns gesehen. Sie hat mich gesehen.«

»Sie dachte, sie hätte dich gesehen. Ich habe ihr erklärt, dass sie sich geirrt hat.«

»Wie? Was hast du gemacht?«

»Ich kann sehr überzeugend sein.«

»Du hast ihr nicht wehgetan.«

»Das war gar nicht nötig.« Er zuckte die Achseln und bog an der nächsten Ecke rechts ab.

»Das verstehe ich nicht. Was hast du zu ihr gesagt?«

»Ich habe ihr erklärt, dass das Ganze ein Irrtum sei und ich ihr, wenn sie die Polizei nicht ruft, versprechen würde, nicht zurückzukommen und ihr den Hals umzudrehen. Sie schien sehr kooperativ.«

»Das ist alles?«

»Mehr oder weniger.«

»Wie viel mehr?«, fragte Jamie mit angehaltenem Atem.

»Nichts, worüber du dir Sorgen machen musst, Jamie-Girl.«

»Aber du schwörst, dass du ihr nicht wehgetan hast?«, fragte Jamie noch einmal flehend.

»Das habe ich dir doch schon gesagt, oder nicht?«

War das möglich, fragte Jamie sich jetzt, so wie es ihr schon in der vergangenen Nacht irgendwie gelungen war, die Geschichte zu glauben.

Sie waren zum Motel zurückgefahren, wo sie nicht die Kraft aufgebracht hatte, die Wagentür zu öffnen, sodass er ihr die Tür aufhalten, auf die Beine helfen und ihren Ellenbogen stützen musste, als sie auf wackeligen Beinen zu ihrem Zimmer gestolpert war. Dort war sie unverzüglich unter die Dusche getaumelt und hatte sich die Kleider vom Leib gerissen. Beim Anblick der Blutflecken in ihrem Slip, der dunklen Blutergüsse an ihren Brüsten, Armen und Oberschenkeln und dem getrockneten Blut an ihrem Hintern hatte sie sich noch einmal übergeben, obwohl ihr Magen so gut wie leer war. Sie hatte sich auf den kleinen weißen Fliesen des Badezimmers zusammengerollt, die Knie an die Brust gezogen und hemmungslos geweint, wobei sie den Mund auf ihr Knie gepresst hatte, um ihr Schluchzen zu dämpfen. Erst als Brad gedroht hatte hereinzukommen, hatte sie sich hochgerappelt und war unter die Dusche gestiegen, wo sie blieb, bis das Wasser kalt wurde, und noch länger, bis sie schließlich hörte, wie die Tür aufging und Brad hereinkam, seine Umrisse hinter dem durchsichtigen Duschvorhang aus Plastik verzerrt. Der wahre Brad Fisher, dachte sie, als er den Vorhang aufriss und, plötzlich gestochen scharf, das Wasser abdrehte. Der Teufel, dachte sie.

Und sie war seine Jüngerin.

Er behandelte sie überraschend sanft, tupfte sie mit sämtlichen verfügbaren Handtüchern trocken, brachte sie ins Bett und deckte sie zu, bevor er sich neben sie legte und sie in die Arme nahm, bis sie aufhörte zu zittern und sich dem Schlaf ergab.

»Jamie«, rief Brad noch einmal, und ein kalter Luftzug kam mit ihm ins Bad.

Jamie drehte das Wasser ab und hüllte sich in den Duschvorhang.

»Zeit zu gehen«, sagte er.

Sie nickte und wartete, bis er das Bad wieder verlassen hatte, bevor sie aus der Wanne stieg und sich mit einem blutverschmierten Handtuch abtrocknete. Wohin fuhren sie, fragte sie sich. Wollte er die Reise ernsthaft fortsetzen? Als ob gestern Nacht nie geschehen wäre? Als ob sie nicht bei Laura Dennison eingebrochen wären und ihren Schmuck geraubt hätten? Als ob er sie nicht im Bett ihres Exmannes vergewaltigt hätte?

Komm schon, Jamie. So schlimm war es auch wieder nicht. Rückblickend hat es doch auch irgendwie Spaß gemacht.

Die Tür wurde einen Spalt geöffnet, und Brad warf ihr ihre Jeans und ein T-Shirt sowie frische Unterwäsche herein. Jamie zog sich an, putzte sich die Zähne, bis ihr Zahnfleisch blutete, und kämmte sich die Haare, bis die Kopfhaut brannte. Kleine Blutströpfchen bildeten sich an ihren Ohrläppchen, als sie die Ohrringe abnahm und auf den Waschbeckenrand legte.

»Wohin fahren wir?«, fragte sie, als sie ins Zimmer zurückkam.

Brad sah sie fragend an. »Wie meinst du das? Du weißt doch, wohin wir fahren.«

»Wir fahren immer noch nach Ohio.«

»Selbstverständlich. Ich dachte, du wolltest meinen Sohn kennen lernen.«

»Aber nach gestern Nacht ...«

»Wie lange willst du noch wegen gestern Nacht rumlamentieren?«, fragte Brad ungeduldig, hielt ihr die Zimmertür auf, führte sie, ihre Reisetasche hinter sich herziehend, zum Wagen. Die Tasche holperte auf ihren Rollen über den Bürgersteig und kippte irgendwann ganz um, als ob auch sie nur widerstrebend weiterwollte. »Steig ein«, befahl Brad Jamie, die einen kurzen Moment an Flucht gedacht hatte. Denn welchen Sinn sollte das Ganze haben? Wohin wollten sie fahren?

Der Himmel war bis auf einige Schäfchenwolken am Horizont strahlend blau. Es war warm, die Luft trocken. Ein perfekter Tag, dachte Jamie, als sie den Parkplatz verließen und sie an jeder Kreuzung nach einem Streifenwagen Ausschau hielt und angespannt auf das Heulen einer Polizeisirene lauschte. Aber sie sah und hörte nichts. War es möglich, dass Brad ihr über Mrs. Dennison die Wahrheit gesagt hatte? Dass er es geschafft hatte, sie davon zu überzeugen, dass es das Beste war, wenn sie so tat, als wäre gestern Nacht nie geschehen?

Im Radio sang eine Frau von Liebe, und Brad stimmte fröhlich ein. Er hatte eine schöne Stimme. Eine sanfte Stimme, dachte Jamie und wandte sich schaudernd ab.

»Wir sollten wahrscheinlich besser mal tanken«, sagte Brad und steuerte eine Tankstelle direkt vor der Auffahrt auf den Highway an. Er sprang aus dem Wagen und zog seine Brieftasche aus der Jeans. »Mal gucken, ob die blöde Karte heute funktioniert.« Er schob sie in den entsprechenden Schlitz. »Komm schon, Gracie-Girl. Noch einmal.« Aber wenig später wurde die Karte wieder abgelehnt. Brad schnaubte verächtlich und warf die Karte auf den Vordersitz. »Hast du noch Bargeld?«, fragte er Jamie. »Ich bin ein bisschen knapp.«

Wer war Gracie, fragte Jamie sich, zog einen Zwanzigdollarschein aus ihrem Portemonnaie und gab ihn Brad durch das offene Fenster.

»So ist's brav«, sagte Brad.

Gracie-Girl, wiederholte Jamie stumm, betrachtete die Kreditkarte auf dem Sitz neben sich und nahm sie in die Hand.

G. HASTINGS.

Wer war G. Hastings?

Wenn Sie bitte hier unterschreiben wollen, Mr. Hastings.

Tut mir Leid, Sir. Haben Sie zufällig noch eine andere Kreditkarte?

Gracie-Girl.

Er hat dich gerade Mr. Hastings genannt.

Hastings ist mein zweiter Vorname.

Brad Hastings Fisher. Was für ein vornehm klingender Name.

»Wer ist Gracie Hastings?«, fragte Jamie Brad, als er sich wieder hinters Steuer setzte.

Statt zu antworten, nahm er ihr die Kreditkarte aus der Hand, knickte sie in der Mitte, bis sie brach, und warf sie aus dem Fenster, als sie auf die Interstate 75 Richtung Norden fuhren.

Jamie wandte sich ab, sagte nichts und konzentrierte sich auf die vorbeifliegende Landschaft. Ich könnte die Tür aufmachen und mich aus dem Wagen werfen, dachte sie. Vor ihrem inneren Auge sah sie ihren Körper vom Beifahrersitz rollen und wie ein weggeworfenes Papiertaschentuch auf den dunklen Asphalt schleudern. Sie spürte, wie ihr Kopf aufprallte und ihr Schädel brach, sah ihr zermalmtes Gesicht, während ihr geschundener Leib, einen Funkenregen nach sich ziehend, über die Autobahn glitt, bevor er von einem weiteren Wagen erfasst und wie ein verirrter Football an den Straßenrand geschleudert wurde. Würde ein derart schändliches Ende ausreichen, das Feuer zu löschen, das immer noch in ihr loderte? Sie schloss die Augen und gab vor zu schlafen.

»Hey, Jamie«, sagte Brad etwa eine halbe Stunde später. »Guck mal, wo wir sind.«

Widerwillig öffnete Jamie die Augen.

»Die nächste Abfahrt ist Barnsley Gardens«, verkündete er. »Hast du immer noch Lust, dort abzusteigen?«

Jamie schüttelte den Kopf. War das sein Ernst?

»Bist du sicher? Denn ich würde keine Sekunde zögern, wenn mich mein Mädchen dann wieder liebt.«

»Ich will aber nicht.«

»Ich hab an das Fünf-Sterne-Restaurant gedacht und mir überlegt, dass du vielleicht Hunger hast. Du hast den ganzen Tag noch nichts gegessen.«

»Ich will nichts.«

Schweigend fuhren sie an der Ausfahrt Barnsley Gardens vorbei. »Und … was? Willst du nicht mehr mit mir reden? Werde ich mit Schweigen gestraft?«

»Ich bin müde, Brad. Mir ist nicht nach Reden zumute.«

Etliche Minuten lang sagte er gar nichts. Dann: »Weißt du, ich hab irgendwo gelesen, dass alle Frauen heimlich davon träumen, vergewaltigt zu werden.«

Jamie sagte nichts, obwohl diese Behauptung wahrscheinlich teilweise stimmte. Auch sie hatte sich solchen Fantasien gelegentlich hingegeben. Die Vorstellung, gegen den eigenen Willen genommen zu werden, keine Wahl zu haben, zur Unterwerfung und dem Verbotenen gezwungen zu werden, hatte etwas seltsam Verführerisches, sogar Befreiendes. Aber was in der Fantasie vielleicht erotisch und angenehm gewesen war, hatte sich in der Realität als grauenhaft und abstoßend erwiesen.

In Jamies Fantasien war ihr, egal wie gewalttätig und pervers der vorgestellte Überfall auch gewesen sein mochte, nie wirklich etwas zugestoßen. Sie hatte kein Unbehagen, keine Erniedrigung und keine Angst erlebt, keinen echten Schmerz gespürt. Ihr Körper hatte nicht von innen gebrannt, und ihr Herz war nicht gebrochen worden. In ihrer Fantasie hatte der Vergewaltiger keine wirkliche Macht über sie. Er tat nur, was ihre Einbildungskraft ihm erlaubte. Letztendlich war ihm ihre Lust ebenso wichtig wie seine. Letztendlich behielt sie selbst die Kontrolle.

Die Wirklichkeit war etwas ganz anderes.

Und in dieser Wirklichkeit lag keine Lust.

»Ach, übrigens«, sagte Brad und griff in seine Jeanstasche. »Die hast du im Motel vergessen.« In seiner Hand blitzten zwei goldene Perlohrringe auf. Er grinste sie eiskalt an und ließ die Ohrringe in ihren Schoß fallen.

21

Emma erstarrte. Die riesige Pranke lag schwer auf ihrer Schulter, drohte durch ihre Jeansjacke, ihre Wollpullover und ihr Baumwoll-T-Shirt bis auf ihre nackte Haut durchzudringen und durch ihre Knochen zu schneiden wie ein Rasiermesser durch Kreide, um sie in die Knie zu zwingen. Sie bekam nur noch schwer Luft, und ihr wurde leicht schwindelig, als atmete sie etwas Giftiges ein. Der Laden um sie herum verschwamm, die einzelnen Gänge verschmolzen, Schmuck mit Herrenkonfektion, Sportbekleidung für Frauen mit Schuhen, und die Kassen purzelten gegeneinander wie eine Reihe von Dominosteinen. Würde sie ohnmächtig werden? »Hören Sie, ich kann das erklären.« Sie fuhr herum, und die schwere Hand fasste ihre Jacke fester, damit sie nicht zusammensackte.

Die Augen, in die Emma unvermittelt starrte, waren dunkelblau und lagen eng nebeneinander über einer Nase, die mehrfach gebrochen und nie ordentlich gerichtet worden war. Auf der rechten Wange hatte der Mann eine kleine y-förmige Narbe, sein dunkles Haar war kurz geschnitten. Eine Polizistenfrisur, erkannte Emma, als der Laden um sie herum aufhörte, sich zu drehen, und sie einen Namen zu dem Gesicht fand. »Jeff«, sagte sie mit einem erleichterten Seufzer.

Detective Jeff Dawson starrte sie an, als hätte er keine Ahnung, wer sie war.

»Ich bin's, Emma. Emma Frost. Wir haben uns neulich bei Scully's getroffen. Auf Sie werden dort große Stücke gehalten«, scherzte sie in der Hoffnung, ihm ein Lächeln zu entlocken. »Lilys Freundin«, fuhr sie fort, als er nicht reagierte. Warum musste sie die Menschen dauernd daran erinnern, wer sie war? Sie fuhr sich mit flatternden Händen durchs Haar. »Ich habe eine neue Frisur. Wahrscheinlich haben Sie mich deswegen nicht erkannt.«

»Oh, ich habe Sie schon erkannt«, erwiderte er kühl. »Ich konnte bloß meinen Augen nicht trauen. Was zum Teufel haben Sie gemacht?«

»Es ist nicht so, wie es aussieht«, stotterte sie. »Ich wollte die Ohrringe bezahlen. Selbstverständlich wollte ich sie bezahlen.«

»Deswegen haben Sie sie auch in die Tasche gesteckt?«

»Ich hatte Angst, ich würde sie fallen lassen.«

»Und was ist mit dem Schal, den Sie tragen?«

Emmas Blick schoss zu dem grünen Chiffonschal, den sie achtlos um den Hals geschlagen hatte, und ihre Finger nestelten an dem Knoten. Das verdammte Ding fühlte sich immer mehr an wie eine Schlinge, dachte sie und zupfte den Schal vom Hals. »Ich habe ihn bloß anprobiert, weil ich mich nicht entscheiden konnte.« Sie hielt ihm den Schal hin. »Sehen Sie. Sogar das Preisschild ist noch dran, Herrgott noch mal. Meinen Sie nicht, dass ich das vorher abgemacht hätte, wenn ich das Ding hätten klauen wollen?« Würde er sie verhaften?

Die Verkäuferin mit den vielen Ohrsteckern näherte sich besorgt. »Gibt es hier ein Problem?«

Emma blickte von dem Detective zu der Verkäuferin und zurück. »Die müssen eben hinuntergefallen sein«, improvisierte sie, griff in ihre Tasche, zog die rosafarbenen Ohrringe hervor und legte sie auf den Tresen.

»Oh mein Gott. Vielen Dank.« Eilig deponierte die Verkäuferin die Ohrringe an ihrem angestammten Platz unter Glas.

Detective Dawson beugte sich vor und flüsterte Emma ins Ohr: »Und was ist mit der violetten Bluse in Ihrer Handtasche?«

Emma schloss zum Eingeständnis ihrer Niederlage die Augen und schüttelte frustriert den Kopf. »Wie lange haben Sie mich schon beobachtet?«

»Mindestens eine halbe Stunde.«

Verdammt, dachte Emma und fragte sich, ob er sie mit auf die Wache nehmen und einer Leibesvisitation unterziehen würde. Das durfte sie nicht zulassen. Nicht jetzt. Nicht, wo für sie gerade alles anfing, ein wenig einfacher zu werden. »Bitte«, flehte sie, als Jeff Dawson sie von dem Schmucktresen wegführte. »Sie dürfen mich nicht verhaften. Es würde Dylan umbringen. Er ist mein Sohn und hat jede Menge Probleme. Ich weiß nicht, was aus ihm werden soll, wenn Sie mich verhaften.« Wenn ich bloß auf Kommando weinen könnte, dachte sie. Wie diese Schauspielerinnen in den Seifenopern im Nachmittagsprogramm, die auf Stichwort losheulen konnten.

»Sie hätten früher an Ihren Sohn denken sollen«, sagte Jeff, wie sie es vorhergesehen hatte.

Bullen waren so berechenbar, dachte sie. »Ich weiß. Es war dumm. *Ich* war dumm. Bitte, ich flehe Sie an ...«

»Sie müssen nicht betteln.« Jeff Dawson ließ Emmas Arm los und kratzte sich am Kopf. »Ich verhafte Sie nicht.«

»Was?«

»Ich sagte, dass ich Sie nicht verhafte.«

»Oh, Gott sei Dank. *Ihnen* sei Dank.«

»Vorausgesetzt, Sie geben alles zurück.«

»Selbstverständlich.«

»Ob Sie es glauben oder nicht, ich habe Sie eigentlich sowieso gesucht.«

»Was? Warum? Ist irgendwas passiert? Dylan ...?«

»Nichts ist passiert.«

»Das verstehe ich nicht.«

»Hören Sie, warum trinken wir nicht bei Starbuck's einen Kaffee?«

»Sie wollen einen Kaffee trinken?«

»Ich möchte mich unterhalten.«

»Worüber?«

»Das besprechen wir beim Kaffee.«

»Meinetwegen«, willigte Emma ein. Er bringt mich nicht auf die Wache, er lädt mich zu Starbuck's ein. Sie steuerte den Ausgang an.

»Haben Sie nicht was vergessen?« Jeff Dawson blickte auf Emmas Handtasche.

Emma griff vorsichtig in ihre Tasche und schaffte es, die fuchsienfarbene Seidenbluse herauszuziehen, ohne die gelbe Baumwollbluse zu berühren, die sie ebenfalls aus der Umkleidekabine geschmuggelt hatte. Widerwillig ließ sie die Seidenbluse in einen Einkaufswagen fallen.

Im Grunde machte er einen ganz anständigen Eindruck, dachte sie, als sie forschen Schrittes zu Starbuck's am anderen Ende des Einkaufszentrums gingen. Kein Wunder, dass Lily ihn mochte. Sie fragte sich, ob es in ihrem Leben je einen Mann wie Jeff Dawson geben würde, verwarf die Idee jedoch gleich wieder. Männer wie Jeff verliebten sich nicht in die Emmas dieser Welt. Sie zogen die Lilys vor, weil sie schlichter und reineren Herzens waren. Zumindest bevorzugten sie auf jeden Fall Frauen, die keine Ladendiebstähle begingen und Lügen erzählten.

Jeffs Arm streifte ihren, und Emma fragte sich, ob er die verschiedenen Schichten von Kleidern unter ihrer Jacke spüren konnte. Sie war froh, dass es einigermaßen kühl war. Ein paar Grad wärmer, und sie hätte wirklich Probleme gehabt, das Ganze zu erklären.

»Was darf es sein?«, fragte Jeff, als sie an den Tresen des stets vollen Cafés traten.

»Ich hätte gern einen Cappuccino.«

»Einen Cappuccino und einen normalen Kaffee.« Er schob einen Zwanzigdollarschein über den Tresen. »Möchten Sie etwas zu essen dazu? Einen Muffin oder irgendwas?«

»Nein danke.« Sie hatte bestimmt nicht vor, ihren neuen

Pulli voll zu krümeln. Sie blickte an sich herunter und knöpfte beiläufig die Knöpfe ihrer Jacke zu, während sie auf ihre Bestellungen warteten. Sie wollte schließlich keine unnötige Aufmerksamkeit auf sich lenken.

»Ist Ihnen kalt?«

»Wahrscheinlich bin ich bloß keine Klimaanlage gewöhnt«, log Emma.

»Dann schlage ich vor, wir setzen uns ans Fenster. Da kriegen Sie wenigstens ein bisschen Sonne ab.«

Emma lächelte, nahm von dem jungen Mann hinter dem Tresen ihren Cappuccino entgegen und streute Zimt darüber. Sie fragte sich, ob Jeff mit ihr spielte, als sie ihm zu einem kleinen runden Tisch im vorderen Teil des Cafés folgte. Sobald sie Platz genommen hatte, spürte sie die Sonne auf den Schultern wie einen abgetragenen Schal. Um sie herum schwatzten die Menschen oder lasen Zeitung. Sie nippte an ihrem Kaffee und beobachtete, wie Jeff das Gleiche tat. Würde er ihr jetzt erklären, was sie hier machten? »Worüber wollten Sie sich denn unterhalten?«, wagte Emma zögernd zu fragen.

»Jan wollte, dass Sie den hier bekommen.« Er griff in die Tasche seiner hellbraunen Windjacke und zog einen schwarzen Becher mit einem goldenen *Scully's*-Logo auf beiden Seiten hervor. »Sie hat gesagt, Sie wären gegangen, bevor sie Ihnen einen Becher schenken konnte.«

Emma starrte ungläubig auf den Becher.

»Sie hat gesagt, ich soll Ihnen ausrichten, dass sie sich damit dafür entschuldigen will, dass sie Sie nicht gleich erkannt hat. Offenbar ist sie Ihnen noch nachgelaufen, aber Sie waren schon auf dem Weg zu Marshalls, und sie konnte nicht weg von der Arbeit, deshalb habe ich mich angeboten, Sie zu suchen.«

»Nun, Sie haben mich ja auch gefunden.«

»In dem Kaufhaus fiel mir eine Frau auf, die einen Schal um ihren Hals wickelte. Deswegen habe ich sie instinktiv im Auge behalten. Mir war gar nicht klar, dass Sie es sind, bis ich beobachtet habe, wie Sie die violette Bluse in Ihrer Handtasche haben verschwinden lassen.«

»Fuchsia«, verbesserte Emma ihn.

»Was?«

»Die Farbe. Fuchsienrot, nicht violett. Verzeihung, das ist wahrscheinlich irrelevant.«

»Warum haben Sie das getan?«

Emma wand sich und zeichnete mit den Fingerspitzen die goldenen Lettern des Scully's-Logos nach. »Vorübergehende Unzurechnungsfähigkeit?« Sie suchte seinen Blick. »Ich weiß es nicht. Die Bluse war hübsch, die Seide fühlte sich so gut an, und ich wusste, dass ich sie mir unmöglich leisten konnte.«

Er nickte, obwohl sein Blick ihr sagte, dass er keineswegs überzeugt war. »Ich muss Sie wohl nicht daran erinnern, dass Ladendiebstahl eine Straftat ist.«

»Das weiß ich.«

»Wenn Sie deswegen verurteilt werden, sind Sie vorbestraft und müssen möglicherweise sogar ins Gefängnis.«

»Oh Gott.«

»Ich war so kurz davor, Sie zu verhaften.« Er deutete mit Daumen und Zeigefinger an, wie wenig gefehlt hatte.

»Und warum haben Sie es nicht getan?«

»Weil Sie mich unvorbereitet erwischt haben. Weil mir Ihr Kind Leid tat. Weil Sie eine Freundin von Lily sind, und weil ich dachte, dass ich Ihnen was schuldig bin.«

»Sie sind mir etwas schuldig?«

»Für gestern Abend.«

Emma nickte. »Danke. Vielen herzlichen Dank.«

»Danken Sie mir nicht.« Jeff sah sich um, als hätte er Angst, dass jemand ihre Unterhaltung belauschen könnte. »Tun Sie es einfach nicht wieder.«

»Bestimmt nicht.«

»Wenn ich Sie noch mal dabei erwische, ist es mir egal, wessen Freundin Sie sind.«

»Es wird nie wieder vorkommen. Ich verspreche es.« Emma trank noch einen Schluck von ihrem Cappuccino, wischte sich mit der Zunge den Milchschaum von der Oberlippe und lehnte sich in ihren Stuhl zurück. Schweiß begann, durch die Schichten von Kleidung unter ihrer Jeansjacke zu sickern. Sie fragte sich, ob Jeff noch über etwas anderes mit ihr reden wollte. Er hatte ihr den Becher gegeben und seinen Vortrag gehalten. Kam noch was? »Und hatten Sie und Lily einen netten Abend?«

»Ja, sehr nett«, antwortete er, ohne es weiter auszuführen.

»Ich war noch nie im Joso's. Ich habe gehört, dass es fantastisch sein soll.«

»Es ist sehr nett«, sagte er wieder. Nett war offensichtlich gerade sein Lieblingswort.

»Ich glaube, Lily fand es auch nett.« Mit den Wölfen heulen, konnte nicht schaden.

Jeff hob den Blick und wirkte sichtlich interessiert. »Haben Sie mit ihr gesprochen?«

»Nur kurz. Als sie Michael abgeholt hat. Sie hat angeboten, Dylan mitzunehmen, was wirklich sehr … nett von ihr war.« Sie fragte sich, ob Lily je beim Ladendiebstahl erwischt worden war.

Jeff nickte und trank einen großen Schluck Kaffee. »Nun, erzählen Sie mir was von Emma Frost.«

Emma atmete tief durch. Hatte sie seine Absichten falsch gedeutet? War es möglich, dass er sie anmachen wollte? Entsprach eine angedrohte Verhaftung seiner Vorstellung von einem prickelnden Vorspiel? Und was empfand sie dabei, in das Territorium ihrer Freundin einzudringen, ihrer besten und *einzigen* Freundin? »Was wollen Sie denn wissen?«

»Egal.« Er zuckte die Achseln, beugte sich vor, stützte seine Ellenbogen auf den Tisch und legte das Kinn in seine riesigen Hände.

»Na ja, ich bin neunundzwanzig, geschieden und habe einen fünfjährigen Sohn …«

»Dylan«, sagte Jeff.

»Ja, Dylan«, wiederholte Emma. Glaubte er ihr nicht? Wollte er sie aushorchen? »Abgesehen davon kann ich Ihnen nicht viel erzählen.«

»Warum fällt es mir bloß so schwer, das zu glauben?«

»Das müssten Sie mir sagen.«

»Woher kommen Sie?«

»Geboren bin ich in Buffalo.«

»In Buffalo?«

»Ja, aber wir sind weggezogen, als ich zwei war.«

»Wohin?«

»Cleveland, Detroit, Los Angeles, Miami. Wir sind ständig umgezogen, als ich klein war. Ein Soldatenkind halt«, sagte Emma achselzuckend.

»Ich wusste gar nicht, dass es in Detroit und Miami Stützpunkte der Armee gibt.«

Emma spürte mehrere Schweißtropfen, die sich an ihrem Haaransatz gebildet hatten und nun drohten, die glatten Konturen ihres neuen Schnitts zu derangieren. »Dorthin sind wir nach dem Tod meines Vaters gezogen.«

»Dann muss er sehr jung gestorben sein.«

»Ja.«

»Wie ist er denn gestorben?«

»Er ist in Vietnam ums Leben gekommen.«

Jeff nickte. »Muss schwer gewesen sein, das ständige Umziehen.«

»Ja, das war es. Jedes Mal, wenn wir uns in einer neuen Nachbarschaft eingelebt hatten, mussten wir wieder umziehen, so kam es mir jedenfalls vor. Und ich musste wieder ganz von vorn anfangen, neue Freundinnen finden, mich an neue Schulen und Lehrer gewöhnen. Es war nicht leicht.«

»Warum mussten Sie denn umziehen?«

»Was?«

»Sie sagten, jedes Mal, wenn Sie sich irgendwo eingelebt hatten, mussten Sie umziehen.«

»Ich habe nicht gemeint, dass wir umziehen *mussten*. Wir sind eben einfach umgezogen.«

»Aus irgendeinem bestimmten Grund?«

Warum stellte er ihr all diese Fragen? Emma wurde langsam ungeduldig und war versucht, den Rest ihres Cappuccinos herunterzukippen und schleunigst hier abzudampfen. Aber sie hatte bereits sämtliche Vorwände aufgebraucht, und ein hastiger Rückzug war im Umgang mit Jeff Dawson wahrscheinlich nicht die klügste Taktik. »Meine Mom ist häufig versetzt worden.«

»War sie auch in der Armee?«

Emma lachte. »Gewissermaßen. Sie war Schuldirektorin.«

»Und sie wurde häufig von einer Stadt in die andere versetzt? Ist das nicht ungewöhnlich?«

»Ungewöhnlich ist überhaupt eine ziemlich gute Beschreibung für sie.«

»Inwiefern?«

»Nun, sagen wir einfach, dass sie ein echtes Original war, und belassen es dabei, ja?«

»Wenn Sie wollen.«

Ich will vor allem hier raus, dachte Emma. Wollte der Mann seinen Kaffee nie mehr austrinken?

»Und wie lange wohnen Sie schon in der Mad River Road?«

»Etwa ein Jahr.«

»Gefällt es Ihnen?«

»Es ist okay.«

»Und haben Sie vor, noch mal umzuziehen?«

»Wer weiß?«

»So schrecklich viele Modeljobs kann es in Dayton doch nicht geben«, bemerkte er.

»Darum habe ich mich noch gar nicht gekümmert.«

»Nicht. Warum nicht?«

»Na, ich nehme an, das hatte ich schon.«

»Es hat Ihnen keinen Spaß gemacht?«

»Eigentlich nicht. Ich meine, eine Zeit lang hat es mir gefallen. Es war toll, ständig von Leuten umschwärmt zu werden, die einem erklären, wie schön man ist und alles, aber es gibt auch eine Menge Druck, von dem Außenstehende nichts ahnen.«

»Was für Druck denn?«

Emma atmete tief ein. »Nun, zunächst mal muss man natürlich dünn bleiben. Und nicht nur dünn, sondern richtig, *richtig* dünn. Ungesund dünn.«

»Dünne Wimpern?«

»Was?«

»Ich dachte, bei Wimperntusche geht es gerade darum, die Wimpern dichter aussehen zu lassen.«

Sie denken zu viel, wollte Emma schreien. »Ich habe ja nicht nur für Maybelline gearbeitet.«

»Ach ja? Was haben Sie denn sonst noch gemacht?«

»Ich habe für diverse Haarpflegeprodukte gemodelt. L'Oreal. *Weil ich es mir wert bin*«, sagte sie und lachte wieder.

»Das ist nicht Ihr Ernst. Die Anzeigen kenne ich.«

»Die, die ich gemacht habe, liegt schon Jahre zurück. Bevor sie angefangen haben, mit Prominenten zu werben. Ich weiß nicht mal, ob sie in diesem Teil des Landes überhaupt ausgestrahlt wurden.«

»Es überrascht mich, dass Maybelline Ihnen erlaubt hat, für die Konkurrenz zu werben.«

»Na ja, nicht direkt Konkurrenz. Ich meine, es handelt sich ja um völlig unterschiedliche Produkte.«

»Das stimmt.«

»Ich glaube, damals waren die Regeln noch nicht so streng wie heute.«

»Da haben Sie ja Glück gehabt.«

»Vielleicht.«

»Sind Sie nie versucht, wieder anzufangen?«

»Eigentlich nicht. Außerdem werde ich auch nicht jünger, wie man so schön sagt.«

»Neunundzwanzig ist alt?«

»Für ein Model schon. Wenn man nicht Cindy Crawford oder so jemand ist.«

»Und was machen Sie jetzt?«

»Was?«

»Sie brauchen doch Geld fürs tägliche Leben. Haben Sie einen Job?«

Emma starrte sehnsüchtig aus dem Fenster, die grelle Sonne schien ihr direkt in die Augen, als sie einer sorglosen jungen Frau nachsah, die mit unbeschwert pendelnden Armen zu ihrem Wagen schlenderte. Nimm mich mit, rief sie ihr stumm hinterher. »Im Augenblick arbeite ich nicht, nein.«

»Eine Pause zwischen zwei Jobs.«

»So ungefähr.«

»Aktienvermögen?«

»Was?«

»Ich bin bloß neugierig, wovon Sie leben.«

»Ich habe ein bisschen Geld gespart. Aus der Zeit als Model. Viel ist nicht mehr übrig«, fügte sie in der Hoffnung hinzu, damit weitere Fragen im Keim zu ersticken. Genug war genug. »Ich will mich im Herbst nach einem Job umsehen, wenn die Sommerferien vorbei sind.«

»An was für einem Job wären Sie denn interessiert? Vielleicht kann ich behilflich sein.«

»Oh, das ist wirklich reizend von Ihnen. Das werde ich mir merken. Ich hoffe, Sie halten mich nicht für schrecklich unhöflich, aber ich muss jetzt wirklich los. Ich hab noch alles Mögliche zu erledigen, bevor Dylan nach Hause kommt. Wäsche, Einkäufe …«

»Die sie alle bezahlen werden, hoffe ich doch.«

Emma unterdrückte den Impuls, ihm den Scully's-Becher an den Kopf zu werfen und rang sich ein Lächeln ab. »Aber unbedingt. Meinetwegen müssen Sie sich keine Sorgen machen.« Sie stand auf. »Vielen Dank für den Kaffee.«

»Vergessen Sie Ihren Becher nicht.«

Emma ließ den Becher in ihre Handtasche fallen. »Nochmals vielen Dank.«

»Schönen Tag noch«, sagte er.

»Mist, Mist, Mist!«, rief Emma, als sie die Haustür öffnete, die Jacke vom Körper riss und sich aus den diversen Schichten von Kleidung pellte, unter denen sich ihre Haut anfühlte, als stünde sie in Flammen. »Mir ist so heiß, ich explodiere gleich«, schrie sie das leere Haus an. Kurz darauf stand sie nackt am Spülbecken in der Küche und schlürfte Wasser aus dem Hahn wie aus einer frischen Quelle. »Mist«, sagte sie noch einmal, als sie ihr Spiegelbild in der Edelstahlfront des Toasters erblickte und feststellte, dass ihre Haare sich an den Seiten nach oben gewellt hatten, sodass sie aussah, als wollte sie augenblicklich abheben. »Na super.« Sie stapfte zurück in den Flur und begann, die abgelegten Kleidungsstücke einzusammeln. »Der Haarschnitt für fünfundfünfzig Dollar ist ruiniert, und das ist allein Ihre Schuld, Detective Do-Good«, sagte sie, hob das aprikosenfarbene Twinset auf und warf es zusammen mit der gelben Baumwollbluse, einem weißen T-Shirt, weißen Shorts und der schwarzen Caprihose über den Arm, die sie alle unter ihrer regulären Kleidung versteckt hatte. »Sie halten sich wohl für verdammt clever, was, Detective Doofian. Was glauben Sie, was hier gespielt wird? Kinderstunde am Tag der offenen Tür? Glauben Sie, Sie hätten es mit einem Amateur zu tun? Scheiße!« Zuletzt hob sie ihre Handtasche auf, die sie direkt neben der Wohnungstür hatte fallen lassen, und ging mit all ihren Sachen in ihr Schlafzimmer im ersten Stock, wo sie die Handtasche aufs Bett warf und die gestohlenen Sachen in ihrem Kleiderschrank verstaute, um sie bei passender Gelegenheit wieder hervorzukramen.

Sie setzte sich aufs Bett, öffnete die Handtasche, nahm den Becher von Scully's heraus und legte ihn neben sich. Sie hatte nicht vor, Jans erbärmlichen Versuch einer Entschuldigung anzunehmen, eine versöhnliche Geste, weil sie sich nicht an sie erinnert hatte. Und wegen dem blöden Ding wäre ich fast verhaftet worden, dachte Emma und schüttelte den Kopf ob der Ironie des Ganzen. Ohne den Becher hätte sie jetzt ein Paar wunderschöner Ohrringe und eine hinreißende Seidenbluse. Eine *fuchsienrote* Seidenbluse. »Fucksia you, Detective Dawson.« Sie kramte tief in ihrer Tasche, bis sie den gesuchten Gegenstand ertastete. »Dieser Kerl hält sich für so verdammt schlau.« Emma lächelte, das erste ehrliche Lächeln, seit sie Natalie's Salon verlassen hatte, als sie eine kleine, aber erstaunlich schwere Messingschale aus ihrer Tasche zog und sie im Licht der durchs Fenster scheinenden Nachmittagssonne begutachtete:

FRAUEN-BODYBUILDING-TURNIER CINCINNATI, OHIO, 2002. ZWEITER PLATZ.

Eine Trophäe für einen ersten Platz wäre Emma lieber gewesen, aber die Zeit hatte es nicht erlaubt, wählerisch zu sein. Sie hatte ein kleines, unauffälliges Objekt aus der hinteren Reihe ausgesucht, das nicht sofort vermisst werden würde. Hatte Jan nicht selbst zugegeben, dass sie nicht genau wusste, wie viele Pokale sie hatte? Es konnte Wochen oder sogar Monate dauern, bevor sie entdeckte, dass die Trophäe fehlte. Wenn überhaupt.

Emmas Lächeln schlug in ein Stirnrunzeln um. Warum hatte sie diesen wertlosen Plunder gestohlen? Die Schale war hässlich, und sie konnte sie auch schlecht in der Wohnung aufstellen. Außerdem war Jan Lilys Chefin, und Lily war Emmas einzige Freundin. Sie musste die Trophäe zurückbringen. Was war bloß mit ihr los? Warum tat sie so etwas? Sie trug die Schale ins Bad, wo sie sie in dem kleinen Schrank unter dem Waschbecken versteckte. Sie würde sie bei der nächsten Gelegenheit zurückbringen.

Und dann würde sie nie wieder etwas stehlen.

22

»Wer hätte das gedacht?«, brach Brad ein gut einstündiges Schweigen. »Wir kommen gleich durch die Teppichhauptstadt Nordamerikas.«

Jamie starrte gleichgültig auf die Landschaft neben dem Highway, bis ihre immer noch verquollenen Augen schließlich ein Schild entdeckten, das die Abfahrt Dalton ankündigte, Einwohnerzahl: 21 800. DIE TEPPICHHAUPTSTADT VON NORDAMERIKA, verkündete das Schild. Nun, warum nicht, dachte sie abwesend. In Amerika gab es offensichtlich eine Hauptstadt für alles, warum also nicht auch für Teppiche?

»Erstaunliche 65 Prozent aller weltweit hergestellten Teppiche werden in Dalton produziert«, sagte Brad mit aufgesetzter Begeisterung, als wollte er sich um einen Job als Verkäufer bei einem Shopping-Sender bewerben.

Jamie fragte sich, ob er eine Tatsache zitierte oder sich das Ganze nur ausgedacht hatte, um sie zu beeindrucken. Gestern noch hätte sie beides liebenswert gefunden.

»Das habe ich in einer Broschüre im Hotel gelesen«, sagte er, als würde er ihre Gedanken lesen. »Offenbar gab es hier in den 30er Jahren eine Farmerstochter, die ihre Familie während der Wirtschaftskrise unterstützt hat, indem sie Überbetten genäht und Teppiche gewoben hat. Schon bald schlossen sich ihr andere Frauen an, und bevor man ›fliegender Teppich‹ sagen konnte, hatte Dalton eine blühende Heimindustrie, die im Laufe der Zeit zu einem Milliarden-Dollar-Geschäft wurde. Ziemlich beeindruckend, was?«

Jamie sagte nichts. Erwartete er ernsthaft von ihr, über

Teppiche zu reden? Versuchte er, sie mit seinem Charme als Fremdenführer zu gewinnen? Glaubte er wirklich, dass sie sich so leicht besänftigen ließ?

»Ich dachte, das würde dich vielleicht interessieren, weil normalerweise du diejenige bist, die diesen Kram erzählt«, sagte er, als hätte er wieder in ihren Kopf geblickt.

Jamie erstarrte, ängstlich bemüht, ihre Gedanken nicht zu Worten gerinnen zu lassen, weil sie fürchtete, dass er sie sich aneignen und als seine ausgeben könnte. Ohne Sprache gab es kein Denken, erinnerte sie sich, irgendwo gelesen zu haben, und versuchte, in ihrem Gehirn nur weißes Rauschen zuzulassen. Aber sie konnte den Ton von Brads letztem Satz nicht ignorieren. Darin klang die Warnung mit, dass er mit ihrem Schweigen die Geduld verlor, weil er sich langsam ungerecht behandelt fühlte, so als wäre er der Geschädigte. Schlimmer noch – er wurde wütend, was bedeutete, dass er jeden Augenblick explodieren konnte. Jamie beschloss, dass sie am besten versuchte, ihn nicht weiter gegen sich aufzubringen. Wenn sie nur bis zum nächsten Stopp durchhalten, belanglos freundliche Konversation machen und ihn davon überzeugen könnte, dass sie dabei war, ihm zu verzeihen, würde er vielleicht für einen Moment lang unachtsam werden, den sie zur Flucht nutzen konnte. »Was hast du sonst noch gelesen?«, fragte sie und zwang ihren Blick in seine Richtung. Er sah völlig unverändert aus, dachte sie verwundert. Er war immer noch attraktiv, versprühte immer noch jenen jungenhaften Charme, lächelte immer noch umwerfend. Nur ihre Reaktion darauf hatte sich verändert. Verlangen war in Verachtung umgeschlagen. Statt erotischer Anziehung empfand sie Abscheu. Angst hatte jeden Gedanken an Liebe vertrieben.

»Nun, wusstest du zum Beispiel, dass in dieser Gegend von Georgia zahlreiche Schlachten des Bürgerkriegs gekämpft wurden? Wir fahren in umgekehrter Richtung, aber die Interstate 75 folgt tatsächlich der Route von Shermans

Atlanta-Feldzug. In ein paar Meilen kommt Rocky Face Ridge.« Er starrte sie an, als sollte ihr das etwas sagen. »Kennst du das nicht?«

»Sollte ich?«

»Mensch, hast du in Geschichte nie aufgepasst?«

»Geschichte war eher nicht so meine Stärke.«

Er schüttelte den Kopf, als hätte sie ihn enttäuscht. »Ich kann nicht glauben, dass du das nicht weißt.«

Jamie zuckte schweigend die Achseln, weil sie Angst hatte, etwas zu sagen, was ihn weiter verärgern könnte.

»Rocky Face Ridge war der Schauplatz einer großen Schlacht zwischen General Shermans Armee und den Konföderierten. An die hunderttausend Männer haben dort gekämpft. Das war 1864, vielleicht auch 65.«

»Hat es viele Opfer gegeben?«, fragte Jamie, um ein wenig Begeisterung in der Stimme bemüht.

»Ein paar Tausend, glaube ich.«

Jamie nickte nur, weil sie nicht sicher war, dass sie das Gespräch weiterführen konnte, ohne in Tränen auszubrechen.

»Und kurz vor der Grenze zwischen Georgia und Tennessee kommt gleich Ringgold, Schauplatz eines großartigen Lokomotivenrennens. Daran erinnerst du dich aber doch bestimmt.«

»War das die Geschichte, wo Unionssoldaten eine Dampflokomotive entführt haben und dann von dem Zugführer verfolgt wurden; der Kerl jagte ihnen zum Teil sogar zu Fuß nach, oder?« Jamie hatte keine Ahnung, aus welcher Nische ihres Gehirns sie das hervorgekramt hatte.

»Hey, ziemlich gut.«

»Ich glaube, ich habe mal einen Film darüber gesehen.«

»Den hab ich auch gesehen«, bestätigte Brad begeistert. »Sie haben ihn irgendwann mal auf dem History Channel gezeigt. Mit Fess Parker. Du weißt doch, wer Fess Parker ist, oder?«

Oh Gott, dachte Jamie. Wer zum Teufel war Fess Parker?

»Fess Parker war der Typ, der im Fernsehen Davy Crockett und Daniel Boone gespielt hat«, beantwortete Brad seine eigene Frage. »Also, wenn du mir jetzt sagst, dass du nicht weißt, wer die waren ...«

»Ich weiß, wer sie waren.«

»Sag es mir.«

War das eine Art Test? Würde er am Straßenrand halten und sie erneut vergewaltigen, wenn sie die richtige Antwort nicht wusste? »Davy Crockett war ein Pionier und Trapper ...«

»›Davy, Davy Crockett‹«, sang Brad. »›King of the wild frontier.‹ Weiter.«

»Geboren 17 ...« Das konnte sie nicht tun. Was, wenn sie einen Fehler machte? Was, wenn sie die Jahreszahlen durcheinander brachte? Sie brach mit tränenerstickter Stimme ab.

»Geboren 1786 in Limestone, Tennessee«, zitierte Brad mühelos. »Hat unter Andrew Jackson im Feldzug gegen die Creek Indianer von 1813/14 gekämpft, wurde 1821 zunächst Magistrat seiner Heimatgemeinde und war dann drei Legislaturperioden Abgeordneter im Kongress, wo er zum Gegenspieler von Jackson und zur Stimme des Konservativismus aufstieg, jedoch 1835 eine endgültige Niederlage erlitt. Er ging nach Texas, wo er 1836 bei der Verteidigung von Alamo gestorben ist.«

»Wow«, sagte Jamie, wider Willen beeindruckt.

»Daniel Boone«, fuhr er mit sichtlicher Freude fort, »geboren 1734 in einer kleinen Stadt in der Nähe von Reading, Pennsylvania.«

»Ein weiterer König der wilden Prärie«, warf Jamie ein und sah, wie Brads Schultern sich bei der Unterbrechung versteiften. Sie hielt den Atem an.

»Seine Familie waren Quäker, die Pennsylvania verlassen und sich im Yadkin Valley in North Carolina niedergelassen haben, wo Boone eine Art Entdecker wurde. Er gründete Boonesboro am Kentucky River und wurde 1776 zum

Hauptmann der Bürgerwehr gewählt. Während des amerikanischen Revolutionskrieges geriet er in die Gefangenschaft von Shawnee-Indianern. Vier Monate später konnte er entkommen. Er gründete eine neue Siedlung, Boone's Station, in der Nähe des heutigen Athens, Kentucky. Er war für mehrere Legislaturperioden Abgeordneter des Parlaments von Virginia.«

»Das war schon ein imposanter Typ«, sagte Jamie, als klar war, dass eine Reaktion von ihr erwartet wurde.

»Na ja, offenbar sind viele der Heldengeschichten, die man über ihn hört, nicht wahr, aber was soll's? Der Mann ist eine Legende, hab ich Recht?«

Jamie sah ihn mit einem Lächeln an, von dem sie hoffte, dass es als bewundernd durchgehen würde. »Auf jeden Fall.«

»Fess Parker ist dann später Winzer in Kalifornien geworden.«

»Fess Parker«, wiederholte Jamie, als ihr schaudernd bewusst wurde, dass Brads mühelose Beherrschung historischer Belanglosigkeiten sie noch gestern Morgen hoffnungslos fasziniert hätte. »Woher weißt du das alles?«

»Das über Fess Parker? Hab ich im *People*-Magazin gelesen.«

»Das über Davy Crockett und Daniel Boone, meine ich.«

Er zuckte die Achseln. »Ich hatte im vergangenen Jahr eine Menge Zeit. Hab ein bisschen Lektüre nachgeholt.«

»Ein Mann mit vielen Talenten«, sagte Jamie.

»Was soll das heißen?«

»Nichts«, sagte Jamie eilig. »Ich bin bloß überrascht, dass du neben deiner Computerfirma und der Entwicklung von neuen Programmen auch noch Zeit gefunden hast zu lesen.«

»Manchmal findet die Zeit einen«, erwiderte Brad kryptisch.

Jamie nickte wortlos, weil sie zu müde und zu ängstlich war, um zu fragen, was er meinte. »Du bist auch ein Mann voller Überraschungen«, sagte sie schließlich, weil ihr nichts anderes einfiel.

»Hoffentlich nicht nur unangenehme.«

Jamie zwang sich zu einem Lächeln. »Nein, nicht nur.«

»Heißt das, dass wir wieder Freunde sind?«, fragte Brad nach einer Pause von mehreren Sekunden.

»Freunde?«, Jamie bemühte sich, die Fassungslosigkeit in ihrer Stimme zu unterdrücken.

»Du musst wissen, wie Leid es mir tut, was passiert ist.«

Was passiert ist, wiederholte Jamie stumm. Als ob es jenseits seiner Kontrolle gelegen hätte. Als ob er nichts damit zu tun gehabt hätte. »Es ist nicht einfach passiert«, erinnerte Jamie ihn.

»Das weiß ich. Ich hab ein bisschen die Beherrschung verloren.«

»Du hast mir wehgetan, Brad.«

»Ich weiß.«

»Du hast mir wirklich wehgetan.«

»Und das tut mir Leid. Es tut mir unendlich Leid, Jamie. Bitte. Du musst mir verzeihen. Ich trete mir deswegen schon den ganzen Tag selbst in den Arsch. Es macht mich wahnsinnig. Du weißt doch, dass ich dich liebe, oder?«

In Jamies Augen standen Tränen. Wurde sie jetzt verrückt? Führte sie diese Unterhaltung tatsächlich? »Ich bin mir nicht mehr sicher, was ich weiß und was nicht.«

»Ah, komm schon, Jamie-Girl. Du musst doch wissen, dass ich dich liebe. Vielleicht weißt du nichts über Daniel Boone oder Davy Crockett, aber das musst du doch wissen.«

Jamie lächelte zögernd.

»So ist's besser«, sagte Brad. »Das sieht meinem Mädchen schon viel ähnlicher.« Er grabschte mit einer Hand nach ihrem Oberschenkel.

Jamie zuckte sofort zurück.

»Hey, ganz locker. Ich will hier gar nichts anfangen.« Es gelang ihm, gleichzeitig überrascht und verletzt auszusehen. »Ich dachte, das hätten wir hinter uns.«

»Vermutlich brauche ich einfach ein bisschen Zeit«, sagte Jamie beinahe flehend.

»Klar. Wir haben Zeit.« Er grinste. »Mindestens bis heute Abend.«

Bei der bloßen Andeutung drehte sich Jamie der Magen um.

»Alles in Ordnung?«, fragte Brad.

»Meinst du, wir könnten demnächst irgendwo halten? Ich könnte einen Schluck Wasser gebrauchen.«

»Auf dem Rücksitz ist Cola. Die hab ich gekauft, als ich getankt habe.«

»Wasser wäre mir wirklich lieber.«

»Vielleicht später.«

Jamie schloss die Augen, zählte bis zehn und, als sie das nicht beruhigte, noch einmal bis zwanzig. »Können wir vielleicht ein bisschen Musik hören?«, fragte sie, als sie sich wieder halbwegs im Griff hatte. Irgendwann hatte er das Radio abgedreht. Ihr war die Stille willkommen gewesen. Jetzt fühlte sie sich erdrückend an. So als ob sie sie füllen sollte.

Brad drückte auf einen Knopf, und das Radio erwachte zum Leben. Flotte Countryklänge von Shania Twain erfüllten den Wagen. Jamie summte mit und gab vor, in den geistlosen Text vertieft zu sein. »›Up, up, up‹«, sang Shania.

»Weißt du, dass das nicht ihr richtiger Name ist?«, fragte Brad.

»Nicht?«

»Nein. Sie heißt in Wahrheit Eileen. Schwer zu glauben, was? Kommt aus irgendeinem kleinen Kaff in Nordontario. Ihre Eltern kamen bei einem Autounfall ums Leben, und sie hat ihre Brüder und Schwestern ganz allein großgezogen.«

Jamie nickte. Die Geschichte klang vage vertraut. »*People*-Magazin?«

»*Entertainment Tonight.*«

»Siehst du viel fern?«

»Geht so. Und du?«

»Mehr, als ich sollte.«

»Sagt wer? Deine Mutter und deine Schwester?«

»Ich kann mich nicht erinnern, dass meine Mutter je Fernsehen geguckt hat. Meine Schwester behauptet, dass sie nur PBS sieht.«

»Sie lügt.«

»Das glaube ich nicht. Sie ist Anwältin und ...«

»Was? Anwälte lügen nie?«

»Ich meinte nur, dass sie neben ihrer Kanzlei und ihrer Familie nicht viel Zeit zum Fernsehen hat, deshalb sucht sie sich die Sendungen genau aus.«

»Unsinn.«

Jamie zuckte die Achseln. Sie hätte nie gedacht, dass sie sich einmal in der Position wiederfinden würde, ihre Schwester verteidigen zu müssen. Oder es zu wollen.

»Wie nennt man hundert Anwälte auf dem Meeresboden?«, fragte Brad und lächelte schon über die folgende Pointe.

Jamie schüttelte den Kopf. Sie wusste es nicht, und es war ihr egal.

»Einen Anfang.« Brad lachte.

Jamie fragte sich, ob ihre Schwester den schon kannte. Cynthia hasste Anwaltswitze. Sie meinte, sie wären nicht besser als rassistische Beleidigungen. »Meine Schwester sagt, dass jeder Anwälte hasst, bis er einen braucht.«

»Und danach hasst er sie noch mehr.« Brad holte tief Luft. »Diese verlogenen, Dreck fressenden Schweine. Irgendjemand sollte sie alle zusammentreiben und erschießen.«

Die Heftigkeit seiner Feststellung ließ Jamie unwillkürlich leise aufstöhnen.

»Okay, deine Schwester erschießen wir nicht«, sagte er sanfter.

Sie versuchte zu lächeln. »Du klingst so, als hättest du schlechte Erfahrungen mit Anwälten gemacht.«

»Jeder hat schlechte Erfahrungen mit Anwälten gemacht.«

»Ich glaube, meine Schwester ist eine sehr gute Anwältin.«

»Ach ja? Woher willst du das wissen? Hast du sie je vor Gericht gesehen?«

»Sie tritt nicht vor Gericht auf. Sie ist keine Strafverteidigerin.« Jamie fiel ein, dass sie am Wochenende mit ihr verabredet gewesen wäre, und sie erinnerte sich an den scheinbar unendlich lange zurückliegenden ersten Tag ihrer Reise, an ihre falschen Hoffnungen, ihre verlorene Unschuld.

»Was für eine Anwältin ist sie denn?«

»Für Handelsrecht, Steuerrecht und dergleichen.«

»Klingt ja unglaublich aufregend.«

»Sie scheint es zu mögen.«

»Sie mag das Geld.«

»Jeder mag Geld.«

»Da sprichst du ein wahres Wort.«

Wahr, dachte Jamie. Was bedeutete das? War irgendetwas von dem, was er ihr in den letzten paar Tagen erzählt hatte, wahr?

Hast du deine Computerfirma wirklich mit fabelhaftem Profit verkauft? Hast du überhaupt je eine Computerfirma *besessen*? Hast du wirklich im Breakers gewohnt, weil dein Mietvertrag abgelaufen war?

Hast du wirklich eine Exfrau und einen Sohn in Ohio? Und was war wirklich passiert, nachdem sie aus Laura Dennisons Haus geflüchtet war?

»Wer ist Grace Hastings?«, fragte sie, weil diese Frage vor allen anderen über ihre Lippen drängte.

»Was?«

»Grace Hastings«, wiederholte Jamie. »Wer ist sie, Brad?«
Sie sprach seinen Namen mit Bedacht aus, um ihm zu signa-
lisieren, dass sie bereit war, wieder auf einer persönlicheren
Ebene zu kommunizieren und sie langsam zu einer gemeinsamen Wellenlänge zurückfanden.

Und es schien auch zu funktionieren. Er tätschelte lächelnd ihre Hand, und Jamie versuchte, weder zusammen-
zuzucken noch die Hand wegzuziehen. »Niemand, um den
du dir Gedanken machen musst.«

»Du hattest ihre Kreditkarte.«

»Ja, und sie hat mir ja auch verdammt viel genutzt.«

»Trotzdem ...«

»Grace war eine Freundin von Beth.«

»Beth?«

»Meine Ex.«

»Ah, verstehe.« Jamie hielt inne. Vor nicht einmal 24
Stunden hätte sie Beth Fisher für die glücklichste und auch
dümmste Frau auf Erden gehalten. Glücklich, weil sie mit
Brad verheiratet gewesen war, und dumm, weil sie ihn verlassen hatte. Aber der Titel der dümmsten Frau der Welt
gebührte nun einzig und allein ihr. »Wie sieht sie aus?«

Brad gähnte, als ob ihn das Thema kaum oder gar nicht
betraf. »Sie ist schon ziemlich hübsch. Spielt das irgendeine
Rolle?«

»Ich bin bloß neugierig.«

»Nun ja, du weißt ja, was man über Neugier sagt.«

»Ich habe bloß zwei völlig gegensätzliche Bilder im
Kopf.«

»Was für Bilder?«

»Auf einem ist sie groß, blond und irgendwie ätherisch.«

»Ätherisch? Was ist denn das?«

»Extrem zart, engelhaft.«

Brad schüttelte den Kopf. »Zart? Engelhaft?« Er lachte
höhnisch. »Und das andere Bild?«

»Auf dem ist sie kleiner, dunkler und kräftiger.«

»Sie ist vermutlich ein bisschen von beidem«, sagte Brad und lachte wieder.

»Und dein Sohn?« Hat er überhaupt einen Sohn, fragte sie sich.

»Was ist mit ihm?«

»Ich habe vergessen, wie er heißt«, log Jamie.

»Er heißt Corey«, sagte Brad, und seine Miene verfinsterte sich.

Er *hat* also einen Sohn, dachte Jamie. In dem Punkt hatte er nicht gelogen.

Der Song im Radio ging zu Ende, Shania verabschiedete sich, und der Moderator kündigte die Nachrichten an. Es folgte eine Meldung über die jüngsten Scharmützel im Irak und das neueste Selbstmordattentat in Israel. Eine Frau aus Oklahoma hatte von einem lokalen Möbelhaus eine beträchtliche Schadensersatzzahlung erstritten, weil sie beim Einkauf eines neuen Sofas über ein tobendes Kind gestolpert war und sich ein Bein gebrochen hatte, und zwar ungeachtet der Tatsache, dass es sich bei dem Kind um ihr eigenes gehandelt hat.

»*Ihren* Anwalt hätte ich haben müssen«, bemerkte Brad.

»Warum brauchtest du denn einen Anwalt?«

»*Nach wie vor keine Spur im Fall der brutalen Ermordung einer Frau in Atlanta in den frühen Morgenstunden*«, fuhr der Nachrichtensprecher fort.

Brad wechselte den Sender.

»Warte. Was war das?« Lass es bitte ein Irrtum sein, dachte Jamie, während ihre Gedanken in verschiedene Richtungen gleichzeitig rasten. Bitte mach, dass ich mich verhört habe. Lass den Nachrichtensprecher von einer anderen Frau reden. Mach, dass es nicht so ist, wie ich glaube.

»*Neue Krise in Nahost*«, verkündete ein anderer Sprecher.

Wieder wechselte Brad den Sender.

»*Ich bin Margaret Sokoloff, und hier sind die Nachrichten um sechzehn Uhr.*«

Wieder wurde das Programm blitzschnell gewechselt. *»Im Falle der brutalen Ermordung einer Frau in Atlanta steht die Polizei immer noch vor einem Rätsel. Die Tat war heute in den frühen Morgenstunden begangen worden«,* erklärte ein anderer Mann.

»Lass es«, drängte Jamie, als Brad alle Stationstasten durchprobiert hatte.

»Jamie ...«

»Lass es.«

Brad zuckte die Achseln. »Wie du willst.«

»Die Leiche der fünfundfünfzigjährigen Laura Dennison wurde heute Morgen um acht Uhr von ihrem Sohn Mark entdeckt, als er auf dem Weg zur Arbeit bei seiner Mutter frühstücken wollte.«

Jamie spürte, wie ihr ganzer Körper taub wurde. Bitte, Gott, lass das nicht wahr sein.

»Die Frau aus dem Viertel Buckhead war erschlagen worden. Die Polizei hat für den brutalen Mord zurzeit keinen konkret Tatverdächtigen und verweigert jede Spekulation ...«

Das Geräusch von Jamies abgerissenem Atem erfüllte den Wagen, als Brad das Radio abschaltete. »Jetzt reg dich nicht auf.«

»Du hast sie umgebracht«, flüsterte Jamie, während sich alles um sie herum zu drehen begann.

»Hey, das hat sie sich selbst zuzuschreiben, nach all den Gemeinheiten, die sie dir angetan hat.«

»Du hast sie umgebracht.«

»Es war ein Unfall, Jamie.«

»Ein Unfall?«

»Ich wollte dich bloß schützen.«

»Mich schützen?«

»Sie hat dich erkannt, Jamie. Ich habe versucht, mit ihr zu reden. Ich habe versucht, ihr zu erklären, dass ich noch nie von einer Frau namens Jamie gehört hätte, aber sie hat mir bloß ins Gesicht gelacht. Ich habe versucht, ihr zu erklären, dass wir uns nur nehmen wollten, was dir rechtmäßig zusteht, und dann hat sie angefangen zu schreien und gesagt, sie würde die Polizei rufen und dafür sorgen, dass du für den Rest deines Lebens hinter Gittern landest. Und das konnte ich doch nicht zulassen. Also habe ich sie geschlagen. Aber die alte Hexe hat immer weitergekreischt. Also habe ich sie so lange geschlagen, bis sie aufgehört hat.«

»Du hast mir erzählt, dass du sie überzeugt hast …«

»Du warst doch völlig hysterisch. Was sollte ich dir denn sonst erzählen? Du hast den ganzen Mist doch sowieso nicht geglaubt. Das weiß ich.«

Jamie erkannte, dass er Recht hatte, was sie endgültig verstummen ließ. Sie hatte die Wahrheit die ganze Zeit gewusst. Welche andere Wahrheit konnte es geben?

»Ich habe es für dich getan, Jamie-Girl.«

Jamie presste die Stirn ans Seitenfenster, schloss die Augen und betete darum, in Vergessen zu versinken.

23

Lily saß mit gezücktem Stift über einem leeren Blatt Papier am Küchentisch und versuchte, die wahllosen Gedanken zu ordnen, die ihr durch den Kopf schwirrten wie ein Schwarm lärmender Insekten. Sie bemühte sich, ihnen Struktur und Richtung zu geben und so etwas wie Dramatik einzuhauchen. Aber wie viel Spannung steckte schon in einem Sonntagnachmittag, den man mit zwei fünfjährigen Jungen im Kino verbracht hatte? Es wäre natürlich etwas anderes, wenn sie eine geisteskranke, triebgestörte Babysitterin wäre und einer der beiden Jungen der Spross eines Außerirdischen oder ein frühreifer Serienkiller. Aber waren diese Ideen nicht schon umgesetzt worden?

Obwohl es darauf gar nicht ankam. Wenn man hundert Schriftstellern dieselbe Idee geben würde, kämen hundert verschiedene Geschichten dabei heraus, hatte einer ihrer Lehrer in Kreativem Schreiben immer gesagt. Eine gute Idee war immer von Vorteil, aber wie man sie gestaltete, war noch viel entscheidender. Und im Augenblick gestaltete sie leider gar nichts groß.

Halte dich an das, was du kennst, dachte sie sich. »Nun, Triebstörungen kenne ich auf jeden Fall.« Oder zumindest sexuelle Frustration, korrigierte sie sich stumm und überlegte, wie lange es her war, seit sie zum letzten Mal Sex hatte. Wem wollte sie etwas vormachen, fragte sie sich. Sie wusste ganz genau, wie lange es her war. Ihre Gedanken flogen zurück zu jenem Märzabend vor vierzehn Monaten, bis sie aufsprang und sich weigerte, weiter daran zu denken. Sie ging zum Waschbecken, füllte ein Glas mit kaltem Wasser, obwohl sie gar keinen Durst hatte, und starrte aus dem Fenster in den dunkler werdenden Himmel. Es war schon fast acht. Die Tage wurden definitiv länger. Die Zeit verging so schnell. Ehe sie sich versah, würde der Sommer hier sein. Und dann der Herbst. Und dann ein weiterer Winter. Ein weiterer März. Wie viel Zeit durfte sie noch verschwenden? »Irgendwann muss ich mein Leben weiterleben«, verkündete sie in die Stille hinein. »Guck nach vorn«, sagte sie sich. »Lass dich vögeln.« Sie fragte sich, was Jeff Dawson gerade machte und wie er wohl nackt aussah. »Oh bitte«, jammerte sie, kippte das Glas Wasser herunter, als wollte sie alle glimmenden Feuer in sich löschen, und kehrte auf ihren Platz am Küchentisch zurück. Sie nahm ihren Stift fester als nötig in die Hand, sodass sich der Nagel ihres Zeigefingers schmerzhaft in den Mittelfinger bohrte, dachte kurz nach, schrieb ein paar Wörter und unterstrich sie mit großer Sorgfalt.

<u>Weiterleben</u>
<u>Von Lily Rogers</u>

»So weit, so gut.« Sie starrte zur Decke. »Und was jetzt?«

Wahrscheinlich sollte sie nach Michael sehen, dachte sie und war schon halb aufgestanden, als ihr einfiel, dass sie erst vor zehn Minuten nach ihm gesehen hatte. Er hatte einen anstrengenden Tag hinter sich und schlief wie ein Murmeltier. Sie blickte auf die Uhr und stellte fest, dass seit ihrem letzten Blick nur eine Minute vergangen war. Ich könnte Fernsehen gucken, dachte sie. Oder lesen. Oder Jeff Dawson anrufen, ihm sagen, wie nett ich den gemeinsamen Abend gefunden hatte, und fragen, ob er nicht auf einen Kaffee vorbeischauen wollte. Nackt. »Herrgott noch mal. Nun reiß dich zusammen.«

<u>Weiterleben</u>
<u>Von Lily Rogers</u>

Auf dem Heimweg von der Schule mit ihrem kleinen Sohn kam Nancy Firestone plötzlich der Gedanke, dass drei der Männer, mit denen sie in den letzten fünf Jahren geschlafen hatte, tot waren.

»Oje«, sagte Lily, als sie auf das Blatt starrte. Woher war das gekommen?

Sie sollte über etwas schreiben, was sie kannte, und in Wahrheit war sie in den letzten fünf Jahren nur mit einem Mann zusammen gewesen.

Einer war an einem Herzinfarkt gestorben, der Zweite an einem Hirntumor, und der Dritte hatte sein Motorrad gegen einen dicken, unnachgiebigen Baumstamm gelenkt.

»Oh, das ist super. Einfach super.« Lily riss das Papier von dem Block, zerfetzte es in ein halbes Dutzend Stücke, die sie noch weiter zerknüllte, bevor sie sie auf den Fußboden rieseln ließ. Hatte sie sich nicht gerade vorgenommen, nach vorne zu blicken? Sie startete einen neuen Versuch.

Weiterleben
Von Lily Rogers

Auf dem Heimweg von der Schule mit ihrer kleinen Tochter kam Nancy Firestone der Gedanke, dass drei der Männer, mit denen sie in den letzten fünf Jahren geschlafen hatte, tot waren. Einer war auf einer Kreuzung überfahren worden, der Zweite erlag einem Herzinfarkt, und der Dritte war von einem Unbekannten in den Kopf geschossen worden.

»Das klingt schon besser.« Wenn sie sich ohnehin nicht an das hielt, was sie kannte, konnte sie auch gleich richtig dick auftragen. Aber was sollte jetzt weiter geschehen? »Ich sollte sie beschreiben.«

Mit gut 1,75 Meter war Nancy Firestone größer, als sie hätte
sein sollen, wenn man bedachte, dass ihre Eltern beide 1,65
Meter nicht überragten. Sie hatte eine lange Nase, und ihre
Haare waren eine Spur zu schwarz für ihre blasse Haut. Aber
ihr auffälligstes Merkmal waren ihre großen, blauen Augen,
die immer mehr zu wissen schienen, als sie preisgaben. Ihre
Augen waren voller Geheimnisse, wie ein Mann ihr einmal
ins Ohr geflüstert hatte. Nancy hatte nur den Kopf in den
Nacken geworfen und laut gelacht.

Lily ließ ihren Stift sinken und fragte sich, wann Nancy
Firestone sich in Emma Frost verwandelt hatte. Und was
hatte Dylan gemeint, als er heute Nachmittag gesagt hatte, dass seine Mutter nach Rachels Baby in *Friends* benannt
worden war?

»Du meinst, sie haben denselben Namen«, hatte sie ihn
abwesend verbessert, als es im Kino dunkel wurde. Sie hatte
beobachtet, wie Dylan seine kleine Hand in seiner großen
Tüte Popcorn vergraben und dabei die Hälfte auf seinem
Schoss verteilt hatte.

»Nein«, hatte er erwidert, während er die verstreuten Kör-
ner aufsammelte und in den Mund stopfte, als hätte er Angst,
dass sie ihm die Tüte ohne Warnung abnehmen könnte. »Sie
hatte vorher einen anderen Namen, aber das soll ich keinem
erzählen.«

Anschließend hatte er erklärt, dass er auch nicht Dylan
hieße, was vielmehr der Name eines Jungen wäre, der in Beverly Hills lebte, und weil er den Namen nicht mochte, hätte seine Mutter ihm versprochen, dass er sich seinen Namen
beim nächsten Mal selbst aussuchen könnte. Aber das sollte
er auch keinem erzählen. Lily hatte ihm lächelnd versichert,
dass sein Geheimnis bei ihr gut aufgehoben war.

Lily schüttelte den Kopf. Dylan hatte wirklich eine leb-
hafte Fantasie. Ein bisschen was davon könnte sie jetzt auch
gut gebrauchen, dachte sie fast ein wenig neidisch.

Er war wirklich ein seltsamer kleiner Junge. Auf der einen Seite still und ängstlich, auf der anderen offen und redselig. In vielerlei Hinsicht furchtlos, aber dann wieder überängstlich. Mal heiß, mal kalt, wie ihre Mutter zu sagen pflegte. In dieser Beziehung war er ganz wie Emma, dachte Lily. Bei ihr wusste man auch nie, woran man war. Wie heute Abend, als sie Dylan zurückgebracht hatte. Emma war höflich, aber distanziert gewesen und hatte ihr kaum in die Augen, sondern durch sie hindurchgesehen und Lilys Kompliment über ihre neue Frisur kaum registriert. Ihr schickes aprikosenfarbenes Twinset roch nach frischem Zigarettenrauch. »Hübsche Jacke«, machte Lily einen neuen Anlauf. »Neu?«

»Selbstverständlich nicht«, hatte Emma scharf erwidert, wo ein schlichtes Nein gereicht hätte.

»Du stinkst!«, hatte Dylan plötzlich gerufen, war in Tränen ausgebrochen und hatte seine Mutter beschuldigt, ihr Versprechen, nicht zu rauchen, gebrochen zu haben.

Emma hatte beharrlich entgegnet, dass sie nur nach Tabak roch, weil sie mit einem alten Freund Kaffee getrunken hätte, der »qualmt wie ein Schlot.«

»Welcher alte Freund?«, fragte Dylan, eine Frage, die auch unbeantwortet blieb, als er sie ein zweites Mal stellte.

Zwei wütende rote Flecken waren auf Emmas Wangen aufgetaucht, und sie hatte sich hastig bei Lily bedankt, dass sie ihrem Sohn einen so schönen Tag ermöglicht hatte, bevor sie sie praktisch hinauskomplimentiert hatte. »Nochmals vielen Dank«, hatte sie gesagt und die Fliegengittertür vor Lilys Nase zugeschlagen.

Was hat all das zu bedeuten?, fragte Lily sich jetzt und bemühte sich, der Sache nicht allzu viel Gewicht beizumessen. Emma war schließlich immer reichlich distanziert gewesen. Erst nachdem ihre Post vertauscht worden war, hatte sie geruht, Lily mit mehr als einem gelegentlichen Winken zur Kenntnis zu nehmen. Trotzdem hoffte Lily, dass sie echte

Freundinnen werden würden. War heute irgendetwas vorgefallen, das Emma bewogen haben könnte, es sich anders zu überlegen?

»Okay«, sagte Lily und widmete sich wieder ihrer Geschichte. Sie nahm ihren Stift und blätterte eine leere Seite auf. »Wie wär's, wenn wir etwas anderes probieren?«

Weiterleben
Von Lily Rogers

Es war fast zwei Jahre her, seit Nancy Firestone zum letzten Mal Sex hatte.

O-ha.

Das letzte Mal war kurz und alles andere als schmerzlos gewesen, das passende Ende einer Ehe, die von Anfang an unpassend gewesen war.

Lily starrte auf die Sätze, die sie gerade geschrieben hatte, und ihr stockte der Atem. Was machte sie? Sie riss das Blatt ab und presste die anstößigen Wörter zu einem engen Knäuel zusammen, bevor sie es quer durch den Raum warf, wo es neben dem letzten Fehlversuch auf dem Fußboden landete. Was zum Teufel machte sie?

Sie nahm ihren Stift und begann wütend, das nächste Blatt zu beschreiben.

Weiterleben
Von Lily Rogers

Es war fast zwei Jahre her, seit Nancy Firestone zum letzten Mal Sex gehabt hatte. Zwei Jahre voller Einsamkeit, Sehnsucht und Lügen.

Wieder zerriss Lily ihre eigenen Wörter. »Was um Gottes willen ist los mit dir? Untersteh dich, noch mal so einen Blödsinn zu schreiben.«

Weiterleben
Von Lily Rogers

Es war zwei Jahre her, seit Nancy Firestone zum letzten Mal Sex gehabt hatte. Sie beschloss, dass es an der Zeit war, etwas zu unternehmen.

»So ist's gut, Nancy. Das hört sich doch schon viel besser an.« Lily sprang so ungestüm auf, dass ihr Stuhl nach hinten umfiel. Sie ließ ihn liegen, nahm ihre Handtasche von der Anrichte und kramte darin herum, bis sie die gesuchte Visitenkarte gefunden hatte. Sie starrte auf die akkurat gedruckte Telefonnummer, bis sie sie, ohne es zu wollen, auswendig konnte, und tippte dann die Ziffern ein, bevor sie eine Chance hatte, es sich anders zu überlegen. »Zwei Jahre ohne Sex sind zwei Jahre zu viel«, sagte sie laut und hörte, wie das Telefon ein Mal, zwei Mal, drei Mal klingelte.

Beim vierten Klingeln wurde abgehoben. »Hallo«, sagte Jeff Dawson, als hätte er gewusst, dass sie es war, als hätte er ihren Anruf erwartet.

Natürlich, dachte sie, er hatte eine Rufnummernanzeige. Hatte er deswegen so lange gebraucht, um abzunehmen? Hatte er überlegt, ob er mit ihr sprechen wollte oder nicht? »Hi, hier ist Lily. Lily Rogers«, fügte sie für den Fall hinzu, dass er mehr als eine Lily kannte oder sie schon aus seiner Erinnerung getilgt hatte. Vielleicht hätte ich sagen sollen Nancy Firestone, dachte sie. Nancy Firestone wüsste, was sie als Nächstes sagen wollte.

Aber Jeff Dawson hörte gar nicht zu, sondern redete immer noch. *»Hier ist der Anrufbeantworter von Jeff Dawson.«*

»Na, super.« Sie hatte so lange keinen Sex mehr gehabt,

dass sie nicht mehr zwischen einem Anrufbeantworter und einem richtigen Mann unterscheiden konnte.

»Ich kann im Moment nicht ans Telefon gehen, aber wenn Sie nach dem Piepton Ihren Namen und Ihre Nummer hinterlassen, rufe ich Sie so bald wie möglich zurück.«

»Wohl kaum.« Lily legte auf. Nun, er war natürlich unterwegs. Warum auch nicht? Du hast doch nicht ernsthaft erwartet, dass er zu Hause sitzt und auf deinen Anruf wartet, oder? »Wäre trotzdem nett gewesen.« Sie stand eine Weile in der Küche und marschierte dann ins Schlafzimmer.

Am Fußende ihres Bettes blieb sie stehen, setzte sich hin und zappte sich auf ihrem kleinen Fernseher durch die Programme. *»Irgendwas* muss doch laufen.« Aber nachdem sie sich zwei Mal durch sämtliche Programme geschaltet hatte, musste sie sich genervt eingestehen, dass keine einzige Sendung sie interessierte. Was war mit ihr los? Warum war sie so ruhelos? Sie hatte einen netten Tag gehabt – das Kunstmuseum war so schön gewesen, wie Jeff es geschildert hatte, und der Zeichentrickfilm mit schnell sprechenden Haien und diversen anderen ausgekochten Tiefseegestalten war eine angenehme Abwechslung gewesen. Sie hatte sich Pommes frites bei McDonald's und im Kino Popcorn gegönnt, und Michael war ohne jedes Theater eingeschlafen, warum also war sie so von der Rolle?

War Emmas Laune möglicherweise ansteckend? War sie verärgert, weil Jeff nicht angerufen hatte? Oder war sie einfach bloß geil? Lily zuckte die Achseln, konnte jedoch das lästige Gefühl nicht abschütteln, dass irgendetwas passieren würde. Etwas Unangenehmes.

Sie lachte. Wie oft hatte sie dieses Gefühl im vergangenen Jahr gehabt? Und wie oft war etwas passiert? Nein. Andersherum. Es passierte immer dann etwas Schreckliches, wenn man es am wenigsten erwartete und am wenigsten darauf vorbereitet war. Hatte sie auch nur einen Schimmer von dem furchtbaren Geheimnis ihres Mannes gehabt? Hatte sie auch nur im Mindesten eine Vorahnung davon gehabt, dass Kenny mit seinem Motorrad gegen einen Baum fahren würde?

Lily starrte auf den Bildschirm und nahm ihren Daumen von der Fernbedienung, als die Kamera auf ein wunderschönes altes Haus am Ende einer Allee fuhr.

»Hat Atlanta es mit einem neuen Serienkiller zu tun?«, fragte eine sonore männliche Stimme, als das Foto einer attraktiven älteren Dame eingeblendet wurde. »Im Fall der brutalen Ermordung einer wohlhabenden Witwe aus Atlanta gibt es keine neue Entwicklung«, fuhr der Sprecher von CNN ernst fort, während am unteren Bildrand die aktuellen Schlagzeilen vorbeirasten. »Die Leiche der 57-jährigen Laura Dennison wurde heute Morgen gegen acht Uhr von ihrem Sohn Mark gefunden. Die Frau war durch mehrere Schläge mit einem stumpfen Gegenstand getötet worden. Zurzeit weist die Polizei noch jegliche Vermutungen von sich, dass es einen Zusammenhang zu zwei weiteren Mordfällen im Großraum Atlanta geben könnte. In beiden Fällen wurden ältere Damen ermordet. Die Taten liegen noch keine acht Monate zurück.«

»Wir haben im Augenblick keinen Grund zu der Annahme, dass es irgendeinen Zusammenhang zwischen den Fällen gibt«, erklärte ein sichtlich ungeduldiger Polizeibeamter auf der Flucht vor einem Wald aus Mikrofonen, die ihm hektisch vors Gesicht gehalten wurden.

»Aber für die Bewohner dieser wohlhabenden Wohngegend von Atlanta ist dies nur ein schwacher Trost«, fuhr der Sprecher fort, während eine Gruppe besorgter Bürger ins Bild kam.

»Natürlich habe ich Angst«, polterte ein Rentner in die Kamera. »Was tut die Polizei, um uns zu schützen?«

»In den vergangenen acht Monaten sind drei Frauen ermordet worden«, sagte ein anderer Anwohner wütend.

»Natürlich sind das die Taten eines Serienkillers. Wie lange will die Polizei das noch leugnen?«

»Man denkt nicht, dass so etwas in einem Viertel wie Buckhead passieren könnte.«

Lily schaltete den Fernseher ab. Sie wollte nichts von Serienmördern wissen, die durch die Straßen schlichen, schon gar nicht wenn die Polizei offenbar genauso ohnmächtig war wie alle anderen auch.

Sie konnte ebenso gut den Steinbeck anfangen, beschloss sie, stand auf und ging die Treppe hinunter. Sie fragte sich, wie viele Mitglieder ihres Lesekreises das Buch dieses Mal tatsächlich lesen würden. Na, so kriege ich zumindest ein bisschen Bewegung, dachte sie, hüpfte von der untersten Stufe, wandte sich zum Wohnzimmer und sah den Schatten eines Mannes, der durch die Gardinen starrte.

Sie hielt die Luft an, die Gestalt erstarrte und drehte den Kopf in ihre Richtung. »Oh Gott«, flüsterte sie, als die Gestalt verschwand. Kurz darauf klopfte es an der Haustür, zunächst zögerlich, dann beharrlicher und kräftiger.

Ängstlich trat Lily in den Flur.

»Lily?«, fragte eine Männerstimme durch beide Türen. »Lily. Ich bin's, Jeff Dawson. Bist du zu Hause?«

Lily öffnete die Tür und starrte den Detective durch das Fliegengitter an.

»Tut mir Leid. Hab ich dich erschreckt?«

Lily lachte erleichtert und kam sich plötzlich dumm vor. »Ich habe im Fernsehen einen Bericht über einen Serienkiller in Atlanta gesehen ...«

»Und hast gedacht, er hätte einen Umweg über die Mad River Road genommen?«

»Es hat mir bloß irgendwie Angst gemacht. Komm rein.«

»Ich will nicht stören.«

»Du störst überhaupt nicht.«

»Ich war in der Gegend«, begann er und brach ab. »Also

ehrlich gesagt, war ich am anderen Ende der Stadt.« Er betrat das Haus, und Lily schloss die Tür. »Tolle Methode, sich rar zu machen, was?«

Lily lächelte. »Diese Spielchen waren noch nie mein Ding.«

»Gut. Ich war nämlich noch nie besonders gut darin.«

»Ehrlich gesagt habe ich dich vor ein paar Minuten angerufen«, gab sie zu.

»Wirklich? Warum?«

»Ich hatte gehofft, dass du Lust hast, auf einen Kaffee vorbeizukommen.«

»Eine Tasse Kaffee wäre jetzt wundervoll.«

»Na, dann ist es ja gut, dass ich angerufen habe.« Sie lachten, während Lily mit einem Mal ausgelassen und beschwingt in die Küche voranging.

»Mein Gott, was ist denn hier passiert?«

Lily blickte von dem umgefallenen Stuhl zu den zerknüllten Papierfetzen auf dem Boden, richtete eilig den Stuhl auf und warf die Papierfetzen in den Mülleimer unter dem Spülbecken. »Ich war ein bisschen frustriert, weil ich mit einer Geschichte nicht so recht vorankomme.«

»Irgendwas, wobei ich dir helfen kann?«

Du kannst dich ausziehen und mich gleich auf dem Küchentisch wild und leidenschaftlich lieben, dachte Lily, maß Pulver für sechs Tassen ab und füllte Wasser in die Maschine, wobei es all ihrer Konzentration bedurfte, ihre Hände ruhig zu halten. »Ist koffeinfrei okay?«, fragte sie und drehte sich um, als er einen Schritt auf sie zumachte.

Der folgende Kuss war gleichzeitig sanft und fordernd, alles, wovon sie den ganzen Tag heimlich geträumt hatte. Sie zwang sich, ihre Hände bei sich zu lassen, weil sie Angst hatte, dass sie, wenn sie ihn erst einmal berührte, nicht mehr aufhören konnte, bis sie ihm sämtliche Kleider vom Körper gerissen hatte. Sie ertappte sich bei dem Gedanken, dass sie es vielleicht im Stehen machen konnten. Was war mit ihr los? Was, wenn ihr Sohn aufwachte, nach unten kam und sie dabei erwischte, wie sie es an den Küchenschrank gelehnt trieben? »Ich war heute mit den Jungen im Kunstmuseum, wie du vorgeschlagen hast, und es war toll, sie waren begeistert«, flüsterte sie, um ein wenig auf die Bremse zu treten.

»Die Jungen?«, fragte er, suchte ihre Lippen und küsste sie noch einmal.

»Michael und Dylan. Emmas Sohn.« Sie spürte, wie er sich am ganzen Körper verspannte und zurückzog. »Jeff? Was ist los?« Hatte die Erwähnung ihres Sohnes gereicht, seine Leidenschaft nicht nur zu dämpfen, sondern gleich ganz zum Erliegen zu bringen?

Jeff machte einen Schritt zurück, lehnte sich an den Küchentisch und musterte sie mit Polizistenblick. »Wie gut kennst du diese Emma Frost?«

»Was ist los? Ich verstehe das nicht.«

»Deine Freundin Emma. Wie lange kennst du sie schon?«

Warum fragte er sie das? »Nun, wir sind schon seit einer Weile Nachbarn, haben uns aber erst in letzter Zeit angefreundet. Warum? Was ist los?«

»Was kannst du mir über sie erzählen?«

»Warum sollte ich dir etwas über sie erzählen?« Lily hörte den defensiven Ton in ihrer Stimme und fragte sich, wen genau sie verteidigen wollte.

»Ich habe sie heute getroffen.«

»Oh?« War er der erwähnte alte Freund von Emma, mit dem sie Kaffee getrunken hatte und der angeblich »qualmte wie ein Schlot«? »Du warst mit ihr Kaffee trinken?«

»Ja, aber erst hinterher …«

»Hinterher?« Mein Gott, dachte Lily. Nach was?

»Nachdem ich sie beim Ladendiebstahl erwischt habe.«

»Was!«

»Bei Marshalls. Ich hätte sie beinahe verhaftet.«

»Was!«, sagte Lily noch einmal, offenbar das einzige Wort, das zu formulieren sie imstande war.

»Ich habe es bloß nicht getan, weil sie deine Freundin ist.«

»Das ist lächerlich. Ich kann mir nicht vorstellen, dass Emma jemals etwas stehlen würde.«

»Sie hat eine Bluse, einen Schal und ein Paar Ohrringe gestohlen, und wer weiß, was sie noch alles unter ihrer Jeansjacke hatte«, zählte Jeff auf.

Lily sah Emma plötzlich in ihrem aprikosenfarbenen Twinset vor sich. War Emma deswegen ihrem Blick ausgewichen, als sie Dylan zurückgebracht hatte?

»Erzähl mir, was du über sie weißt.«

»Nicht sehr viel«, musste Lily zugeben. »Nur, dass sie früher mal Model war.«

»Was sonst noch?«

»Dass sie eine Geschichte in der *Cosmopolitan* hatte.«

»Hast du sie gesehen?«

»Nein. Sie hat nichts mitgenommen, als sie ihren Ehemann verlassen hat.«

»Und warum hat sie ihn verlassen?«

»Weil ihr Ex irgendein Perverser war. Er stand auf Kinderpornos und so.«

»Hat sie je erwähnt, wo sie gelebt hat?«

Lily schüttelte den Kopf. Er fing an, ihr Angst zu machen. »Glaubst du, sie lügt?«

»Sie hat mir erzählt, dass ihre Familie oft umgezogen ist, weil sie ein Soldatenkind war.«

»Nun, das ist nichts Ungewöhnliches, soweit ich gehört habe.«

»Nur dass es in Miami und Detroit, zwei der Städte, in denen sie angeblich gelebt hat, keine Armeestützpunkte gibt, und als ich sie darauf angesprochen habe, hat sie mir eine verrückte Geschichte von ihrer Mutter erzählt, die von Schulbehörde zu Schulbehörde versetzt worden sei.«

»Ihre Mutter war Schuldirektorin«, bestätigte Lily. »Vielleicht ist sie einfach immer dorthin gegangen, wo sich eine Gelegenheit aufgetan hat.«

»Emma hat gesagt, dass ihr Vater in Vietnam ums Leben gekommen ist, als sie ein kleines Mädchen war«, entgegnete Jeff.

»Und?«

»Ziemlich schwierig, wenn der Krieg schon vor ihrer Geburt beendet war.«

»Oh Gott.« Und sie hatte ihren Sohn in der Obhut dieser Frau gelassen, dachte Lily. »Ihr Sohn hat heute Nachmittag etwas Merkwürdiges gesagt«, erinnerte sie sich. »Ich dachte, es wäre bloß eine Fantasiegeschichte gewesen ...«

»Was hat er gesagt?«

»Dass er eigentlich gar nicht Dylan heiße und seine Mutter nicht Emma, aber dass er das keinem sagen solle. Glaubst du, das könnte wahr sein?«

»Ich glaube Dylan jedenfalls eher als seiner Mutter«, sagte Jeff.

»Aber wenn sie nicht Emma Frost ist«, sagte Lily, »wer ist sie dann?«

Jeff schwieg, aber es war ein beredtes Schweigen. Ich weiß es nicht, sagte er ohne Worte. Aber ich werde es verdammt noch mal herausfinden.

24

Jamie saß an das hässliche dunkle Kopfbrett des massigen Doppelbetts gelehnt und versuchte, nicht zu weinen. Brad hatte ihr erklärt, dass sie aufhören sollte zu weinen, und es war wichtig, dass sie tat, was er sagte, weil sie ihn nicht wütend machen wollte. Wenn er wütend wurde – und sie hatte ihn im Laufe des langen Nachmittags oft wütend gemacht –, könnte er sie wieder schlagen. Und das durfte sie nicht riskieren. Vor allem jetzt nicht, wo er endlich entspannt und zufrieden am Fußende des Bettes saß und mit den Augen am Fernseher klebte. Er stützte sich locker auf seine Hände, und seine Füße baumelten über der abscheulichen senfgelben und grünen Überdecke.

Plötzlich lachte er johlend und drehte sich zu Jamie um. »Hast du das gehört, Jamie-Girl?«

Sie fragte sich, was sie gehört haben sollte, und ihr Rückgrat versteifte sich gegen das harte Holz. Ist es massiv oder furniert, fragte sie sich abwesend, weil sie Angst hatte, sich auf andere, drängendere Gedanken einzulassen. Zum Beispiel, wie sie aus diesem schrecklichen kleinen Zimmer in diesem grässlichen billigen Motel herauskam. Oder wie sie diesem grausamen Mann entkommen konnte, der ihr ständig seine Liebe erklärte, während er sie so heftig ins Gesicht schlug, dass sie ihre Zähne in den Ohren klappern hörte. Erstaunlich, dass sie ihn je attraktiv gefunden hatte, wunderte sie sich jetzt, sah sein bösartiges Lächeln über das Blau seiner Augen gleiten und verbannte solche ungebetenen Gedanken rasch wieder aus ihrem Kopf. Er würde sich zusammenreimen, was in ihr vorging, dachte sie, und sie wieder schlagen.

»Hast du das nicht mitbekommen?«, fragte er.

»Tut mir Leid«, sagte Jamie hastig. Sie hätte es mitbekommen sollen. Sie hätte besser aufpassen müssen.

»Was tut dir Leid?«

»Nichts. Tut mir Leid«, entschuldigte Jamie sich erneut.

Brad stützte sich auf die Ellenbogen und lachte. »Gute Neuigkeiten, Jamie-Girl«, sagte er. »Du bist aus dem Schneider. Die Polizei von Atlanta glaubt, dass sie es mit einem Serienmörder zu tun hat. Das ist wirklich nicht zu toppen.«

»Was?« Was sagte er da?

»Die Polizei nimmt an, dass deine Schwiegermutter von einem Serienkiller umgebracht wurde.«

Warum glaubt die Polizei das, fragte Jamie sich.

»Offenbar wurde im letzten Jahr zwei weiteren alten Damen der Schädel eingeschlagen«, antwortete Brad, als hätte sie die Frage laut gestellt.

Jamie begriff, dass er in ihren Kopf sehen konnte. Er konnte jeden ihrer Gedanken lesen. Deswegen war es so wichtig, nichts zu denken und den Kopf leer zu halten.

»Die blöden Bullen.« Er lachte erneut. »Hey«, sagte er mit einem Blick auf den runden Tisch, der zwischen Bett und Fenster stand. »Du hast dein Abendessen immer noch nicht angerührt.«

»Ich kann nicht.« Bei dem Gedanken an Essen wurde ihr übel.

Brad schwang seine Füße aus dem Bett, ging zu dem Tisch, nahm die Papiertüte mit dem nunmehr kalten Cheeseburger und den Pommes frites und warf sie in Richtung Bett. Sie landete auf Jamies Schoß, und der unverkennbare McDonald's-Geruch stieg ihr Ekel erregend in die Nase. »Du musst doch bei Kräften bleiben, Jamie«, sagte er, als ob ihr Wohlbefinden seine größte Sorge wäre. »Komm schon. Iss auf.«

Jamie zerrte die Tüte bis an ihre Brust, entfernte das Papier und knabberte, gegen den beinahe übermächtigen Drang zu würgen ankämpfend, verhalten an ihrem Burger.

»So ist's brav, mein Mädchen«, sagte Brad, und Jamie erinnerte sich daran, wie entzückt sie gewesen war, als er sie zum ersten Mal sein Mädchen genannt hatte. »Los. Jetzt noch ein paar Pommes.« Er trat neben das Bett und wartete.

»Ich glaube, das schaffe ich nicht«, wagte Jamie einzuwenden.

»Du hast nichts zu Mittag gegessen«, tadelte Brad sie. »Also los jetzt. Mach mir das Leben nicht schwer.«

Sofort griff Jamie eine Hand voll Pommes frites und stopfte sie sich in den Mund. Egal was du machst, übergib dich nicht wieder, ermahnte sie sich. Sonst wird er wütend und sagt, dass du es mit Absicht machst, dass es jetzt reicht und dass er, wenn du dich weiter so kindisch aufführst, dich behandeln muss wie ein Kind. Oder etwas in der Richtung. Dieselben Wörter, die er benutzt hatte, als sie in dieses erbärmliche Loch eingecheckt hatten. Dieselben Worte, die er benutzt hatte, als er sie wieder geschlagen hatte. Sie stopfte sich eine weitere Hand voll Pommes frites in den Mund und nahm einen größeren Bissen von ihrem Cheeseburger.

»So ist's besser.« Er kehrte an seinen Platz am Fußende des Bettes zurück. »Hey, vielleicht gibt es einen Film mit Chuck Norris, den wir uns ansehen können.« Er zappte sich durch die Programme, obwohl die Auswahl ziemlich begrenzt war, sodass er schon bald wieder bei CNN gelandet war. »Die miesen Billigheimer. In welchem Motel gibt es denn noch nicht mal TNT?« Er lachte. »Ab morgen wird alles besser. Wir holen uns eine frische Bargeldinfusion, und dann geht's ab ins nächste Ritz. Dann ist Schluss mit der Scheiße.«

»Wie?«, fragte Jamie sich und ließ den Cheeseburger in ihren Schoß fallen, als ihr bewusst wurde, dass sie laut gesprochen hatte.

Brad zwinkerte ihr zu. »Das lass mal meine Sorge sein. Wie kommst du mit dem Burger voran?«

Jamie führte den Cheeseburger wieder zum Mund und

zwang sich zu kauen, obwohl ihre Geschmacksnerven taub waren. Wenn sie Glück hatte, würde sich diese Taubheit auf ihren ganzen Körper ausweiten. Und mit noch mehr Glück auch auf ihre Seele.

Sie schloss die Augen, lehnte sich zurück und spürte, wie ihr Körper hin und her schwankte, als säße sie immer noch auf dem Beifahrersitz. Sie waren heute mehr als sechs Stunden gefahren und hatten nur einmal etwas außerhalb von Williamsburg kurz zum Tanken angehalten, wo sie auch die Toilette benutzen durfte. Brad war tatsächlich mit ihr in die Damentoilette gekommen und hatte sich vor ihre Kabine gestellt wie der verrückte Penner in Florida am ersten Tag ihrer Reise. Wie lange war das her, fragte Jamie sich. Ein ganzes Leben, dachte sie.

Laura Dennisons Leben.

»Oh Gott.«

»Was ist los?«, fragte Brad ungeduldig. »Du musst dich doch nicht etwa schon wieder übergeben?«

Jamie schüttelte den Kopf und biss erneut in ihren Cheeseburger, als wollte sie ihm beweisen, dass ihr Magen wieder stabil war.

»Na, Gott sei Dank. Ich glaube nicht, dass ich diesen Quatsch noch länger ertragen könnte.«

Auf der Fahrt hatte sie sich drei Mal übergeben, das erste Mal direkt außerhalb von Knoxville, wo Brad gerade noch rechtzeitig am Straßenrand hatte halten können, das zweite Mal auf dem steilen Anstieg des Highway unweit der Grenze von Tennessee und Kentucky, auf der Schneise, die man in den Hang des Pine Mountain geschlagen hatte. Diesmal hatte Brad sich nicht einmal mehr die Mühe gemacht anzuhalten, weil er zutreffend, wie sich herausstellte, bemerkt hatte, dass sie ohnehin nichts mehr im Magen haben könnte, worüber man sich Sorgen machen müsse. Dann hatte er ihr erklärt, dass er glaubte, dass sie es mit Absicht machen würde und ihr Gewürge anfing, ihm auf die Nerven zu gehen.

Jamie lachte ungläubig, ein spöttisches Schnauben kam ihr über die Lippen, bevor sie Zeit hatte, ihre Reaktion abzuwägen. Da hatte er sie zum ersten Mal geschlagen, sein Handrücken traf auf ihre Wange und löste zwischen ihren Ohren eine Reihe von Erschütterungen aus. Es durchfuhr sie wie Schüttelfrost. Sie schrie laut auf, worauf er sie erneut schlug, dieses Mal so heftig, dass ihre Lippe platzte. Wenn sie noch einen Mucks machte, erklärte er ihr, würde er ihr den Hals brechen wie einen Zweig und ihre Leiche am Straßenrand deponieren.

Danach war sie still.

Bei Berea, 9 200 Einwohner, kamen sie an dem ersten von einem halben Dutzend Polizeiwagen vorbei, denen sie im Laufe des Tages begegnen sollten, und Jamie hielt wie bei jedem folgenden Streifenwagen den Atem an und betete, dass er sie anhalten würde. Aber Brad hielt sich penibel an die Geschwindigkeitsbegrenzung, und ihre Reifen weigerten sich stur, Luft zu verlieren, sodass die Polizei keinerlei Notiz von ihnen nahm. Sie fuhren an den Ausfahrten Lexington, 241 800 Einwohner, Georgetown, 11 400 Einwohner, und Florence vorbei, das offenbar so wenig Einwohner hatte, dass sie einer Erwähnung nicht würdig waren, ungeachtet des gewaltigen Wasserturms, an dem in Riesenlettern der Name der Stadt prangte, bis sie Cincinnati, 1 820 000 Einwohner erreichten. »Wir sind fast da«, sagte Brad und verkündete beinahe schadenfroh, dass Dayton nur noch eine halbe Autostunde entfernt war. Da übergab sich Jamie zum dritten Mal. Diesmal wartete Brad, bis sie in ein heruntergekommenes Motel direkt südlich von Middleton, 46 000 Einwohner, eingecheckt hatten, bevor er sie wieder schlug.

Jamie ließ das Essen in den Schoß sinken und tastete mit dem Finger über die Stelle an ihrem Mund, wo er sie geschlagen hatte. Niemand hatte sie je zuvor geschlagen. Nicht ihre Mutter. Nicht Tim Rannells. Nicht einmal Mark Dennison.

»Hör auf, an deiner Lippe rumzuspielen«, erklärte Brad ihr, obwohl sie gar nicht gesehen hatte, dass er sich umgedreht hatte. »Sonst fängt sie wieder an zu bluten.«

Jamie ließ die Hand sinken, als Brad sich auf dem Bett neben sie robbte.

»Komm«, sagte er und beugte den Kopf in ihre Richtung. »Lass mich dich küssen, damit es besser wird.«

Jamie hielt den Atem an, als seine Lippen ihre streiften und sich in das zarte geschwollene Fleisch brannten wie Säure.

»Hast du schön aufgegessen?«, fragte er und blickte in ihre Papiertüte.

»Ich kann nicht mehr essen, Brad«, schluchzte sie leise. Bitte zwing mich nicht, noch mehr zu essen, flehte sie stumm.

»Das ist schon in Ordnung, Jamie-Girl«, tröstete er sie. »Sieht so aus, als hättest du ordentlich reingehauen für jemanden, der angeblich keinen Hunger hat.«

Jamie nickte dankbar. Sie hatte ordentlich reingehauen. Er war zufrieden mit ihr.

»Weißt du, was du meiner Ansicht nach jetzt machen solltest?«, fragte er plötzlich.

Jamie stockte der Atem, und sie wagte nicht zu fragen, was.

»Ich denke, du solltest deine Schwester anrufen.«

»Meine Schwester?«

»Du hast gesagt, dass du dich in ein paar Tagen noch mal melden würdest, und ich finde, das solltest du tun.«

»Du willst, dass ich meine Schwester anrufe?«, wiederholte Jamie ungläubig.

»Na ja, wahrscheinlich hat sie in den Nachrichten gehört, dass man der alten Hexe in Atlanta den Schädel eingeschlagen hat, und wir wollen doch nicht, dass sie auf komische Ideen kommt, oder? Deshalb solltest du sie anrufen und sie beruhigen.« Er suchte das Telefon und stellte es neben Jamie auf den Nachttisch. »Sag ihr … sag ihr, du bist in Savannah – da wollte ich schon immer mal hin –, und dass es dort einfach wundervoll ist. Los«, wies er sie an und stellte ihr das Telefon in den Schoß. »Ich glaube, man muss eine Acht oder eine Neun vorwählen, um eine Amtsleitung zu kriegen.«

Jamie hob langsam den Hörer ab, wählte die Nummer ihrer Schwester und presste den Hörer ans Ohr. Was sollte sie ihr sagen, fragte sie sich. Wie konnte sie auch nur anfangen, von dem Schlamassel zu erzählen, in dem sie steckte?

»Denk dran, dass ich jedes Wort mithöre«, warnte Brad sie, zog sein Messer aus der Tasche und schwenkte es träge hin und her, bevor er sich an sie kuschelte.

Nach dem zweiten Klingeln wurde abgenommen. »Hallo?«, zwitscherte eine Kinderstimme.

Mit einem Knopfdruck ließ er die Klinge des Messers aufschnappen.

»Melissa?«, fragte Jamie mit Tränen in den Augen, als sie die Stimme ihrer dreijährigen Nichte hörte.

»Ja. Wer ist da?«

»Hier ist deine Tante Jamie, Schätzchen.«

»*Wer* ist da?«

»Hier ist Jamie«, wiederholte Jamie lauter.

»Wer ist es, Melissa?«, hörte sie ihre Schwester im Hintergrund fragen.

Vielleicht sollte sie einfach losschreien, dachte Jamie. Nur dass sie, wenn sie einmal zu schreien anfing, bestimmt nie wieder aufhören könnte.

Bis er sie zum Schweigen brachte.

So wie er Laura Dennison zum Schweigen gebracht hatte.

»Melissa, gib mir deine Mutter«, sagte sie scharf.

»Hallo?«, fragte Cynthia im nächsten Moment.

Jamie stellte sich ihre Schwester in ihrer makellosen Küche vor, in einer Hand ein Kochbuch, den kleinen Tyler perfekt auf einer Hüfte balancierend, während Melissa fröhlich zu Füßen ihrer Mutter spielte.

»Hallo?«, fragte Cynthia noch einmal, und ihr Ton machte deutlich, dass sie nicht zu Spielchen aufgelegt war. »Hallo?«

»Sag deiner Schwester Hallo, Jamie«, flüsterte Brad.

»Cynthia, ich bin's.«

»Jamie? Jamie, wo bist du? Todd, es ist Jamie.«

»Wo ist sie?«, hörte sie Todd rufen.

»Wo zum Teufel steckst du?«, wiederholte Cynthia. »Wir sind schon ganz krank vor Sorge.«

»Sag ihr, dass du in Savannah bist«, befahl Brad mit einer Hand auf der Sprechmuschel. »Sag ihr, dass es dir gut geht.«

»Es ist alles in Ordnung, Cynthia. Ich bin in Savannah.«

»Savannah? Sie ist in Savannah«, hörte sie Cynthia ihrem Mann erklären. »Gott sei Dank. Wir haben uns solche Sorgen gemacht. Ich wusste nicht, was ich denken sollte, vor allem nachdem … Hast du CNN geguckt?«

Brad nickte.

»Ja«, sagte Jamie auf Stichwort. »Ich konnte es nicht glauben.«

»Wir wussten nicht, was wir denken sollten. Ich meine, ich habe natürlich keine Sekunde geglaubt, dass du etwas damit zu tun haben könntest, aber du hast dich in letzter Zeit so seltsam benommen, hast deinen Job hingeworfen und bist einfach so abgehauen, und ich weiß, wie sehr du die Frau gehasst hast, und dann haben wir nichts von dir gehört. Also ich bin wirklich froh, dass du anrufst. Wann kommst du nach Hause?«

Brad zuckte die Schultern.

»Ich weiß noch nicht genau.«

»Was soll das heißen, du weißt es noch nicht genau?«

»In ein oder zwei Wochen«, flüsterte Brad.

»In ein oder zwei Wochen«, sprach Jamie ihm nach.

»In ein oder zwei Wochen? Jamie, was ist los?«

»Nichts ist los.«

»Bitte versprich mir, dass du nicht wieder heiratest.«

»Was?«

»Wir wissen beide, wie impulsiv du sein kannst. Ich hoffe, du hast deine Lektion beim letzten Mal gelernt.«

»Ich hab nicht wieder geheiratet.« Die Unterhaltung wurde zusehends surreal.

Brad hielt sich die Hand vor den Mund, um nicht laut loszulachen.

»Schwörst du es?«

»Verdammt noch mal, Cynthia …«

»Okay, ich glaube dir auch so. Sie hat nicht wieder geheiratet«, berichtete Cynthia ihrem Mann. »Und was genau machst du gerade? Bist du alleine?«

»Du bist bei Freunden«, flüsterte Brad.

»Ich bin mit ein paar Freunden zusammen.«

»Was für Freunde? Du hast keine Freunde.«

Oh Gott, dachte Jamie. Wenn es nicht so erbärmlich wäre, könnte es richtig komisch sein.

»Sag ihr, dass du jetzt Schluss machen musst«, wies Brad sie an und bedeutete ihr mit einer kreisenden Bewegung des Messers, sich zu beeilen.

»Ich muss jetzt Schluss machen, Cynthia«, erklärte Jamie ihrer Schwester.

»Warte! Irgendwas stimmt doch nicht. Ich kann es spüren.«

»Es ist alles in Ordnung.«

»Versprichst du mir das?«

»Mir geht es gut, Cynthia. Du musst dir meinetwegen keine Sorgen machen.«

»Ja, klar. Als ob ich das jemals erleben werde.«

»Sag den Kindern, ich hab sie lieb, und gib Todd einen dicken schmatzenden Kuss von mir.«

»Was?«

»Ich liebe dich.«

Es entstand eine Pause. Jamie konnte die verwirrte Miene ihrer Schwester förmlich vor sich sehen.

»Ich liebe dich auch«, sagte Cynthia.

»Ich ruf dich in ein paar Tagen wieder an.« Jamie legte eilig auf. Ihr Herz raste.

»Braves Mädchen«, sagte Brad.

Jamie nickte und fragte sich, ob Cynthia ihren elenden Hilfeschrei verstanden hatte. Sie musste doch wissen, dass Jamie im Leben nicht darauf kommen würde, ihrem Mann einen dicken schmatzenden Kuss zu geben, selbst wenn sie ihn mochte. Es war nicht viel, aber zusammen mit der ebenfalls untypischen Bekundung schwesterlicher Liebe genügte es vielleicht, um Cynthia darauf zu stoßen, dass irgendetwas in der Tat ganz und gar nicht stimmte. Würde ihr das ausreichen, um die Polizei anzurufen und sie auf die Möglichkeit hinzuweisen, dass ihre Schwester in irgendwelchen Schwierigkeiten steckte, weshalb sie nach ihrem alten blauen Thunderbird Ausschau halten sollte? Jamie versuchte, sich das Gespräch zwischen Cynthia und ihrem Mann vorzustellen.

Das war seltsam, hörte sie Cynthia zu ihrem Mann sagen.

Und das überrascht dich, erwiderte Todd. *Wir reden hier schließlich von deiner Schwester.*

Sie hat mir gerade aufgetragen, dir einen dicken schmatzenden Kuss zu geben.

Wahrscheinlich hat sie getrunken, verwarf ihr Schwager die Sorgen seiner Frau.

Sie hat mir gesagt, dass sie mich liebt.

Dann hat sie auf jeden Fall getrunken.

Ja, vermutlich hast du Recht, hörte sie Cynthia zustimmen. *Mein Gott, glaubst du, dass sie ihr Leben je auf die Reihe kriegt?*

Jamie schloss die Augen. Ihre Schwester würde die Polizei nicht alarmieren. Stattdessen würde sie das Essen für ihren Mann und ihre Kinder zu Ende bereiten und servieren, anschließend noch ein paar Unterlagen aus der Kanzlei durchgehen, vielleicht ein paar Anrufe erledigen und eine Weile lesen, bevor sie ins Bett ging. Vielleicht würden sie und Todd miteinander schlafen, vielleicht auch nicht. Vielleicht würde sie ein paar Minuten darüber nachgrübeln, was mit ihrer älteren Schwester los war, bevor sie einschlief, aber wahrscheinlich nicht. Über ihre Schwester zu grübeln, war zu frustrierend und erschöpfend. Es war der Stoff, aus dem Albträume sind.

Sie ist nicht dein Problem, hörte sie Todd sagen, während Brad das Telefon wieder auf den Nachttisch stellte.

»Und, was ist los, Jamie-Girl?«, fragte Brad sie. »Hast du ein bisschen Heimweh?«

Jamie starrte zu dem Mann hoch, der neben dem Bett stand, und beobachtete, wie er die Arme über seinen Kopf streckte, das Messer wirkte wie ein natürlicher Fortsatz seiner Hand, wie ein zusätzlicher Finger. »Wer bist du?«, fragte Jamie mit einem Seufzen und wappnete sich schaudernd für die nächste Ohrfeige.

Stattdessen lachte Brad. »Was für eine Frage ist denn das?«

»Du hast nie Software entwickelt, oder?«

Er lachte noch lauter. »Ich hab absolut keinen Schimmer von Software.«

»Und eine Computerfirma gibt es auch nicht …«

»Die ich für einen Riesenprofit verkauft habe? Nein, ich fürchte, nicht.«

Nickend ließ sich Jamie bestätigen, was sie schon wusste. »Heißt du überhaupt Brad Fisher?«

»Na ja, das Fisher ist echt. Das Brad hab ich mir von Mr. Pitt geliehen. Ich dachte mir, dass er nichts dagegen haben würde. Pitt«, wiederholte er. »Schrecklicher Nachname. Verstehe nicht, warum er ihn nicht geändert hat. Klingt wie etwas, das man ausspuckt.« Er ließ sein Messer zuschnappen und steckte es wieder in seine Jeanstasche.

»Wie heißt du denn nun wirklich?«

»Was spielt das für eine Rolle?«

»Keine vermutlich«, sagte Jamie. Was spielte überhaupt noch eine Rolle?

»In meiner Geburtsurkunde steht Ralph«, erklärte er ihr und betrachtete sein Bild im Spiegel über der Kommode gegenüber dem Bett. »Derselbe Name wie mein Vater.« Er strich sich durch sein kurzes braunes Haar. »Ich hab den Namen immer gehasst. Ich bin jetzt *Brad* Fisher. Neuer Name. Neue Frisur. Neues Mädchen.«

»Was du mir über deinen Vater erzählt hast …«, begann Jamie ermutigt von seiner unerwarteten Bereitschaft zu reden, ohne seine letzte Bemerkung zu beachten.

»Was ist damit?«

»War irgendetwas davon wahr?«

»Du meinst die Geschichte, wie ich mit Carrie-Leigh Jones im neuen Wagen meines Dads eine Spritztour gemacht habe?«

Jamie nickte und beobachtete, wie Brad die Fäuste ballte.

»Ja, die ist wahr.«

»Er hat dich geschlagen?«

Brad sagte nichts, aber seine Miene im Spiegel verfinsterte sich.

»Was ist mit deiner Mutter?«, fragte Jamie.

»Was ist mit ihr?«

»Hat sie nie versucht, ihn aufzuhalten?«

»Oh doch.« Brad lachte. »Und sie hat auch noch die Narben, die das beweisen.«

»Er hat sie auch geschlagen?«

»Es war sozusagen eine Familientradition.«

»Was ist mit deinen Schwestern?«

»Ich habe keine Schwestern«, gab Brad mit einem amüsierten Kopfschütteln zu. »Die Geschichte darüber, wie sie mir beigebracht haben zu küssen? Nun, die hab ich aus einem Interview mit Tom Cruise. Ich kann dir gar nicht sagen, wie viele Frauen ich damit schon rumgekriegt habe.« Er lachte. »Jedenfalls ist Tom derjenige mit den Schwestern. Ich hatte einen kleinen Bruder.«

»Du hattest?«

»Er ist vor acht Jahren umgekommen. Ein Drogendeal, der schief gelaufen ist«, erklärte er, bevor Jamie fragen konnte.

»Tut mir Leid«, sagte Jamie, und das stimmte. Sie taten ihr alle Leid.

»Weswegen tut es dir Leid? Es war seine eigene beschissene Schuld. Und wen kümmert's? Das ist lange her.«

»Wo sind deine Eltern jetzt?«

»Meine Mutter lebt immer noch in Texas. Mein Vater ist tot.« Brad lächelte. »Er hatte Glück. Ein Herzinfarkt ist mir zuvorgekommen.«

Schaudernd verdaute Jamie die jüngste Information. »Die Geschichte, wie du dein Messer bekommen hast …«

»War verdammt gut, findest du nicht? Ich werde langsam richtig gut im Improvisieren.« Er lachte und drehte sich wieder zu ihr um. »Warum fragst du mich das alles?«

»Ich versuch einfach, dich kennen zu lernen«, sagte Jamie und merkte, dass das die Wahrheit war.

Brad kehrte zum Bett zurück und nahm ihre Hände in seine. »Du meinst, du willst mein wahres Ich kennen lernen?«

Jamie verspürte, wie sich ihr Körper versteifte, und kämpfte gegen den Impuls an, ihre Hände zurückzuziehen. »Ich möchte den echten Brad Fisher kennen lernen«, wiederholte sie. Ich möchte den Mann kennen lernen, mit dem ich geschlafen habe, fügte sie stumm hinzu. Den Mann, an den ich geglaubt und dem ich mein Herz geschenkt habe. Den Mann, der mich vergewaltigt und geschlagen und kaltblütig eine wildfremde Frau ermordet hat.

Wenn sie diesen Mann dazu brachte, lange genug von sich zu erzählen, fand sie vielleicht den Schlüssel, mit dem sie aus diesem Albtraum herauskam.

»Also gut«, sagte er und küsste sie sanft auf den Mund, bevor er sich auf seine Ellenbogen stützte und die Füße übereinander schlug. »Frag los.«

25

»Wirst du mich umbringen?«, platzte es aus Jamie heraus, weil alle ihre Fragen plötzlich zu dieser einen zusammengeschmolzen waren.

»Dich umbringen?« Brad wirkte ernsthaft schockiert. »Warum um alles in der Welt sollte ich dich umbringen wollen? Ich liebe dich, Jamie. Weißt du das nicht?«

Tränen schossen in Jamies Augen. Sie öffnete den Mund, um etwas zu sagen, brachte jedoch kein Wort heraus.

»Hat dir das den ganzen Tag Sorgen gemacht? Hast du dich deshalb so merkwürdig benommen?«

Jamie blickte zum Fenster und versuchte, das Gehörte zu verstehen. War das sein Ernst? Hatte er sich wirklich Gedanken über ihr Verhalten gemacht und sich gefragt, was *ihr Sorgen machte*? War das möglich?

»Du bist schon ein komisches kleines Ding«, sagte er, rutschte vor sie, legte seine Arme um sie und küsste sie kichernd auf die Stirn. »Du hast wirklich gedacht, ich wollte dich umbringen?«

»Ich weiß nicht, was ich denken soll. Ich hab solche Angst gehabt.«

»Vor mir?«

»Ich verstehe das alles nicht.« Die Tränen, die sie zurückgehalten hatte, flossen jetzt ungebremst über ihre Wangen.

»Was verstehst du nicht, Jamie?«

»Ich verstehe gar nichts.« Sie begann, ihren Oberkörper langsam hin und her zu wiegen. »Ich verstehe nicht, was in Atlanta passiert ist.«

»Ich hab ein bisschen die Beherrschung verloren, sonst nichts. Dafür hab ich mich doch schon entschuldigt.« Ein mittlerweile vertrauter ungeduldiger Tonfall schlich sich in seine Stimme.

»Nicht bloß das.«

»Was denn?«

»Alles«, sagte Jamie. »Ich verstehe nichts von dem, was passiert ist, Brad. Wie konnte das geschehen?«

»Es gibt nicht immer einen Grund für alles, Jamie.«

»Eine Frau ist tot, Herrgott noch mal.«

»Eine Frau, die du gehasst hast. Eine Frau, die dich wie Dreck behandelt hat.«

»Das heißt doch nicht, dass sie den Tod verdient hatte.«

»Für mich schon.«

»Willst du damit sagen, du hast sie meinetwegen umgebracht?« Oh Gott, dachte Jamie. Oh Gott. Oh Gott.

»Welche Rolle spielt es, warum ich sie umgebracht habe? Sie ist tot, egal warum.«

»Bitte, Brad. Hilf mir einfach zu verstehen.«

Brad lehnte sich an das Kopfbrett und verschränkte die Hände hinter dem Kopf, als würde er sich entspannt sonnen. »Ich weiß nicht, ob ich das kann, Jamie-Girl.«

Jamie bemühte sich, ihre Angst in Gedanken, ihre Gedanken in Worte und ihre Worte in zusammenhängende Fragen zu fassen. »Erzähl mir, was passiert ist«, sagte sie schließlich, als nichts sonst einen Sinn ergeben wollte.

»Ich weiß nicht genau, wo ich deiner Meinung nach anfangen soll.«

»Warum sind wir nach Atlanta gefahren?«

»Wie meinst du das?«

»Warum sind wir nach Atlanta gefahren?«, wiederholte sie.

»Wir waren auf der Durchfahrt, Jamie«, erinnerte er sie. »Auf dem Weg nach Ohio.«

»Nein«, korrigierte sie ihn. »Ich wollte bis Barnsley Gardens weiterfahren. Du warst derjenige, der darauf bestanden hat, in Atlanta Station zu machen.«

»Ich war müde. Ich wollte mich ausruhen.«

»Du wolltest zu ihrem Haus«, sagte Jamie, unfähig, Laura Dennisons Namen laut auszusprechen. »Du hast von Anfang an vorgehabt, dorthin zu fahren.«

»Na ja«, gab er nach einer Pause zu. »Nachdem du mir die Geschichte mit den Ohrringen erzählt hast, hab ich gedacht, dass es spaßig sein könnte, der alten Schachtel einen Besuch abzustatten.«

»Du hattest schon beschlossen, bei ihr einzubrechen«, stellte Jamie fest.

»*Wir* sind bei ihr eingebrochen«, erinnerte er sie.

»Du bist schon öfter in Häuser eingebrochen.« Eine weitere Feststellung.

»Ein oder zwei Mal.«

»Du hattest schon öfter Ärger mit dem Gesetz.«

»Ein oder zwei Mal.«

»Aber warum musstest du sie umbringen?«, fragte Jamie.

»Sie hat uns gesehen, Jamie. Was hätte ich sonst machen sollen?«

»Du hättest abhauen können. Du hättest mit mir abhauen können.«

»Das musste ich erst noch erledigen.«

»Wie … wie hast du sie getötet?«, fragte Jamie.

»Das weißt du doch. Du hast die Nachrichten gehört.«

»Mit ihrem Kerzenständer«, sagte Jamie tonlos.

»Hey – Mr. Fisher mit dem Kerzenleuchter im Schlafzimmer!« Brad lachte. »Erinnerst du dich an das Spiel, Jamie? Wo man herausfinden musste, wer wen wo und womit ermordet hat? Wie hieß es noch? Cluedo?«

»Cluedo?« Redeten sie hier wirklich von einem albernen Gesellschaftsspiel?

»Ja, genau. Das hab ich geliebt.«

»Du hast die ganze Zeit vorgehabt, sie zu ermorden, oder?«

Brad legte mit gerunzelter Stirn den Kopf zur Seite, als würde er ernsthaft über die Frage nachdenken. »Ich dachte mir, dass ich das mehr oder weniger spontan entscheide.«

»Deshalb hast du den Kerzenständer mit in ihr Schlafzimmer genommen.«

»Du meinst den Kerzenständer mit deinen Fingerabdrücken?«, fragte er listig.

Die Frage traf Jamie wie ein Schlag, und sie musste mit beiden Händen die Überdecke packen, um nicht umzufallen.

Brad lächelte. »Ja, vermutlich schon.«

Er hatte sie in die Falle gelockt. »Warum?«, flüsterte sie.

»Warum was, Jamie-Girl?«

Was wollte er von ihr? »Hast du schon mal jemanden getötet?«, hörte sie sich fragen.

Es entstand eine längere Pause. »Ein oder zwei Mal«, sagte er dann wie zuvor.

»Oh Gott.«

»Hey, nun flipp nicht gleich wieder aus.«

Jamie unterdrückte den Schrei, der aus ihrer Kehle drängte. Sie sah eine goldene Kreditkarte vor sich und las den darauf gedruckten Namen. »Grace Hastings?«

»Wow! Jamie-Girl! Die Kandidatin bekommt einen goldenen Stern. Du bist ja eine richtige kleine Privatdetektivin, was?«

»Wer ist Grace Hastings? Was hast du mit ihr gemacht?«

»Moment. Eine Frage nach der anderen.«

»Wer ist sie?«, fragte Jamie noch einmal, bemüht, von der armen Frau nicht in der Vergangenheitsform zu reden.

Brad zuckte die Achseln. »Eine Freundin von Beth. Obwohl ich immer den Verdacht hatte, dass sie gern mehr gewesen wäre. Hey, Jamie, hast du schon mal einen Dreier gemacht?«

»Was?«

»Du hast mich schon verstanden!«

»Was ist mit Grace Hastings geschehen, Brad?«

»Hm-hm. Du hast lauter Fragen gestellt. Jetzt bin ich dran.«

»Bitte …«

»Hast du schon mal einen Dreier probiert?«, wiederholte er.

»Nein«, antwortete sie. Widerspruch war ohnehin zwecklos.

»Warst du je mit einer Frau zusammen?«

»Nein.«

»Warst du je in Versuchung?«

»Nein«, antwortete sie.

»Nicht mal ein kleines bisschen?«

»Nein.«

»Ist wohl einfach nicht dein Ding, was?«

Jamie nickte. Was dachte er sich jetzt wieder?

»Was würdest du sagen, wenn ich dir erzähle, dass mich die Vorstellung von dir zusammen mit einer anderen Frau anmacht? Wenn ich dich darum bitten würde? Würdest du es für mich tun?«

Oh Gott. »Ich weiß nicht.«

»Darüber solltest du mal nachdenken«, sagte Brad, legte sich aufs Bett und stopfte sich ein Kissen unter den Kopf. »Beth war genauso. Du hättest sehen müssen, wie sie sich aufgeregt hat, als ich es zum ersten Mal vorgeschlagen habe.«

»Es gibt also wirklich eine Exfrau in Ohio«, sagte Jamie in dem Versuch, das Gespräch wieder in andere Bahnen zu lenken.

»Klar.«

»Und einen Sohn?«

»Jawohl, Ma'am. Corey Fisher. Er ist fünf Jahre alt.«

»Aber du verstehst dich nicht gut mit Beth, oder?«

Brad kratzte sich im Nacken. »Nicht besonders. Nein.«

»Sie ist dir weggelaufen, stimmt's?«, stellte Jamie fest, weil sie die Antwort schon wusste, bevor sie die Frage gestellt hatte.

Daran erkennt man einen guten Anwalt, würde ihre Schwester sagen.

Jamie fragte sich, was Cynthia gerade machte und ob ihr eigenes seltsames Benehmen am Telefon sie veranlasst hatte, der Sache weiter nachzugehen. Aber was sollte sie tun? Wie sollte ihre Schwester ahnen, wo sie anfangen musste zu suchen?

»Sie hat mir meinen Sohn weggenommen«, sagte Brad. »Das hätte sie nie tun dürfen.«

»Erzähl mir von ihr«, sagte Jamie. »Erzähl mir von eurer Ehe.«

Brad gähnte, als ob ihn die Geschichte nur beiläufig interessierte. »Die übliche Junge-trifft-Mädchen-Geschichte. Wir haben uns kennen gelernt, uns ineinander verliebt und haben ein Baby bekommen. Am Anfang lief alles gut, obwohl ihre Familie mich nie akzeptiert hat. Ich war wohl nicht gut genug für ihr kostbares kleines Mädchen. Sie hat ihnen immer wieder versichert, dass ich ein ›Rohdiamant‹ wäre, aber das haben sie ihr nicht abgekauft. Und mit ihren Freunden war es das Gleiche. Anfangs waren sie noch ganz freundlich, wahrscheinlich weil sie gehofft haben, dass ich mich in Luft auflösen würde, wenn man mich lange genug wie Luft behandelt.« Er schmunzelte über sein eigenes Wortspiel. »Aber ich habe sie alle verarscht. Ich bin nirgendwo hingegangen. Und da sind die ausgeflippt. Die sind abgegangen wie eine Rakete.« Seine Stimme verlor sich, als würde er einer entfernten Erinnerung nachhängen.

»Aber warum haben sie dich so gehasst?«

»Das musst du mir sagen. Ich kann doch ziemlich charmant sein, oder?«

»Mich hast du mit deinem Charme jedenfalls bezirzt«, gab sie zu.

»Na ja.« Er zuckte die Achseln. »Was kann man machen?«

»Was *hast* du gemacht?«, fragte sie.

»Nichts.«

»Hast du sie geschlagen, Brad?«

»Was?«

»Haben sie dich deshalb gehasst?«

Brads Miene wurde säuerlich. »Menschen streiten«, sagte er.

»Hat sie sich deswegen von dir scheiden lassen?«

»Wer sagt, dass wir geschieden sind?«

»Bist du nicht?«

Er richtete sich auf, und die Muskeln unter seinem schwarzen Hemd spannten sich sichtbar. »Ihrer Meinung nach schon.«

»Und was ist mit dir?«

»Nur weil sie mir einen Brief von einem bescheuerten Anwalt schickt, in dem steht, dass sie die Scheidung einreicht, heißt das noch längst nicht, dass ich damit einverstanden bin.« Er stand auf und ging zur Tür.

Wohin wollte er? War es möglich, dass er die Tür öffnen, hinausgehen und sie allein zurücklassen würde?

Aber wenn das seine Absicht gewesen war, überlegte er es sich anders, als er die Tür erreicht hatte. Er drehte sich um und lehnte sich an die gegenüberliegende Wand. »Entspann dich, Jamie-Girl«, sagte er, ihren Gesichtsausdruck völlig falsch deutend. »Ich bin ein freier Mann.«

Jamie nickte und gab sich alle Mühe, erleichtert auszusehen. »Sie hat dir per Anwalt einen Brief geschickt?«

»Erst hat sie mich einsperren lassen, und dann hat sie die Scheidung eingereicht.«

»Du warst im Gefängnis?« Jamie hielt den Atem an.

»Fast ein Jahr.«

»Weil du sie geschlagen hast?«

Brad schüttelte müde den Kopf, als wäre er es leid, ständig

missverstanden zu werden. »Ich habe sie nicht geschlagen.« Immer noch kopfschüttelnd entfernte er sich wieder von der Tür. »Warum sagst du so etwas?«

»Ich wollte nicht ...«

»Frauen, Scheiße. Ihr haltet immer zusammen, was?« Er schüttelte den Kopf. »Für einen Streit braucht man immer zwei, Jamie. Und sie war bestimmt keine unschuldige Zuschauerin. Sie war kein Sandsack, der nur herumgehangen und darauf gewartet hat, geschlagen zu werden. Die Frau hatte ein Mundwerk, kann ich dir sagen. Wenn sie erst einmal loslegte, konnte man nichts sagen, was sie wieder zum Schweigen gebracht hätte. Manchmal wollte ich nur, dass sie einfach still ist. Weißt du, wie das ist? Wenn man nur ein bisschen Ruhe und Frieden will, und dein verdammtes Kind schreit die ganze Zeit, und deine Frau macht dich wegen irgendwas an, was du zu einer ihrer blöden Freundinnen gesagt hast ...«

»Sie hat dir keine Wahl gelassen«, sagte Jamie.

»Sie hat nicht einfach bloß dagestanden. Sie hat selbst auch ganz gut ausgeteilt. Ich bin genauso misshandelt worden wie sie«, sagte Brad voller Überzeugung.

»Das muss schrecklich für dich gewesen sein.« Welch Glück für die andere Frau, dachte Jamie und betete um die Gelegenheit, die Kraft und den Mut, es ihm ebenso heimzuzahlen.

»Na ja, man begegnet sich immer ein zweites Mal.«

»Was soll das heißen?«

»Das soll heißen, dass ich sehr gut darin bin, den richtigen Augenblick abzuwarten.«

Jamie drückte das Kinn an die Brust, starrte auf die Flickendecke und fragte sich, was passieren würde, wenn sie daran zupfte. Würde sich das ganze Ding aufribbeln und auflösen? »Warum warst du im Gefängnis?«

»Das ist eine lange Geschichte«, sagte Brad, der inzwischen zwischen Bett und Tür auf und ab lief.

»Ich würde sie gern hören.«

Brad zog unvermittelt einen Stuhl vom Tisch, drehte ihn herum und setzte sich verkehrt herum darauf, die Beine gespreizt und die Arme auf der Lehne gekreuzt. Er starrte auf die schweren senffarbenen Vorhänge, als könnte er durch sie hindurchsehen. Jenseits der Vorhänge lag Dayton, keine halbe Autostunde entfernt.

Er blickt auf morgen, dachte Jamie und schloss die Augen, um es nicht zu sehen.

»Sie wird dir nicht gefallen«, sagte er leise.

»War es wegen dem, was du Grace Hastings angetan hast?«

»Gracie? Nein.« Er lachte. Der Gedanke amüsierte ihn sichtlich. »Glaub mir – niemand wird das gute alte Gracie-Girl je finden.«

»Warum warst du im Gefängnis?«, fragte Jamie noch einmal, weil sie zu viel Angst hatte, weiter nach Grace Hastings zu fragen.

Gracie-Girl, dachte sie.

Jamie-Girl.

Erwartete sie alle dasselbe Schicksal?

»Aber du musst mir versprechen, dass du dich nicht wieder aufregst. Es ist lange her, es war direkt nach meinem Umzug nach Florida.«

»Was ist passiert?«

»Ich war neu in Miami und kannte keinen«, begann Brad. »Eines Abends hab ich in einer Bar einen fetten Typ mittleren Alters getroffen, und wir sind ins Gespräch gekommen. Er hat mir erzählt, dass er wegen irgendeiner Haushaltsgerätemesse in der Stadt ist, eine Frau und zwei Kinder daheim in Philly hat, der übliche Mist. Ich hab also eine Weile gebraucht, bis ich gemerkt habe, dass das Arschloch mich anmachen will. Ich war bestimmt nicht begeistert, das kann ich dir sagen, hab aber beschlossen mitzuspielen. Ich meine, er hat die Drinks spendiert und hatte so ein fettes Bündel

Geldscheine in der Brieftasche.« Brad zeigte die Größe mit beiden Händen an. »Er hatte einen Geldscheinclip aus massivem Gold. So etwas habe ich vorher und auch nachher nie wieder gesehen.« Er schüttelte den Kopf bei der Erinnerung. »Jedenfalls lud er mich ein paar Drinks später in sein Hotelzimmer ein, angeblich, um mir irgendwelche Kataloge zu zeigen, als ob ich mich einen Scheißdreck für Einbauherde und Kühlschränke interessiere, und ich dachte, das Sackgesicht betrügt nicht nur seine Frau, er ist auch noch eine verdammte Schwuchtel, und irgendjemand muss ihm eine Lektion erteilen, ja? Also bin ich mit auf sein Zimmer, wir haben noch ein paar Drinks genommen, und sobald er anfing, mich anzugrabschen, habe ich es ihm gezeigt.« Er zuckte die Achseln. »Ich hab wohl ein bisschen zu fest zugeschlagen.«

»Er ist gestorben?«

»An massiven Schädelblutungen, stand in der Zeitung.«

»Und du bist verhaftet worden?«

»Himmel, nein.«

»Das verstehe ich nicht.«

»Es gab nichts, was mich mit der Tat in Verbindung gebracht hätte. Niemand kannte mich. Niemand hatte gesehen, wie ich mit auf sein Zimmer gegangen bin. Wir waren sehr diskret«, fügte er zwinkernd hinzu.

»Aber wie …?«

»… bin ich gefasst worden?«

Jamie nickte. »Vertraue nie einer Frau«, sagte er ominös.

»Du hast es deiner Frau erzählt«, sagte Jamie, die plötzlich eins und eins zusammenzählte.

»Wir hatten den ganzen Tag gestritten. Frag mich nicht worüber. Sie hat mir gesagt, dass sie die Scheidung wollte. Ich hab ihr erklärt, vorher könnte sie in der Hölle verfaulen. Ich nehme an, sie hat mir nicht geglaubt.« Brad schüttelte aufrichtig verwundert den Kopf. »Sie ist ausgezogen. Ehe ich mich versah, redete sie davon, dass sie mit meinem Sohn nach Kalifornien ziehen wollte. Da habe ich, glaube ich, den Schwulen aus der Bar erwähnt. Sozusagen als lehrreiche Warnung. Ein paar Tage später stand die Polizei vor meiner Tür. In irgendeiner Schublade haben sie den verdammten Goldclip gefunden. Ich hatte das blöde Ding längst vergessen. Um es kurz zu machen, ich wurde verhaftet, eine Freilassung auf Kaution wurde abgelehnt, und ich habe ein Jahr in einer stinkenden Zelle gesessen, bevor irgendein Richter entschieden hat, dass die vorliegenden Beweise vor Gericht unzulässig sind. Die Durchsuchung ist offenbar ohne gesetzliche Grundlage erfolgt, der Goldclip deshalb sozusagen die Frucht von einem giftigen Baum.« Er lachte. »Schon ironisch, was? Wegen einem Früchtchen werde ich verhaftet, wegen einem anderen wieder freigelassen.« Er lachte erneut und schlug mit der Hand auf den Tisch. »Sie mussten mich jedenfalls laufen lassen.«

»Wann war das?«

»Ich bin vor ein paar Wochen entlassen worden.«

In nur ein paar Wochen war er aus einer Gefängniszelle in ihr Bett gekrochen?

»Als ich nach Hause kam, wohnte in meiner Wohnung ausgerechnet ein Haufen Schwule, und meine Frau und mein Sohn hatten sich in Luft aufgelöst.«

»Wie hast du herausgefunden, wohin sie gegangen sind?«

»Nun, in diesem Punkt hat sich unsere kleine Freundin Gracie als überaus hilfsbereit erwiesen.«

»Sie hat dir erzählt, dass Beth in Ohio ist?«

»Ich hab ihr keine große Wahl gelassen.«

»Ich bin sicher, sie hat Beth angerufen, um sie zu warnen …« Jamie hörte, was sie sagte, und hielt inne, als ihr bewusst wurde, wie lächerlich ihre Worte waren. Grace Hastings hatte niemanden gewarnt. Dazu hatte sie keine Gelegenheit mehr gehabt.

Er lächelte, als würde er ihre Gedanken lesen. »Jetzt bin ich dran«, sagte er.

»Was?«

»Jetzt bin ich dran mit Fragen. Wie in *Das Schweigen der Lämmer*. Du erinnerst dich doch an *Das Schweigen der Lämmer*, oder Jamie?

Toller Film. Wirklich *toller* Film«, sagte er noch einmal, wie um seiner eigenen Beurteilung zuzustimmen. »Findest du nicht?«

»Glaub schon.«

»Was soll das, glaub schon? *Das Schweigen der Lämmer* war ein toller Film, da gibt es gar nichts.«

»Es ist schon eine Weile her, seit ich ihn zum letzten Mal gesehen habe.«

»Na, dann leihen wir ihn mal aus, wenn alles erledigt ist.«

»Wenn was erledigt ist?«

»Nach unserem kleinen Besuch in der Mad River Road.«

Jamie begriff nickend. »Du willst sie umbringen, oder?«

»Das ist der Plan«, erwiderte Brad leichthin.

»Und wie passe ich in deinen Plan?«

Brad erhob sich von dem Stuhl, setzte sich neben Jamie aufs Bett und strich ihr über die Wange. »Du? Du bist doch mein Mädchen, Jamie. Du stehst an meiner Seite.«

Was soll das heißen, fragte Jamie sich. Was wollte er ihr sagen? »Erwartest du, dass ich dir dabei helfe, deine Frau zu ermorden?«

»Ich erwarte, dass du mir hilfst«, sagte er. »So wie ich dir in Atlanta geholfen habe.«

26

Emma lag auf dem Bett und starrte an die gegenüberliegende Wand, wo ihre Kindheit über den nackten weißen Putz flimmerte wie ein altmodischer Super-8-Film. Sie sah sich als kleines drei- oder vierjähriges Mädchen mit rosigen Pausbacken, das hoch in die Luft geschleudert wurde, bevor ihr Vater sie mit ausgestreckten Armen sicher auffing und über seine breite Schulter warf wie einen Sack Getreide. So rannte er kreuz und quer durch den riesigen Garten mit ihr, begleitet von ihrem glücklichen Quieken. Aus dem Hintergrund hörte sie die Stimme ihrer Mutter, die ihren Vater ermahnte, langsamer zu laufen, vorsichtig zu sein und aufzupassen. »Nein«, protestierte das Kind, während das dröhnende Lachen des Vaters die Luft erfüllte. »Schneller! Schneller!«

Als Nächstes sah sie sich in ihrem Bett liegen und dem Streit ihrer Eltern im Nebenzimmer lauschen. Das Kind zog die hellrosa Decke über den Kopf, um die zornigen Stimmen zum Verstummen zu bringen, und als sie den Kopf wieder herausstreckte, war sie ein paar Jahre älter, die Pausbacken waren verschwunden, und eine neue misstrauische Zurückhaltung lag in ihren großen blauen Augen. Sie hörte die wütenden Schreie ihrer Mutter, dann ein lautes Klirren und Poltern, sodass sie aus dem Bett sprang, weil sie Angst hatte, dass das Haus über ihrem Kopf zusammenbrach. Was es natürlich auch tat, wenngleich nicht so, wie sie es sich vorgestellt hatte. Emma beobachtete, wie die jüngere Ausgabe ihrer selbst zum Schlafzimmer ihrer Eltern rannte, die Tür aufstieß und nur kurz einen zerschlagenen

Spiegel und einen umgefallenen Stuhl sah, bevor ihr Vater mit schweißnassem Haar, das in dunklen Strähnen in seine dunklen wütenden Augen fiel, auf sie zustürzte und sie zurück ins Bett trug. »Was ist los? Was ist los?«, fragte sie ihn immer wieder.

»Alles ist gut«, versicherte er ihr. »Schlaf schnell wieder ein, mein Schatz. Alles wird gut.«

Aber am nächsten Tag war er verschwunden, und nichts wurde je wieder gut.

Blinzelnd betrachtete Emma, wie das kleine traurige Mädchen zu einem schüchternen Kind von neun oder zehn herangewachsen war, das einen Gummiball gegen eine Betonwand hinter einem sechsstöckigen Wohnblock in einem vorwiegend grauen Teil der Stadt warf, in dem sie und ihre Mutter jetzt lebten. Emmas imaginäre Freundin Sabrina sah zu und wartete geduldig, bis sie an der Reihe war. Sabrina war nach der von Kate Jackson gespielten Figur aus *Drei Engel für Charlie* benannt, was damals Emmas Lieblingsserie war. Die Folgen wurden mehrmals am Tag wiederholt, und Emma guckte sie, so oft sie nur konnte. Manche Folgen hatte sie schon so oft gesehen, dass sie ganze Dialoge Zeile für Zeile aufsagen konnte. Die frühen Episoden mit den Original-Engeln waren ihr die allerliebsten, obwohl sie Cheryl Ladd beinahe genauso gut fand wie Farrah Fawcett. Und Jaclyn Smith war auf jeden Fall hübsch, auch wenn sie nicht für fünfzig Cent schauspielern konnte, wie ihre Mutter nach nur wenigen Sekunden sarkastisch verkündet hatte. Ihre Mutter hatte es zwar nicht gern, dass sie so viel fernsah, war jedoch de facto nur selten zu Hause. In den Jahren nachdem Emmas Vater sie verlassen hatte und ihr Haus zwangsversteigert worden war, musste ihre Mutter zwei, manchmal sogar drei Jobs gleichzeitig machen, damit sie über die Runden kamen, sodass sie ohne Pause von einem Arbeitsplatz zum nächsten hetzte, frühmorgens aus dem Haus ging und oft erst heimkam, wenn Emma bereits im Bett lag. Sie schlief zwar selten schon, wenn ihre Mutter zurückkam, tat aber häufig so, weil sie nicht mit der Frau reden wollte, die sie für alle Verluste in ihrem Leben verantwortlich machte.

Die einzige Freundin, die sie an ihrer neuen Schule fand, war ein pummeliges Mädchen namens Judy Rico, das ebenfalls neu war, aber ihre Freundschaft kam zu einem abrupten Ende, als Judy in dem Versuch, sich bei den anderen Mädchen auf der Schule beliebter zu machen, verkündete, dass Emmas Mutter die Putzfrau *ihrer* Mutter war. Emma verzog das Gesicht, als sie sich selber sah, wie sie Judy Rico zu Boden stieß, auf sie sprang und ihr mit den Fäusten ins Gesicht schlug, bis Blut aus ihrer Nase auf ihre weiße Bluse tropfte. Ein Lehrer musste Judy zur Hilfe eilen. Er riss die nach wie vor um sich schlagende Emma von ihr los und schleifte sie zum Büro des Direktors. Danach gingen ihr alle aus dem Weg. Aber das war in Ordnung. Wer brauchte Freundinnen, wenn er drei Engel für Charlie hatte?

Nach ihrem Umzug nach Detroit wurde es zumindest für eine Weile besser. Ihre Mutter nahm den Job in der Bishop Lane School für Mädchen an. Emma sah sich in ihrer gebügelten Schuluniform und erinnerte sich daran, wie stolz sie anfänglich gewesen war, wenn sie in die Ärmel der dunkelgrünen Jacke geschlüpft war. Hier gehörte sie hin, erinnerte sie sich gedacht zu haben, als sie sich zum Klassenfoto in der hinteren Reihe aufstellte und zufrieden in die Kamera lächelte.

Und dann verschwamm alles.

Emma schloss die Augen, drehte sich auf dem Bett um und weigerte sich, noch mehr zu sehen. Was gab es da schließlich zu sehen? Der Zwischenfall mit der libidinösen Sportlehrerin war tatsächlich passiert, aber nicht ihr, sondern Claire Eaton, und die Lehrerin wurde fristlos entlassen, nachdem sich Claires Mutter bei der Direktorin beschwert hatte, die ganz bestimmt *nicht* Emmas Mutter war. Und der Fotograf, den sie bei McDonald's getroffen hatte, war ganze siebzehn Jahre alt, ausgerüstet mit der Polaroid seines Dads, und sie bezweifelte, dass er ihre Augen überhaupt bemerkt hatte, so angestrengt wie er auf ihre seit kurzem entwickelten Brüste gestarrt hatte.

»Warum habe ich allen erzählt, dass ich als Model für Maybelline gearbeitet habe?«, stöhnte sie zur Decke.

Weil sie diese Lüge schon so lange erzählte, dass sie sie beinahe selber glaubte, wurde ihr klar. Begonnen hatte es ganz unschuldig. Ein Junge, der sie beeindrucken und wahrscheinlich auch bei ihr landen wollte, hatte ihr erklärt, dass sie wunderschöne Augen hätte, und sie neckisch gefragt, ob das die Augen auf den Maybelline-Mascara-Packungen wären. Von dort war es nur noch ein kleiner Sprung. Als ihr beim nächsten Mal jemand sagte, sie habe schöne Augen, ergänzte sie den Rest gleich selbst. So weit hergeholt war es schließlich nicht. Ihre Augen hatten die gleiche Form und Farbe wie die des Mädchens aus der Werbung. Wer würde den Unterschied schon bemerken? Und wie sollte irgendjemand je die Wahrheit herausfinden?

Gott, was für Lügen hatte sie in letzter Zeit sonst noch erzählt? Dass sie eine Geschichte über ihre Zeit als Model geschrieben und an die *Cosmo* verkauft hatte? Dass sie ein Soldatenkind und ihr Vater in Vietnam getötet worden war?

Das war das Problem mit Lügen. Sie vermehrten sich wie die Kaninchen. Das war okay, solange man es mit einem naiven und vertrauensseligen Menschen wie Lily zu tun hatte, der so ziemlich alles glaubte, was man sagte. Aber wenn man die gleichen Lügen jemandem erzählte, der so abgebrüht war wie Jan Scully oder so routiniert wie Jeff Dawson, forderte man den Ärger geradezu heraus. All die Fragen, die er ihr gestellt hatte. Und seinem Gesichtsausdruck nach hatten ihn ihre Antworten alles andere als überzeugt. »Mist«, sagte sie, schwang ihre Füße aus dem Bett, ging zum Kleiderschrank, zog den ramponierten braunen Leinenkoffer heraus und warf ihn aufs Bett. Sie musste von hier weg, dachte sie, als sie den Koffer aufklappte und eilig begann, Kleidung hineinzuwerfen. Sie würde nicht lange brauchen, um zu packen. Viele Sachen hatte sie auch mit ihren »Neuerwerbungen« nicht, und Dylan hatte sogar noch weniger. Rasch leerte sie die Schubladen ihrer Kommode und zog Kleider von den Bügeln. In nicht einmal zwanzig Minuten hatte sie jedes Kleidungsstück, das sie besaß, eingepackt, bis auf den blauen Schlafanzug, den sie anhatte. »Na, das war schlau«, murmelte sie, als ihr klar wurde, dass sie sich nichts zum Anziehen herausgelegt hatte.

Und wohin wollte sie überhaupt gehen?

»Irgendwohin«, sagte sie und zog eine Jeans und einen blauen Pulli aus dem Koffer. Unterwäsche war schon schwerer zu finden, sodass sie den Koffer letztendlich beinahe ganz wieder auspacken und die Sachen dann erneut falten musste. »Irgendwo anders als hier.« Sie besaß vielleicht nicht viel, aber sie hatte immer noch ihren Instinkt, und ihr Instinkt sagte ihr, dass es Zeit wurde, ihre Verluste abzuschreiben und das Weite zu suchen, weil sie hier in der Mad River Road nicht mehr sicher war.

Aber ihre Miete war immerhin bis Ende des Monats bezahlt, dachte sie, ließ sich aufs Bett sinken und wurde mit einem Mal von Erschöpfung übermannt. Wenn sie mitten in der Nacht aufbrach, musste sie alle Möbel und die anderen Sachen zurücklassen, und sie hatte nicht genug Geld, um sich neue zu kaufen, nicht einmal gebraucht. Und wie konnte sie Dylan kurz vor Ende des Schuljahres aus der Schule nehmen? Hatte sie nicht gerade wach gelegen und sich daran erinnert, wie schmerzhaft es war, ständig entwurzelt zu werden? Hatte sie ihre Mutter nicht deswegen gehasst? Wollte sie, dass Dylan sie auch hasste?

»Mist«, sagte sie noch einmal, schob den Koffer vom Bett und sah zu, wie sich all ihre Kleider auf den Boden ergossen. Sie konnte nicht weggehen. Und sie wollte eigentlich auch gar nicht. Nein – sie wollte vielmehr neu anfangen. Morgen früh würde sie Lily die Wahrheit sagen, über alles, und sie hoffte, dass Lily sie verstehen und ihr verzeihen würde. Und dann würde sie zu Scully's gehen, die blöde Trophäe zurückbringen, die sie gestohlen hatte, und sich bei Jan entschuldigen. Wenn sie sich in ein paar Monaten sicher fühlte, würde sie Dylan vielleicht sogar erlauben, seinen richtigen Namen zu benutzen, und sich selbst auch. Dann würden sie einen Neuanfang machen, indem sie ihr früheres Ich zurückbeanspruchten. Und sie würde die Frau hinter all den Lügen wiederentdecken.

Emma legte sich auf den Rücken und starrte an die Decke. Das Ganze hatte nur einen Haken, dachte sie: Sie hatte keine Ahnung, wer diese Frau war.

Lily drehte sich auf die andere Seite und öffnete die Augen. Vom Kopfkissen neben ihrem lächelte Jeff Dawson sie an. Sie fragte sich, wie lange er sie schon beobachtet hatte, als er sie wortlos an sich zog und sie sich in seine Arme schmiegte.

»Was zum Teufel glaubst du, was du tust?«, wollte Kenny vom Fußende des Bettes wissen. »Er ist ein Verlierer, Herrgott noch mal. Steig aus, solange du noch kannst.«

Lily hielt die Luft an und fuhr im Bett hoch, während ihr Blick im Dunkeln nach den Männern suchte, von denen sie wusste, dass sie nicht hier waren. Jeff lag nicht neben ihr; Kenny brüllte sie nicht vom Fußende an. »Gütiger Gott«, sagte Lily, hörte ein Motorrad, das sich knatternd entfernte, und fragte sich, ob dieses gespenstische Geräusch Kenny in ihren Traum geführt hatte.

Außerdem fragte sie sich, was Kenny von Jeff Dawson gehalten hätte. Hätte er ihn wirklich für einen Verlierer gehalten oder ihn vielleicht sogar gemocht?

»*Ich* mag ihn«, flüsterte sie leise, als hätte sie Angst, den Worten zu viel Widerhall zu geben. *Habt ihr beide irgendwas laufen,* hatte Emma gefragt, als sie sie zum ersten Mal zusammen gesehen hatte. *Natürlich nicht,* hatte sie erwidert, aber Emma hatte wohl gespürt, dass es die Wahrheit war.

Was wusste Emma andererseits schon von der Wahrheit, fragte Lily sich. Wer genau war Emma Frost, und wie viele Lügen hatte sie erzählt?

Sie dachte an das Gespräch mit Jeff und seine unglaubliche Geschichte, wie er Emma beim Ladendiebstahl erwischt hatte. Das konnte nicht stimmen. Aber warum eigentlich nicht? Im Grunde kannte Lily Emma nicht besonders gut. Sie wusste praktisch nichts über ihr Leben und hatte noch nicht genug Zeit mit ihr verbracht, um zu begreifen, wie sie tickte. Im Gegenteil, je mehr sie von Emma erfuhr, desto rätselhafter wurde die Frau.

Lily stand auf, ging ans Fenster, starrte auf die dunkle Straße und stellte sich dieselbe Frage, die sie beschäftigt hatte, seit Jeff seine verblüffende Enthüllung gemacht hatte: Wenn Emma Frost nicht die war, die sie vorgab zu sein, wer war sie dann? Wozu all die Lügen und Listen?

Lily hätte beinahe gelacht. Wer war sie, andere zu verurteilen? Wer war sie, sich zu beklagen, dass andere nicht die Wahrheit sagten? Und wenn Jeff Emmas Lügengespinste so schnell durchschaut hatte, wie lange würde es dauern, bis ihre eigenen Antworten ihn ebenfalls nicht mehr zufrieden stellten?

Sie ging zum Kleiderschrank, öffnete ihn und starrte auf die wenigen Sachen. Vielleicht war es Zeit zu gehen. Dayton sollte sowieso nie mehr sein als ein vorübergehender Zwischenstopp, bis sie ein bisschen Geld zusammengespart und herausgefunden hatte, was sie mit dem Rest ihres Lebens anfangen wollte. Sie hatte immer gehofft, dass sie eines Tages heimkehren könnte. Aber noch nicht. Noch war es viel zu früh, um daran zu denken.

Außerdem gefiel es ihr hier. Sie hatte einen Kreis von Freundinnen, ein Job und sogar ihren Lesezirkel. Außerdem blühte Michael auf. Warum also fortgehen? Weil sie einen

Mann getroffen hatte, den sie mochte, und spürte, dass vielleicht mehr daraus werden könnte? Oder weil es zu spät war, dachte sie traurig, schloss die Kleiderschranktür und ließ sich auf das Fußende ihres Betts sinken.

Man kann eine Beziehung nicht auf Lügen aufbauen, dachte sie. Genauso wenig, wie man ewig vor der Vergangenheit weglaufen konnte. Früher oder später musste sie beginnen, die Wahrheit zu sagen. Über ihre Ehe. Über Kennys Tod. Und über ihre Rolle in allem, was geschehen war.

Die Wahrheit wird dich befreien. Sagte man das nicht?

Und sagte man nicht auch, dass Freiheit nur bedeutete, dass man nichts mehr zu verlieren hatte?

Lily schloss die Augen. Sie hatte eine Menge zu verlieren, dachte sie, kroch wieder unter ihre Decke, starrte in die Dunkelheit und fragte sich, was Jan denken würde, wenn sie herausfand, dass ihre vertrauenswürdige Angestellte eine Lügnerin war, und was ihre Freundinnen sagen würden, wenn sie vom Ausmaß ihrer Lügen erfuhren. Was würde Jeff Dawson sagen, fragte sie sich, während am Rand ihres Bewusstseins der Schlaf lauerte, falls er entdecken sollte, dass Emma Frost nicht die einzige Schwindlerin in der Mad River Road war?

Jamie wartete, bis sie sicher war, dass Brad schlief, bevor sie die Augen aufschlug. Seit Stunden lag sie neben ihm und lauschte seinem Atem, wartete, dass er regelmäßiger und ruhiger wurde, bis sie jenseits des Hauchs eines Zweifels davon überzeugt war, dass er in der Tat schlief und sie nicht wieder auf die Probe stellte. Das hatte er heute Nacht schon einmal getan, und sie hatte die Prüfung nur mit größter Not bestanden.

Ohne den Kopf zu drehen, blickte Jamie zu den roten Ziffern des Digitalweckers auf dem Nachttisch und dachte schaudernd daran, wie gefährlich knapp sie einer Entdeckung entgangen war. Es war kurz vor eins gewesen, zwei

Stunden nachdem er ihr einen Gutenachtkuss gegeben und sie aufgefordert hatte, sich auszuziehen und auf die Seite zu drehen, damit er sie im Schlaf in den Armen halten konnte. Er hatte sie gnädigerweise nicht bedrängt, mit ihm zu schlafen, vielleicht weil er spürte, dass sie zu zerbrechlich war. Oder er war einfach müde, nachdem er den ganzen Tag gefahren war. Warum auch immer, er schien jedenfalls zufrieden damit, einfach neben ihr zu liegen, und war, einen schweren Arm über ihren nackten Körper gelegt, um sie festzuhalten, erstaunlich schnell eingeschlafen. Jamie hatte eine Ewigkeit still gelegen, bis sie sich irgendwie aus seiner Umarmung gewunden hatte, ohne dass er sich gerührt hatte. Erst als sie zum Fußende des Bettes gerobbt und nach ihrer Jeans gegriffen hatte, hatte er plötzlich die Stimme erhoben wie eine Hand, die im Dunkeln ihre Schulter packte und erstarren ließ.

»Was hast du denn vor?«, wollte er wissen, und die Frage hatte wie ein zusammengerolltes Reptil nach ihrer Seele geschnappt.

Trotz ihres wie irre rasenden und dann wieder stockenden Herzschlags hatte Jamie mit bemüht monotoner Stimme geantwortet. »Ich muss mal aufs Klo.«

»Seit wann zieht man sich seine Jeans *an*, wenn man auf die Toilette muss?«

»Ich hab sie nicht angezogen.«

»Was hast du denn dann gemacht?«

»Ich hab Kopfschmerzen. Ich dachte, ich hätte noch Kopfschmerztabletten in der Tasche.«

»Und hast du sie gefunden?« Er schaltete die Lampe neben dem Bett an und beobachtete sie genau.

Jamie kramte durch ihre Hosentaschen. »Nein«, sagte sie ehrlich niedergeschlagen. »Vielleicht in meiner Handtasche.«

»Guck besser nach.« Er zeigte auf ihre Handtasche auf der Kommode.

Als Jamie zur Kommode schlurfte, spürte sie Brads Blicke auf ihrem nackten Körper. Sie nahm ihre Handtasche und wühlte auf der Suche nach irgendetwas, was ihrer Geschichte Glaubwürdigkeit verleihen würde, hektisch darin herum. »Hier sind sie ja«, sagte sie, und eine große Welle der Erleichterung schwappte durch ihren ganzen Körper, als sie schweißgebadet ein kleines Fläschchen mit Schmerztabletten präsentierte.

»Du solltest besser eine nehmen«, sagte er.

Jamie nickte, ging ins Bad und schluckte zwei Tabletten mit einem Glas Wasser.

»Dann kannst du auch gleich pinkeln«, riet er ihr. »Ich hab keine Lust, heute Nacht noch mal aufzuwachen. Morgen ist schließlich ein großer Tag«, fügte er eisig hinzu.

Als Jamie ins Schlafzimmer zurückkehrte, waren ihre Handtasche und ihre Kleidung verschwunden. Sie wollte danach fragen, besann sich jedoch eines Besseren. Brad hatte sie offensichtlich außer Sichtweite deponiert, um ihr deutlich zu machen, dass er kein Risiko mehr eingehen würde. Sie kam zurück ins Bett, wo sie ihre frühere Position wieder einnahm.

»Hey Jamie«, flüsterte er und küsste ihren Hals. »Ich hab gehört, Sex wäre wirklich gut gegen Kopfschmerzen.«

»Bitte, Brad …«

»Entspann dich, Jamie«, sagte er und legte seinen Arm über sie wie einen massiven Anker, der sie beschwerte und sicherte. »Ich wollte dich bloß ärgern.«

Jamie schloss die Augen und schluckte ihre Tränen herunter.

»Träum süß, Jamie-Girl.«

Träum süß, Jamie-Girl, wiederholte sie jetzt stumm für sich und fragte sich, ob sie einen zweiten Fluchtversuch wagen sollte. Es war beinahe vier Uhr, und auch wenn sie nur eine halbe Autostunde von Dayton entfernt sein mochten, waren sie trotzdem am Ende der Welt. Selbst wenn es ihr gelingen sollte, aus dem Zimmer und dem Motel zu entkommen, wohin wollte sie gehen? Um diese Zeit war der Empfang bestimmt nicht besetzt, es gab kein Telefon, das sie ohne passendes Kleingeld oder eine Telefonkarte benutzen konnte, keine Türen, an die sie klopfen konnte, ohne Gefahr zu laufen, entdeckt zu werden. Sie hatte kein Geld, keine Schuhe, keine Kleider, Herrgott noch mal. Konnte sie wirklich barfuß und nackt in die Nacht hinauslaufen und hoffen, bis zum Highway zu kommen und gerettet zu werden?

Wenn Brad aufwachte und entdeckte, dass sie nicht da war, würde er sie garantiert suchen. Und wenn er sie fand? Was dann? *Glaub mir – niemand wird das gute alte Gracie-Girl je finden,* hörte sie ihn sagen.

Aber welche andere Wahl hatte sie? Er hatte schon mindestens eine, wahrscheinlich zwei Frauen ermordet und war auf dem Weg, eine dritte zu töten. Es war nur eine Frage der Zeit, bis er beschloss, dass sie ebenso entbehrlich war wie die anderen. Sie musste zumindest versuchen zu fliehen. Und dies war vielleicht ihre einzige Chance.

Also entwand sich Jamie, während sie tat, als würde sie sich im Schlaf bewegen, erneut langsam seiner Umarmung. Brad rührte sich, wachte jedoch nicht auf. Sein Arm lag immer noch über ihrer Hüfte. Jamie drehte sich vorsichtig auf den Rücken, und Brad bewegte sich mit ihr, sodass sein Arm auf ihren Bauch rutschte. Er seufzte wie mitten in einem schönen Traum. Träumte er von seiner früheren Frau? Dachte er daran, was er ihr antun wollte?

Jamie versuchte, sich Brads Ehefrau vorzustellen, sah jedoch nur eine in der Ecke kauernde Frau, die mit Armen voller blauer Flecken ihr Gesicht und ihren Kopf vor den Schlägen zu schützen suchte, die unweigerlich folgen würden. Irgendwie hatte sie den Mut aufgebracht, ihrem Peiniger zu entfliehen, ihren Sohn zu nehmen und wegzulaufen. Aber selbst ein Jahr später, nachdem sie eine Scheidung erwirkt und durchs halbe Land gezogen war, um in Ohio eine vermeintlich sichere Zuflucht zu finden, wo sie eine neue Identität angenommen und für sich und ihren Sohn ein neues Leben aufgebaut hatte, war sie nicht sicher. Er hatte herausgefunden, wo sie lebte, und war auf dem Weg zu ihr, um sie zu töten. Und genauso würde er Jamie verfolgen, wenn ihr die Flucht gelang.

In diesem Moment begriff Jamie, dass sie nie wieder sicher sein würde, solange Brad Fisher lebte. Sie wartete volle fünf Minuten, bevor sie sich wieder auf die Seite drehte und mit dieser Bewegung seinen Arm abschüttelte. Dies war ihre Chance, erkannte sie, auch wenn ihre Beine den Dienst noch verweigerten. Wohin willst du gehen, schienen sie zu fragen. Wohin kannst du fliehen?

Egal, entschied sie. Es war egal, dass sie nicht wusste, wohin sie nackt, barfuß und ohne Geld und Ausweis wollte. Wichtig war nur, dass sie hier rauskam. Über alles andere konnte sie sich später Sorgen machen.

Vorsichtig richtete sie sich im Bett auf, bis sie saß. Die Decke glitt von ihren Brüsten, Brad bewegte sich, und seine Lippen zuckten, als er sich ein wenig nach links drehte. Jamie hielt den Atem an und überlegte, ob sie ihren Plan aufgeben und sich wieder hinlegen sollte. Es dauerte etliche Minuten, bis sie genug neue Entschlossenheit zusammenhatte, um ihre Füße seitlich aus dem Bett zu hängen, eine weitere, bis sie sie auf den Teppich neben dem Bett setzte. Als sie den abgetretenen Stoff unter ihren nackten Füßen spürte, liefen Schockwellen durch ihre Beine, als ob sie auf einen elektrisch geladenen Draht getreten wäre. So weit war sie gekommen, als sie das Gefühl hatte, seine Blicke in ihrem Rücken und sein höhnisches Grinsen auf ihrer Haut zu spüren. Sie vernahm ein Geräusch hinter sich und wappnete sich auf seine Berührung. Was sollte sie ihm dieses Mal erzählen? Würde sie überhaupt Gelegenheit haben zu sprechen, bevor er sie ein für alle Mal mundtot machte?

Jamie fuhr herum.

Hinter ihr war niemand. Und als sie zum Bett guckte, lag Brad immer noch unter der Decke und schlief fest. Oh Gott, flehte sie stumm und hielt sich den Mund zu, um ihren abgerissenen Atem zu dämpfen. Sie musste vorsichtig sein. Sie konnte sich keinen Fehler erlauben. Nicht so kurz vor dem Ziel.

Sie setzte einen Fuß vor den anderen und machte immer größere Schritte. Sie wäre am liebsten einfach losgerannt, aber sie wusste, dass sie damit nur das Risiko erhöhte, dass er aufwachte. Obwohl sich ihre Augen längst an die Dunkelheit gewöhnt hatten, war ihr das Zimmer immer noch unvertraut. Sie durfte nicht riskieren, auf dem Weg zur Tür einen Stuhl umzustoßen oder über seine Schuhe zu stolpern. Sie musste langsam und mit größter Vorsicht vorgehen.

Auf halbem Weg zur Tür sah sie Brads Kleider über der Lehne des Stuhls hängen, auf dem er am Abend gesessen hatte. Behutsam zog sie sein schwarzes T-Shirt von dem Stapel, zog es rasch über und steckte den Kopf aus dem runden Ausschnitt wie eine Schildkröte, die unter ihrem Panzer hervorlugt. Wenn er wach ist, sage ich einfach, mir wäre kalt geworden, dachte Jamie, doch als sie zum Bett blickte, erkannte sie, dass er sich nicht bewegt hatte.

Ihre Finger streiften die Seitentasche von Brads Jeans. Steckten ihre Wagenschlüssel noch darin? Und das Schnappmesser? Konnte sie es geräuschlos herausziehen? Konnte sie das Risiko eingehen? Und was, wenn es ihr gelang, das Messer an sich zu bringen? Könnte sie es benutzen, wenn es sein musste? War sie fähig, einen anderen Menschen zu töten?

Plötzlich rührte sich Brad, als hätten ihre Gedanken ihn wachgerüttelt. Jamie erstarrte, die Hand auf dem Bein von Brads Jeans, und hielt den Atem an, während er gähnte und sich auf die andere Seite drehte. Aus der Distanz konnte sie nicht erkennen, ob er die Augen offen hatte, sie beobachtete und abwartete, was sie als Nächstes tun würde. Also tat sie gar nichts, sondern stand einfach zitternd in der Mitte des

Zimmers, bis sie hörte, dass sein Atem wieder ganz gleichmäßig ging.

Langsam streckte sie die Finger zu der Tasche seiner Jeans aus und schob sie behutsam hinein. Die Tasche war leer, stellte sie fest und wäre beinahe in Tränen ausgebrochen, weil sie die Hose nun umdrehen musste, um in die andere Tasche zu greifen. Konnte sie das schaffen, ohne dass die Schlüssel klimperten? Außerdem war da noch Brads schwerer Ledergürtel, der es noch umständlicher machen würde, die Jeans zu bewegen. Aber wenn die Schlüssel wirklich in der Tasche steckten und sie sie an sich bringen konnte, hatte sie eine echte Chance zu entkommen, die Polizei zu alarmieren und das Grauen des morgigen Tages zu verhindern.

Sorgsam darauf bedacht, mit der Gürtelschnalle nicht an das Holz der Lehne zu stoßen, drehte sie die Jeans um und griff in die andere Tasche, fand jedoch weder die Autoschlüssel noch das Messer. Sie probierte die Gesäßtaschen, wusste jedoch schon vorher, dass sie nichts finden würde. Verdammt, dachte sie, hängte die Jeans wieder über die Stuhllehne und biss sich auf die Unterlippe, um nicht laut loszuschreien. Verdammt, verdammt, verdammt.

In diesem Augenblick spürte sie, dass sich irgendetwas verändert hatte, ein winziger Lufthauch war durchs Zimmer geweht, das Licht hatte sich subtil verändert. Was auch immer. Sie musste sich nicht umdrehen, um zu wissen, dass Brad die Augen offen hatte und ihm dieses brutale Grinsen wieder im Gesicht stand.

»Bist du bereit zu sterben, Jamie?«, fragte er, und sie hörte, wie die Klinge seines Messers aufschnappte.

Sie verschwendete keine Zeit damit, sich noch einmal umzudrehen, sondern stürzte zur Tür, riss an der Sicherheitskette und schrie in den schmalen Streifen der Nacht hinaus, bis die Tür wieder zugeschlagen und sie hochgehoben und quer durch den Raum geschleudert wurde wie ein lebloser Gegenstand ohne Gewicht und Belang. Er stürzte sich auf sie, als sie sich gerade aufrappelte. Seine Faust traf ihren Magen, als sie schon beinahe aufrecht stand. Sämtliche Luft entwich ihrem Körper, und sie sank würgend und um Atem ringend zu Boden. Er packte sie an den Haaren und riss ihren Kopf nach hinten, bis ihr weißer Hals über dem schwarzen T-Shirt ihm schutzlos preisgegeben war. Sie sah die Klinge des Messers im großen Bogen auf ihre Kehle zu sausen.

Und dann sah sie gar nichts mehr.

27

Emma sah den Wagen, sobald sie die Haustür öffnete. Er parkte ein Stück die Straße hinunter vor dem Haus der alten Mrs. Discala, sodass Emma sich müßig fragte, ob ihr Sohn, der Arzt, mit dem sie immer angab, sich wieder ein neues Auto gekauft hatte. Obwohl der Wagen aussah, als hätte er schon bessere Tage gesehen. Nun denn, dachte Emma. Haben wir das nicht alle? Sie hatte den Thunderbird wegen seiner kühnen Eleganz schon immer geliebt, und dieser war auch noch babyblau, was ihm zusätzlich noch einen geheimnisvollen Nimbus verlieh, obwohl Emma nicht genau wusste, warum. Emma hatte nie einen Wagen besessen, sie hatte nicht einmal einen Führerschein, beschloss jedoch in diesem Moment, dass es, sollte sie je ein Auto haben, ein babyblauer Thunderbird wie dieser sein würde.

»Okay, Dylan, nun mach mal voran da drinnen.«

»Ich komme«, rief ihr Sohn von oben, aber eine Minute später war noch immer keine Spur von ihm zu sehen.

Emma trat zurück in den Hausflur. »Los, Dylan. Du kommst zur spät zur Schule.«

Nach wie vor keine Reaktion.

»Dylan, bitte! Muss ich erst hochkommen?«

Plötzlich tauchte Dylan auf dem oberen Treppenabsatz auf, in der Hand eine glänzende Messingschale. »Was ist das?« Er hielt Jans Trophäe über den Kopf, als hätte er selbst beim Bodybuilding-Turnier für Frauen in Cincinnati, Ohio, 2002 den zweiten Platz errungen.

»Was machst du damit?« Emma war schon halb die Treppe hinaufgestürmt, bevor Dylan einen Schritt machen konnte.

Sofort versteckte er die Messingschale außerhalb ihrer Reichweite hinter seinem Rücken. »Das nehme ich mit zum Vorzeigen in der Erzählstunde.«

»Wer hat dir erlaubt, in meinen Sachen herumzuschnüffeln?«

Die allgegenwärtig drohenden Tränen kündigten sich mit einem vertrauten Zittern in Dylans Stimme an. »Ich hab nicht rumgeschnüffelt. Ich war im Badezimmer. Ich hab es gefunden, als ich meine Tierseifen gesucht habe.«

»Du hast deine letzte Tierseife vor einer Woche aufgebraucht. Weißt du nicht mehr?«

»Warum kann ich nicht stattdessen das hier zum Vorzeigen mitnehmen?«

»Weil es dir nicht gehört.« Es gehört nicht einmal mir, hätte sie beinahe hinzugefügt, verkniff es sich dann aber. Man konnte nie wissen, was Dylan in der Vorschule einfach so herausplapperte.

»Aber es ist hübsch.«

»Ja, das stimmt. Aber du kannst es trotzdem nicht mit zur Schule nehmen, Dylan. Tut mir Leid. Kann ich die Schale jetzt bitte wieder haben?«

Widerwillig holte Dylan die Messingschale hinter seinem Rücken hervor, und Emma entwand sie seinen störrischen Fingern. »Ich hab nie was Gutes zum Vorzeigen, wenn wir was zur Erzählstunde mitbringen sollen«, sagte er und verzog seine Lippen zu einem übertriebenen Schmollmund.

»Nun, wenn du mir ein bisschen früher Bescheid sagen und nicht immer bis zur letzten Minute warten würdest«, erwiderte Emma wütend, »könnte ich vielleicht etwas Interessantes zum Mitnehmen für dich finden.«

»Was denn?«

»Ich weiß nicht«, sagte sie, nahm seine Hand und zog den wimmernden Jungen hinter sich her die Treppe hinunter. »Schon gut. Pass auf. Wir finden was.« Sie ging ins Wohnzimmer, warf die Schale aufs Sofa und sah sich hilflos um.

Sie musste Jan das verdammte Ding noch zurückgeben. Aber wann? Und wie? Was konnte sie der Frau sagen? Und wie viel konnte sie zugeben?

»Wir haben nichts«, heulte Dylan.

»Doch«, fiel Emma ein, und sie rannte in die Küche. »Ich hab das perfekte Teil zum Vorzeigen.«

Dylan folgte ihr auf dem Fuß, während sie in den Küchenschränken kramte. Wohin hatte sie es bloß gestellt? »Was ist es denn?«, fragte Dylan.

»Ein Becher«, verkündete Emma, schloss die Finger um den Henkel, drehte sich um und präsentierte ihn ihrem Sohn. »Er ist von Scully's Sportstudio. Siehst du das Logo auf beiden Seiten?«

Dylan wirkte unbeeindruckt. »Was ist ein Logo?«

»Das ist der Name«, korrigierte Emma sich, weil sie nicht die Geduld für eine Erklärung hatte. »Zeig den Becher einfach deiner Vorschulklasse und erzähl allen, dass man einen umsonst bekommt, wenn man Mitglied bei Scully's wird, zusammen mit einem kostenlosen T-Shirt.« Sie konnte ebenso gut ein bisschen Werbung für Scully's machen, tätige Reue, die helfen sollte, ihre Sünden abzubüßen.

»Kann ich ihnen auch das T-Shirt zeigen?«

»Ich habe kein T-Shirt.«

»Wieso nicht?«

»Weil ich kein Mitglied geworden bin.«

»Und warum hast du dann einen Becher geschenkt bekommen?«

»Dylan, willst du den Becher oder nicht?«

Dylan drückte das Gefäß fest an die Brust, als hätte er Angst, dass sie es ihm wieder entreißen könnte. »Ich will ihn«, erklärte er.

»Okay. Und jetzt los, sonst kommst du zu spät.« Sie öffnete die Haustür, trat ins Freie und hielt ihrem Sohn die Tür auf, bis sie feststellte, dass er wieder verschwunden war.

»Ich muss mal«, rief er und lief in den ersten Stock.

»Nicht zu fassen«, murmelte Emma, ließ die Tür hinter sich zufallen und starrte abwesend auf die Straße. Der blaue Thunderbird parkte immer noch vor Mrs. Discalas Haus, und es sah so aus, als würde jemand darin sitzen, obwohl aus der Entfernung schwer zu sagen war, ob es ein Mensch war oder nur der Schatten eines Astes. Was für ein Baum war das, fragte sie sich, als sie Lily und ihren Sohn Michael aus dem Haus kommen sah. Sie dachte, dass Lily wahrscheinlich wusste, was für Bäume entlang der Mad River Road wuchsen. Lily war der Typ, der so etwas wusste. Vielleicht würde sie sie fragen. Vorausgesetzt natürlich, dass Lily noch mit ihr redete. Sie wusste nicht, ob Lily inzwischen mit Jeff Dawson gesprochen hatte und ob er ihr, falls sie miteinander geredet hatten, von dem unseligen Zwischenfall bei Marshalls erzählt hatte. Wie sollte sie das erklären, fragte sie sich noch einmal, während die Entschlossenheit der vergangenen Nacht bröckelte. Konnte sie Lily wirklich die Wahrheit anvertrauen? Hatte sie überhaupt eine andere Wahl?

»Mom«, sagte Dylan und zupfte am Ärmel ihrer Jeansjacke. »Mom, wir kommen zu spät.«

»Was? Oh. Oh, tut mir Leid. Ich hab dich gar nicht runterkommen hören. Bist du jetzt fertig?«

Dylan reckte den Becher in die Luft. »Einen Becher hat noch nie jemand mitgebracht«, sagte er stolz. »Hey, da ist Michael. Hallo, Michael!«, rief er und rannte schon die Straße hinunter, wo Lily und ihr Sohn warteten. »Ich hab einen Becher zum Vorzeigen in der Erzählstunde.«

»Hey, solche haben wir auch«, sagte Michael, als Emma näher kam.

»Hi«, begrüßte sie Lily.

»Hi«, erwiderte Lily und blickte auf den Bürgersteig.

Sie weiß Bescheid, dachte Emma, als sie nebeneinander die Straße hinuntergingen. »Hey, weißt du, was für Bäume das sind?« Sie deutete vage auf sämtliche Bäume der Nachbarschaft.

»Na, das sind natürlich Ahornbäume«, sagte Lily und schaffte es, Emmas Blick zu meiden, als sie in ihren Vorgarten guckte.

»Natürlich«, stimmte Emma ihr zu.

»Und das da sind Eichen.« Sie zeigte in die Richtung, wo der blaue Thunderbird parkte.

»Ich nehme an, ich sollte solche Dinge wissen.«

»Warum?«, fragte Lily, die ihrem Blick immer noch auswich, als sie an der Ecke in die North Patterson einbogen.

»Ich weiß nicht.« Emma zuckte die Achseln und fragte sich, ob sie sich Lilys kühle Distanziertheit nur einbildete. Vielleicht sah nur sie deren angespannte Schultern und machte zu viel aus Lilys üblicher Zurückhaltung. Vielleicht hatte Jeff ihr gar nichts gesagt. Emma überlegte, wie sich herausfinden ließ, wie viel Lily wusste, ohne selbst zu viel preiszugeben. »Und hast du gestern Abend irgendwas Interessantes gemacht?«, hörte sie sich fragen.

»Eigentlich nicht.«

Emma atmete tief ein, während die beiden Jungen vorrannten.

»Jeff ist vorbeigekommen«, sagte Lily.

Der Atemzug blieb Emma im Hals stecken, und sie unterdrückte den Drang zu würgen.

»Er hat gesagt, er hätte dich gestern getroffen.«

Emma schwieg und wartete.

»Bei Marshalls«, fuhr Lily fort.

»Ja«, bestätigte Emma.

»Er hat gesagt ...«

»Mommy«, rief Michael. »Beeil dich. Du läufst zu langsam.«

»Ja, zu langsam«, plapperte Dylan ihm nach und lachte. In einer Parodie von Emma warf er die Hände in die Luft und ließ sie wieder sinken.

»Sei vorsichtig mit dem Becher«, warnte Emma ihn noch, aber es war bereits zu spät. Er glitt Dylan aus der Hand und zerbrach auf dem Bürgersteig in ein Dutzend Stücke. »Scha-de«, murmelte Emma, während ihr Sohn laut losheulte.

Lily hockte schon neben ihm und sammelte die Scherben des billigen Bechers ein. »Das ist nicht schlimm, Schätzchen. Ich weiß, wo wir dir genau so einen Becher besorgen kön-nen.«

»Aber ich brauche ihn heute Morgen.«

»Wir holen ihn sofort. Okay?« Lily wischte ihm müt-terlich die Tränen aus den Augen. »Du gehst jetzt zur Vor-schule, und deine Mutter fährt mit mir mit dem Bus zu Scully's und bringt dir dann in zehn Minuten einen neuen Becher. Wie ist das?«

»Zehn Minuten?«

»Vielleicht nicht mal zehn.«

Dylan nickte, und weitere Tränen flossen. Emma wusste, dass sie erst versiegen würden, wenn er den neuen Becher sicher in der Hand hielt.

»Okay, Dylan. Geh du mit Michael, und ich bin, so schnell ich kann, wieder da.«

»Zehn Minuten«, betonte Dylan noch einmal.

»Los jetzt«, drängte Emma ihn, gab ihrem Sohn einen sanften Klaps auf den Hintern und schob ihn in Richtung des Schulhofs am Ende der Straße. Sie schüttelte den Kopf. »Keinen Moment Langeweile.«

»Da kommt der Bus.« Lily zeigte auf den Bus, der sich mit großer Geschwindigkeit auf der gegenüberliegenden Straßenseite näherte.

Als Emma ihr nachrannte, sah sie den blauen Thunderbird um die Ecke biegen. Sie fragte sich kurz, was er hier machte, während sie mit Lily in den Bus stieg und in der leeren letz-ten Sitzreihe neben ihr Platz nahm.

Lily redete nicht lange um den heißen Brei herum. »Jeff hat mir erzählt, was gestern passiert ist«, begann sie. »Bei Marshalls.«

»Es ist nicht so, wie es sich anhört«, sagte Emma rasch.

»Wie ist es dann?«

Schuldete sie dieser Frau wirklich eine Erklärung, fragte Emma sich wütend.

Der Bus bremste unvermittelt, und zwei ausgelassene Mädchen im Teenageralter ließen sich auf die Plätze neben Emma fallen, wobei ihre Bücher von ihrem Schoß rutschten und durch den halben Bus flogen.

»Uups«, sagte das eine Mädchen lachend und beugte sich über Emmas Beine, um die Bücher aufzuheben.

»Voll der Tollpatsch«, kicherte ihre Freundin und bückte sich nach dem Rest.

»Das ist alles deine Schuld«, sagte das andere Mädchen, und beide krümmten sich vor Lachen.

»Dies ist wahrscheinlich nicht der ideale Zeitpunkt, um über alles zu reden«, räumte Lily ein.

»Ganz meine Meinung.«

»Aber über einige Dinge müssen wir reden. Vielleicht, wenn ich Feierabend habe?«

»Gerne«, willigte Emma ein und blickte aus dem Rückfenster. Der blaue Thunderbird war nicht mehr zu sehen. So eine hübsche Farbe, dachte sie noch einmal.

»Du steckst voll in der Scheiße«, sagte der Teenager neben ihr kichernd zu seiner Freundin, als Emma sich wieder nach vorn wandte, stur geradeaus starrte und versuchte, gar nichts zu denken.

»Wo fährt die Schlampe jetzt hin?«, fragte Brad und hielt sich mit dem blauen Thunderbird im Windschatten eines weißen Lexus SUV, als er dem Bus am Schulhof vorbei folgte. Er wandte sich der Frau zu, die neben ihm auf dem Beifahrersitz kauerte, als erwartete er, dass sie seine Frage beantwortete.

Jamie sagte nichts. Brad hatte ihr am Morgen erklärt, dass er kein Wort mehr von ihr hören wollte, bis sie Ohio wieder verlassen hatten, andernfalls würde er sie umbringen, wie er es schon gestern Nacht hätte tun sollen und auch getan *hätte,* wenn sie nicht beim Anblick des nahenden Messers in Ohnmacht gefallen wäre. Das hatte er aus irgendeinem Grund amüsant gefunden, wie er ihr erklärte, nachdem er sie wiederbelebt hatte, indem er ihr ein Glas kaltes Wasser ins Gesicht geschüttet hatte. »Du hast echt eine Menge Mumm«, hatte er gesagt. »Nicht besonders viel Grips«, hatte er lachend hinzugefügt. »Aber jede Menge Mumm.«

Das hätte ihre Mutter nicht besser ausdrücken können, dachte Jamie jetzt und fragte sich, was die arme Frau sagen würde, wenn sie ihre Tochter jetzt sehen könnte, die Augen zugeschwollen und blutunterlaufen, umrahmt von schuppigen dunkelvioletten Halbmonden, die blasse Haut fleckig, die Lippen aufgesprungen und von getrocknetem Blut verkrustet, die Arme voller Blutergüsse, mit einem von seinem Schlag immer noch schmerzenden Magen und einem von seinem Würgegriff wunden Hals. Warum hatte er sie nicht getötet, fragte sie sich. Welche schreckliche Rolle hatte er ihr in den kommenden Stunden zugedacht?

»Jetzt dauert es nicht mehr lange«, antwortete er, als hätte sie die Frage laut gestellt. »Sobald ich das Miststück allein erwische …«

Was geschieht dann, fragte Jamie stumm.

»Dann brauche ich deine Hilfe«, sagte er.

Und nachdem er sie umgebracht hatte? Würde Jamie als Nächste drankommen?

Er hatte die ganze Zeit gewusst, dass sie versuchen würde abzuhauen, hatte er ihr gestern Nacht erklärt, nachdem er die Tür mit genug Möbeln verbarrikadiert hatte, um sicherzugehen, dass er, selbst wenn er eindösen sollte – »was durchaus passieren könnte«, meinte er frotzelnd, »weil ich die ganze Nacht noch kein Auge zugetan habe« –, garantiert aufwachen würde von dem Lärm, den es machen würde, einen Tisch und zwei Stühle zu verrücken und was er sonst noch vor dem Ausgang aufgetürmt hatte.

»Du warst die ganze Zeit wach?«, fragte sie.

»Die ganze Zeit«, bestätigte er. »Wie soll man auch einschlafen, wenn du ständig aufstehst, dich hinlegst und wieder aufstehst? Ich habe mir gedacht, dass du mich auf die Probe stellen wolltest, und das stimmt ja wohl auch, aber ich kann dir sagen, ich bin ziemlich ungeduldig geworden, während ich gewartet habe, dass du dich endlich entscheidest, etwas zu tun. Du hast dich aufgerichtet, und ich dachte, okay, diesmal macht sie es wirklich, also war ich auf der Hut, obwohl ich natürlich darauf achten musste, weiter ruhig und gleichmäßig zu atmen, damit du denkst, ich wär im Land der Träume. So was lernt man im Knast. Im Gefängnis muss man nämlich wirklich jede Sekunde auf der Hut sein, also lernt man irgendwie, mit einem offenen Auge zu schlafen.« Er schüttelte versonnen den Kopf. »Jedenfalls fand ich, dass du es ziemlich schlau angestellt hast, auch wenn du natürlich keine Chance hattest. Ich fand es ziemlich clever von dir, sich mein T-Shirt überzuziehen, damit du nicht splitternackt rausrennen musstest, obwohl ich fast Eintritt gezahlt hätte, um das zu sehen, das kann ich dir sagen. Aber auch ziemlich clever von mir, meine Jeans so über den Stuhl zu hängen, findest du nicht? Ich wusste, dass du der Versuchung nicht widerstehen könntest, nach den Schlüsseln zu suchen. Es wäre vielleicht schlauer gewesen, direkt zur Tür zu laufen, obwohl ich dir versichere, dass du tot gewesen wärst, bevor du auch nur die Kette gelöst hättest. Deshalb ist es wahrscheinlich gut, *rückblickend*«, sagte er, das letzte Wort betonend, »dass du beschlossen *hast*, meine Tasche zu durchsuchen. Das hat dir wahrscheinlich das Leben gerettet. Das und deine Ohnmacht natürlich. Du bist unheimlich süß, wenn du bewusstlos bist.« Er hatte die Decke bis zu ihrem Kinn gezogen, sich angekuschelt und das Messer direkt hinter ihr linkes Ohr gelegt. »Und jetzt will ich kein Wort mehr von dir hören, bis wir Ohio verlassen haben, sonst muss ich dich doch noch umbringen.« Und dabei hatte er gelächelt, so wie er auch jetzt lächelte. »Okay«, sagte er. »Ich sehe, dass du einen Haufen von Fragen hast, also werde ich nett sein und dir erlauben, ein paar davon zu stellen. Also – schieß los.«

Er irrte sich, dachte Jamie. Sie hatte nicht einen Haufen von Fragen. Sie hatte nur eine einzige. »Was erwartest du von mir?«

»Nun, das hängt vor allem davon ab, was Beth macht. Und im Moment sieht es so aus, als würde sie aus diesem großen alten Bus steigen.«

Jamie beobachtete, wie die beiden Frauen aus der Mad River Road vor einem ziemlich nichtssagenden Einkaufszentrum ausstiegen und über den kleinen Parkplatz gingen, während Brad ihnen in gebührendem Abstand folgte. »Was ist mit deinem Sohn?«, wagte sie zu fragen.

»Er ist so groß geworden, nicht wahr?«, fragte Brad stolz, als ob sie das wissen könnte. »Erstaunlich, wie schnell sie wachsen, was?« Er steuerte den Wagen in eine Parklücke, aus der er freien Blick auf seine Exfrau hatte, ohne selbst gesehen zu werden. »Wegen meines Sohnes unternehmen wir erst mal gar nichts«, kam seine verspätete Antwort. »Nicht, solange wir uns nicht um seine Mutter gekümmert haben.«

»Und dann?« Jamie sah die beiden Frauen vor einer Reihe von Schaufenstern vorbeigehen und war sich kaum bewusst, eine weitere Frage gestellt zu haben, bevor sie ihr über die Lippen gerutscht war.

»Und dann – gar nichts. Wir sehen zu, dass wir aus Dodge City verschwinden, und warten, bis die Behörden sich wegen der furchtbaren Nachricht vom plötzlichen Tod meiner Exfrau mit mir in Verbindung setzen. Und dann kehrt Corey zu seinem Daddy zurück. Alles ganz friedlich und legal.«

»Aber sie werden doch bestimmt Verdacht schöpfen …«

»Hey, hey, hey. Das sind erst mal genug Fragen. Den Rest lass mal meine Sorge sein. Okay?«

Jamie nickte. Glaubte er wirklich, dass die Behörden einen kleinen Jungen einfach so an einen gewalttätigen Verbrecher übergeben würden, selbst wenn er sein Vater war?

»Es würde meinem Fall natürlich nicht schaden, wenn ich verheiratet wäre und irgendwo ein nettes Zuhause hätte«, sagte Brad zwinkernd. »Du hast doch gesagt, dass du schon immer mal nach Texas wolltest, oder nicht, Jamie-Girl?«

Jamie sackte auf ihrem Sitz zusammen und begann zu vermuten, dass sie doch tot war. War es wirklich möglich, dass sie einen Heiratsantrag von einem Mann bekam, der ihr nur wenige Stunden zuvor um ein Haar die Kehle aufgeschlitzt hätte?

»Darüber solltest du mal nachdenken«, sagte Brad, beugte sich über das Lenkrad und sah den beiden Frauen nach, die in Scully's Sportstudio verschwanden.

»Du bist aber heute verdammt früh«, rief Jan, als Lily vor Emma durch die Tür kam.

Emma bemerkte den unsicheren Blick in Jans übertrieben stark geschminkten Augen, als ob die ältere Frau überlegte, sie zu fragen, wie sie hieß und ob sie nicht Mitglied werden wollte. »Ich bin's, Emma«, sagte sie, bevor Jan Gelegenheit hatte, sie beide erneut in Verlegenheit zu bringen.

»Natürlich«, sagte Jan. »Wie geht's? Hat Jeff dir den Becher gegeben?«

»Ja, hat er.« Hatte Jan bemerkt, dass eine Trophäe fehlte? Hatte sie Emma in Verdacht, sie gestohlen zu haben? Vielleicht sollte sie gleich an Ort und Stelle alles gestehen, sich wortreich entschuldigen, Jan um Vergebung anflehen und versuchen zu erklären. Aber wie erklärte man das Unerklärliche? »Der Becher ist leider auch der Grund, warum ich hier bin«, sagte sie stattdessen. »Wir hatten einen kleinen Unfall.«

»Ihr Sohn fand, dass der Becher so besonders war«, übernahm Lily, »dass er ihn zum Vorzeigen in der Erzählstunde mitgenommen hat. Und dann hat er ihn auf dem Weg zur Vorschule fallen lassen.«

»Klar«, sagte Jan, als ob das ein unumstößliches Naturgesetz wäre. »Und jetzt möchtest du einen neuen haben?«

»Ich kann ihn später zurückbringen«, bot Emma an.

»Sei nicht albern.« Jan griff unter den Tresen und gab Emma einen neuen Becher. »Sag ihm, dass er auf den besser aufpassen soll.«

»Er wird ihn wie seinen Augapfel hüten.«

»Mach, dass du loskommst«, riet Lily ihr.

»Kommst du nicht mit?«

»Ich fange in einer Stunde an zu arbeiten, da lohnt es sich nicht, hin und her zu fahren. Wir reden später«, sagte sie, als Emma an der Tür war.

»Sicher doch.« Emma verließ das Studio, winkte zum Abschied und ging quer über den Parkplatz zur Bushaltestelle. Steht dort hinten in der Ecke ein weiterer babyblauer Thunderbird, fragte sie sich, als der Bus vor ihr hielt. Sie stieg ein und suchte in ihrem Portemonnaie nach passendem Kleingeld. Als sie sich umsah, stand der blaue Wagen nicht mehr dort und hatte wahrscheinlich auch nie dort gestanden, entschied sie. Wahrscheinlich hatte sie einen blauen Thunderbird im Kopf.

»Du kommst zu spät«, sagte Dylan, als sie ihn wenige Minuten später in seiner Klasse fand. »Du hast gesagt, es würde nur zehn Minuten dauern.«

Emma entschuldigte sich und gab ihrem Sohn den Becher, worauf er sofort wieder in seiner Klasse verschwand, ohne sich zu bedanken oder sie zum Abschied zu umarmen. Sie war schon ein gutes Stück den Flur hinunter, als eine Frauenstimme sie aufhielt.

»Verzeihung«, rief die Stimme, und ihre Dringlichkeit hallte den langen Flur hinunter. »Verzeihung, Mrs. Frost?«

Emma drehte sich um, als Dylans beunruhigend aufrichtige Lehrerin Miss Kensit schon fast vor ihr stand. Annabel

Kensit war einer dieser Menschen, die ständig in Bewegung zu sein schienen. Sie hatte kurze schwarze Haare und kleine dunkle Augen, und Emma wurde jedes Mal nervös, wenn sie sie sah.

»Ich hatte gehofft, dass sich eine Gelegenheit ergibt, mit Ihnen zu sprechen«, sagte die junge Frau und verlagerte ihr Gewicht von einem Fuß auf den anderen. Sie war etwa so alt wie Emma, sah aber aus, als sei sie dem Teenageralter gerade erst entwachsen. Emma fragte sich, warum plötzlich alle unbedingt mit ihr reden wollten. War Dylans Lehrerin gestern auch bei Marshalls gewesen? War sie gekommen, um eine Erklärung zu verlangen?

»Ist alles in Ordnung?«, fragte Emma ängstlich.

»Alles ist bestens. Wir haben bloß eine Weile nicht mehr miteinander gesprochen, und ich hatte gehofft, Sie beim letzten Elternsprechtag zu sehen.«

»Ja, entschuldigen Sie. Ich habe mich ein wenig unwohl gefühlt.«

»Tut mir Leid für Sie.« In Miss Kensits kleinen Augen blitzte für einen Moment Besorgnis auf. »Ich hoffe, jetzt geht es Ihnen wieder gut.«

»Ja. Alles bestens.«

»Schön.«

»Gibt es ein Problem?« Bitte lass es kein Problem geben, betete Emma stumm.

»Eigentlich nicht. Es gibt nur ein paar Sachen, über die ich gerne mit Ihnen sprechen würde.«

»Zum Beispiel?«

»Nun, Dylan ist ein süßer kleiner Junge, aber er regt sich bei jeder Kleinigkeit fürchterlich auf. Wie heute Morgen. Er hat sich solche Sorgen gemacht, weil Sie zu spät gekommen sind.«

Sie konnte dieses Gespräch jetzt nicht führen. Sie hatte weder die Zeit noch die Kraft dafür. Und auch wenn sie all der Lügen überdrüssig war, hatte sie noch mehr Angst vor der Wahrheit. Die Wahrheit würde alles nur noch komplizierter und schlimmer machen. Die Aussicht, sich ihren Dämonen zu stellen und ihre Sünden zu bekennen, war schlicht zu erschreckend. Es war besser und auf jeden Fall leichter, weiter zu flüchten, sich weiter zu verstecken und weiter so zu tun als ob. Die Wahrheit brachte zu viele Konsequenzen mit sich, und Konsequenzen waren nie Emmas Stärke gewesen. Vielleicht würde sie irgendwann den Mut aufbringen, nicht mehr wegzulaufen und die Frau zu sein, der sie all die Jahre nachgelaufen war, eine Frau, die sich ihrer Vergangenheit nicht schämte, deren Gegenwart voller Chancen war und die keine Übertreibungen und Ausschmückungen brauchte, um stolz auf sich zu sein. Aber jetzt musste sie erst einmal nach Hause, ihren Koffer packen und durchziehen, was sie schon gestern Nacht hätte tun sollen. »Verzeihung, Miss Kensit. Im Augenblick passt es mir gerade nicht so gut.«

»Oje. Tut mir Leid. Meinen Sie, Sie könnten sich heute Nachmittag ein paar Minuten Zeit nehmen, wenn Sie Dylan abholen?«

»Auf jeden Fall. Bis später dann.« Warum auch nicht, fragte Emma sich. Sie konnte die Verabredungen, die sie nicht einzuhalten gedachte, auch ebenso gut alle auf einen Zeitpunkt legen.

Sobald sie in die Mad River Road bog, sah sie den alten blauen Thunderbird. Er stand wieder auf seinem vorherigen Platz vor Mrs. Discalas Haus, und als Emma näher kam, sah sie, dass auf den Vordersitzen zwei Personen saßen. Was machten sie hier? War es möglich, dass sie sie verfolgten? Waren sie hierher zurückgekehrt, um ihr Haus auszukundschaften? Vielleicht waren es Polizisten im verdeckten Einsatz, die sie auf Jeff Dawsons Anweisung beschatteten? Oder schlimmer. Vielleicht waren sie hier, weil man ihren Aufenthaltsort entdeckt hatte. Vielleicht würden die Leute in dem Auto ihr ihren Sohn wegnehmen.

Emmas Antennen waren in voller Alarmbereitschaft, als sie die Straße überquerte, um sich so schnell wie möglich von dem Wagen zu entfernen. Aber irgendetwas an der Art, wie die Frau auf dem Beifahrersitz hockte, leicht vorgebeugt und den Rücken an die Tür gepresst, als ob sie nicht freiwillig in dem Fahrzeug sitzen würde, ließ Emma stutzen. Ihre Neugier behielt schließlich die Oberhand. Sie drehte sich um, ging auf den blauen Thunderbird zu und klopfte ans Seitenfenster. »Verzeihung«, begann sie gereizt. *Verfolgen Sie mich? Beobachten Sie aus irgendeinem Grund mein Haus? Hat mein Exmann Sie geschickt?* »Kann ich Ihnen irgendwie behilflich sein?«, fragte sie stattdessen.

Die Frau auf dem Beifahrersitz hob den Kopf und sah Emma aus von Blutergüssen zugeschwollenen Augen an, während der Mann auf dem Fahrersitz sich ihr langsam zuwandte. »Ja«, sagte er, und sein kaltes Lächeln ließ Emmas Atem stocken. »Ich glaube schon.«

28

»Genau«, sagte Lily. »Nur zweihundertfünfzig Dollar Aufnahmegebühr plus 30 Dollar im Monat.« Sie wartete, dass
Jan sie flötend daran erinnerte, den kostenlosen Becher und
das T-Shirt nicht zu vergessen, aber Jan war merkwürdig
still. Lily blickte zu der Vitrine mit den Pokalen, die Jan seit
gut vierzig Minuten polierte. »Ja, gut, wir würden uns freu-
en, Sie bald bei uns zu begrüßen. Und vergessen Sie nicht,
dass dieses Sonderangebot nur noch bis Ende des Monats
gilt und obendrein noch ein kostenloses T-Shirt und einen
Becher umfasst.« Sie legte den Hörer auf die Gabel, lächelte
Jan an, wartete auf ein symbolisches Schulterklopfen, aber
nichts dergleichen geschah.

Jan sagte nichts. Sie starrte in die Vitrine, als ob etwas
Schreckliches passiert wäre. Oder jeden Moment passieren
würde.

»Jan?«

Jan sah sie leeren Blickes an. »Hm?«

»Stimmt irgendwas nicht? Jan?«, fragte Lily noch einmal, als Jan wieder nicht reagierte. »Gibt es irgendein Problem?«

»Ich weiß nicht genau.«

»Ich fürchte, ich kann dir nicht folgen.«

Jan blickte von Lily zu der Vitrine mit ihren Pokalen und
zurück. »Eine von meinen Trophäen fehlt.«

»Bist du sicher?«

»Ich habe sie jetzt zehn Mal gezählt. Es sollten dreißig
sein, sind aber nur neunundzwanzig.«

Lily kam hinter dem Tresen hervor, stellte sich neben Jan

und zählte selber kurz nach. »Bist du sicher, dass es dreißig waren?« Jan erzählte den Leuten regelmäßig, sie hätte so viele Pokale gewonnen, dass sie gar nicht mehr wüsste, wie viele es waren.

»Absolut sicher. Zehn pro Regalbrett.«

»Ist es möglich, dass du eine Trophäe mit nach Hause genommen hast?«

»Warum sollte ich sie denn mit nach Hause nehmen?«, fauchte Jan sie an und entschuldigte sich sofort. »Tut mir Leid. Ich weiß, dass du nur helfen willst.«

»Weißt du denn, welche fehlt?«

»Das überlege ich schon die ganze Zeit.«

Lily ließ den Blick über die drei Regalbretter mit liebevoll polierten Pokalen in allen Formen und Größen schweifen. Sie könnte sie einen ganzen Tag betrachten, ohne zu wissen, welche Trophäe fehlte, aber sie zweifelte nicht daran, dass Jan es bald herausgefunden haben würde. Jans Trophäen waren wie ihre Kinder, die sie ebenso gewissenhaft behütete, wie sie stolz darauf war.

»Es ist jedenfalls keine von den größeren«, sagte Jan. »Wenn eine von den großen fehlen würde, hätte ich das sofort gesehen. Es muss also eine kleinere sein, wahrscheinlich kein erster Platz, vermutlich ein Teller oder eine Schale.« Sie ließ ihre stark geschminkten Augen über das unterste Brett schweifen. »Es ist die Messingschale für meinen zweiten Platz beim Bodybuilding-Turnier für Frauen in Cincinnati 2002!«, verkündete sie und zeigte auf den verlassenen Ehrenplatz der Trophäe. »Sie stand immer hier. Verdammt. Wo ist sie?«

»Und du bist sicher, dass du sie nicht woanders hingestellt hast?«, fragte Lily, obwohl sie die Antwort bereits wusste. Jan hatte ihre Schale nicht verstellt. Mit ihren Trophäen war sie von der gleichen peniblen Zwanghaftigkeit wie bei ihrem täglichen Training.

»Sie stand direkt hier. Dort stand sie immer. Meinst du,

jemand könnte in der Nacht eingebrochen und sie gestohlen haben?«

»Gab es irgend welche Spuren eines gewaltsamen Eindringens?«, fragte Lily und hörte den Widerhall von Jeffs Stimme in ihrer. Sie entschied sich, die naheliegendere Frage nicht zu stellen: Wenn jemand das Risiko und die Mühe auf sich nahm, hier einzubrechen, warum sollte er dann nur eine relativ wertlose Trophäe für einen zweiten Platz mitnehmen?

»Nein. Keine Spuren eines gewaltsamen Eindringens«, gab Jan zu. »Und ich musste die Vitrine aufschließen, was bedeutet, dass der Dieb meiner Trophäe einen Schlüssel hatte. Mein Gott, du glaubst doch nicht, dass Art es gewesen sein könnte?«

»Was sollte dein Exmann mit einer von deinen alten Trophäen anfangen?«

»Ich weiß nicht. Vielleicht versucht er das Gleiche wie Joseph Cotton in *Das Haus der Lady Almquist.* Erinnerst du dich an den alten Film, wo er als Ingrid Bergmans Ehemann versucht, ihr einzureden, sie wäre verrückt.«

Lily schüttelte den Kopf. »Ich fürchte, nicht.«

»Du hast noch nie *Das Haus der Lady Almquist* gesehen?« Jan wirkte beinahe so entsetzt wie über das Fehlen ihrer Trophäe.

»Wann hast du die Vitrine denn zum letzten Mal aufgeschlossen?«, fragte Lily.

»Als ich die Pokale zum letzten Mal poliert habe. Letzten Montag vermutlich.«

»Und du bist sicher, dass da noch alle Trophäen da waren?«

»Absolut.«

Das Telefon klingelte. Lily kehrte zum Tresen zurück und nahm ab. »Scully's Sportstudio. Nein tut mir Leid. Da haben Sie sich verwählt.« Lily legte auf und beschloss, Jan nicht zu erzählen, dass der Anrufer nach *Art* Scullys Fitnessstudio gefragt hatte.

»Moment mal«, sagte Jan plötzlich und piekste mit ihren langen Fingernägeln in die Luft. »Das Telefon.«

»Das Telefon?«

»Mein Neffe hat mich angerufen. Deine Freundin Emma war hier. Ich habe ihr die Trophäen gezeigt, als das Telefon klingelte.«

Lilys Magen sackte bis zu ihren Zehen. »Wann war das?«

»Gestern. Ich glaube, sie hat eigentlich dich gesucht. Ich hab ihr gesagt, dass du nicht da wärst, wir haben ein paar Minuten geplaudert, sie hat mich nach meinen Trophäen gefragt, und ich habe die Vitrine aufgeschlossen, damit sie sie besser angucken konnte. Und dann hat Noah angerufen, ich habe mich entschuldigt, und sie ist gegangen.«

»Und nachdem sie weg war, hast du die Vitrine wieder abgeschlossen?«

»Sobald ich aufgelegt hatte.«

Lily blickte zu Boden. War es möglich, dass Emma Jans Trophäe gestohlen hatte, zusätzlich zu all den anderen Sachen, die sie bei Marshalls hatte mitgehen lassen? Aber warum? Warum sollte sie so etwas tun?

»Du denkst, deine Freundin könnte es getan haben?«, stellte Jan Lilys erste Frage laut.

Lily wusste nicht mehr, was sie denken sollte. Aber sie würde es verdammt noch mal vor drei Uhr heute Nachmittag herausfinden. »Hör mal, glaubst du, du kommst eine Weile ohne mich zurecht?«, fragte sie Jan.

»Wohin gehst du?«

Lily öffnete die Eingangstür. »Ich hole deine Trophäe zurück.«

Was zum Teufel ging hier vor, fragte Lily sich, als sie zur Bushaltestelle rannte, wo ihr der Bus vor der Nase wegfuhr. Sie lief ihm ein Stück hinterher, gab jedoch auf, als deutlich wurde, dass der Fahrer nicht die Absicht hatte, zu bremsen oder gar anzuhalten. Sie sah auf die Uhr. Der nächste Bus kam erst in einer Viertelstunde, weshalb sie entschied, dass sie zu Fuß wahrscheinlich schneller sein würde. Außerdem war es vermutlich sowieso besser, einmal tief durchzuatmen und sich ein wenig zu bremsen. Beim Laufen würde sie Zeit haben, sich abzuregen und ihre Gedanken zu ordnen. Es nützte niemandem, wenn sie wütend bei Emma hereinstürmte, ihr lauter Vorwürfe an den Kopf warf und Erklärungen verlangte. Hatte sie nicht aus bitterer Erfahrung gelernt, dass man mit reiner Konfrontation nichts erreichte? Wenn sie Antworten wollte, musste sie die richtigen Fragen stellen. Und wenn sie die Antworten verstehen wollte, musste sie diese Fragen äußerst behutsam formulieren.

Lily versuchte, sich die Szene vorzustellen, als würde sie den Aufbau einer Geschichte planen: Zwei junge Frauen begegnen sich und werden Freundinnen. Sie besuchen sich, passen gegenseitig auf ihre Kinder auf, trinken zusammen Wein und vertrauen sich Geheimnisse an. Dann entdeckt die eine der beiden, dass die andere sie in praktisch jedem Punkt belogen hat. Kurzum, ihre Freundin ist nicht die, die sie zu sein scheint. Was die Geschichte jedoch erst richtig interessant macht, ist die Tatsache, dass das Gleiche auch für sie gilt.

Lily wartete, dass die Ampel an der Stewart Street auf Grün sprang und überlegte, wie sich die Geschichte entfalten würde.

»Du kommst früh«, sagt Emma mit flackernder Panik in ihren großen blauen Augen. »Ich hab dich erst später erwartet.«

»Das konnte nicht warten.«

Nein, viel zu melodramatisch. Versuch es noch mal.

»Du kommst früh«, sagt Emma, offensichtlich beunruhigt vom unerwarteten Auftauchen ihrer Freundin. »Ich hab dich erst später erwartet.«

»Es ist etwas passiert.«

Emma sagt nichts. Sie sieht aus, als würde sie die Luft anhalten. In der Mitte von Emmas karg möbliertem Wohnzimmer stehen sich die beiden Frauen von Angesicht zu Angesicht gegenüber.

»*Eine von Jans Trophäen ist weg*«, *kommt Lily gleich zur Sache.*

»*Ich verstehe nicht.*«

»*Ich glaube, doch.*«

Nach einem langen Schweigen fragt sie: »*Du glaubst, ich hätte sie gestohlen?*«

»*Hast du?*«

»*Natürlich nicht. Wie kannst du so etwas denken?*«

»*Weil du gestern dort warst. Du hast Jans Trophäen bewundert. Und jetzt fehlt eine.*«

»*Und du hältst es nicht für möglich, dass Jan sie verlegt hat?*«

Lily schüttelte den Kopf. »*Das hätte ich vielleicht gedacht, wenn nicht die Sache bei Marshalls passiert wäre …*«

»*Ich hab dir doch gesagt, dass das Ganze ein Missverständnis war.*«

»*Wirklich? Was habe ich denn falsch verstanden?*«

»*Ich beantworte keine von diesen Fragen mehr.*«

»*Ich denke, das solltest du aber.*«

»*Ach ja? Nun, ich dachte, wir wären Freundinnen.*«

»*Wir sind Freundinnen.*«

»*So hört sich das aber für mich nicht an.*«

»*Emma.*«

»*Nein. Das Gespräch ist beendet. Ich will, dass du mein Haus sofort verlässt.*«

Oh, das ist gut, dachte Lily. Wirklich gut. Fang noch mal von vorn an.

»*Eine von Jans Trophäen ist weg*«, *kommt Lily gleich zur Sache.*

Ein langes Schweigen. Dann: »*Du glaubst, ich hätte sie gestohlen?*«

»Hast du?«

»Ja«, erwidert Emma schlicht.

Viel besser.

»Warum?«

Weiteres Schweigen. Die Antwort auf diese Frage ist offensichtlich nicht so leicht wie die erste.

»Warum hast du Jans Trophäe gestohlen?«, fragte Lily laut. Dass Emma bei Marshalls Kleidung gestohlen hatte, konnte Lily noch fast verstehen und irgendwie sogar entschuldigen. Emma hatte kein Geld und keine Perspektive. Sie war arm, sie war deprimiert und hatte der Versuchung in einem Augenblick der Schwäche nachgegeben. Aber Jans Bodybuildingtrophäe? Was konnte sie damit anfangen? Selbst wenn sie sie versetzen wollte, würde sie kaum mehr als ein paar Dollar dafür bekommen. Wozu die Mühe? Vor allem, wenn sie Jan kannte und wusste, dass es Lilys Arbeitgeberin und Freundin war. Es war ein solcher Verrat.

Aber war Emmas Verrat wirklich schlimmer als ihr eigener?

Lily trat vom Bürgersteig in den Weg eines roten Chrysler Sebring. Der Fahrer hupte wütend und warf die Hände in die Luft. »Tut mir Leid«, bedeutete Lily ihm, aber sein grimmiges Gesicht ließ erkennen, dass er keineswegs besänftigt war. Es gibt so viele Dinge, die ich bereue, dachte sie.

Wenn dieses Gefühl der Reue je aufhörte, musste sie anfangen, die Wahrheit zu sagen.

Wie konnte sie erwarten, dass andere Menschen ehrlich zu ihr waren, wenn sie nicht ehrlich zu ihnen war?

Lilys Gedanken kehrten zu der Geschichte zurück, die sich in ihrem Kopf entfaltete.

»Du kommst früh«, sagt Emma und tritt beiseite, um Lily hereinzulassen. »Ich hab dich erst später erwartet.«

»Das konnte nicht warten.«

»Also, wenn es um die Sache bei Marshalls geht …«

»Nein.«

Emma sieht sie fragend an, während Lily weiter den Kopf schüttelt.

Konnte sie es tun? Konnte sie Emma alles erzählen?

»Meinst du, wir könnten uns setzen?«

Emma führt Lily ins Wohnzimmer. Sie zeigt auf das Sofa und wartet, bis Lily es sich bequem gemacht hat, bevor sie sich neben sie setzt. »Und erzählst du mir jetzt, was das alles zu bedeuten hat?«

»Ich weiß, dass du mich angelogen hast«, beginnt Lily, um langsam in ihr Geständnis zu finden. »Ich weiß, dass du nie als Model für Maybelline gearbeitet hast. Ich weiß, dass du nie eine Geschichte in der Cosmopolitan *hattest. Ich bin nicht mal sicher, ob du wirklich Emma Frost heißt.«*

»Einen Moment mal«, unterbricht Emma sie und springt auf. »Was denkst du, was …?«

»Was du nicht weißt, ist, dass ich auch gelogen habe.«

»Was? Wovon redest du?«

»Ich bin nicht die, für die du mich hältst.«

Nein. Stopp. Viel zu abgedroschen. Das kannst du besser.

»Was? Wovon redest du?«, fragt Emma.

Lily klopft auf den Platz neben sich. »Wenn du dich einfach wieder hinsetzt …«

»Ich will mich aber nicht setzen. Was versuchst du, mir zu sagen? Dass du nicht Lily heißt?«

»Doch, ich heiße wirklich so. Der Teil stimmt.«

»Und welcher Teil nicht?«, will Emma wissen, die eigene Verlogenheit für den Moment vergessend.

»So ziemlich alles.«

»Was?«

»Lass mich dir alles von Anfang an erzählen.«

Gütiger Gott, dachte Lily. Wusste sie überhaupt noch, wo der Anfang von all dem lag?

Sollte sie mit ihrer glücklichen Kindheit beginnen, die vorübergehend durch den Tod ihres Vaters erschüttert wurde, der an Prostatakrebs starb, als sie zwölf war? Oder mit dem

Bruder, der seinen Platz einnahm und die Rolle des Wächters und Beschützers übernahm, obwohl er kaum ein Jahr älter war als sie? Was war mit der üblichen Rebellion als Teenager, ihren Freundinnen und den Jungen, mit denen sie ausgegangen war? War irgendetwas davon relevant? Oder sollte sie gleich mit der ersten Begegnung mit dem Mann beginnen, der ihr Leben für immer verändern sollte, ihrer nachfolgenden Ehe und Kennys schrecklichem Tod? Gab es irgendeine Möglichkeit, die letzten fünf Jahre zu kondensieren, konnte sie irgendetwas sagen, was sie erträglicher oder verständlicher machen würde?

»*Zunächst mal war meine Ehe nicht das, wofür du sie hältst*«, beginnt Lily.

»*Was war sie dann?*«

»*Eine Katastrophe. Wie deine.*«

War es möglich, fragte Lily sich und ging weiter die Straße hinunter, ohne ihre Umgebung wahrzunehmen, dass sie und Emma denselben Typ Mann gewählt hatten? Hatten sie sich deshalb zueinander hingezogen gefühlt?

»*Was redest du da? Du warst mit dem perfekten Mann verheiratet.*«

»*Ich war mit einem Monster verheiratet.*«

»*Erzähl*«, fordert Emma sie auf.

Aber wie konnte sie es erklären?

Es war zu leicht, einfach zu sagen, dass jeder Fehler machte, obwohl diese schlichte Feststellung der Wahrheit wahrscheinlich ziemlich nahe kam. Nichts in ihrer Geschichte, nichts in ihrer Erziehung hatte das drohende Desaster angekündigt. Sie hatte wundervolle Eltern, einen älteren Bruder, den sie verehrte, Freundinnen, die sie liebte. Und dann hatte sie auf einer Party einen Mann kennen gelernt und sich Hals über Kopf in ihn verliebt. Sie wurden ein Paar, sie wurde schwanger, sie heirateten. Und auch wenn ihre Eltern und Freunde ihre Bedenken hatten, war anfangs jeder bereit gewesen, diese Zweifel beiseite zu schieben, um

Lilys neuem Mann den Bonus rückhaltlosen Vertrauens zu schenken. Nur ihr Bruder war beharrlich geblieben in seinem Misstrauen gegenüber dem Mann mit dem entwaffnenden Lächeln.

Und irgendwann war das Misstrauen in Verachtung umgeschlagen.

Diese Verachtung hatte schließlich unerbittlich zu seinem Tod geführt.

Auf einem Motorrad.

»Moment, ich komme nicht mehr mit«, sagt Emma ungeduldig und läuft in ihrem kleinen Wohnzimmer auf und ab. »Ich dachte, dein Mann wäre bei einem Motorradunfall ums Leben gekommen.«

Lily schüttelte den Kopf. »Ich habe gelogen. Es war nicht mein Mann, es war mein Bruder.«

Mein Bruder, wiederholte Lily für sich und wischte sich ein paar Tränen aus den Augen. Kenny war nicht einmal ein Jahr älter gewesen als sie, in vielerlei Hinsicht wie ein Zwillingsbruder, der ihr näher stand als irgendjemand sonst auf der Welt. Und er hatte sich in ungezügelter, blinder Wut auf den Weg gemacht, die frischen Blutergüsse an den Armen und im Gesicht seiner Schwester zu rächen, weil sie nicht länger die Kraft und die Lust hatte, sie mit einer beschwichtigenden Geste abzutun. »Ach, ich bin einfach ungeschickt. Ich bin ausgerutscht, ich bin gegen eine Tür gelaufen, ich bin über Michaels Spielsachen gestolpert.« Nicht nach einem Tag voller Streit und Drohungen, an dem sie endlich den Mut aufgebracht hatte, ihrem Mann zu sagen, dass sie die Scheidung wollte, worauf er erwidert hatte, dass sie eher in der Hölle verwesen würde. Und dann war aus dem Tag ein Abend geworden, er hatte seinen Drohungen mit Fäusten Nachdruck verliehen, aber selbst das hatte ihre Entschlossenheit, ihren Sohn zu nehmen und aus diesem Zerrbild einer Ehe zu fliehen, nicht erschüttern können, worauf er sie auf den Boden geworfen und mehrfach brutal vergewaltigt hatte, während ihr Sohn die ganze Zeit im Nebenzimmer schrie. Als er fertig war, hatte er sie, weinend und blutend in Embryonalstellung zusammengerollt, auf den kalten Fliesen liegen lassen. »Du gehst nirgendwo hin«, hatte er gesagt.

Sie hatte gewartet, bis er eingeschlafen war, bevor sie Michael genommen und ins Haus ihrer Mutter geflohen war. Kenny war auch dort, und ein Blick sagte ihm alles, was er wissen musste. »Bitte, Kenny. Tu nichts Unüberlegtes. Er ist es nicht wert«, hatte sie ihn angefleht. Aber Kenny war aus der Tür gestürmt, hatte sich auf sein Motorrad geschwungen und war in die verregnete Nacht hinausgerast.

Bis heute konnte Lily das Geräusch der quietschenden Reifen im strömenden Regen von Miami hören, die Erschütterungen des schweren Motorrads spüren, als Kenny in einer glatten Kurve die Kontrolle über die Maschine verlor, von der Straße abkam und gegen eine riesige Palme prallte. Sie hörte ihre Mutter in dem Krankenhauszimmer leise neben sich schluchzen und ihr mit vor Kummer erstickter Stimme immer wieder versichern, dass der Unfall nicht ihre Schuld war.

Lily wusste, dass ihre Mutter Recht hatte. Theoretisch konnte man ihr keinen Vorwurf wegen Kennys überstürzter Entscheidung machen, sich ihren Mann vorzuknöpfen; sie war nicht verantwortlich dafür, dass er keinen Helm getragen hatte und durch regennasse Straßen gerast war. Trotzdem fühlte sie sich schuldig, und sie konnte sich nur zögerlich von dieser Schuld befreien, denn das bedeutete, auch Kenny loszulassen, und dazu war sie nicht bereit gewesen.

Aber nun wurde es Zeit. Die Vergangenheit durfte nicht länger ihre Gegenwart bestimmen und ihre Zukunft diktieren. Es war Zeit für einen Neubeginn, erkannte Lily, als sie in die Mad River Road bog.

Beinahe sofort sah sie den blauen Thunderbird und meinte sich zu erinnern, ihn schon früher bemerkt zu haben. Irgendjemand hat Besuch, dachte sie und sah, wie Carole Mc-

Gowan mit ihren beiden übergewichtigen Schnauzern aus dem Haus kam. Carole winkte, während die Hunde sie in Lilys Richtung zerrten. »Hi«, begrüßte Lily ihre Nachbarin und beobachtete, wie beide Hunde an der Bordsteinkante das Bein hoben. »Was machst du denn um diese Zeit zu Hause?«

»Mortimer hat sich das ganze Wochenende seltsam verhalten«, sagte Carole. »Also war ich mit ihm beim Tierarzt.«

»Geht es ihm gut?«

»Blendend.« Sie bückte sich und kraulte Mortimers Rücken. »Wie sich herausgestellt hat, ist es Casper, der Probleme hat.« Nun war Casper an der Reihe, gekrault zu werden.

»Was hat er denn?«, fragte Lily abwesend und blickte zu Emmas Haus.

»Offenbar hat er einen Hühnchenknochen verschluckt. Er ist so ein Schwein. Nicht wahr, Casper? Du frisst alles, was?« Als wollte er umgehend den Beweis für diese Behauptung erbringen, begann er, an ein paar Grasbüscheln in der Nähe zu knabbern. »Wirklich. Man könnte glauben, wir würden ihn nicht füttern. Der Tierarzt meint jedenfalls, wir hätten Glück gehabt, dass ihm der Knochen nicht den ganzen Magen zerfetzt hat. Aber es scheint ihm nichts zu fehlen, Ende gut, alles gut. Sagt man nicht so?«

»Stimmt«, bestätigte Lily und machte eine Bewegung hinter Emmas Wohnzimmervorhängen aus.

»Diese Emma ist ja wirklich mal eine, was?«, bemerkte Carole, als sie Lilys Blick folgte.

Wovon redete Carole? Hatte Jan sie schon angerufen und von der fehlenden Trophäe berichtet? »Wie meinst du das?«

»Ich meine, dass sie eine tolle Verstärkung für unseren Lesezirkel ist. Sie ist intelligent und weiß eine Menge.«

Und was sie nicht weiß, denkt sie sich aus, ergänzte Lily stumm.

Die Hunde begannen, an ihren Leinen zu zerren. »Ich sollte die Jungs jetzt wohl besser ihren Spaziergang machen lassen, bevor ich zur Arbeit gehe.«

Lily sah der Frau nach, bis sie samt den Hunden außer Sichtweite war. »Ende gut, alles gut«, wiederholte sie leise, als sie die Straße überquerte und auf Emmas Haus zuging.

Natürlich hatte alles nicht gut geendet. Ihre Ehe jedenfalls ganz bestimmt nicht. Stattdessen hatte ihr Mann seine Drohung wahr gemacht, ihr das Leben zur Hölle zu machen, wenn sie ihn verließ. Er hatte sie auf der Arbeit belästigt und ihre Freunde zu den unmöglichsten Tages- und Nachtzeiten angerufen. Nach einigen Monaten hatte Lilys Mutter mehr erlitten, als sie ertragen konnte, und war nach Kalifornien gezogen, um näher bei ihrer Schwester zu wohnen. Lily war entschlossen gewesen, mit ihr zu gehen, aber ein Richter hatte angeordnet, dass sie mit Michael den Staat Florida nicht verlassen durfte, bis das Sorgerecht gerichtlich geklärt war. »Warum tust du das?«, hatte sie ihren Mann gefragt.

»Weil er mein Sohn ist.« Damals hatte er auch damit geprahlt, was mit Leuten passierte, die ihm quer kämen. Er hatte ihr von einem Küchengerätevertreter in Miami erzählt, den er mit bloßen Händen ermordet hatte.

»Damit musst du zur Polizei gehen«, hatte ihre Freundin Grace sie gedrängt.

»Die werden mir nicht glauben. Ich weiß nicht mal genau, ob es wirklich passiert ist.«

»Weißt du doch.«

»Dann steht mein Wort gegen seins.«

Wie sich herausstellte, reichte ihr Wort immerhin aus, um den Ball ins Rollen zu bringen. Kurz darauf war Ralph Fisher verhaftet worden. Eine Entlassung gegen Kaution wurde wegen Fluchtgefahr abgelehnt. Lily hatte einen Anwalt konsultiert und ihrem Mann praktisch umgehend die Scheidungspapiere zustellen lassen. Dann hatte sie ihren

Mädchennamen angenommen, hatte ihren Sohn genommen und war in den Norden gegangen. Ralph saß zurzeit in einem Gefängnis in Florida und wartete auf seinen Prozess. Wenn der Prozess vorbei und Ralph, wie Lily nur hoffen konnte, für den Rest seines Lebens sicher weggesperrt war, würde sie zu ihrer Mutter nach Kalifornien ziehen. Bis dahin wollte sie sichere Distanz zu allen wahren, die sie liebte. Nur für den Fall, dass irgendwas schief lief und er einige seiner Drohungen wahr machte. Ihre Freundin Grace hatte ihr versprochen, sie per E-Mail regelmäßig auf dem Laufenden zu halten, obwohl Lily schon seit einigen Wochen nichts mehr von ihr gehört hatte. Vielleicht würde sie später in einem Internet-Café vorbeischauen und ihr ein paar Zeilen schicken.

Aber eins nach dem anderen, entschied sie, klingelte bei Emma und lauschte auf nahende Schritte. Etliche Sekunden lang blieb es still, aber als Lily gerade ein zweites Mal klingeln wollte, hörte sie die vertraute Stimme.

»Komm rein«, rief Emma aus dem Haus.

Lily drehte sich zu dem leeren blauen Thunderbird um, atmete tief durch, stieß die Tür auf und trat ein.

29

Jamie saß, unfähig, sich zu rühren, auf der Lehne des beige-grünen Sessels. Sie hörte, wie die Haustür geöffnet und wieder geschlossen wurde. Es war nur eine Frage von Minuten, bis mindestens eine, wahrscheinlicher zwei Frauen tot wären. Wenn ich Glück habe, dachte sie, bringt er mich auch um.

»Emma?«, rief eine Frau im Flur. Das Haus wirkte unnatürlich still, als ob es den Atem anhalten würde.

»Ich bin im Wohnzimmer«, rief Emma zurück. Ihre Stimme klang weit entfernt und gepresst, als wäre sie in einem anderen Zimmer des Hauses und säße nicht direkt neben Jamie.

»Tut mir Leid, dass ich einfach so reinplatze. Ich weiß, dass ich gesagt habe, ich würde später kommen.« Eine hübsche junge Frau mit blonden Haaren und besorgten blauen Augen tauchte in der Wohnzimmertür auf. Brad hatte gesagt, seine Exfrau hieße Beth, aber Emma hatte darauf bestanden, dass der Name ihrer Freundin Lily war. »Ich hoffe, ich komme nicht ungelegen.«

Jamie registrierte Lilys verwirrten Gesichtsausdruck, als sie sich im Zimmer umsah. Sie fragte sich, ob sie die lauernde Gefahr spürte, und versuchte, in Lilys Kopf zu kriechen und die Szene aus ihrer Perspektive zu betrachten: Ihre Freundin Emma saß aschfahl und kerzengerade auf dem Sessel, der im rechten Winkel zu ihrem Sofa stand. Auf der Lehne hockte eine Fremde mit einem verschwollenen Kinn und einem Veilchenauge, deren blaue Flecken so gar nicht zu den wunderschönen goldenen Perlohrringen passen wollten, die sie trug.

»Tut mir Leid«, stotterte Lily. »Ich wusste nicht, dass du Besuch hast.«

»Das ist schon okay«, sagte Emma, obwohl es ganz offensichtlich nicht okay war.

»Ich kann auch später wiederkommen.«

»Nein, geh nicht«, flehte Emma förmlich. »Bitte, komm rein.«

»Bist du sicher, dass ich nicht bei irgendwas störe?«

»Nein, überhaupt nicht.«

Jamie fragte sich, ob Emma ihr ihre Freundin vorstellen wollte.

»Ich bin Lily«, sagte sie zu der jungen Frau, bevor Emma die Gelegenheit hatte, und streckte die Hand aus. »Ich wohne ein paar Häuser weiter.«

»Freut mich«, erwiderte Jamie, ohne die Hand zu heben. »Lily, sagten Sie?«

»Nun, genau genommen Lily-Beth«, erklärte Lily. »Das ›Beth‹ hab ich vor einiger Zeit abgelegt. Aber im Interesse einer umfassenden Enthüllung ...« Sie brach ab und lief dunkelrosa an, als sie zu Emma blickte. »Darüber können wir auch später noch reden. Sie sind ...?«, fragte sie und sah wieder Jamie an.

»Jamie. Jamie Kellogg.«

»Kellogg?«, wiederholte Lily, nicht aus echtem Interesse, sondern um das verlegene Schweigen zu überbrücken. »Irgendwie verwandt mit den Cornflakes-Leuten?«

»Nein«, antwortete Jamie, ohne den Kopf zu schütteln, weil das zu wehtat.

»Tut mir Leid. Das werden Sie wahrscheinlich dauernd gefragt.«

»Ach, eigentlich nicht mehr so oft«, sagte Jamie. Führten sie wirklich dieses Gespräch?

Wieder blickte Lily zu ihrer Freundin.

Bemerkte sie nicht, wie steif Emma dasaß, fragte Jamie sich. Fiel ihr nicht auf, dass ihre Hände während des ganzen

Gesprächs regungslos hinter ihrem Rücken verharrten, weil sie von einem engen Seil gefesselt waren, das an den Handgelenken in ihr weiches Fleisch schnitt?

Wenn, ließ Lily sich nichts anmerken. »Und was ist mit euch beiden?«, fragte sie. »Seid ihr verwandt?«

Emma sagte nichts.

Lily ließ sich langsam auf der Kante des braunen Sofas nieder, und ihr Blick fiel auf eine kleine Messingschale, die achtlos auf dem mittleren Polster lag. »Du *hast* sie also gestohlen!«, rief sie und fuhr zu Emma herum. »Ich glaube es nicht. Wie konntest du das tun?«

»Es tut mir so Leid«, sagte Emma mit Tränen in den Augen.

»Ich verstehe das nicht. Warum hast du …?« Ihr Blick zuckte von Emma zu Jamie. »Was geht hier vor?«

Jamie hielt den Atem an. Sie spürte einen leichten Luftzug, als Brad aus seinem Versteck im Esszimmer trat. Er legte einen Finger auf seine Lippen, um ihr anzudeuten, dass sie still sein sollte. Konnte sie Lily irgendwie warnen? Gab es irgendeine Möglichkeit, das, was in Atlanta geschehen war, zumindest ein bisschen wieder gutzumachen?

»Okay, ich bin hier offensichtlich in irgendwas reingeplatzt«, sagte Lily. »Und weil ich sowieso gleich wieder auf der Arbeit sein muss« – als sie aufstand, duckte Brad sich wieder in sein Versteck –, »bringe ich Jan gleich die Schale zurück, und wir können später reden.«

Weder Emma noch Jamie rührten sich.

Lily ging bis zur Wohnzimmertür, zögerte und blieb stehen.

Geh weiter, versuchte Jamie sie mit Blicken zu warnen. Lauf. Lauf, so schnell du kannst.

Lauf um dein Leben.

»Also, irgendwas stimmt doch hier nicht«, sagte Lily, ohne zu ahnen, dass Brad sich von hinten anschlich und nur noch Zentimeter von ihrem Rücken entfernt war.

Ich muss irgendwas tun, dachte Jamie panisch. Sie musste sie warnen. Sie konnte nicht einfach dasitzen und zusehen, wie er einen weiteren Menschen kaltblütig ermordete. So wie er Laura Dennison ermordet hatte. Und den Haushaltsgerätevertreter aus Philadelphia. Und weiß Gott wen noch.

»Wohin denn so eilig, Lily-Beth?«, fragte er.

Jamie sah, wie alle Farbe aus Lilys Gesicht wich. Sie begriff, dass Lily sich nicht umdrehen musste, um zu sehen, dass Brad lächelte. Sie beobachtete, wie Lily die Augen schloss, als würde sie ihr trauriges Schicksal akzeptieren. Vielleicht hatte sie immer gewusst, dass er sie eines Tages finden würde. Vielleicht war sie erleichtert, dass der Tag endlich gekommen war.

Und dann fuhr Lily unvermittelt herum, schlug Brad die Messingschale an den Kopf und nutze die momentane Verwirrung, um zur Haustür zu stürzen. Jamie versuchte, ihr zu folgen, aber ihre Beine verweigerten den Dienst. Hilflos sah sie zu, wie Brad aus einer frischen Kopfwunde blutend die Arme um Lilys Brustkorb schlang wie ein tödlicher Python, ihr die Luft aus der Lunge presste, sie hochhob und sie, ohne ihr Zappeln und Würgen zu beachten, vor Jamies Füße auf den Boden warf.

»Okay, Emma-Girl«, wies er die junge Frau auf dem Stuhl neben sich an, »du kommst hier rüber zu mir, während Jamie Beth die Hände hinter dem Rücken fesselt. Und die Füße auch«, sagte er, packte den Arm der auf ihn zutaumelnden Emma und drückte ihr sein Messer an die Kehle. »Ich steche sie ab wie ein Schwein, wenn du nicht genau das machst, was ich dir sage«, warnte er Jamie.

Emmas Gesichtsfarbe wechselte von blass zu aschfahl, und ein kleiner Schrei drang über ihre Lippen. Lily rührte sich nicht, als Jamie die Kordel unter den weißen Stapeltischen hervorzog, und wehrte sich auch nicht, als Jamie ihr die Hände hinter dem Rücken fesselte, während sie Emmas

Wimmern lauschte, an deren Halsschlagader die Klinge des Messers tanzte.

»Achte darauf, dass es schön fest ist«, warnte Brad.

Nachdem Jamie Lilys Handgelenke hinter ihrem Rücken gefesselt hatte, wandte sie sich den Füßen zu. Konnte sie das wirklich machen? Konnte sie eine weitere Frau hilflos seiner Gewalt ausliefern, so wie sie ihm ausgeliefert war? Vor zwei Tagen hatte sie im Wagen gewartet, während Brad eine wehrlose alte Frau ermordet hatte. Mittlerweile war sie zu einer ausgewachsenen Komplizin geworden. Und es spielte keine Rolle, dass sie im Grunde keine Wahl hatte, dass er sie töten würde, wenn sie nicht gehorchte. Wahrscheinlich würde er sie sowieso töten. Wenn nicht heute, dann morgen. Oder übermorgen.

Und man hatte immer eine Wahl.

Außerdem sind wir zu dritt, überlegte sie. Drei gegen einen. Aber selbst mit diesem Vorteil würde es ein ungleicher Kampf werden. Drei geschlagene und verängstigte Frauen konnten es nicht mit einem Messer schwingenden Wahnsinnigen aufnehmen.

»Ihre Füße kannst du auch fesseln.« Brad stieß Emma neben Lily zu Boden. Weil ihre Hände gefesselt waren, konnte sie sich nicht abfangen, landete auf der Schulter und schrie vor Schmerz auf.

Eilig begann Jamie, das Seil um Emmas Füße zu wickeln.

»Ralph, bitte«, setzte Lily an.

»Ich heiße jetzt Brad«, korrigierte er sie.

»Was?«

»Du hast das ›Beth‹ abgelegt«, sagte er. »Ich habe mir ein ›Brad‹ zugelegt.«

»Das hier betrifft nur dich und mich«, erklärte Lily ihm. »Es gibt keinen Grund, andere mit hineinzuziehen.«

»Ich hab den Eindruck, sie sind schon mittendrin.«

»Ralph …«

»Brad«, verbesserte er sie gereizt. »Pass auf, dass ich es dir nicht noch einmal sagen muss.« Er trat mit seinen schweren schwarzen Stiefeln gegen ihre Beine.

»Brad«, flüsterte Lily und kämpfte mit den Tränen. »Bitte, lass sie gehen.«

»Also wirklich, Lily-Beth. Wie soll ich das machen?« Er bückte sich, um zu überprüfen, ob die beiden Frauen sicher gefesselt waren. »Jamie ist hier, weil sie meine Freundin ist. Setz dich, Jamie-Girl«, befahl er ihr zwinkernd, sie gehorchte prompt und ließ sich wieder auf der Lehne des beige-grünen Sessels nieder. »Und deine Freundin Emma ist hier, weil sie eine alte Schnüfflerin ist, die ihre Nase in Sachen gesteckt hat, die sie nichts angehen, deshalb stimmt es wahrscheinlich, was man sagt: Neugierige Katzen verbrennen sich die Tatzen.«

»Oh Gott« rief Emma.

»Tu ihr nichts, Brad. Ich bin diejenige, die du willst.«

»Das stimmt vermutlich.« Ein paar Sekunden lang schien er ernsthaft darüber nachzudenken. »Aber wie kann ich sie laufen lassen, wo du doch genauso gut weißt wie ich, dass sie schnurstracks zu den Bullen rennen wird.«

»Nein«, protestierte Emma. »Das tue ich nicht. Ich schwöre es.«

»Du kannst schwören, so viel du willst, Schätzchen. Ich kann dich nicht laufen lassen.«

»Bitte, Ralph … Brad«, verbesserte Lily sich sofort, allerdings zu spät, um zu verhindern, dass seine Stiefelspitze ihr Schienbein traf. »Sie hat einen Sohn.«

»Ja, ich hab ihn heute Morgen gesehen.« Brad hockte sich neben Emma, seine Knie knackten unter den Jeans. »Süßer Junge. Nicht so süß wie Corey, natürlich. Corey ist mein Sohn. Du nennst ihn wahrscheinlich Michael. Das war Lily-Beths Name für ihn. Sie hat darauf bestanden, dass wir ihn nach ihrem Vater benennen. Das war ihr sehr wichtig. Und weil ich ein netter Typ bin, habe ich eingewilligt. Michael Corey Fisher haben wir ihn genannt, obwohl mir Corey persönlich immer lieber war. Genau wie ich den Namen Beth immer schöner fand. Aber wir waren ohnehin selten einer Meinung, was, Darling?«

»Bitte«, wimmerte Emma. »Ich weiß nicht, wer Sie sind und wovon Sie reden.«

»Nicht? Sie hat dir nicht von mir erzählt?«

Emma schüttelte den Kopf.

»Nun, das ist aber nicht sehr nett«, sagte Brad. »Niemandem etwas von der Liebe deines Lebens zu erzählen, dem Vater deines Sohnes. Ich bin ein bisschen verletzt.« Er richtete sich wieder auf und begann, auf und ab zu laufen, als wäre er schwer erschüttert.

Jamie wusste, was er tat. Er spielte mit ihnen, wie eine Katze mit der Maus spielt, bevor sie sie tötet. Sie zu quälen, bereitete ihm beinahe ebenso viel Spaß wie das Morden an sich, begriff sie. Sie sah Lily an und wusste, dass sie genau dasselbe dachte. Wenn sie nur ein bisschen von dem Mut dieser Frau hätte. Wenn sie nur die Kraft hätte, sich zu wehren.

Aber diese Kraft hatte er ihr geraubt, als er sie vergewaltigt und ihr in der folgenden Nacht Unterwürfigkeit eingebläut hatte. Jetzt war sie nicht mehr so furchtlos, oder? Selbst ohne Stricke war sie so gefesselt wie die beiden Frauen auf dem Boden neben ihr.

»Und was ist *deine* Geschichte?«, fragte Brad Emma. »Wir hatten gar keine Gelegenheit, uns länger zu unterhalten, bevor Beth gekommen ist. Wie heißt dein Sohn?«

»Dylan«, flüsterte Emma.

»Und Dylans Vater? Was macht er?«

Emma überlegte den Bruchteil einer Sekunde zu lang. »Er ist Polizist.«

»Polizist?«, wiederholte Brad mit einem arglistigen Lächeln.

»Sie sollten besser gehen. Um diese Zeit kommt er jeden Tag auf eine Tasse Kaffee zu Hause vorbei.«

»Tatsächlich? Nun, in diesem Fall sollte ich mich besser damit beeilen, dir die Kehle aufzuschlitzen.« Brad sank auf die Knie, packte ein paar Strähnen von Emmas Haaren, während sie lauthals zu schreien begann. Jamie schloss die Augen und vergrub ihr Gesicht in den Händen. »Halt's Maul«, fuhr er Emma an. »Und lüg mich nicht an. Ich hasse es, wenn Frauen lügen. Obwohl ich mittlerweile daran gewöhnt sein sollte.«

»Ich lüge nicht«, wimmerte Emma.

»Denkst du, ich bin blöd oder was? Ist es das? Hast du vergessen, dass ich das Haus durchsucht habe, als ich gekommen bin? Ich war oben, Emma-Girl. Ich habe deine Kleiderschränke gesehen. Ich weiß, dass hier kein Mann wohnt. Scheiße, hältst du mich für einen Schwachkopf oder was?«

»Ich halte Sie nicht für einen Schwachkopf.«

»Nun, das höre ich gern. Wenn du weiter so nette Sachen sagst, bringe ich dich vielleicht doch nicht um.«

»Bitte, töten Sie mich nicht«, flehte Emma.

»Jamie«, brüllte Brad. »Nimm die Hände vom Gesicht.«

Sofort ließ Jamie die Hände sinken.

»Siehst du, was für ein braves Mädchen sie ist?«, prahlte Brad, und tiefe Scham erfasste Jamie. »Und jetzt erzählst du mir vielleicht, wer Dylans Vater wirklich ist«, befahl er Emma. »Und lüg mich nicht an, denn das merk ich sofort, und selbst wenn es nur eine klitzekleine harmlose Lüge ist, steche ich dir dieses Messer ins Herz, ohne vorher auch nur mit der Zunge zu schnalzen. Haben wir uns an dem Punkt klar verstanden?«

Emma nickte, obwohl sie den Kopf mit seiner Hand in ihrem Haar kaum bewegen konnte. »Ich lüge bestimmt nicht«, versprach sie zum zweiten Mal.

Jamie sah, wie Lily sich beinahe unwillkürlich vorbeugte.

»Und wo ist dein Mann?«

»In San Diego.«

»Wie lange seid ihr schon geschieden?«

Emma zögerte.

»Du willst mich doch nicht schon wieder anlügen, oder?« Brad piekste mit der Spitze des Messers gegen ihre Kehle.

»Seit fast zwei Jahren«, sagte Emma rasch.

»Und wie heißt der Typ?«

»Peter«, antwortete Emma. »Peter Rice.«

»Und womit bestreitet Peter Rice seinen Lebensunterhalt? Ich weiß nur, dass er kein Bulle ist.«

»Er verkauft Computer, Software und so was.«

»Ohne Scheiß.« Brad lachte laut. »Ich hatte auch mal eine Computerfirma. Nicht wahr, Jamie?«

Jamie starrte zu Boden und sagte nichts.

»Und was hat dich bewogen, San Diego und Mr. Peter Rice zu verlassen?«

»Ich hatte keine andere Wahl.«

»Und wieso nicht?«

»Weil er mir meinen Sohn wegnehmen wollte.«

»Das wäre Dylan.«

Wieder zögerte Emma. »Martin«, flüsterte sie nach einer Pause. »Sein Name ist Martin.«

Brad lachte. »Also ist es zu fassen? Glaubst du, in der Mad River Road wohnt irgendjemand unter seinem echten Namen?« Er ließ sich neben Jamie zu Boden sinken und lehnte sich an den beige-grünen Sessel. »Komm runter zu mir, Jamie-Girl«, befahl er und zog sie an einem Arm auf den Boden. »Setz dich zu uns. Wir feiern eine Party. Alle verraten uns ihre Geheimnisse.«

Jamie wusste, dass Brad nicht das geringste Interesse an Emma und ihren Geheimnissen hatte. Sie wusste, dass er nur mit ihnen allen spielte und sein Vergnügen ausdehnte, indem er ihr Leiden verlängerte. Brad würde sie nur so lange leben lassen, wie sie ihn weiter amüsierten. Dann würde er sie eine nach der anderen abschlachten.

»Du willst also sagen, anstatt dass er dir deinen Sohn

weggenommen hat, hast *du* ihm *seinen* Sohn weggenommen«, sagte Brad. »Das erscheint mir aber nicht sehr fair. Sag, Emma, war Peter Rice ein schlechter Vater?«

Emma schüttelte den Kopf. »Er war ein guter Vater«, gab sie zu. »Darum ging es nicht.«

»Nicht? Worum ging es denn?«

»Es ging darum, dass ich dachte, dass mein Sohn es bei mir besser haben würde.«

»Waren die Gerichte auch dieser Meinung?«

»Nein. Sie waren auf Peters Seite.«

»Sie haben ihm das Sorgerecht zugesprochen? Das ist doch recht ungewöhnlich, oder nicht? Dass ein Gericht dem Vater das Sorgerecht zuspricht? Warum hat man das getan?«

Emma schloss die Augen. Als sie sie Sekunden später wieder öffnete, schimmerten Tränen darin.

»Sag jetzt die Wahrheit, Emma. Warst du eine ungeeignete Mutter?«

»Ich bin eine sehr gute Mutter«, beharrte Emma und sah Lily Bestätigung heischend an. »Aber ich habe Dinge getan, auf die ich nicht stolz bin ...«

»Was denn?«

»Bitte ...«

»Nun werd nicht plötzlich schüchtern«, warnte Brad sie. »Es fängt gerade an, interessant zu werden. Was für Dinge?« Brad ließ Emmas Haare los, und ihr Kopf sackte geschlagen auf die Brust.

»Ich habe gestohlen und gelogen.«

»Na so was. Du bist also eine Diebin und Lügnerin, ja?«

»Ja«, erklärte Emma deutlich. »Ich bin eine Lügnerin.« Sie wandte sich an Lily. »Ich habe dich angelogen. Über meine Vergangenheit. Über meinen Exmann ...«

»Du schuldest mir keine Erklärung.«

»Doch das tue ich. Ich schulde dir eine Erklärung. Und Peter. Und vor allem meinem Sohn.«

»Hey, vergiss mich nicht«, sagte Brad und lachte.

»Peter war nicht das Monster, als das ich ihn dargestellt habe«, fuhr Emma unaufgefordert fort. »Er hat mich nicht betrogen. Er war nicht pervers. Er ist ein guter Mann, und es tut mir schrecklich Leid, dass ich ihm so viel Kummer bereitet habe. Er war einfach ein grundguter Kerl, der in etwas geraten ist, das sein Verständnis überstiegen hat. Er hat versucht zu verstehen, warum ich getan habe, was ich getan habe, warum ich gelogen habe, wenn ich genauso gut die Wahrheit hätte sagen können. Ich wusste keine Antworten darauf. Was sollte ich sagen? Warum sollte er irgendetwas glauben, was ich sagte? Nach einer Weile hat er einfach aufgegeben und erklärt, er könnte dieses ständige Auf und Ab nicht mehr ertragen. Er wollte die Scheidung und dachte, dass es Martin bei ihm besser gehen würde. Ich wusste, dass er Recht hatte. Ich wusste, dass ich vor Gericht keine Chance haben würde, aber ich konnte ihm doch nicht einfach meinen Sohn überlassen. Martin ist das einzig Anständige, was ich in meinem Leben geschafft habe.« Sie atmete tief ein und langsam wieder aus. »Ich liebe meinen Sohn sehr. Das weißt du doch, oder?«

»Das weiß ich«, flüsterte Lily.

»Du suchst dir aber auch immer seltsame Freundinnen aus, Lily-Beth«, sagte Brad. »Obwohl ich zugeben muss, dass sie mir besser gefällt als das alte Gracie-Girl.«

Lily ließ die Kinnlade fallen und riss die Augen auf. »Grace?«

»Ja. Habe ich noch nicht erwähnt, dass ich ihr letzte Woche einen kleinen Besuch abgestattet habe?«

»Was hast du ihr getan, Ralph?«

»Brad«, erinnerte er sie.

»Du hast sie umgebracht, nicht wahr?«

»Nun, ich muss zugeben, dass sie, als ich sie zum letzten Mal gesehen habe, tatsächlich einen ziemlich toten Eindruck machte.« Brad lachte, als hätte er eben den lustigsten Witz der Welt gerissen. »Also, ich amüsiere mich wirklich prächtig. Und die Damen?«

»Bitte«, flehte Emma. »Lassen Sie mich einfach laufen. Ich schwöre, ich werde es niemandem sagen.«

Sofort schnellte Brads Hand vor. Ohne auch nur in Emmas Richtung zu blicken, stieß er das Messer tief in ihre Brust. Emma riss die Augen auf, und ein ungläubiger Schrei drang über ihre Lippen. »Tss, tss, tss«, sagte Brad und zog das Messer wieder heraus. »Hab ich dich nicht gewarnt, dass du mich nicht anlügen sollst?«

Jamie starrte fassungslos auf das Blut, das aus Emmas Brust quoll und in ihre hübsche gelbe Bluse sickerte. Das Gemetzel hatte begonnen. Erst Emma, dann Lily, dann sie selber. Und wenn Brad sie nicht umbrachte, wenn er beschloss, die anderen zu töten und sie am Leben zu lassen, würde sie mit ihrem Gewissen weiterleben können?

Wann fängst du endlich an, die Verantwortung zu übernehmen?, hörte sie ihre Mutter und ihre Schwester fragen.

Hatten sie etwa von Anfang an Recht gehabt?

Und dann war das Zimmer plötzlich von lautem Geschrei erfüllt, als Jamie sich auf Brad stürzte, in seinen Rücken sprang und ihm mit den Fingern einer Furie die Augen auszukratzen versuchte. Brad fuhr herum, um sie abzuschütteln, aber sie klammerte sich fest, auch als er mit dem bereits blutigen Messer blindlings in Richtung ihrer Arme zu stechen begann.

»Verdammt«, brüllte er und stolperte über Emmas Beine, als Lily mit gefesselten Beinen nach ihm trat und am Knöchel traf, sodass er quer durch den Raum segelte und das Messer fallen ließ, das in den Flur geschleudert wurde. Jamie hüpfte über ihn hinweg und wollte sich auf das Messer stürzen. Aber Brad bewegte sich nach wie vor gefährlich schnell und bekam die Beine ihrer leicht ausgestellten Jeans zu fassen, als sie gerade nach dem Holzgriff des Schnappmessers greifen wollte.

»Nein!«, schrie Jamie, als ihr das Messer entglitt und er sie über den Boden zu sich zerrte.

»Du bist wirklich ein lebhaftes kleines Ding, was?« Er lachte, als er sie auf den Rücken drehte und seine Finger um ihren Hals legte. »Ich werd dich bestimmt vermissen, Jamie-Girl.«

Jamie spürte einen Luftzug und sah, wie Lily sich von hinten mit voller Wucht auf Brad stürzte, sodass ihm kurz die Luft wegblieb. In dem Moment, den er brauchte, um sich wieder zu fassen und Lily abzuschütteln, entwand Jamie sich seinem Griff und suchte panisch nach dem Messer. Sie fand es, als Brad sie erneut zu fassen bekam. Er riss sie herum und packte mit beiden Händen ihren Hals. »Bist du bereit zu sterben, Jamie-Girl?«, fragte er.

Es war nur eine winzige Bewegung, ein kurzes Aufblitzen von Metall. Jamie sah die Klinge nicht zwischen Brads Rippen verschwinden. Sie sah nur seinen überraschten Gesichtsausdruck, als er vor ihr auf die Knie sank. Seine Augen verdrehten sich nach innen, und er fiel rückwärts um, der Griff des Messers ragte über dem Herzen aus seiner Brust.

Jamie stürzte zum Telefon, wählte den Notruf und verlangte schreiend nach einem Krankenwagen. Dann band sie Lilys Arme und Beine los. Beide Frauen eilten an Emmas Seite, und Lily wiegte die halb bewusstlose Frau in ihren Armen.

»Alles wird wieder gut«, versicherte Jamie Emma und versuchte, mit der Faust den Blutfluss zu stillen. »Hören Sie mich, Emma? Halten Sie durch. Alles wird wieder gut.«

Emma reckte den Kopf in Lilys Richtung und versuchte mühsam zu sprechen. »Sag meinem Sohn, dass ich ihn liebe«, hauchte sie.

30

Jamie saß auf dem beige-grünen Sessel. Tränen strömten über ihre Wangen. Sie unternahm keine Anstrengung, sie abzuwischen oder zu unterdrücken, obwohl die neben ihr stehende Polizistin ihr mit einem Papiertaschentuch die Wangen abtupfte und irgendjemand fragte, ob alles in Ordnung wäre. Wie sollte alles in Ordnung sein, fragte sie stumm zurück. Ich habe einen Mann getötet. Meinetwegen ist eine Frau in Atlanta gestorben. Eine weitere Frau wird ihre Verletzung möglicherweise nicht überleben, obwohl die Notärzte optimistisch waren, dass Emma durchkommen würde.

»Sie atmet noch«, erinnerte Jamie sich, irgendwen rufen gehört zu haben, als die Besatzung des Krankenwagens in Aktion getreten, eine Sauerstoffmaske über Emmas aschfahlem Gesicht befestigt und ihren steifen und blutverschmierten Körper auf eine Trage gehievt hatte.

»Was man von dem da nicht behaupten kann«, stellte ein zweiter Notarzt mit Blick auf Brad fest.

Das Sirenengeheul hallte noch in Jamies Ohren nach, obwohl es mindestens eine Stunde her war, seit der Krankenwagen die Mad River Road verlassen hatte.

Wenige Minuten nach ihrem panischen Anruf war die Polizei eingetroffen. Und praktisch unmittelbar danach war ein weiterer Polizist ins Zimmer gestürmt, gefolgt von einer Frau in einem bauchfreien grauen Trainingsanzug. »Wo ist Lily?«, rief die Frau, während ein Polizist sie rasch wieder aus dem Haus zog. »Lily, ist alles in Ordnung? Jeff, tu irgendwas.«

Der Polizist namens Jeff versicherte ihr, dass er sie später anrufen würde und dass es Lily tatsächlich gut ging. Jamie blickte zu ihr hinüber. Sie saß jetzt auf dem braunen Sofa und weinte leise in Jeffs Armen. Das Ganze war augenscheinlich mehr als eine rein berufliche Angelegenheit. Es war ein kleines Zimmer. Jamie musste sich nicht besonders anstrengen, ihr Gespräch mitzubekommen.

»Wir haben Peter Rice gefunden«, hörte sie Jeff sagen. »Er hat bestätigt, dass seine Exfrau vor fast zwei Jahren ihren Sohn entführt hat, nachdem ihm das Gericht das Sorgerecht zugesprochen hat. Seither hat er nach ihnen gesucht. Ihr richtiger Name ist übrigens Susan.«

Lily schüttelte den Kopf. »Sie wirkt gar nicht wie eine Susan.«

Jamie lächelte traurig. Die Menschen waren so selten so, wie sie zu sein schienen, dachte sie.

»Jedenfalls kommt er mit dem nächsten Flugzeug hierher.«

»Das ist gut.« Lily rieb sich ihr Handgelenk, wo sich die Spuren der Fesseln immer noch rot abzeichneten. »Weißt du, Emma ist nicht die Einzige, die gelogen hat«, erklärte sie Jeff. »Es gibt so viel, was ich dir erzählen muss.«

»Das muss aber nicht jetzt sein.«

Lily lächelte dankbar. »Kann ich es dir später erzählen?«

»Ich gehe nirgendwo hin.«

Lily streichelte seine Hand. »Woher hast du gewusst, dass du herkommen musstest?«

»Ich bin zum Training ins Studio gekommen. Jan hat mir von der albernen Trophäe erzählt und dass du Hals über Kopf aufgebrochen und noch nicht zurückgekommen bist. Sie hat sich Sorgen gemacht und ich offen gestanden auch, also haben wir beschlossen, bei dir vorbeizuschauen. Sobald wir um die Ecke gebogen sind, haben wir die Streifenwagen und den Krankenwagen gesehen. Mein Herz ist ungefähr bis zu den Knien gerutscht«, gestand er.

Jamie lächelte, als Lily ihren Kopf an Jeffs Schulter lehnte.

Sie dachte, dass Jeff Dawson ein netter Mann war. Lily hatte einen Guten gefunden.

»Und wie geht es Ihnen?«, fragte die Polizistin Jamie. Jamie war sich nicht sicher, meinte sich jedoch zu erinnern, dass die Frau mit der ebenholzfarbenen Haut sich vorhin als Angela Pauley vorgestellt hatte. Sie sah etwa zehn Jahre älter aus als Jamie und war ungefähr zehn Kilo schwerer.

Jamie zuckte die Achseln. Was sollte sie sagen? Sie hatte keine Ahnung, wie es ihr ging. In einem Moment hatte sie noch auf dem Boden gesessen und sich still darauf vorbereitet, sich in ihr trauriges Schicksal zu fügen, was immer es sein mochte, und im nächsten Moment war sie plötzlich auf den Beinen gewesen und hatte um ihr Leben gekämpft. »Bist du bereit zu sterben, Jamie-Girl?«, hörte sie Brad höhnen. Die Antwort lautete Nein. Sie war nicht bereit zu sterben. Sie wollte leben.

»Das sind hübsche Ohrringe«, sagte Angela Pauley.

Jamie nestelte nervös an ihren Ohren. Sie nahm die Ohrringe heraus und gab sie der Polizistin. »Die gehören meiner Schwiegermutter. Könnten Sie dafür sorgen, dass ihr Sohn sie bekommt?«

Angela Pauley gab die Ohrringe einem weiteren Beamten, der in der Nähe stand, und die beiden wechselten einen kurzen Blick. »Fühlen Sie sich imstande, jetzt eine Aussage zu machen?« Die Polizistin hatte plötzlich Stift und Papier in der Hand und kniete sich neben Jamie.

Was konnte sie sagen, fragte Jamie sich. Wo sollte sie anfangen?

»Sie hat uns das Leben gerettet«, schaltete Lily sich mit einem dankbaren Lächeln von dem braunen Sofa aus ein.

»In welcher Beziehung standen Sie zu Ralph Fisher?«, fragte Officer Pauley an Jamie gewandt.

Ich war seine Geliebte, antwortete Jamie stumm.

»Sie war unglaublich«, sagte Lily.

Seine Reisegefährtin, seine Komplizin, sein Opfer.

»Ohne sie wären wir alle tot.«

Seine Mörderin.

»Was haben Sie und Ralph Fisher hier gemacht?«, versuchte Officer Pauley es mit einem anderen Ansatz.

Jamie blickte durch die offene Haustür auf die Mad River Road. Was konnte sie sagen, um die Ereignisse der letzten paar Tage auch nur ansatzweise zu erklären? Wo sollte sie anfangen? In dem grässlichen kleinen Motel außerhalb von Dayton? In einem gediegenen Haus in Atlanta? In einer beliebten Bar in West Palm Beach?

Sag die Wahrheit, die ganze Wahrheit und nichts als die Wahrheit, flüsterte ihr ihre Mutter in das eine Ohr.

Sag gar nichts, bevor du nicht mit einem Anwalt gesprochen hast, riet ihre Schwester ihr in das andere.

Die beiden Frauen begannen zu streiten, und ihre Stimmen schwirrten durch Jamies Schädel wie Fliegen. Jamie schüttelte energisch den Kopf, um sie zum Verstummen zu bringen. Die einzige Stimme, auf die sie sich verlassen konnte, war ihre eigene, begriff sie in diesem Moment.

»Warum fangen wir nicht mit Ihrem Namen an?«, fragte Angela Pauley behutsam.

»Jamie Kellogg.«

»Möchten Sie irgendwas, Jamie? Vielleicht ein Glas Wasser?«

»Nein danke.«

»Meinen Sie, Sie sind bereit, uns zu erzählen, was passiert ist?«

Jamie atmete einmal tief durch und dann noch einmal. »Ich bin bereit«, sagte sie.

Danksagung

Die Leute fragen mich häufig, wie ich zu meinen Titeln komme. Ich antworte, dass das bei jedem Buch anders ist. Manchmal ist der Titel das Leichteste – er taucht unvermittelt in meinem Kopf auf, und ich konstruiere ein Buch drum herum. Beispiel: *The Deep End (dt.: Ein mörderischer Sommer)*. Manchmal ergibt sich ein Titel beim Schreiben des Romans. Ein Satz, ein Ausdruck, manchmal nur ein Wort sticht aus dem Buch hervor und verlangt, auf den Umschlag gedruckt zu werden. Beispiel: *See Jane Run (dt.: Lauf, Jane, lauf)*. Manchmal ist es eine reine Qual – ich habe ein Buch beendet und immer noch keine Ahnung, wie es heißen soll. Beispiel: *Don't Cry Now (dt.: Flieh, wenn du kannst)*. Manchmal fällt mir die Wahl zwischen einer Reihe von Alternativen schwer. Beispiel: *Grand Avenue (dt.: Nur wenn du mich liebst)*. Zum Glück fiel der englische Titel dieses Romans – *Mad River Road* – in die erste Kategorie.

Ich war auf einer Lesereise – fragen Sie bitte nicht, mit welchem Buch –, die mich auch nach Ohio führte, genauer gesagt nach Cincinnati und Dayton. Dort sah ich ein Hinweisschild für eine Straße namens Mad River Road und dachte sofort: Was für ein großartiger Titel für einen Roman! Etliche Jahre – und Bücher – später erinnerte ich mich wieder daran. Ich muss gestehen, dass ich nie in der echten Mad River Road gewesen bin und deshalb auch keine Ahnung habe, ob die von mir erfundene Straße mit ihren Häusern dem Original in irgendeiner Weise ähnelt. Mir hat bloß der Name gefallen. Ich hoffe, Ihnen gefällt das Buch und Sie verzeihen mir die Freiheiten, die ich mir genommen habe.

Gleichzeitig möchte ich mich bei den folgenden Personen für ihre fortwährende Hilfe und Unterstützung bedanken – Owen Laster, Larry Mirkin, Beverley Slopen, Emily Bestler, Sarah Branham, Jodi Lipper, Judith Curr, Louise Burke, Maya Mavjee, John Neale, Stephanie Gowan, Susanna Schell, Alicia Gordon und all die anderen großartigen Leute bei der William Morris Agency, bei Atria Books in New York und bei Doubleday in Kanada. Gleichzeitig möchte ich an dieser Stelle auch meinen diversen Verlegern und Übersetzern auf der ganzen Welt danken. Ich weiß ihren Eifer und ihre harte Arbeit wirklich sehr zu schätzen. Ein besonderes Dankeschön geht an das Team bei Goldmann in München – Klaus, Georg, Claudia und Helga – für die Organisation einer wirklich wundervollen Lesereise durch Deutschland im vergangenen Herbst, sowie ein besonderer Gruß an Veronika, die ich sehr vermisse.

Mein aufrichtiger Dank gilt des Weiteren Corinne Assayag, die das Design und die Pflege meiner Website übernommen hat. Und den vielen Leserinnen und Lesern, die mir E-Mails schicken, um mir zu sagen, wie sehr sie meine Bücher lieben – und auch den wenigen, die sagen, dass sie ihnen nicht gefallen. Ich würde zwar gerne jedes Mal alle glücklich machen. Aber das ist unmöglich. Lesen ist eine sehr persönliche und subjektive Angelegenheit. Ich kann mir nur vornehmen, bei jedem Roman mein Bestes zu geben und im Laufe der Zeit hoffentlich noch ein bisschen besser zu werden.

Vielen Dank auch an Carol Kripke, die mich über typische Verhaltensmuster bei ganz gewissen Menschen aufgeklärt hat. Diese Erkenntnisse waren sehr hilfreich bei der Entwicklung diverser Figuren, die in der Mad River Road wohnen.

Alles Liebe – zum Schluss – meinen hinreißenden Töchtern Shannon und Annie, die mich immer wieder auf neue Ideen bringen und auf die ich sehr stolz bin. Und meinem Mann Warren, der auf unseren alljährlichen Reisen nach Florida immer darauf besteht, selbst am Steuer zu sitzen – er behauptet, es wäre entspannter, als wenn ich fahre. Er ist uns auf unseren Fahrten über die Interstate 75 Chauffeur und Fremdenführer, und ich möchte ihm in aller Öffentlichkeit für seine Mühe, seinen Humor und seine Ausdauer danken.